BASTEI LÜBBE

Von Catherine Gaskin erschienen bei BASTEI-LÜBBE:

10 003 Das Erbe der Marquesa
10 041 Glück und Glas
10 240 Das Familiengeheimnis
10 676 Das große Versprechen
11 175 Feuer im Paradies
11 495 Die Stunde der Wahrheit
11 652 Liebe auf Schloß Lynmara
11 720 Das große Versprechen/
       Die Stunde der Wahrheit
11 770 Die Stürme des Lebens
12 024 Die englische Erbschaft

Catherine GASKIN

Das grünäugige Mädchen

Aus dem Englischen
von Karin S. Krausskopf

BASTEI-LÜBBE-TASCHENBUCH
Band 12169

1.–2. Auflage 1994
3. Auflage 1996

Titel der englischen Originalausgabe:
I know my love
© 1962/64 by Catherine Gaskin-Cornberg
Deutsche Ausgabe: Wolfgang Krüger Verlag GmbH,
Frankfurt am Main
Lizenzausgabe für den Gustav Lübbe Verlag GmbH,
Bergisch Gladbach
mit freundlicher Genehmigung der
S. Fischer Verlag GmbH,
Frankfurt am Main
Printed in Germany
Einbandgestaltung: ZEMBSCH-WERKSTATT
Titelillustration: Laurits Andersen Ring, Kopenhagen
Satz: hanseatenSatz-bremen, Bremen
Druck und Bindung: Ebner Ulm
ISBN 3-404-12169-4

Kapitel 1

Die Gattin des Gouverneurs ist gegangen und hat damit der Höflichkeitsformel des Nachmittagsbesuches genügt. Die Kinder haben sich gut benommen, und ich bin zufrieden. Wie immer, und wie viele andere kam sie, um meine Betreuung dieser Kinder, die einen der ersten Namen dieses Landes tragen und einmal eines der großen Kolonialvermögen erben werden, in Augenschein zu nehmen. Wie alle anderen findet sie es unpassend, daß man mir, die ich aus einem Londoner Tuchgeschäft hierherkam, die Verantwortung für sie übertragen hat. Doch solche Dinge, wie sie mir widerfuhren, ereignen sich noch in einem neuen Land. Und sie ereigneten sich wegen jenes Morgens, damals im Jahre 1854, als ich Rose Maguire auf der Straße nach Ballarat begegnete.

Der Name, den ich mir an jenem Morgen gab, lautete Emma Brown. Es war nicht mein richtiger Name. Jener spielt keine Rolle; denn er liegt dort begraben und ist verloren.

Ich war damals achtzehn Jahre alt. Ich erinnere mich, daß ich ihre Stimme hörte, als ich dort in dem zerwühlten Bett lag, neben mir den schnarchenden Mann, den ich haßte. Es schwang ein klarer, leichter Klang in jenen Stimmen, als sie so in der Morgenluft ertönten. Sie waren früh aufgestanden, wie die meisten, die auf der Straße zu den Goldfeldern dahinzogen. Gestern abend hatten sie ihr Lager neben dem Gasthaus aufgeschlagen; doch ich hatte sie nicht zu sehen bekommen, weil der Mann, Will Gribbon, mich im Hause hielt, wenn sich Leute in der Nähe befanden. Ich hatte schon vorher versucht, ihm zu entkommen. Er war hinausgegangen, um von ihnen die üblichen Gebühren zu verlangen für das Tränken ihres Viehs und das Auffüllen ihrer Wasserflaschen von der Windung des Billabongs, der durch die Rückseite seines Grundstückes drüben bei der Reihe von Kasuarinen* floß. Niemand außer Will Gribbon hätte eine Bezahlung verlangt.

Sie waren nicht in »The Digger's Arms« gekommen, weder zum Essen noch wegen des schlechten Whiskys, den Gribbon verkaufte. Zwei Schäfer, die unterwegs nach Melbourne waren, um ihren Lohn von sieben Monaten auszugeben, waren in jener Nacht die einzigen Gäste in der Wirtsstube.

Ich schlüpfte aus dem Bett, wobei ich sein Gesicht nicht aus den Augen ließ und mich in acht nahm, ihn nicht aufzuwecken. Sogar in dem Zwielicht, das durch die schmutzigen Gardinen sickerte, hatte dieses Gesicht nichts Anziehendes. Ein zehntägiger Bart bedeckte die fleischigen Backen; der Mund hatte sich in seinem volltrunkenen Schlaf geöffnet und entblößte die fleckigen, spitzen Zähne. Ich betrachtete ihn, und Furcht und Ekel stiegen in mir auf. Ich war noch Jungfrau gewesen, als er mich vor drei Tagen zu seinem Bett geschleppt hatte. Ich war genommen worden in Angst und Scham. Der Haß, den ich gegen ihn fühlte, war tief und eiskalt. Er war beinahe wie ein zweites Ich, das neben mir stand, und die

---

* Australischer Nutzholzbaum mit federartigen Zweigen.

Stärke dieses Gefühls schien Gribbon fast zu bedrohen. Vielleicht fühlte auch er im Schlaf diesen Druck, denn er bewegte sich und schien aufzuwachen. Ich erstarrte regungslos.

Nach einem Augenblick jedoch lag er ruhig, und sein Schnarchen nahm wieder den gleichmäßigen Rhythmus an. Leise näherte ich mich dem Fenster und schob die Vorhänge ein wenig auseinander. Was ich von dort aus sah, war ein alltäglicher Anblick auf dieser Straße von Melbourne zu den Goldfeldern. Ich hatte das alles schon oft gesehen – den Planwagen, das Ochsengespann, die am Feuer aufgeschlagenen Zelte. Der leere Platz neben »The Digger's Arms« wurde häufig zum Übernachten benutzt – mit Will Gribbons Unterstützung, da er eine armselige Art Kramladen in einem Schuppen neben dem Wirtshaus unterhielt, und wenn er keinen Rum verkaufen konnte, bestand für ihn immerhin die Chance, ein halbes Schaf oder eine Bratpfanne loszuwerden. Das baufällige Wirtshaus war nicht dafür gedacht, Gäste zu beherbergen, sondern diente nur dem Ausschank. Umgeben von der weiten Einsamkeit des Landes, stand es am Knotenpunkt der Hauptstraße und einem sich windenden, ungepflasterten Pfad, der zu einigen Farmen im Innern des Landes führte. Vor drei Jahren hatte er seinen Namen in »The Digger's Arms« umgeändert, als sich herausstellte, daß die Goldschürfungen bei Ballarat, Mount Alexander und Bendigo so ergiebig waren, daß die gierigen Horden der Goldgräber hier für eine längere Zeit vorbeiziehen würden. Vor drei Jahren war das Aushängeschild von »The Digger's Arms« schreiend bunt gewesen; inzwischen hatte die unbarmherzige australische Sonne es zu fahleren Farben verblassen lassen und diese mit der zarten, herben Tönung der Landschaft vermischt. Das wackelige Gebäude sah besiegt und müde aus inmitten dieses Landes, das zu groß für es war.

Ich schaute aus einem Seitenfenster, das mir einen guten Ausblick auf das Zeltlager gewährte. Dort unten lagerte eine Familie statt der Männergruppen, die sonst auf dieser Straße vorbeikamen. Eine große Familie — irisch, entschied ich; die einzelnen Worte konnte ich nicht verstehen, doch war mir Rhythmus und Tonfall ihrer Stimmen vertraut, wenn ihnen auch die harte Sprechweise der meisten irischen Einwanderer fehlte. Der Vater war ein hochgewachsener, schwarzbärtiger Riese von einem Mann, und seine drei erwachsenen Söhne sahen ihm ähnlich und waren vom selben Typ. Der jüngste war ein kleiner Junge von vielleicht zehn oder elf Jahren und hatte glattes, blondes Haar, das ihm in die Augen fiel. Er stieß mit den Füßen Steine herum, und als ihn das langweilte, warf er einen Stock in die Luft und rannte hinterher, um ihn aufzufangen. Die Frauen unterschieden sich von den meisten, die ich mit ihren Männern auf dem Weg zu den Goldfeldern gesehen hatte. Es waren zwei — Mutter und Tochter wohl —, und die jüngere war noch ein junges Mädchen. Beide trugen Bänderhüte, so daß ich ihre Gesichter nicht sah; doch nahm ich begierig ihre Kleidung in mich auf. Sie war gut und modisch geschnitten und viel zu elegant für diesen Ort. Ich wußte sofort, daß dies nicht die übliche Sorte einer Goldgräberfamilie war. Diese Leute hatten noch etwas Geld übrigbehalten — oder zumindest sprachen die Anzeichen davon. Ihre Ochsen waren gut genährt, und der Planwagen sah neu aus. Ihnen war nicht der Stempel der Armut aufgedrückt. Sie schrien sich nicht an mit schrillen, gequälten Stimmen sorgenvoller Niedergeschlagenheit. In meinen Augen lag der Unterschied zwischen arm und nicht arm unmißverständlich in der Richtung der Straße, welche

8

die Goldgräber zogen. Sie waren Kaufleute, hatten vielleicht irgendeinen Laden gehabt, entschied ich, wahrscheinlich Alt-Englands überdrüssig und angelockt durch Berichte über die reichsten Goldvorkommen der Welt, größer sogar als die Kaliforniens. Da ich selber mit einem Einwandererschiff gekommen war, wußte ich so ziemlich Bescheid – einige kamen um des Abenteuers willen, einige aus ungeheurer Not. Was auch immer der Grund war, sie alle kamen schließlich hierher, wo sie die Bergkette zu dem hochgelegenen Goldland überquerten. In diesem Stadium waren Reise und Träume beinahe beendet – für diese Leute da unten ebenso wie für alle übrigen. Für mich hatte es hier geendet, in »The Digger's Arms.«

Die Mutter dominierte in der Gruppe und schien daran gewöhnt zu sein. Sie kochte das Frühstück, während die Männer die drei kleinen Zelte abbauten und die Ochsen anspannten. Sie erteilte so gut wie alle Anweisungen. Ich bemerkte jedoch, daß sich das Mädchen ein wenig abseits von der Gruppe hielt. Planlos rollte sie die Decken zusammen und ließ sich Zeit dabei. Niemand aber schien sie zu kritisieren, und als sie die Arbeit unvollendet verließ und sich etwas anderem zuwandte, schien kein Tadel lautzuwerden. Der Klang ihrer Stimmen, die zu mir drangen, war neckend und gelöst, ja einmal klang sogar Gelächter auf. Ich erinnere mich, wie merkwürdig es mir erschien, dieses Lachen zu hören. Ich war nicht daran gewöhnt, Zuneigung in den Stimmen derer zu hören, die auf dieser Straße vorüberzogen; aber hier hörte ich sie ganz deutlich. Es war ein erstaunlicher Luxus, den diese Leute noch besaßen.

Und indem ich es hörte, entschied ich, daß dies die Leute waren, die ich bitten würde, mich nach Ballarat mitzunehmen. Wenn sie in die entgegengesetzte Richtung unterwegs gewesen wären, hätte ich sie ebenfalls gefragt. Wohin ich ging, war damals von geringer Bedeutung für mich — alles war gleich, solange ich nur »The Digger's Arms« und Gribbon hinter mir zurückließ. Es war qualvoll für mich, jeden Handgriff — jeden Schritt langsam und behutsam zu tun, wo doch fast alles davon abhing, sich zu beeilen.

Schon spannten sie die Ochsen an und löschten das Feuer mit Erde. Bald würden sie fort sein. Ich ließ mein dürftiges Nachthemd heruntergleiten und stand einen Augenblick nackt neben dem Kleiderhaufen, der in der vergangenen Nacht auf den Boden geschleudert worden war. Als ich nach meinen Beinkleidern griff und dem zerschlissenen Korsett, packte mich die Angst, daß Gribbon in diesem Moment aufwachen und gestärkt nach dem Schlaf, voll finsterer Leidenschaft mich ins Bett zurückbefehlen würde. Meine Finger waren ungeschickt, als ich meinen Unterrock und das alte, verschossene, graue Kleid anzog. Ich hatte ein besseres Kleid als dieses, ein hübsches, grünkariertes aus London; doch es lag in der Truhe am Fußende des Bettes, und ich schreckte zurück vor dem Geräusch, das ich beim öffnen machen würde. Ich hätte es so gerne mitgenommen; aber ich mußte verzichten. Ich flocht mein Haar in einen langen Zopf, nahm mir jedoch nicht die Zeit, ihn aufzustecken, obwohl ich, wenn ich ihn so trug, jünger aussah, als ich jetzt aussehen wollte. Ich gewahrte flüchtig mein Gesicht in dem alten, gesprungenen Spiegel — ein bleiches Gesicht und zu dünn. Es war nie ein hübsches Gesicht gewesen — in einem günstigen Augenblick hatte mein Vater es »interessant« genannt. Ich hatte schräge, grünliche Augen; doch das trübe Licht hier im Zimmer hatte die Farbe aus ihnen gesogen. Sogar in diesem Augenblick ungeheurer Eile wünschte ich eine Sekunde lang, es möge ein hübsches Gesicht sein, so, wie ich es immer wünschte, sooft ich in einen Spiegel blickte.

Schließlich warf ich mir einen Schal um die Schultern und hob meine Schuhe auf. Auf der Truhe am Fußende des Bettes lag Gribbons Zeug, sein Tabaksbeutel, seine Pfeife und der neue Webley-Doppelrevolver, den er gerne in der Schankstube trug, um die Gäste zu beeindrukken. Er mußte betrunkener als sonst gewesen sein, als er in der vergangenen Nacht seine Taschen ausleerte; denn es lag dort auch ein kleiner Haufen Geld. Er versuchte immer, alles Geld vor mir zu verstecken. Ich schaute das Geld an und blickte zurück auf seine schlafende Gestalt. Dann stellte ich meine Schuhe hin und fing an, es mit beiden Händen aufzusammeln. Es waren siebenundzwanzig Shilling und vier Pennies, und wenn ich es nahm, bedeutete das, daß ich mir die erste Mahlzeit nach der Flucht von »The Digger's Arms« nicht erbetteln mußte. Ich könnte damit auch eine Fahrt bezahlen, wenn ich es dafür ausgeben müßte. Ich steckte es in meine Rocktasche und wurde eiskalt vor Angst bei dem Klikken der Münzen. Ich langte wieder nach meinen Schuhen und schlich mich zur Tür. Aber einen Augenblick später war ich wieder an der Truhe und legte vorsichtig das Geld Münze für Münze wieder hin. Es war ein Fehler gewesen, es zu nehmen. Gribbon würde es weit höher bewerten als mich und mich deshalb womöglich verfolgen, und das Gesetz könnte seine Hand nach mir ausstrecken. Nein, diese Waffe würde ich ihm nicht geben.

Dies alles hatte Zeit gebraucht, und an den Geräuschen von unten merkte ich, daß die Familie im Begriff war aufzubrechen. Ich ging so schnell, wie ich es wagte, ans Fenster, schob den Vorhang diesmal weiter auseinander und preßte mein Gesicht an die Scheibe. Sie waren bereit loszufahren; alle, außer dem Mädchen und dem

Jungen, der darauf wartete, seiner Schwester beim Hinaufklettern zu helfen, befanden sich bereits auf dem Planwagen. Sie war drüben bei dem Flüßchen — und sie riefen nach ihr.

Sie machte kehrt, blieb zaudernd stehen und ließ sich Zeit. Sie schien diese kleine Demonstration der Unabhängigkeit zu genießen. Dann wurde die Mutter ungeduldig. Diesmal hörte ich die Worte ganz deutlich: »Rose! Komm jetzt, Rose!«

Das junge Mädchen beschleunigte seine Schritte nur ein wenig. Der Vater hielt die Zügel zum Abfahren bereit in den Händen. Endlich war sie am Wagen, und ihr Bruder streckte die Hand aus, um ihr auf ihren Sitz hinten, wo die Zeltplane offen war, hinaufzuhelfen. Den Fuß auf dem Tritt, hielt sie inne und blickte sich um. Ich fragte mich, ob sie sich vielleicht eine Erinnerung an diesen vertrockneten und staubigen Rastplatz auf dem Weg nach Ballarat einprägen wollte. Warum irgend jemand wünschen könnte, sich daran zu erinnern, war mir unerklärlich. Doch ihre Augen glitten über »The Digger's Arms« und kamen unvermeidlich zu dem Fenster, wo ich stand. Ihr Gesicht war emporgewandt.

Das war das erstemal, daß Rose Maguire und ich uns voll ansahen. In Anbetracht all dessen, was uns später widerfuhr, denke ich manchmal gerne, daß etwas Besonderes in den Blicken lag, die wir tauschten, eine Vorahnung der Zukunft. Aber das war es wirklich nicht. Sie war für mich ungeheuer wichtig als ein Mitglied der Familie, von der ich hoffte, daß sie mich mit sich reisen lassen würden, und die ich bewegen könnte, mir Arbeit zu geben — und dieser Augenblick war auch deswegen denkwürdig für mich, weil das emporgewandte Gesicht von Rose Maguire eines der schönsten war, das ich jemals gesehen hatte, ein Gesicht von der leidenschaftlichen Schönheit, die andere Frauen verzweifeln läßt. Ich glaube jedoch nicht, daß mein Anblick für Rose etwas Besonderes hatte, für sie war es nur das Gesicht einer Frau, die sie von einem Fenster beobachtete. Zweifellos war sie es gewöhnt, angeschaut zu werden, sowohl von Frauen wie von Männern. Mit so einem Gesicht bleibt man nicht unbeachtet.

Ich sah, wie ihre Lippen sich zu einem flüchtigen Lächeln öffneten – war es eine Bestätigung, war sie sich ihrer Macht schon so sicher? Es wurde mir als fröhlicher, kleiner Gruß dargeboten, und sie wartete nicht einmal auf eine Erwiderung, sondern ergriff ihres Bruders Hand und verschwand unter der Zeltplane. Es war ein Lächeln, wie man es einem Fremden, den man nie wiederzusehen erwartet, auf einer Reise zuwirft. Und plötzlich, ganz sinnlos, war mir zumute, als ließe man mich im Stich.

Ich drückte mich näher an die Scheibe und merkte, daß ich tonlos die Worte formte: »Wartet auf mich! Bitte, wartet auf mich!«

Es erklang keine Antwort, natürlich nicht. Nichts als das Scheppern des Geschirrs, und dann erblickte ich die Staubwolke, die sogleich in ihrer Spur aufstieg.

Schließlich war es das grünkarierte Kleid, das mir zum Verhängnis wurde. Es gibt keine Frau auf der Welt, die eine schöne Frau ansehen kann und sich nicht wünscht, ebenfalls schön zu sein. Und wenn man nicht schön ist, fängt man an zu überlegen, wie man sich irgendwie schmücken könnte, damit der Unterschied nicht so groß sei. Nachdem ich Rose Maguire erblickt hatte, dachte ich wieder an das grünkarierte Kleid, erinnerte mich, daß es meine Augen grüner erscheinen ließ und daß es mit Spitze besetzt war und hübsch eng in der Taille, anders als dieses häßliche, graue Schlotterding, das ich trug. Eitelkeit trieb mich zu jener Truhe.

Behutsam, lautlos, legte ich die Pfeife, das Zeug, das Geld und den Revolver auf den Fußboden, hob den Deckel der Truhe und wühlte solange, bis ich das Kleid gefunden hatte. Ich wußte wohl, daß die Zeit verstrich; aber ich sagte mir, daß ich den schwerbeladenen Planwagen, der sicherlich nicht sehr schnell vorwärtskam, einholen könnte. Ich rollte das Kleid zusammen und klemmte es unter den Arm, während ich den Deckel schloß. Vielleicht wurde ich da zu zuversichtlich. Der Deckel rutschte mir aus den Fingern und fiel mit einem Knall zu.

Gribbon wachte sofort auf. Er schien sich in einer einzigen, schnellen Bewegung herumzurollen und halb aufzusetzen. Ich hatte keine Zeit, das Kleid zu verbergen. Die offene Tür und die daneben wartenden Schuhe müssen mich verraten haben.

»Wohin gehst du? Was hast du vor?« Seine Stimme war durch den vielen Whisky ein heiseres Krächzen; er war jedoch nüchtern. Jeden Morgen wachte er so auf — schlecht gelaunt nach der Trinkerei, doch nüchtern.

Ich konnte ihn nur anstarren; ich fühlte mich hilflos, fühlte die Qual, geglaubt zu haben, ich könnte fortlaufen und nun zu wissen, daß er mich daran hindern würde. Mein Körper trug noch die Spuren der Schläge, die er mir vor zwei Tagen verabreicht hatte, als ich eine andere Familie gebeten hatte, mich mitzunehmen. Ich konnte nichts sagen; ich trat nur einen Schritt zurück. Es geschah instinktiv. Es war zwecklos zurückzuweichen, da ich wußte, was nun kam.

»Nun . . .?«

Ich antwortete nicht. Meine Weigerung schien ihn rasend zu machen; es gefiel ihm, wenn Leute vor ihm winselten und sich duckten, und bis jetzt war es mir gelungen, das nie zu tun.

»Bist du taub?« schrie er. Er warf sich über das Bett und sah nun, daß der Deckel der Truhe leer war. Der Anblick ließ ihn einen Augenblick verharren. »Mein Geld . . .«, sagte er. »Der Revolver? — Was hast du damit gemacht?«

Ich blickte auf den Boden, und da bemerkte ich zum erstenmal richtig den Revolver. Ich hatte immer Angst vor Feuerwaffen gehabt und Angst vor der Art, in der Gribbon diesen mit sich herumtrug, wohin er auch ging. Jetzt sah ich ihn als ein Etwas, das Gribbon wegen der Furcht, die er anderen Menschen einjagte, hoch schätzte, und ich erkannte, daß auch er diese Furcht gekannt haben mußte.

Ich bückte mich und hob ihn auf.

Ich verstehe nichts von einem Revolver — oder verstand vielmehr damals noch nichts. Ich wußte nicht, ob er geladen war; ich hatte keine Ahnung, wie man ihn abfeuerte. Instinktiv hielt ich ihn so, wie ich es bei Gribbon gesehen hatte, wenn er in der Wirtsstube damit angab. Ich krümmte den Finger um den Abzug, wie er es getan hatte und hielt ihn dicht am Körper. Ich weiß nicht, was ich mit ihm vorhatte; ich hielt ihn, weil er für Gribbon ein Symbol der Macht war. Doch in meinen Händen schien er ihn nicht zu fürchten. Eine Sekunde lang sah er mich an, wütend, jedoch ohne Angst, und stürzte sich dann auf mich, hob einen Arm und schlug mir mit dem Handrücken ins Gesicht, daß mein Kopf jäh nach hinten flog. Gribbon war mir sehr nahe, als mein Finger den Hahn zog. Sekundenlang krallte er sich am Bettgestell fest. Der Knall des Revolvers übertönte beinahe sein kurzes, schmerzerfülltes Grunzen. Durch seine gespreizten Finger sah ich die schwarze, zerfetzte Pulverbrand-

stelle auf seinem Hemd — nur ein ganz dünnes Blutrinn-
sal auf seiner Brust. Dann glitt er zu Boden und starb sofort, wie ich glaube.

Ich weiß jedenfalls nur, daß er tot war, als ich ihn berührte, doch ich weiß nicht, wie lange ich dort stand mit
dem Revolver in der Hand, starr vor Entsetzen über das,
was ich getan hatte, bevor ich mich überwinden konnte,
ihn anzufassen.

Lange Zeit hockte ich auf dem Treppenabsatz oben an
der Treppe, das karierte Kleid immer noch törichterwei-
se krampfhaft gepackt, die Schuhe neben mir, und versuchte zu überlegen, was ich machen sollte. Dabei war
die Wahl eigentlich ganz einfach. Ich konnte hierbleiben
und die Folgen abwarten oder fortlaufen und versuchen,
ihnen zu entkommen. Ich wußte sehr schnell, daß ich
nicht hierbleiben würde. Ich hatte nicht beabsichtigt,
Gribbon zu töten, sagte ich mir und verdrängte den Gedanken, der sagte, ich hätte ihn genügend gehaßt, um es
zu wünschen. Aber es ist ein weiter Weg zwischen
Wunsch und Tat. Ich hatte es nicht tun wollen. Und weil
ich ihn so gehaßt hatte, beschloß ich, daß ich nicht ruhig
hier warten wollte, bis das Gesetz kam, mich für seinen
Tod zu bestrafen. Er war es nicht wert. Trotzdem saß ich
aber in einer Art Lähmung da. Man bringt keinen Menschen um, nicht einmal so einen wie Gribbon, ohne daß
es einen quält.

Wir hatten vor mehr als einem Monat hier haltgemacht, mein Vater, mein Bruder George und ich. Und
jetzt lag mein Vater dort drüben bei den Kasuarinen am
Fluß begraben. Er war schon als sterbender Mann hierhergekommen. Ich erinnere mich an jenen hartnäckigen
Husten, den die Seereise, wie er gehofft hatte, heilen
würde.

16

Wie all die anderen hatten wir um des Goldes willen England verlassen.

Wir hatten noch einige Pfunde übrig, als wir zu »The Digger's Arms« kamen. Gribbon hatte uns nicht aufnehmen wollen; widerstrebend überließ er uns schließlich die angebaute Hütte neben der Küche. Mehr als drei Wochen lag mein Vater dort, bevor er starb. Unser Geld war aufgebraucht, und wir schuldeten Gribbon Essen und Unterkunft; denn unser letztes Geld hatten wir einem vorbeikommenden Arzt gegeben, der meinen Vater kurz behandelte und ihm einige Medizin dagelassen hatte. Kein Pfarrer hatte meinen Vater dem Grab übergeben; es gab keine Kirche in dieser Gegend, und der Pfarrer unternahm nur unregelmäßige Runden durch seine Gemeinde. Gribbon gehörte nicht zu dieser.

George, der nie zuvor eine Schaufel in der Hand gehabt hatte, brauchte mehr als zwei Tage, um jenes Grab zu graben. Er hatte nur noch gewartet, meinen Vater hineinzulegen, das rohe Brett mit seinem Namen zu schnitzen, und dann hatte er sich auf der Straße zu den Goldfeldern auf und davon gemacht. George wußte, was er wollte, und dazu gehörte nicht, eine Schwester auf dem Hals zu haben. Den einsamen Marsch nach Ballarat und die Möglichkeit, von Strauchdieben überfallen zu werden, hatte er weniger gefürchtet als Gribbon. Ebenso wie ich hatte er die Härte von Gribbons Schlägen, die uns bei der Arbeit antreiben sollten, zu spüren bekommen. Gribbon hatte verkündet, daß wir unsere Schulden durch Arbeit abzahlen müßten. George hatte sich für diese Schulden nicht verantwortlich gefühlt und war deshalb fortgelaufen. Das war vor drei Tagen.

Als George fort war, hatte Gribbon mich mit einer solchen Selbstverständlichkeit zu seinem Bett gezerrt, als wäre auch dies ein Teil der Abzahlung der Schulden. Ich fühlte nicht viel von dem, was in jener ersten Nacht mit mir geschah. Wenn man gekämpft und verloren hat, empfindet man die ersten Augenblicke der Niederlage nicht richtig; man kann es nicht glauben. Aber am nächsten Tag begriff ich, was mir widerfahren war und was weiter geschah. Es würde so weitergehen, solange ich es erduldete, und deshalb wußte ich, daß ich fortmußte.

Gribbon ließ mich nie aus den Augen. Ich mußte kochen und saubermachen, Wasser vom Fluß holen und sogar Holz hacken; nur in der Wirtsstube bedienen durfte ich nicht und auch nicht in dem kleinen Laden. Ich sollte weder mit Leuten noch Geld in Berührung kommen; er wußte, daß ich fortlaufen würde, wenn sich mir eine Gelegenheit dazu bot, und da Frauen rar waren, galt ich ihm viel, obgleich er mich angeschrien hatte, ich sei eine häßliche Schlampe.

Wenn auch »The Digger's Arms« nur ein Orientierungspunkt war, so flutete doch jeden Tag der Verkehr auf dieser Straße vorbei. Ich wußte, daß einer der Karrenwagen mich von hier mitfortnehmen würde, wenn ich bloß den richtigen Augenblick dafür abpaßte. In welcher Richtung er fuhr, war mir gleichgültig; doch mußte es eine Familie sein; ich hatte von Gribbon gelernt, den Männern, die zu den Goldgebieten zogen, nicht zu trauen. Ohne Zweifel waren viele von ihnen rechtschaffene Männer und hätten mir geholfen; doch gab es unter ihnen auch viele von Gribbons Sorte. Ich hielt es nicht für sinnvoll, meine gegenwärtige Lage hier gegen eine ähnliche oder sogar noch schwierigere bei den Goldgruben einzutauschen. Aus demselben Grunde konnte ich mich nicht allein auf den Weg machen — nach Geelong oder Melbourne oder zu den Goldfeldern. Allein nach drei Tagen von Gribbons Brutalität war ich beinahe so weit, es zu versuchen. Mich hielt nur der Gedanke an das zu-

18

rück, was geschehen war, als ich mich an die erste Familie, die anhielt, um ihr Vieh zu tränken, gewandt hatte.

Es war eine schottische Familie gewesen; die fünf Kinder waren noch klein, und die Mutter drohte ihnen mit schriller Stimme, um sie in Schach zu halten. Die Frau wich argwöhnisch zurück, als ich meine Bitte vorbrachte.

»Ich bin sehr kräftig«, versicherte ich ihr eindringlich. »Ich kann gut mit Kindern umgehen . . . Ich könnte Euch helfen. Ich will gar kein Geld, nur . . .«

»Und wir haben dir keins zu geben«, antwortete die Frau. »Und ich brauch' keine Hilfe.« Und als dann ihr Mann sich näherte und mich neugierig betrachtete, wurden die Augen der Frau ganz scharf.

»Weg mit dir, Jock«, keifte sie, »kümm're dich um deinen eigenen Kram.«

Da entdeckte Gribbon, was ich vorhatte, und kam wütend aus der Schenke. Er hielt mich fest am Arm gepackt und quetschte das Fleisch grausam zusammen, als er der Frau erklärte, daß ich Schulden bei ihm hätte und das Gesetz jeden verfolgen würde, der versuche, mich mitzunehmen.

»Wir haben nichts damit zu schaffen«, versicherte die Frau und wich zurück.

»Bitte«, flehte ich, »dieser Mann ist . . .«

»Wir haben nichts damit zu schaffen«, wiederholte sie. »Ich hab' selber Augen im Kopf.«

Darauf begann sie, die Kinder wieder in den alten Karren zu packen und rief ihrem Mann zu, er solle aufhören, den Ochsen zu tränken. Gribbon zerrte mich in die Küche. Ich hörte noch, wie die Frau ihren Mann schrill anschrie: »Wie kommen wir dazu, streunende Dirnen aufzulesen . . .«

Als sie fort waren, schlug Gribbon mich mit geradezu methodischer Grausamkeit.

Ein weiterer Tag verging, und keine Frau war in einer der Gruppen, die auf der Straße vorbeikamen oder wegen Wasser oder anderer Vorräte anhielten. Ich verbarg mein verschwollenes Gesicht und betete um irgendeine Rettung von Gribbon. Ich dachte, sie sei gekommen, als der Gendarm, der dann und wann durch diesen Bezirk ritt, in der Schankstube erschien. Zu der Zeit wußte ich noch nicht, obwohl es mir Gribbon später erzählte, daß Gendarm Withers einmal einen Mann, der sich der Verhaftung widersetzte, zu Tode geprügelt hatte. Ich entsinne mich jedoch, daß echte Furcht in mir aufgestiegen war, als ich ihm in einem Augenblick, als Gribbon den Raum verlassen hatte, gegenübertrat und versuchte, ihm meine Geschichte zu erzählen.

Während er den Whisky trank, den ihm Gribbon immer spendierte, lachte Withers mich aus.

»Glaubst du wohl, ich kenn' deine Sorte nicht, was? Schlampen, das seid ihr alle miteinander! So, du willst also nach Ballarat, wo 's 'ne leichtere Beute für 'ne Dirne gibt, he? Willst dahin, wo 's Gold ist — was?« Er deutete mit seinem Glas auf mich. »Aber ich will dir was sagen, 's tut meiner Seele gut, zu sehen, daß so 'ne wie du mal zur Abwechslung ordentlich ran muß. Wie ich die Sache sehe, hat Will Gribbon das Recht, aus dir rauszuholen, was er nur kann. Und wenn ich noch 'n Wort darüber hör', bring' ich dich vor 'n Richter wegen Belästigung. Haste gehört?«

Selbstverständlich steckte er es Gribbon, und es gab wieder Schläge. Mir tat noch alles weh vom Tag zuvor, doch bedeuteten diese einen geringeren Schock. Wenn ich hierbliebe, würde ich sie womöglich bald gar nicht mehr empfinden. Und ich erkannte, daß ich wegmußte, bevor diese Gleichgültigkeit mich überwältigte.

Und als ich deshalb an diesem Morgen jene Stimmen auf der Straße hörte, als ich entdeckte, daß es noch Menschen gab, die sich anzulächeln vermochten, hatte sich der Ekel gegen Gribbon und meine Lage hier zu einem unerträglichen Grad gesteigert. Ich wollte so gern bei diesen Menschen sein — ich wollte es so verzweifelt gern. Und nun fragte ich mich, wie ich hier auf diesem Treppenabsatz von »The Digger's Arms« saß, ob es nicht jene Verzweiflung gewesen war, die abgedrückthatte. Ich wußte keine Antwort. Ich würde versuchen, diese Frage niemals zu beantworten, wußte jedoch, daß sie mich mein ganzes Leben lang begleiten würde.

Ich mußte jetzt überlegen, was ich tun sollte. Früher oder später würde man Gribbon hier tot finden — vielleicht erst in einigen Tagen, vielleicht aber auch schon bald. Ich überlegte, wer mich hier gesehen hatte.

Gendarm Withers! Er war eine schreckliche Bedrohung, und dennoch mußte ich es wagen. Wer könnte behaupten, daß ich nicht schon gestern fortgegangen war? — oder mit George? Wer könnte behaupten, daß Gribbon nicht von einem, der auf Raub aus war, erschossen wurde? Außer den Erzählungen über Strauchdiebe wimmelte es im Land von Geschichten über Schäfer, die wegen einiger Shilling oder einem letzten halben Krug Rum in einsamen Hütten ermordet worden waren.

Ich hielt mir diese Dinge vor Augen; denn hätte ich es nicht getan, wäre ich verzweifelt. Ich versicherte mir, daß ich in den anonymen Massen der Goldgebiete untertauchen könnte, zwischen den Zelten, die keine Nummern trugen, unter den Menschen, die in ihrer eigenen Regierung kein Stimmrecht hatten. Täglich kamen und gingen Leute auf die Goldfelder; niemand hatte sie je gezählt.

Ich wußte, daß ich, wenn ich den Schutz jener hin und her ziehenden Menschen erreichen könnte, eine Chance hatte. Hierbleiben bedeutete, sich mit Prozeß und Gefängnis abzufinden. Nein, mir blieb keine Wahl.

Ich raffte mich auf, langte nach meinen Schuhen, dem grünkarierten Kleid, und zwang mich, noch einmal in das Schlafzimmer zu gehen. Gribbon lag mit dem Gesicht nach oben zusammengekrümmt zwischen Bett und Truhe. Um zur Truhe zu gelangen, mußte ich über ihn hinwegtreten; meine Röcke streiften seinen Körper. Ich sah ihn nicht an. Es hatte keinen Zweck, jetzt, wo er tot war, Mitgefühl mit ihm zu heucheln, da ich ihn doch so gehaßt hatte, als er lebte. Es tat mir nur leid, daß ich nun einen Mann wie Gribbon mein ganzes Leben lang auf dem Gewissen hatte.

In der Truhe befanden sich die wenigen persönlichen Dinge, die ich mitgebracht hatte, ein Buch, in dem mein Name stand, und meines Vaters Zeug. Nichts davon durfte hierbleiben, nichts, was verraten könnte, daß ich jemals existiert hatte, oder jenen, die von mir wußten, zeigen könnte, daß ich Hals über Kopf fortgelaufen sei. Ich stopfte alles in die Segeltuchtasche, die ich vom Schiff mitgebracht hatte, schloß sie und wandte mich zur Tür. Doch ich ging noch einmal zurück und hob das Geld auf, nicht, weil ich es behalten wollte; aber Gribbons Tod würde dann eher nach einem Raubmord aussehen, wenn kein Geld neben seiner Leiche lag. Den Revolver ließ ich auf dem Fußboden liegen, wo ich ihn hatte fallen lassen.

Ich weiß, ich machte die Tür mit großer Entschlossenheit hinter mir zu, ohne auch nur einmal zurückzuschauen; doch konnte ich nicht sehr ruhig gewesen sein; denn als ich mich wieder auf den Treppenabsatz setzte, um meine Schuhe anzuziehen, zitterten meine Hände so sehr, daß das Schnürband mir zwischen den Fingern zerriß. Ich tat, was ich konnte, um es zusammenzuknoten, doch reichte es nur noch, um den Schuh halb zuzuschnüren. Der Absatz klapperte erschreckend laut bei jedem Schritt, als ich die Treppe hinunterging — und in meinem ganzen Leben hatte ich mich noch nie so allein gefühlt wie in diesen Augenblicken.

Die kalte Asche von gestern lag noch im Herd. Während ich mir Brot und etwas Käse einwickelte, widerstand ich der Versuchung, ein Feuer anzuzünden und Wasser für Tee heißzumachen. Es war besser, jene erkaltete Glut liegen zu lassen, damit sie für sich selber sprach. Ich trank einen Becher kaltes Wasser aus dem Eimer und ging dann als letztes zu dem losen Ziegelstein im Kamin, hinter dem Gribbon sein Geld aufbewahrte. Er muß mich für dümmer gehalten haben als ich war; denn ich hatte bald gemerkt, wo er sein Geld versteckte. Sein betrunkenes Herumfummeln an dem Ziegelstein, das andauernde Schweifen seiner Augen zu diesem Fleck waren zu auffällig gewesen, wenn man so viel Zeit in der Küche verbrachte wie ich. Mein einziger Gedanke in jenen Wochen war, zu verhindern, daß George es entdeckte. Er hätte vielleicht nicht widerstehen können, es mitzunehmen, als er fortging. Nun zog ich den schmutzigen Waschlederbeutel heraus und nahm mir nicht einmal die Mühe, den Inhalt zu zählen. Wozu auch — ich würde es mit dem übrigen vergraben.

Aus der Hütte, in der mein Vater gestorben war, holte ich mir den Spaten, mit dem George das Grab geschaufelt hatte. Ich wußte, ich würde jetzt mein früheres Ich dort bei »The Digger's Arms« zurücklassen; ein anderer Mensch mit einem anderen Namen würde sich zu den Goldfeldern aufmachen. Das hieß, ich mußte auch meines Vaters Identität zurücklassen. Nichts, was ihm gehört hatte, durfte ich mitnehmen. Wenn die Zeitungen Einzelheiten über die Suche der Polizei nach einer Frau, die bei Gribbon in »The Digger's Arms« gewesen war, brachten, durfte nichts vorhanden sein, was meinen neuen Namen mit dem alten in Verbindung bringen könnte. Ich konnte nur hoffen, daß George die Geistesgegenwart besitzen würde, den Mund zu halten, wenn wir uns auf den Goldfeldern treffen sollten; doch irgendwie glaubte ich, daß er es tun würde. Er hatte einen sehr ausgeprägten Selbsterhaltungstrieb. Ich grub das Loch fast unmittelbar neben der Viehtränke. Gribbon füllte den Trog täglich neu, damit der Billabong nicht durch die Tiere, die sonst zu ihm hinuntergeführt worden wären, verschmutzte.

Die Erde um ihn herum war weich und feucht und wies Hunderte von Fußspuren auf, von Menschen und Tieren. Sie würden also keine Aufmerksamkeit erregen, wenn die Polizei käme. Ich grub das Loch fast einen Meter tief. Nachdem ich durch die aufgeweichte Oberschicht hindurch war, wurde es schwieriger. Ich überlegte, ob ich eine Hacke holen müßte und begriff, warum George so über das Graben geklagt hatte.

Ich brauchte lange Zeit und hielt immer wieder inne, um quer durch die Bäume zu starren und die Straße nach den Staubwolken eines sich nahenden Planwagens abzusuchen. Die allergrößte Angst hatte ich vor einzelnen Reitern, die bei mir sein konnten, bevor ich es bemerkte. Ich hatte mir eine Stelle im Gebüsch auf dem anderen Flußufer ausgesucht, wo ich mich verstecken wollte, wenn genug Zeit bliebe. Ich versuchte, nicht daran zu denken, was geschehen würde, wenn man dieses gähnende Loch entdeckte, bevor ich es wieder auffüllen konnte.

Schließlich entschied ich, daß es tief genug sei und

holte meines Vaters Zeug, das Geld und widerwillig auch das Buch. Ich legte es als letztes hinein, weil ich es nicht mit den anderen Sachen zusammenwerfen wollte. Es war kein bemerkenswertes Buch, ein langweiliges Ding mit dem Titel *Die Grundsätze der Buchhaltung*. Vielleicht hatte sich Elihu Pearson einen kleinen Spaß erlaubt, als er es mir als einzige Erinnerung an das Tuchgeschäft in London, die Tage der Lehrzeit, gegeben hatte, mit der trockenen Mahnung, ich müsse mir meinen Weg mit meinem Verstand bahnen, weil mir Schönheit nicht beschieden wäre. Nun, immerhin war es mir so wertvoll gewesen, daß ich es den weiten Weg von London mitgenommen hatte. Ich hätte es gerne behalten, wenn nicht unter Elihu Pearsons Namen — in seiner krakeligen Schrift auf der Innenseite des Vorderdeckels, wo man ihn nicht herausreißen konnte — auch meiner gestanden hätte, in der zierlichen, wie gestochenen Schrift, auf die ich stolz war.

So legte ich es hinein, und es war, als zerstöre ich einen Teil von mir selbst.

Als nächstes mußte ich die Grabplatte, in die George den Namen meines Vaters geschnitzt hatte, holen und ebenfalls dem Loch anvertrauen. Die vertrockneten Mimosenzweige, die ich zu einem Kranz gebogen hatte, fielen mit hinunter.

Als dies getan war, schaufelte ich es zu. Darauf ging ich in den Stall, streifte Gribbons Pferd das Halfter über und leitete es zu dem Wassertrog. Ich führte es hin und her, bis die lockere Erde über dem zugeschaufelten Loch festgetreten und mit seinen Hufspuren bedeckt war. Dann ließ ich es frei, damit es sich sein Futter suchen und am Fluß trinken konnte. Sollte die Polizei sich bei dem herumstreunenden Pferd denken, was sie wollte; ich brachte es nicht über mich, es womöglich dem Hungertod zu überlassen.

Will Gribbon hatte die Gewohnheit, das Erdgeschoß jede Nacht abzuschließen. Ich hinterließ es jetzt ebenso. Ich schloß die Küchentür ab mit dem Schlüssel, der immer an dem Nagel hing, warf ihn an der tiefsten Stelle in den Fluß und vertraute darauf, daß der Schlamm ihn mit der Zeit bedecken würde.

Hiernach blieb nichts mehr zu tun, als meine Segeltuchtasche zu nehmen und zu gehen. Wie an der Tür des Zimmers, in dem Gribbon gestorben war, schaute ich mich auch jetzt nicht um. Niemals würde ich »The Digger's Arms« vergessen. Ich brauchte es mir nicht noch einmal einzuprägen.

Ich war kaum eine Meile gegangen, da riß der Schnürsenkel abermals. Nun fiel mir der Schuh fast bei jedem Schritt vom Fuße. Unbeholfen und stolpernd kam ich nur langsam vorwärts, durch das Gestrüpp die Straße entlang. Ich wollte eigentlich so lange außer Sicht bleiben, bis ich in die Nähe des Planwagens kam, dem ich folgte. Es war sicherer so; denn Frauen gingen hier nicht allein; dafür lagen die Farmen und Wohnhäuser zu weit voneinander entfernt.

Doch der ausgetretene Boden und das Gebüsch, dazu der schlackernde Schuh, machten mir das Gehen so schwer, daß ich mich schließlich doch auf die Straße wagte. Zweimal begegnete mir ein Planwagen in Richtung Melbourne oder Geelong — und ich versteckte mich rasch. Doch niemand kam an mir vorbei auf dem Wege nach Ballarat. An dem einzigen Bauernhaus, dicht an der Straße, drückte ich mich mit großer Vorsicht vorbei. Das unvermeidliche Hundegebell ertönte, und ich betete, welche Frau auch diesen Haushalt führte, sie möge die Hunde nicht loslassen auf das Känguruh oder

26

Opossum oder was sie dort im Gebüsch vermutete. Die lachenden Riesenkönigsfischer, die hier den seltsamen Namen Kookaburras tragen, saßen in Reihen auf den Ästen der Gummibäume, und ihr tolles Gelächter verspottete meine Einsamkeit und Angst. Es war nicht die sanfte, liebliche Landschaft Englands; es war einsam und groß und bedrückend. Die weiten, grasbewachsenen Hügel hatte man Schafherden überlassen. Ich erblickte kein Vieh außer einer Kuh, die dicht bei einem Gehöft graste. Es war der kurze Septemberfrühling dieses Landes, und von dem, was man mir von dieser Gegend erzählt hatte, wußte ich, daß dies das schnell verwelkende Grün war, das bald dem toten Braun des Sommers weichen würde. Es konnte hier kalt sein im Winter, sagten sie, mit manchmal einer dünnen Puderschicht Schnee in den höheren Orten und Eis morgens auf den Wassereimern. Doch die Kühle dieses Septembermorgens verschwand rasch, als die Sonne höher stieg und die Nebel emporzog. Unter den grauen Kautschukbäumen war der Nebel opalfarben; er riß in Fetzen, hing zuletzt noch um die obersten Spitzen der dürren Bäume und vertiefte die Schattierung des Graus, die ihre Blätter immer aufwiesen. Der Duft der Eukalyptusbäume war frisch; es war ein Geruch, der keinen Anteil an der Welt von »The Digger's Arms« hatte. Mir war, als hätte ich ihn niemals zuvor so intensiv bemerkt. Mir schien, es war der Geruch der Freiheit. Als die Sonne höher stieg, leuchtete das Rot der frischen Blätter, dieser winzigen, zart schimmernden Blätter des australischen Frühlings, die neben den alten sprossen. Ich empfand die Fremdheit dieses Landes, in dem alle einheimischen Bäume immer grün waren, nur die fremden reckten kahle Zweige in den Winterhimmel.

Ich wurde hungrig und aß das Brot und den Käse unter einem Gummibaum, weitab von der Straße. Ich war müde und durstig, doch Wasser war nirgends zu entdekken. Ich wäre so gern ein bißchen hiergeblieben, hätte müßig den großen Ameisen bei ihrer Arbeit auf dem trockenen Erdboden zugeschaut. Aber ich hob meine Tasche auf und ging weiter, und bald entschwand mir der Duft der Gummibäume, als die Sonne heißer wurde und ich mich auf die graubraune Straße vor mir konzentrierte. Ich holte einen Hut aus der Tasche und setzte ihn auf; doch er milderte nicht die Kopfschmerzen.

Ich hatte die üblichen Gefährten des Busches: ein Fliegenschwarm zog mit mir. Ich gab es bald auf zu versuchen, sie fortzuscheuchen und hielt nur noch angestrengt Ausschau nach der Staubwolke vor mir, meinem Ziel, dem Planwagen. Manchmal fiel ich in einen langsamen Trott — und allmählich bekam ich Blasen an der Ferse von dem lockeren Schuh. Der Schatten der Gummibäume wurde dunkler und so dicht, wie jene Bäume ihn immer werfen. Die Sonne erreichte ihren Mittagsstand und zog weiter.

Am Nachmittag holte ich sie ein. Meine Haut, mein Haar und meine Kehle schienen mit Staub verkrustet zu sein. Ich bemerkte nicht einmal den genauen Augenblick, in dem sie erkannt haben mußten, daß ich ihnen folgte; denn ich hatte das Stadium der Erschöpfung erreicht, in dem meine Augen auf den Boden geheftet waren. Alles, was ich wußte, war, daß der Wagen da vor mir weiterzog, und daß ich erneut versuchte zu rennen; als ich dann das nächste Mal aufschaute, hatte er angehalten, und sie warteten.

Und jetzt, als ich sie fast erreicht hatte, wurde ich unsicher. Ich hatte so fest darauf gebaut, daß diese Menschen so waren, wie sie mir erschienen, als ich sie von jenem Fenster beobachtet hatte — keine engherzigen Menschen, nicht mißtrauisch und teilnahmslos gegen Fremde, nicht voller Angst, in etwas verwickelt zu werden, einen Fremdkörper in ihre Familie aufzunehmen. Ich brauchte in Ballarat eine Zuflucht, ein schützendes Obdach. Ich mußte zu ihnen gehören. Doch jetzt kamen mir Zweifel, daß ein Mann genau das ist, was er scheint und auch eine Frau. Diese Familie war menschlich wie wir alle, mit Spannungen und Sorgen, die dem zufälligen Beobachter nicht offenbar werden konnten. Und einer von ihnen würde stärker sein als die anderen, und der Wink, auf den ich wartete, würde von diesem einen kommen.

Als ich den Wagen erreichte, stand die ganze Familie auf der Straße — alle, außer der Mutter, die vorn auf ihrem Sitz blieb. Ich muß sonderbar für sie ausgesehen haben mit dem stolpernden Gang in jenem elenden Stiefel, dem auf der Erde schleppenden, zu weiten grauen Kleid und meinem Schal, den ich durch die Henkel der Segeltuchtasche gestopft hatte. Ich wurde mir meiner jämmerlichen Erscheinung bewußt durch die Art, in der sie mich anstarrten — forschend und überrascht, als wäre ich aus dem Nichts erschienen oder aus der Staubwolke hinter ihrem Wagen. Rasch zählte ich sie wieder und rief mir ins Gedächtnis zurück, was ich am Morgen beobachtet hatte — der Vater, die Mutter, vor der sich alle beugten, die drei erwachsenen Söhne, die sich so ähnlich sahen, die Tochter, deren unwahrscheinliche Schönheit mich so bewegt hatte, und das jüngste Kind, der Junge mit dem goldenen Haar seiner Mutter. Sie sahen mich alle an und warteten, daß ich etwas sagte.

Endlich fand ich meine Sprache: »Seid Ihr zu den Goldfeldern unterwegs? — nach Ballarat?«

Der Vater sprach als erster. »Das sind wir. Können wir dir helfen?«

Ich hätte vor Erleichterung weinen mögen. Die ersten Worte waren richtig gewesen; sie schienen die ganze Ermüdung des langen Weges von mir zu nehmen, ja, beinahe das Grauen vor dem, was ich hinter mir zurückgelassen hatte, auszulöschen. Von nahem war sein Gesicht freundlich, sanft – wie ich es mir vorgestellt hatte –, mit den ruhigen Augen, die man manchmal bei Männern von großer Körperkraft findet. Ich fühlte bereits, daß ich mich ein wenig auf ihn verließ.

»Bitte . . .«, sagte ich, »könnte ich mit Euch bis Ballarat mitfahren? Ich bin den ganzen Tag gelaufen – seit heute morgen . . .«

»Heute morgen! Da sah ich dich!« fiel das Mädchen ein. »Ich entsinne mich jetzt. Es war an dem Fenster . . . an jenem Haus . . .«

»›The Digger's Arms‹«, ergänzte ich für sie. Es hatte keinen Zweck, es zu leugnen.

»Hast du dort gewohnt?« fragte die Frau. Sie war etwas zurückhaltender als ihr Mann, wie Frauen sind. Sie hatte ein waches, lebhaftes Gesicht. Eine hübsche Frau, die es wußte und es genoß. Sie lächelte sogar ein bißchen, die Fältchen unter den Augen vertieften sich, doch ihre Haut war immer noch fest und rosig. Das elegante Kleid, der Hut und die um die Ohren frisierten blonden Locken waren zu jugendlich für sie, doch bot sie einen Anblick, an dem jeder Mann sich gefreut hätte.

»Ich hab' dort gearbeitet«, antwortete ich. »Mein Vater war krank, und wir mußten dort anhalten. Wir hatten nicht viel Geld, und nachdem es aufgebraucht war, hab' ich für unseren Unterhalt gearbeitet.«

»Wo ist dein Vater jetzt?« fragte einer der Söhne, der älteste, wie ich entschied, obwohl er nicht mehr als ein oder zwei Jahre älter war als seine Brüder. Er war objektiver als die Eltern; der fragende Blick schien mich aufzufordern, was ich gesagt hatte, zu beweisen.

»Er ist dort gestorben – vor drei Tagen.«

Ich beschloß, nichts über George zu sagen.

Der Vater schnalzte mitfühlend mit der Zunge. »Armes Kind – dann bist du also allein?«

»Jetzt – ja«, sagte ich. »Ich hab' gewartet, daß eine Familie vorbeikommen würde und mich nach Melbourne oder Ballarat mitfahren ließe. Seht, ich muß irgendwelche Arbeit finden . . . Ich hab' gar kein Geld.«

Sie nahmen diese Auskunft schweigend hin, und ich sah, wie der Vater flüchtig zu seiner Frau hinüberblickte, wie um eine Entscheidung bittend. Plötzlich redete einer der anderen Söhne.

»Du bist englisch?« fragte er.

Sofort wußte ich, daß er die Engländer nicht mochte, was keine Seltenheit bei den Iren war. Er stieß das Wort aus, als würde es ihm die Zunge versengen.

»Oh, still jetzt, Pat!« rief seine Mutter. »Kannst du das nicht mal fünf Minuten ruhen lassen? Also, was hat dieses arme Mädchen überhaupt mit den Engländern zu tun! Als ob sie was dafür kann.«

Er wollte widersprechen. »Nun, aber . . .«

Da wurde die Tochter ungeduldig. »Oh, müssen wir hier stehen, während du noch mal die Kriege führst?« begehrte sie auf. »Wir müssen sie nehmen! Wir können sie nicht hier lassen – einfach hier auf der Straße.« Sie hatte es zu ihrem Vater gesagt, als wüßte sie, daß ihr die Bitte nicht abgeschlagen würde. So leichthin hatte sie es gesagt, als hätte sie nie bezweifelt, daß er bereit war, eine Fremde in die Familie aufzunehmen. Ich mußte mich daran erinnern, daß ich nur um die Fahrt gebeten hatte; von nichts anderem war die Rede gewesen.

»Warst du allein in ›The Digger's Arms‹ — mit jenem Mann?« fragte die Mutter.

Ich wußte, ich konnte dieser Frage nicht ausweichen. Jede Frau würde sie stellen. Vor dieser Frage war ich wehrlos. Ich nickte. »Nachdem mein Vater starb — ja.« Ich unternahm einen Versuch zu erklären, wie es gewesen war. »Genau deshalb mußte ich fort . . . ich dachte, wenn Ihr mich nur so lange nehmen würdet, bis . . .«

Die Frau nickte. »Ah ja, ich verstehe. Dein Gesicht ist ganz verschwollen und blau. Ich wette, es war kein Bettpfosten, der dir das zufügte.«

Ich erwiderte nichts. Ich blickte mich nur im Kreis der Gesichter um und sah dort die Veränderung. Die Mutter war weltkluger als ihr Mann und erfahrener als die Söhne; doch hatte sie nur auf etwas aufmerksam gemacht, worauf sie schließlich von allein gekommen wären. Und die Veränderung vollzog sich je nach dem Charakter jedes einzelnen. Der Vater schüttelte leicht den Kopf, bedauerte mich vielleicht; der älteste Sohn runzelte die Stirn und strich sich nachdenklich über das Kinn. Der jüngere, den sie Pat nannten, betrachtete mich eingehender und prüfender, als entdeckte er erst jetzt, daß ich sowohl eine Frau war wie auch eine Engländerin. Und neben ihm scharrte der andere Sohn in schüchterner Verlegenheit mit dem Fuß. Das Mädchen wurde wieder ungeduldig. Sie glitt mit der Zunge über die Lippen und öffnete den Mund, um zu sprechen. Doch sie begegnete dem Blick ihrer Mutter und zuckte nur die Achseln.

Nur das Kind begriff nicht, worüber wir sprachen. Es zappelte in der langen Pause herum.

Dann richtete sich die Mutter auf. »Komm jetzt, Daniel! Laß uns weiterfahren — ich bin halbtot vor Hunger, und wenn wir nicht weiterkommen, sind wir nicht vor Sonntag in zwei Wochen in Ballarat.«

»Gewiß, Kate«, sagte er. »Das wollen wir tun.«

»Und was wird mit ihr?« erkundigte sich das Mädchen.

»Wir nehmen sie natürlich mit, du Dummchen! Hast du uns allen nicht gerade gesagt, wir könnten sie nicht hier auf der Straße stehen lassen? Steigt ein, allesamt!«

Der kleine Junge griff nach meiner Tasche. Sein Lächeln erinnerte mich an das seiner Mutter. »Ich freue mich, daß du kommst«, meinte er schüchtern.

Sie schienen nicht zu erwarten, daß ich etwas sagte. Sie begannen einfach alle gleichzeitig zum Wagen zu gehen, und das Mädchen wartete auf ihre Brüder, damit sie ihr hinaufklettern halfen. Ich war verblüfft, wie schnell und selbstverständlich nun alles ging, nachdem die Angelegenheit geregelt war.

»Einen Augenblick . . .«, sagte ich. »Also, ich möchte . . . Vielen Dank . . .«

Ich glaube, sie hörten mich nicht einmal. Ich wartete, bis ich an die Reihe kam und man mir in den rückwärtigen Teil des Planwagens hinaufhelfen möge, als ob ich bereits zu ihnen gehörte. Der älteste Sohn neigte sich herunter, um meine Hand zu ergreifen, und ich fühlte, wie sich die Hände desjenigen, den sie Pat nannten, um meine Taille schlossen, um mich hinaufzuheben.

»Grünauge«, meinte er neckend. »Grünauge – wie nennen sie dich? Wie heißt du?«

In dem Augenblick sprach ich zum erstenmal meinen neuen Namen aus. Fremd und unbeholfen kam er mir über die Lippen.

»Emma Brown«, sagte ich. »Ich werde Emmy genannt.« Dieser Teil war allerdings wahr.

Als wir auf den zusammengerollten Bettdecken hinten

im Planwagen dahinfuhren, nannten sie mir ihre Namen, oder zumindest das Mädchen tat es.

»Ich bin Rose Maguire«, erklärte sie. »Dies ist Larry, mein ältester Bruder. Und das ist Pat . . . und Sean.«

Den Namen ihres dritten Bruders sprach sie fast wie einen nachträglichen Einfall aus. Ich begriff, daß niemand die beiden in Gedanken trennte.

»Und ich bin Con«, verkündete das Kind.

»Das Baby«, fügte Rose hinzu. Sie sagte es halb belustigt, wohl um die Zornesröte in seinem Gesicht aufsteigen zu sehen; doch lag eine unbewußte Schärfe in ihrem Ton, die mich daran erinnerte, daß ein großer Altersunterschied zwischen ihr und ihrem jüngeren Bruder bestand und sie lange Zeit sowohl die Position des jüngsten Kindes wie auch die des einzigen Mädchens innegehabt hatte.

»Ich bin elf«, schrie er fast, und die Belehrung war genauso für Rose wie für mich bestimmt.

»Beinahe ein Mann«, bestätigte ich. »Du mußt in diesem Land ein Mann sein, nicht wahr? Ich meine . . . eine Familie braucht jede Hilfe, die sie bekommen kann.«

Er sah erfreut aus. »Das tut sie«, stimmte er in seiner seltsam altklugen Ausdrucksweise zu. »In Ballarat gibt es keine regelmäßige Schule, so werde ich meinem Vater helfen.«

Plötzlich nahm Larry die unangezündete Pfeife, an der er gesogen hatte, aus dem Mund und schwenkte sie zu Con hinüber. »Du wirst deine Aufgaben genauso wie immer machen«, sagte er streng. »Wir wollen keine Dummköpfe hier aufwachsen lassen. Du wirst kein irischer Paddy*, weil du zufällig dann und wann eine Schaufel in die Hand bekommst.«

---

* Kurzform vom irischen Nationalnamen Patrick.

»Hört nur!« sagte Pat. »Hört ihm bloß mal zu. Freilich, Larry, du wirst ein guter Krämer — das wirst du! Ich kann dich schon sehen, wie du die Seifenstangen aufteilst, genau wie ein richtiger Engländer.«

Larry reagierte nicht in der schnellen Weise wie Con; er blickte seinen Bruder recht kühl an, als hätte er längst entschieden, daß jener ein Narr sei. Und schließlich deutete er auch mit dem Stiel seiner Pfeife auf ihn.

»Ich bin hergekommen, um das Gold aus ihren Taschen zu holen«, erklärte er. »Ich brauche nicht danach im Boden herumzuwühlen. Die Leute müssen essen, Kleider kaufen und Bratpfannen und Schaufeln. Ich verkaufe ihnen, was sie haben wollen und stecke ihr Gold in *meine* Tasche.«

»Genau, wie ich sagte — ein Krämer.«

»Es gibt keinen Grund, sich zu schämen, ein Krämer zu sein«, erwiderte Larry ruhig. »Dies ist ein neues Land — man kann, wie immer man will, anfangen. Worauf es ankommt, ist, wie man endet!«

»Und wie hast du vor zu enden, Bruder Larry?«

»Reich«, lautete die Antwort.

Sie lachten darüber, ein gutmütiges Gelächter, in das Larry mit einstimmte. Und dennoch fühlte ich ganz deutlich den tiefen Ernst seiner Worte. Er war ungefähr vierundzwanzig und war sich dessen, was er vorhatte, genauso sicher wie des zuverlässigen Gefühls der Pfeife in seiner Hand. Er sah sehr gut aus, stellte ich fest. Alle drei Brüder waren das, was die Leute wohl meinen mußten, wenn sie »die schwarzen Irländer« sagten. Sie hatten schwarzes Haar und Augen von jenem Dunkelgrau, das beinahe ins Schwarz übergeht. Wäre ihre Hautfarbe anders gewesen, hätten sie Spanier sein können. Sie hatten, wie Rose, ihre Farbe vom Vater. Und dadurch wirkte der blonde Con mit den hellblauen Augen beinah wie ein

Findelkind unter ihnen. Sie waren bemerkenswert natürlich und unbefangen vor mir, einer Fremden. Aber dann dachte ich, daß sie vielleicht nur so schienen, daß sie glaubten, ich sei nur für die Dauer der Fahrt bei ihnen, und vielleicht mochten sie gerne — wie ich es von den Iren gehört hatte — vor jedem Zufallspublikum, das ihnen in den Weg kam, spielen. Ich fühlte mich jedoch wohl bei ihnen und fast überhaupt nicht als Fremde. Und da ich nun vor Sonne geschützt war und meine Füße nicht länger schmerzhaft jeden Stein und jede Furche auf der Straße spürten, konnte ich beginnen, mich zu entspannen und sie ihr Spiel spielen zu lassen, wenn sie die Absicht hatten. Was nach den nächsten paar Stunden geschah, würde sich von allein entscheiden. Und soweit es an mir lag, so wollte ich diese kostbare Frist genießen.

Pat langte nach hinten in den Wagen zwischen das Gepäck und brachte eine Wasserflasche zum Vorschein. »Du hast ganz gewiß einen langen Marsch hinter dir«, meinte er. »Das wirst du brauchen können.«

Dankbar nahm ich die Flasche, und während ich trank, ging das Gespräch weiter. »Also, Sean und ich sind fürs Land«, sagte Pat. »Ich hab' noch nie einen reichen Mann gesehen, der nicht Land besaß. Ganz gewiß wär's überhaupt keine Mühe, wenn man das Land erst mal hätte — man sitzt einfach da und guckt zu, wie die Wolle auf den Schafrücken wächst. Was meinst du, Sean?« Jener nickte. »Das ist was für mich, Pat.« Ich wußte jedoch, daß, auch wenn Pat für irgendeine andere Sache eingetreten wäre, Sean ihm zugestimmt hätte.

Pat setzte Seans Einwilligung und Zustimmung bei jeder Entscheidung, jedem Plan als eine Selbstverständlichkeit voraus. Ich ersah daraus, daß ich Sean die Fragen stellen mußte, die ich von Pat beantwortet haben wollte.

»Fürs Land kommt ihr zu spät«, entgegnete Larry. »Das wißt ihr auch. Das ist längst aufgeteilt, den Morgen Land zu fünf Shilling! Stell dir das vor, Pat! Fünf Shilling für einen Morgen des reichsten Schafzuchtbodens der Kolonie! — Einige dieser Weideflächen sind ein paar hunderttausend Morgen groß.« Er schüttelte stirnrunzelnd und neidisch den Kopf. »Denkst du, die splittern solche Grundbesitze auf, um an den kleinen Farmer zu verkaufen? Die Großzüchter kontrollieren die Gesetzgebung-die Goldgräber haben kein Stimmrecht —, was kann man also dabei machen? Deshalb bin ich für den Handel. Der reiche Mann muß seinen Tee und seine Seife genauso kaufen wie der arme.«

»Zum Teufel mit dem Tee und der Seife«, schrie Pat. »Ist es nicht genau wie bei jenen verdammten, erbärmlichen Engländern, die all das festsetzen, damit sie jeden, der ihnen nicht paßt, ausschließen können! Man kann ihr Lakai sein, nicht aber ihresgleichen. Ich hab's zu hören bekommen, bis mir übel wurde.«

Sein Gesicht verfinsterte sich. »Von Rechts wegen sollten wir überhaupt nicht hier sein und um eine Möglichkeit betteln, einige Schafe weiden zu lassen. Wenn es irgendeine Gerechtigkeit auf der Welt gäbe, hätten wir noch Urgroßvater Maguires Land in Wicklow und würden wie die Könige leben ...«

Rose machte eine wütende Gebärde der Ungeduld. »Pat, fang nicht wieder mit dem Gerede an! Ich will nicht wieder hören, was für großartige Leute wir einmal waren. Wahrhaftig, du hast das Wicklow-Land nicht mal gesehen. Unsere Familie hat seit mehr als hundert Jahren kein Land besessen. Was für'n Zweck hat es, so zu tun, als wärst du ein Gentleman, wenn du nichts viel Besseres als ein gewöhnlicher Stallbursche warst?«

»Wir waren einmal Gutsbesitzer, und wir wären es

noch, wenn diese niederträchtigen Engländer nicht alles, was uns und jedem anderen anständigen Irländer gehörte, gestohlen hätten. Und hier wird es genauso weitergehen, wenn wir es zulassen. Dies ist ein neues Land. Es ist Zeit, neue Regeln aufzustellen. Jeder hat das Recht, sich als Gentleman zu bezeichnen, wenn es ihm gefällt. Wer wollte behaupten, daß ein Mann, der auf einen Vollblüter herumreitet, was Besseres ist als ich?«

Larry nickte ihm zu. »Wenn du dich danach sehnst, ein Gentleman zu werden, Pat, dann bleib bei mir. Ich werde ein Vermögen machen, und wenn es soweit ist, wird niemand mich fragen, woher ich aus dem ›Alten Land‹ kam — aus Hütte oder Schloß.«

Rose kicherte. »Du wirst stattlich mit seidenen Westen aussehen, Larry, während Pat hier immer noch in seinem Flanellhemd herumläuft und über ›Rechte‹ und Ungerechtigkeit redet.«

»Und wo wirst du sein, mein Fräulein?« erwiderte Pat scharf. »Was werden dir hier deine Klavier- und Gesangsstunden nützen? Worauf es hier ankommt, ist, wie schnell du lernst, ein Brot zu backen und einen Wasserkessel zum Kochen zu bringen. Wie wirst du deine Händchen weiß halten, wenn du jene Flanellhemden von mir waschen mußt?«

Sie lachte ihn aus, ein herausforderndes, ungläubiges Lachen, das seine Worte beiseite schob. Sie spreizte ihre Hände, damit wir sie alle sahen — und besonders ich, dachte ich. Sie waren weiß und schön geformt — nicht sehr klein; denn sie war für eine Frau, sogar mit siebzehn, schon groß, so alt war sie damals. »Seht«, sagte sie, »sie sind noch nicht verdorben, und ich will auch nicht, daß sie es werden.« Sie schaute uns durch die langen Wimpern an, die Augen von jener dunkelblauen Färbung umschattet, die fast violett erscheint. Sie hatte sehr weiße Haut; ihre Lippen waren blaß, aber gut geschnitten. Und ihre feingeformten, fast aristokratischen Gesichtszüge glichen mehr denen ihres Vaters als denen der Mutter. Ihre Mutter war sicherlich in ihrem Alter zauberhaft hübsch gewesen. Rose aber war schön, und nur ein Dummkopf hätte es nicht gewußt. Rose wußte es.

Sie lächelte das vertrauensvolle, grausame Lächeln der sehr jungen Menschen, die ganz genau zu wissen glauben, was vor ihnen liegt. Das war Rose, als ich sie zuerst kennenlernte, bevor das Vertrauen erschüttert worden war, die Unbarmherzigkeit jedoch wuchs.

Sie verkündete: »Ich werde den Mann finden, der den dicksten Goldklumpen in ganz Ballarat ausgräbt, und den heirate ich. So werd' ich meine Hände weiß halten! Oder ich werde den Mann ausfindig machen, der die größten Schafweiden in der ganzen Kolonie besitzt und seinen Sohn heiraten. Und dann geb' ich dir alles Land, das du willst, Pat, und du, Larry, wirst den Verkauf der Wolle unter dir haben.« Sie klatschte in die Hände. »Na, ist das nicht eine grandiose Idee? Ist das nicht ausgezeichnet geregelt?«

Larry erwiderte ihr Lächeln. »Und wenn du dich nun verliebst, Rosie-Mädchen? — Wenn du dich in einen armen Mann verliebst, was dann?«

»Das würd' ich nie tun! Es wär' eine schreckliche Verschwendung!«

»Laß mich wissen, wann die Hochzeit ist«, sagte Sean. »Ich komme ganz bestimmt und tanze mit. Aber nein, ich werd' dich vor deinen vornehmen Großzüchtern nicht blamieren, Rosie. Ich werd' nicht mein Flanellhemd anziehen.«

Plötzlich war es für sie kein Scherz mehr. Ihr Gesicht spannte sich, und das Lächeln verschwand aus ihren

Augen; ihr Ausdruck war jetzt genauso ernst wie vorhin Larrys, als er vom Reichsein gesprochen hatte.

»Lacht nur!« fauchte sie. »Lacht nur, wenn ihr wollt! Aber ich werd' euch zeigen, wer recht hat. Kommt mal in einem Jahr zu mir, und da werd' ich Diamanten an diesen Händen tragen, wie Dada es immer mit mir vorhatte.«

»Dada hatte nichts Derartiges im Sinn«, sagte Larry. »Er wollte, daß du eine Dame würdest — bereit, Ringe zu tragen, wenn sie auf dich zukämen und bereit, rechtschaffene alltägliche Arbeit für deinen Mann zu verrichten, falls er dich dafür brauchen sollte.«

Sie errötete zornig. »Du machst mich krank mit deinen Moralpredigten, Larry! Du verstehst Frauen nicht — du hast keine Ahnung von ihnen. Du denkst, sie sind alle wie . . . wie Kühe. Wie diese unterwürfige, kleine Bridie Conelly, die du in Dublin so angehimmelt hast. Wir sind aber nicht alle so — einige von uns sind anders. Ich bin anders!« Ihre Stimme erhob sich schrill. »Heute in fünf Jahren kaufe und verkaufe ich euch alle! Ich wasche keine Hemden!«

Die drei älteren Brüder starrten sie an, und Bestürzung lag in ihren Gesichtern. Sie hatte einen Keil zwischen sie getrieben; aus Necken und Scherzen war Ernst geworden.

»Na, schaut mich doch nicht so an! Ich mache Spaß — das wißt ihr doch. Was ich auch habe, ich würd' es immer mit euch teilen . . .«

»Vielen Dank«, meinte Pat verdrossen. »Da müßte schon einiges passieren, bevor ich irgendwas von 'ner Frau annehmen würde . . .«

Sie stritten sich jetzt ernsthaft, und ihre Gesichter wurden scharf vor Zorn. Hastig wandte ich mich an das Kind, Con, neben mir.

»Und du, Con — du hast gar nicht gesagt, was du tun willst, wo du doch jetzt schon fast ein Mann bist.«

Er holte tief Atem, als hätte er auf seine Chance, es zu verkünden, gewartet und sei doch darauf gefaßt gewesen zu schweigen. Als Jüngster dieser Familie hatte er gelernt, daß für ihn kaum jemals eine Zuhörerschaft übrigblieb.

»Ich werde genau wie Dada«, sagte er. »Wenn wir soviel Gold, wie wir brauchen, in Ballarat gefunden haben, gehen wir zurück nach Melbourne und kaufen ein Hotel. Muma hat mir alles davon erzählt — sie sagt, sie hat schon den Platz dafür ausgesucht. Und wir richten es alles genauso her, wie es in Dublin war. Und ich werd' Dada helfen. Ich werd' ein Gastwirt wie er.«

»Ihr hattet eine Gastwirtschaft in Dublin?«

Er nickte. »Ja, eine große, und jeden Tag hab' ich Dada geholfen . . .«

»Der Teufel wird dir die Zunge ausreißen für deine Lügengeschichten, Con Maguire!« rief Rose. »Das ist nicht wahr — du hast Dada nicht geholfen! Du durftest nie in die Schankstube.«

»Und du auch nicht, mein Fräulein!« stellte Larry trocken fest.

»Das war auch ganz richtig«, entgegnete Rose. »Dada sagte immer, ich bekäme niemals einen Gentleman zum Mann, wenn es hieße, ich hätte in der Schankstube geholfen.«

»Aber ich hätte ihm geholfen . . .« unterbrach Con, »sobald ich mit der Schule fertig gewesen wäre. Ich hätte ihm geholfen. Wie Larry und Pat . . .«

»Grünauge, hast du das gehört!« sagte Pat zu mir. »Da hast du Irland! Das passiert, wenn die elenden Engländer ein Land stehlen. Hier ist nun Con, der sich durch seine Bücher hindurchlernt — Dada stellte einen jungen

Burschen vom Trinity College ein, der ihm Stunden geben sollte, weil die Engländer den katholischen Schulen nicht erlauben, einem mehr beizubringen als nötig ist, um den eigenen Namen zu schreiben — und wenn er fertig ist, gibt's nichts anderes für ihn als einen Platz in seines Vaters Schankstube oder in den Mietställen, wo wir drei arbeiteten. Wenn Klein Con ein zweiter Daniel O'Connor wäre, könnte er nicht mal 'ne Stellung im Verwaltungsdienst bekommen, noch viel weniger ein Anwalt werden oder ins Parlament gelangen. Wir sind Katholiken, Emmy, und man kann ebensogut tot sein als in Irland katholisch. Deshalb gingen wir fort. Nach der Hungersnot war Irland nicht einen roten Heller wert. Wir mußten es verlassen, weil die Schenke nicht genug einbrachte, um vier Söhne und eine Tochter, die Seidenkleider haben mußte und ihre Händchen weiß halten wollte, zu ernähren.«

»Deshalb sind wir nicht weggegangen«, schrie Con, »sondern weil du in Schwierigkeiten mit den Engländern kamst . . .«

Pat sah mich an. »Beinah hat er recht. Das und andere Dinge. Du siehst, Grünauge, mein Vater beging den Fehler, uns über das Niveau hinaus zu erziehen, auf dem wir nach Ansicht der Engländer bleiben sollten. Deswegen mußten wir fort. Wenn ein Ire anfängt, selbständig zu denken, verläßt er besser Irland.«

»Töricht . . . töricht«, meinte Rose. »Es war ein törichter Entschluß, alles, was wir dort hatten, zurückzulassen und hierherzukommen!« Ihre Gebärde umschloß den Planwagen mit den aufgestapelten Haushaltsgegenständen, die ausgefahrene Straße und die fremdartige Landschaft. Es war eine Gebärde, welche die durch Furcht ausgelöste Feindseligkeit offenbarte. Sie wandte sich, wie Pat, an mich, die Zuhörerin, die sie alle überzeugen wollten, nicht, weil ich ihnen wichtig war, sondern weil sie sich unbedingt selbst überzeugen wollten.

»Wir hatten damals alles«, erzählte sie. »Die Schenke lag gleich neben dem College, und wir hatten die vornehmsten Gäste – Gentlemen vom College und den Four Courts. In den oberen Zimmern, in denen wir wohnten, hatten wir Rosenholzmöbel und Seidenvorhänge. Ich hatte mein eigenes Klavier. Und es waren selbstverständlich Dienstboten da.«

»Und selbstverständlich eine Menge Schulden«, bemerkte Larry. »Ich stelle Euch, Miss Emmy, das Bild des Irländers vor, der jeden Pfennig, den er verdient, ausgibt. Seine Familie ist groß und glücklich – wenn sie nicht in die Zukunft blickt –, und er muß jeden Tag arbeiten, um das Geld für den nächsten zu verdienen. Wir waren gezwungen fortzugehen – alles zu verkaufen und die Schulden zu begleichen – wegen Pats Schwierigkeiten. Wir hatten noch einiges Geld übrig – doch sogar, wenn wir keinen Pfennig von dem Verkauf übrigbehalten hätten, wäre es immer noch ein guter Entschluß gewesen; denn wißt Ihr, in der linden Dubliner Luft kann ein Mann einschlafen und mit fünfzig aufwachen und feststellen, daß für ihn alles zu Ende ist. Nein, es war besser zu gehen – zu riskieren, was auch immer dies Land uns antun kann, als dort zu bleiben und die Träume weiterzuspinnen.«

»Die Träume . . .?« fragte ich.

»Den Traum, daß irgendwie alles gut würde . . . daß die Engländer ihr verfluchtes Joch von unserm Land nehmen würden, daß wir als freie Menschen leben und alle Begabungen, die wir hätten, zu unserem Aufstieg auswerten könnten – den Traum, daß alles im nächsten Jahr besser wurde.«

»Und darum brachst du Bridie Connellys Herz«,

warf Rose ihm vor, »du liebtest sie und wolltest sie nicht heiraten.«

Larry sah sie an, und sein Blick ließ sie verstummen. »Ich konnte mir keine Frau leisten . . . und keine Kinder.« Er klopfte die kalte Asche aus seiner Pfeife gegen die Wagenrückwand und drehte uns dabei für ein oder zwei Minuten den Rücken. Er blickte über die Hügelkette, die in der dunstigen Hitze flimmerte und schimmerte. Dann wandte er sich wieder uns zu.

»Aber hier mach' ich's anders«, versicherte er. »Dada ist einverstanden, daß ich alles Geld, was übrigbleibt und die Ochsen und den Planwagen nehme und zurück nach Melbourne fahre. Auf den Goldfeldern sind Vorräte teuer und rar, und der Fuhrlohn ist hoch. So könnte sich dieser Planwagen fast durch zwei Fahrten bezahlt machen. Und danach blieben nur noch Gewinne. Die Leute müssen sich Nahrungsmittel kaufen. Ich kann dabei nichts verlieren.«

»Wir werden mit dem Graben ohne deine Hilfe langsamer vorankommen«, bemerkte Pat.

Larry zuckte die Achseln. »Dada hält es auch für sinnvoller, nicht unser ganzes Vertrauen darauf zu setzen, daß wir auf Gold stoßen.«

»Das kannst du mir nicht weismachen! Dada weiß ebensogut wie jeder von uns, daß man auf Gold stößt, wenn man lang genug dabeibleibt. Er ist nur einverstanden, dir das Geld zu geben, weil er immer tut, was du sagst . . . deswegen sind wir ja auch hierhergekommen, anstatt nach Amerika.«

»Oh, laßt das Streiten«, sagte Rose gelangweilt. »Dada hört auf Larry — das wissen wir alle.«

»Er hört auf vernünftige Ratschläge . . .«

Und so ging es weiter, während wir die letzten Meilen nach Ballarat zurücklegten; sie zankten sich, diskutierten, lachten manchmal zusammen oder lachten sich gegenseitig aus, sowie ich es am Morgen gehört hatte. Sie unterschieden sich wirklich gar nicht von den meisten anderen Familien; es war nichts Ungewöhnliches an ihnen, wie ich es in ihnen hatte sehen wollen. Nie jedoch hatten sie die zersetzenden Kräfte echter Armut kennengelernt; sie waren davon noch verschont geblieben und folglich noch nicht habgierig auf jeden Pfennig und jede Stecknadel erpicht, so wie Menschen, die einmal hungrig oder schlecht gekleidet gewesen sind. Sie redeten über Schulden, doch Schulden kann nur machen, wer Kredit hat. Sie waren gut gekleidet; ihre Stiefel waren neu, ihr Planwagen mit Bettdecken und Nahrungsmitteln vollgepackt. Allein der Wagen und die Ochsen bedeuteten mehr Geld, als viele Leute, die ich zu den Goldfeldern hatte ziehen sehen, jemals in ihrem Leben erblickt hatten. Und so war ihre Loyalität zueinander und ihre Großzügigkeit gegenüber anderen noch nicht auf die Probe gestellt worden. Sie waren jung — sogar Larry, dessen Ehrgeiz stahlhart schien, war noch jung, verglichen mit dem, was ich hinter mir hatte. Das Leben besaß noch keine richtige Wirklichkeit für sie; sie entdeckten es erst. Roses Sicht von ihrer eigenen Zukunft war naiv und fast kindlich, Pats Haß auf die Engländer und auf jegliche Autorität war noch unreif im Vergleich zu dem, in den er sich entwickeln würde. Und Sean wartete, daß das Leben für ihn von Pat enträtselt würde und schien manchmal nicht viel älter als Con. Mich rührte diese Jugend und diese Art der Unschuld, und ich beneidete sie darum und wollte daran teilhaben.

Natürlich war es Rose, die mich näher ausfragte.

»Mein Vater und ich sind von London«, sagte ich. »Wir wohnten in einem Tuchgeschäft in der Mount Street.«

»Wo ist das? Ich will auch mal eines Tages nach London fahren . . .«

»Im eleganten Viertel«, antwortete ich, da ich wußte, was sie mit dieser Frage meinte. »Es gehörte einem alten Mann namens Elihu Pearson. Er war ein Krüppel und verbrachte die meiste Zeit in einem Rollstuhl. So leiteten mein Vater und ich das Geschäft. Vierzehn Jahre waren wir dort. Dann starb Mr. Pearson, und sein Neffe erbte den Laden. Er hatte eine große Familie, und es war kein Platz mehr für uns. Vater entschied sich für Australien . . .«

»Was hast du denn da verkauft?« erkundigte sich Rose. Ich merkte, daß unser Gespräch auch Larry interessierte, während es die andern langweilte.

»Wunderschöne Stoffe — Seide, Musselin, Samt . . . Satinbänder und Spitze.«

Und dann fühlte ich ihre Augen auf meinem schrecklichen grauen Kleid, auf dem Hut, der einer alten Frau gehört haben könnte, und dem tristen Schal. Ich hätte ihr gern erzählt, daß ich sie mir nicht ausgesucht hatte, doch schwieg ich lieber, weil der Grund, aus dem ich diese Sachen trug, mit zu dem Teil meines Ichs gehörte, das der Vergangenheit dort hinter uns angehörte und eine andere Geschichte hatte.

Ich hoffte, sie würde nicht noch mehr Fragen stellen, was sie dann auch nicht tat, weil wir in diesem Augenblick die ersten Zelte an den abseits gelegenen Schürfgräben sahen, die ersten gebückten Gestalten, die sich über ihre Blechpfannen beugten, in denen sie den Sand nach Goldkörnern durchwuschen, die erste Winde, die eine tiefe Grabstelle markierte, und die Windrohre aus Segeltuch, in die der Wind blies und dadurch die Schächte mit frischer Luft versorgte. Wir kamen in das Goldgebiet.

Kapitel 2

Wir langten gerade vor Einbruch der Dunkelheit in
Ballarat an — die blaudunstigen Berge färbten sich in der
Dämmerung violett. Es war ein großes Tal, durch das
sich ein kleiner Fluß hindurchschlängelte. Die Berge
ringsum waren nicht sehr hoch. Das Tal wurde von den
grob geschaufelten Gräben wie von Adern durchzogen;
dort lag das Gold, wenn man es finden konnte. An manchen Stellen war das Land spärlich bewaldet, doch wo
die Menschen Besitz von ihm ergriffen hatten, war es
kahl und bloß. Die grasbewachsenen Hänge unter den
Eukalyptusbäumen wichen dem nackten Erdboden, der
von Fußtritten festgetrampelt und unfruchtbar geworden
war — oder furchtbar entstellt von den endlosen Erdhaufen, die sie aus dem Boden heraufschaufeln mußten, bevor sie auf den Quarz stießen, der das Gold barg.

Es lebten damals, nur drei Jahre, nachdem man hier
zum erstenmal Gold entdeckt hatte, vierzigtausend
Menschen in diesem Tal. Es war eine Zeltstadt, in
Schlamm gebettet; die schmalen Zeltstraßen folgten den
Hauptgräben nach Westen und dem gelben Schlamm-
fluß, den sie Yarrowee nannten. Bis zum heutigen Tage
schweben mir die Namen jener goldenen Schlammgrä-
ben noch auf der Zunge; wie jeder, der einmal dort war,
werde ich sie nie vergessen — Golden Point, an dem sie
zuerst Gold fanden, den Canadian, den Eureka, den Ita-
lian —

Doch einen Teil der Main Road säumten auf beiden
Seiten die Unternehmen jener, die wie Larry gekommen
waren, um den Menschen das Gold aus den Taschen zu
holen. Hier waren die Kneipen und die Läden — wackelige Baracken aus Schalbrettern und Segeltuch, bereit,
sofort zu verschwinden, sobald das Gold versiegte. Nur

ein Gebäude war aus Stein — die Bank. Und etliche von den vierzigtausend Menschen, die jeden Tag in dem Erdboden unter ihren Füßen auf der Jagd nach dem Gold waren, verspielten es jede Nacht wieder oder stießen es über die Theken, um ihren Whisky zu bezahlen. Es gab streunende Hunde und barfüßige Kinder und Frauen, die in Eimern Wasser herbeischleppten. Es gab auch schöne Stiefel aus marokkanischem Leder zu kaufen und Seidenschals aus Hongkong. Aus den Wirtshäusern drang das Geräusch der Tag und Nacht klimpernden Klaviere, und hinten an den Straßen und Gräben hörte man die Winden knarren und, wenn der Wind umsprang, das Knattern der Windrohre. Die Katholiken hatten ihre Kapelle auf Bakery Hill gebaut; die Presbyterianer hielten ihre Gottesdienste in der gälischen* auf Specimen Hill. In diesem Tal wurde jede Sprache gesprochen. Seit drei Jahren war es der reichste Fleck auf der Erde.

Für die erste Nacht schlug Dan Maguire die Zelte ein wenig abseits des Zentrums auf — er hatte ja noch kein eigenes Stück Land — und wählte deshalb einen Platz, um den niemand sich zu reißen schien. Ich machte mich sogleich an die Arbeit, half beim Abladen, beim Auspacken des Kochgeschirrs und zündete ein Feuer von dem Holz an, das Pat herbeitrug. Ich merkte sofort, daß die Maguires nicht gewohnt waren, in dieser Weise für sich zu sorgen. Sie arbeiteten mit großem Eifer, doch mir schien, sie waren sich selbst ein wenig im Wege. Kate Maguire behauptete, eine gute Köchin zu sein; doch ich brachte die Würste in der Pfanne zum Brutzeln und den Wasserkessel für ihren Tee zum Kochen. Ich rollte die

* Irisch-schottische Kelten werden als gälisch bezeichnet.

48

meisten Bettdecken auseinander, während Rose mit ihrer eigenen Kiste beschäftigt war, die mit allen möglichen, hier gänzlich ungeeigneten Kleidern vollgestopft war. Ich war froh, daß sie so liebenswert, aber ihrer selbst nicht so ganz sicher waren; dadurch kamen meine eigenen Leistungen besser zur Geltung; doch hatte ich keine schlechten Hintergedanken bei meinem Tun. Ich wollte mich als unentbehrlich für Kate erweisen — oder vielmehr für sie alle —, und ich hatte nur diese eine Chance. Ich machte keinerlei Anstalten, meine Segeltuchtasche zu ergreifen und abzuziehen, um irgendwo anders eine Unterkunft zu finden. Und es ehrt sie, daß keiner von ihnen — auch nicht mit einem Blick — mir bedeutete, es zu tun. Als es Zeit war, die Zinnteller und Becher auszuteilen, reichte man mir einen mit einer solchen Selbstverständlichkeit, als wäre ich schon immer dort gewesen. Ich aß das Brot und die Wurst und trank den dunklen, heißen Tee — und verhielt mich ganz still, denn ich hatte Angst, den Mund aufzumachen, weil dadurch vielleicht einer von ihnen sich daran erinnern könnte, daß meine Anwesenheit nicht Teil der Abmachung war. Aber ich vermute, sie waren sich dessen trotzdem bewußt. Pat blickte zu mir herüber — ich entsinne mich dessen genau — und blinzelte mir zu, halb lachend und halb von Bewunderung erfüllt, als wäre ich mit etwas durchgekommen.

Sogar in jener ersten Nacht zogen sie einige Besucher an. Es sollte das Muster für alle weiteren Nächte in Ballarat werden. Con brachte ein anderes Kind mit an das Feuer, einen Jungen in seinem Alter etwa, Eddie O'Donnell. Ein wenig später kam dann sein Vater von einem nahe gelegenen Lagerplatz, um ihn zu holen; anstatt das Kind nun schnell zurückzuscheuchen, blieb er, um sich ein wenig zu unterhalten, und ich glaube, es war nicht nur wegen des Whiskys, den Dan ihm anbot. So waren die Leute auf den Goldfeldern — meistens! —, freundlich und jederzeit bereit zu helfen, wenn sie es vermochten. Doch ich hing nun einmal an dem Gedanken, es sei etwas Besonderes um die Maguires. Vielleicht war es Kate.

Der Mann stellte sich als Tim O'Donnell vor. »Wirklich zu nett, Sie kennenzulernen, Mr. O'Donnell«, begrüßte sie ihn und machte eine Bewegung, die halb Knicks, halb ein Kopfneigen des Willkommens war, und ihr ganzer Körper schien die Freude an diesem Kennenlernen auszustrahlen. Ich mußte mir Tim O'Donnell noch ein zweites Mal anschauen, um zu sehen, was an ihm eine solche Wirkung haben könnte. Er war ein schmächtiger Mann mit einem struppigen Schnurrbart, ängstlich und nicht sehr anziehend. Kate aber gab ihm das Gefühl, ein König zu sein — oder zumindest ein weiser und erfahrener Mann, wie er nun dasaß und diesen Neuankömmlingen gute Ratschläge erteilte. Kurz darauf kamen auch seine Frau und Tochter Lucy herüber. Lucy O'Donnell war ein hübsches Mädchen, jedoch keineswegs eine so aufsehenerregende Schönheit wie Rose. Für mich war es interessant zu beobachten, daß sie in etwa derselben Weise auf Rose reagierte, wie ich es getan hatte — sie wollte sie nicht nett finden und konnte doch nicht anders, als sie gern mögen.

Klein Eddie schlief an die Schulter seiner Mutter gelehnt ein, als die O'Donnells noch blieben und zuhörten, wie Kate von Dublin erzählte und Dan nüchtern, jedoch ohne Bitterkeit, über Politik sprach. Sie lauschten sogar mit Interesse Pats Redeschwall über die Engländer, obwohl das, was er sagte, nichts Neues für einen Iren war. Und Rose sang, um ihrem Vater eine Freude zu bereiten, einen Vers seiner Lieblingsballade, der Ballade über Robert Emmet und Sarah Curran.

»Sie ist fern von dem Land,
wo ihr junger Geliebter schläft . . .«

Und dann fühlte ich Cons Gesicht gegen mich sinken; wir saßen nämlich nebeneinander auf einem Holzklotz, den Sean an das Feuer gerollt hatte. Es war die erste der vielen Nächte, in der Con, an meine Schulter gelehnt, einschlummerte, und es war ebenfalls das erstemal, daß ich ihn ins Bett brachte. Ich wußte, Kate hatte nichts dagegen; sie nickte mir leicht zu, als wir aus dem Kreis des Feuerscheins fortschlüpften.

Ich half ihm mit seinem Bettzeug und auch beim Ausziehen; seine Finger waren vor Schläfrigkeit ganz ungeschickt. Er vergaß, daß er beinahe schon ein Mann war und wurde ganz von selbst wieder ein Kind, besonders in dem Augenblick, als er sich emporreckte, um mir die Arme um den Hals zu legen und mir einen Kuß zu geben. »Ich bin froh, daß du gekommen bist, Emmy«, sagte er.

Er schlief augenblicklich ein, doch ich saß noch eine Zeitlang neben ihm, meine Hand dicht neben seiner Wange, und sein leichter Atem strich darüber hin. Ich dachte an den Kuß, den er mir gegeben hatte, an das Gefühl seines an mich gepreßten kindlichen Körpers, und jene Unschuld schien fast das Häßliche der Erlebnisse mit Gribbon von mir zu nehmen. Ich wünschte, dieses Kind gehöre mir anstatt Kate. Zum erstenmal erkannte ich, daß ich Kinder haben wollte. Es war eine reinigende Läuterung, die mir in jener Nacht, als ich an Cons Bett saß, zuteil wurde, eine rettende Gnade nach dem Grauen in »The Digger's Arms«.

Ich fühlte mich nach Cons Kuß nicht mehr häßlich und arm, sondern plötzlich stark und hatte vorläufig

auch keine Angst mehr. Als ich zu den anderen zurückkehrte, brachen die O'Donnells gerade auf zu ihren Zelten. Es hatte keine allgemeine Vorstellung stattgefun-
den, als sie gekommen waren, sondern sie hatten alle
ganz beiläufig ihre Namen erfahren.

Mrs. O'Donnell wies jetzt mit dem Kopf auf mich:
»Und dies ist . . . noch eine Tochter?« fragte sie zweifelnd. Ich sah nicht wie noch eine Tochter aus. »Nein«,
erwiderte Kate. »Dies ist unsere Freundin, Emmy
Brown.«

Und das war ich von dem Augenblick an. Sie bereiteten ein Nachtlager für mich auf einer Strohmatratze in
dem kleinen Zelt von Rose. Was auch immer ich später
von Rose hielt, so darf ich jedoch nicht vergessen, daß
sie mich dort in jener Nacht willkommen hieß; sie war eifersüchtig und habgierig, aber auf Menschen, nicht auf
Sachen. Ohne darüber nachzudenken, teilte sie mit mir
sogar ihre Schätze, die ihr sehr viel bedeutet haben müssen, da sie zur Neige gingen — die parfümierte Seife, das
Kölnisch Wasser; ich erinnere mich sogar an das Laven-
delbeutelchen, das ich zwischen meine Sachen in die Segeltuchtasche stecken sollte.

Ich lag nahe am Zeltausgang und blickte zum Himmel
über Ballarat empor, als Rose ruhig neben mir schlief.
Der rötliche Schein erstarb am Himmel, als die etwa
zehntausend Lagerfeuer erloschen und ging in ein dunk-
les Grau über; der Ort wurde still ich hörte nur das Heulen eines Dingos, eines wilden Hundes, in den Bergen
und ein kurzes, lärmendes Lied, als zwei Goldgräber aus
den Wirtshäusern an der Main Road nach Hause
schwankten. Ich lag wach und dachte an Gribbon und
fragte mich, ob mir wohl je eine von ihm traumfreie
Nacht vergönnt sein würde; doch als ich dann einschlief,
war mein Schlaf friedlich und tief.

Am nächsten Morgen war ich schon vor den andern auf. Rose schlief noch fest und rührte sich nicht einmal, als ich in dem engen Zelt herumkroch, um mich anzuziehen. Sie würde stets eine Langschläferin sein, dachte ich bei mir.

Ich hatte bereits Feuer gemacht und den Wasserkessel aufgesetzt, bevor Larry erschien.

»Etwas Tee?« fragte ich.

»Danke.« Er betrachtete mich ernst. Ich wußte, er war der einzige, der mich hier nicht gern sah und der nichts dagegen gehabt hätte, wenn ich meine Tasche ergriffen und gegangen wäre, vielleicht, weil er der einzige der Familie war, der klar zu erkennen schien, wie die Verhältnisse in Ballarat in Wirklichkeit waren und wie gering die Chancen standen, mehr als den nackten Lebensunterhalt dem Boden abzugewinnen. Vielleicht war es der Gedanke an einen zusätzlichen Esser, der ihn beunruhigte, vielleicht die Erinnerung an die Tatsache, daß ich allein in »The Digger's Arms« gewesen war. Larry neigte immer dazu, Urteile zu fällen; diese waren manchmal recht scharf über andere Leute, gaben ihm jedoch die Kraft, sich über sich selbst im klaren zu sein, und das war eine große Stärke.

Ich würde ihm seine Zweifel offen vor Augen führen müssen. Letzten Endes wußte er vielleicht besser als Kate, daß ich kein schüchternes, junges Mädchen war, mit dem man nicht reden konnte und das nicht für sich selbst den Mund aufzumachen vermochte. Der Morgen war noch in Grau gehüllt; doch die Sonne erreichte im Westen schon die Gipfel der Berge, und es versprach, ein schöner, warmer Tag zu werden. Um uns herum hatte der Ort begonnen, munter zu werden, war jedoch noch nicht vollends zum Leben erwacht. Wir waren hier allein, und meine Achtung vor Larry wuchs, als ich nun sah, wie er dasaß und wartete, daß ich zu sprechen begänne, und nicht versuchte, mir auszuweichen oder die Zweifel unausgesprochen zu lassen. Gestern hatte ich ihn noch für recht jung gehalten, doch jetzt schien er ein über seine Jahre hinaus gereifter Mann.

Ich reichte ihm den Becher mit dem heißen Tee und sagte: »Ihr traut mir nicht, Larry.«

Er schüttelte den Kopf, versuchte aber nicht, meinem Blick auszuweichen. »Was Ihr seid, ist Eure eigene Angelegenheit«, erwiderte er. »Ich will nur nicht, daß es die Angelegenheit meiner Familie wird.«

»Euer Vater würde mir erlauben zu bleiben. Eure Mutter . . .«

Mit einer Handbewegung lehnte er diesen Vorschlag ab. »Mein Vater ist ein gutgläubiger Mann und meine Mutter eine sehr großzügige Frau. Es gab einmal eine Zeit, in der sie es sich leisten konnten, so zu sein. Jetzt können sie es nicht mehr, wissen es jedoch nicht. Ich muß sie deshalb beschützen.«

Er war sehr hochmütig, aber er hatte recht. »Soll ich also meine Tasche packen und gehen?« fragte ich.

»Wohin würdet Ihr denn gehen?«

Ich zuckte mit den Achseln. »Darüber wißt Ihr genau so viel wie ich. Was bleibt mir übrig, wenn ich nicht bei einer Familie bleiben darf? Soll ich über die Goldfelder ziehen und um Unterkunft bitten?« Ablehnend hob ich die Hände. »Die Art von Unterkunft, die man mir anbieten würde, kenne ich — Ihr nicht auch? Oder soll ich zu einer jener Kneipen hinuntergehen — sie brauchen immer jemanden —, aber das wäre nicht viel anders als ›The Digger's Arms‹. Ich weiß, ich sehe nicht nach viel aus, aber wenn sie mich in ein Satinkleid stecken, würde es allemal genügen. Wollt Ihr, daß ich dort hingehe, Larry?«

»Nein! Ich will nur . . .« Er drehte sich und wand sich

in einer für ihn qualvollen Unentschlossenheit. Er war jetzt wieder sehr jung und mir schien, es war das erstemal, daß er sich vor eine Entscheidung über einen anderen Menschen, der nicht zu seiner Familie gehörte, gestellt sah, ja, über eine Fremde, deren Leben ihm plötzlich in die Hände gelegt worden war. Er war davon nicht begeistert. Es wäre einfacher für ihn gewesen, wenn er eins jener raschen, klaren Urteile hätte fällen können, die ihm keinen Raum mehr für Zweifel ließen. Aber das konnte er jetzt nicht, dafür war er zu verantwortungsbewußt.

»Was wart Ihr jenem Mann da hinten in ›The Digger's Arms‹?«

»Was auch immer ich war, es geschah gegen meinen Willen. Es waren nur drei Tage — bis ich von ihm fortlaufen konnte. Und vorher — niemals. Nie mit irgendeinem Mann! Niemals...« Und ich fühlte mich gedemütigt, es auszusprechen, wie es jeder Frau ergangen wäre. »...niemals auch nur geküßt.« Und zum erstenmal löste ich meine Augen von seinem Gesicht und blickte zu Boden.

Eine lange Zeit herrschte Schweigen zwischen uns, und ich wußte, er würde es nicht brechen; also sah ich wieder zu ihm auf und bat: »Könntet Ihr mich nun fortschicken, Larry?« Ich bettelte jetzt, doch war es mir gleichgültig. »Wenn Ihr jene drei Tage vergessen könntet...«

Er war schrecklich in seiner Härte, so unnachgiebig und anscheinend unfähig zu erkennen, daß es jedem hätte widerfahren können. Zum erstenmal bekam ich die furchtbare, ungemilderte Gerechtigkeit des Unschuldigen zu spüren. Ich fühlte, wie ich verlor, und Verzweiflung und Zorn packten mich, weil er so verständnislos war.

»Oh, zum Teufel mit Euch!« rief ich. »Was glaubt Ihr denn, werde ich tun? — Eure Brüder verführen? — Eure Schwester verderben? Wenn ich das wäre, was Ihr denkt, würde ich mich dann etwa mit so kleinen Fischen abgeben? Würde ich überhaupt hierbleiben wollen? Ist es nicht einfacher in den Kneipen? — und die Bezahlung nicht besser?«

Zornig deutete ich mit dem Becher auf ihn, wobei ein wenig heißer Tee überschwappte und meine Hand verbrannte; doch kümmerte ich mich nicht darum.

»Könnt Ihr nicht begreifen, daß ich harte Arbeit anbiete, um hierbleiben zu dürfen? Braucht Ihr nicht jemanden, der aufpaßt, daß Eure Mutter nicht jeden Mehlsack, der im Planwagen liegt, verschenkt? — jedes Pfund Zukker, das sie nicht gerade heute braucht? Möchtet Ihr nicht jemanden haben, der Euren Vater davon abhält, ganz Ballarat in der ersten Woche mit Tabak zu versorgen — um dann nichts mehr übrig zu haben? Braucht Ihr nicht eine Köchin, die weiß, wie man drei Mahlzeiten aus einem Pfund Rindfleisch zubereitet? Braucht Ihr nicht jemand, der Eure Socken stopft? . . . oder wollt Ihr sie Eurer Mutter und Rose überlassen, damit sie sie fortwerfen, wenn sie Löcher haben? Braucht Ihr nicht jemand, der darauf achtet, daß Con seine Stunden erhält? — O ja, Larry, ich kann besser lesen und schreiben als ihr alle, und ich habe, seit ich zehn Jahre alt war, Kontobücher geführt. Was wollt Ihr, soll ich sonst sein? Sagt es mir, und ich werde es sein! Oder soll ich zum Palace-Hotel da unten auf der Main Road gehen — wißt Ihr noch, das von gestern nacht, Larry, mit den hellsten Lampen? — soll ich dorthin gehen und meine Dienste anbieten?«

Er errötete. Er war beschämt und böse auf mich, daß ich es ihn werden ließ. »Ihr sagtet, Ihr müßtet sie beschützen, Larry. Wer wird es tun, wenn Ihr weit weg in Melbourne seid?«

»Wer glaubt Ihr, seid Ihr denn, daß Ihr *das* für sie tun könntet? — warum solltet Ihr auch?«

»Weil ich hierbleiben möchte — weil ich hierbleiben muß! Ihr würdet mich nicht undankbar nennen können! Ihr würdet nicht einfach einen Dienstboten einstellen, der Eurer Mutter hülfe, oder jemand, der Rose ein wenig im Auge behielte. Ihr würdet viel mehr als das bekommen, Larry — Dinge, die Ihr nicht mit Geld kaufen könnt!«

»Wie soll ich wissen, ob Ihr das sein werdet, was Ihr sagt? Warum sollte ich Euch vertrauen?«

»Versucht es mit mir! Oder sagt mir, ich solle gehen und wünscht dann, Ihr hättet es nicht getan. Nach Melbourne zurück ist eine lange Fahrt, und man hat eine Menge Zeit zum Nachdenken . . .«

Er schleuderte den Bodensatz seines Tees ins Feuer und schien sich an dem Zischen und Prasseln zu freuen. Er war immer noch zornig und jetzt ganz in sich zurückgezogen, um die Lösung zu finden, und diese Lösung war nicht mit den klarumrissenen Geschäftsbegriffen, in denen er sonst dachte, zu treffen. Seine dunklen Brauen waren in angestrengtem Nachdenken zusammengezogen. Es war eigenartig, dieses anziehende, junge Gesicht mit vom Schlaf zerzaustem Haar so finster und ernst zu sehen.

»Also gut!« meinte er endlich. »Ihr könnt bleiben. Wenigstens für die erste Fahrt — während ich auf der ersten Fahrt bin. Danach . . . werden wir sehen.«

Ich lächelte. »Das soll ein Handel sein . . . Und ich werde meinen Teil der Abmachung halten!« Ich streckte ihm die Hand hin. Er zögerte und wollte sie nicht ergreifen.

Doch ich wollte, daß er sie nahm. »Ein Handel, Larry, sagte ich! Und Ihr werdet mir die Ehre erweisen und meine Hand darauf nehmen.«

Schließlich ergriff er sie mit einigem Widerstreben. Noch war niemand der Familie Maguire aufgestanden, und auch die Frühaufsteher unter unsern Nachbarn waren mit ihren eigenen Angelegenheiten beschäftigt. So glaube ich, daß niemand außer uns beiden je von diesem Händedruck erfuhr.

An jenem Tage wurden die Maguires, und ich mit ihnen, ein Mitglied der Goldfelder. Dan Maguire kaufte ein Stück Land am Eureka von zwei anderen Männern, die nach Bendigo weiterziehen wollten. Die Tatsache, daß man auf diesem Stück bisher noch nichts gefunden hatte, war noch kein Beweis dafür, daß es hier kein Gold gab, vielleicht lag es nur ein wenig tiefer unter der Oberfläche. Der Eureka-Graben war einer der ergiebigsten; aber dennoch war es, als kaufte man ein Lotterielos. Nicht weit vom Maguire-Grundstück hatten drei Männer vor einigen Wochen Gold im Werte von zweitausend Pfund herausgeholt; doch ein Stückchen weiter ging ein Schacht fünfzehn Meter tief in die Erde und hatte bisher noch nicht einmal genug Goldstaub eingebracht, um die täglichen Unkosten zu decken. Aber nur Larry dachte daran. Die anderen — Dan, Pat und Sean — waren überzeugt, daß das Gold gerade neben der drei Quadratmeter großen Stelle ihres Grundstückes, wo man bisher geschürft hatte, lag. Sie holten sich die Goldgräberlizenz, und da das Grundstück auf Larrys Namen eingetragen war, löste auch er eine, obwohl er sagte, die dreißig Shilling dafür seien ein Schwindel. Sie kauften sich die ungewohnten Geräte ihres Berufes — die Spaten, Spitzhacken, Schubkarren, um damit den Quarz zum Fluß zu befördern, den Schwingtrog zum Waschen der groben Erdklumpen und die Blechpfannen für die kleinen Goldklumpen und den feinen Goldstaub. Sie besaßen nun das ganze Drum und Dran, das zu einem Goldgräber gehört; doch bis jetzt wiesen ihre Hände noch keine Blasen auf.

58

Ich half Kate beim Umzug. Dieses Mal sollte das neue Heim von Dauer sein — oder es wenigstens so lange sein, bis dieses Grundstück sich entweder als ergiebig oder wertlos erwiesen hatte. Die Habe der ganzen Familie quoll nun aus dem Planwagen, aus den Kisten und großen Reisekoffern.

Es war ein seltsames Durcheinander: die praktischen und zweckmäßigen Dinge, die sie in Melbourne für das rauhe Leben auf den Goldfeldern gekauft hatten, vermischten sich auf kuriose Weise mit den Überbleibseln ihres Dubliner Lebens. Für Kate, Rose und mich waren niedrige Bettstellen vorhanden — Con hatte darauf bestanden, mir seine zu geben, da es jetzt für ihn ein Zeichen der Männlichkeit war, wie seine Brüder auf einem einfachen Deckenlager zu schlafen — und diese wurden mit feinen Leinentüchern und spitzenverzierten Kopfkissen bezogen. Rose brachte sogar eine Satinsteppdecke zum Vorschein und gab mir ihre alte geflickte, die, wie sie sagte, ihr einziger handarbeitlicher Versuch als Kind gewesen sei.

»Ihr werdet diese doch nicht hier benutzen!« protestierte ich bei Kate. »Der Dreck — sie werden ja ganz verdorben!«

Kate zuckte mit den Achseln. »Aber freilich, hab' ich nicht immer aufgebraucht, was ich hatte, und ist es nicht stets hundertfach wieder zu mir zurückgekommen? Ich konnte nie all diese Sparerei für morgen vertragen, wenn man sich heut' daran freuen kann.« Sie betrachtete zärtlich ihre Bettwäsche und strich genußvoll mit der Hand darüber hin. »Es sind doch so hübsche Sachen - 's wär ein Jammer, sie in alten Kisten zu verstecken.«

Mit den Kleidern war es das gleiche. Ich entdeckte, daß sowohl Kate wie Rose ihre Dubliner Kleider trugen, weil sie keine anderen besaßen. Aber auch wenn sie andere besessen hätten, bezweifelte ich, daß sie sie angezogen hätten. Kate hatte einen auffallenderen Geschmack als Rose; doch erregten sie beide gerne Aufsehen. Sie bevorzugten leuchtende Farben — wobei Kates zu jugendlich für sie waren — und stachen wie Paradiesvögel gegen das Zweckmäßige Braun und Grau der übrigen Frauen ab. Sie lehnten es auch ab, sich dem Brauch anzupassen, das Haar ordentlich zurückgekämmt in einem Netz zu tragen. Roses Haar war natürlich gelockt und verflocht sich, außer wenn sie besondere Sorgfalt darauf verwandte, was nur selten vorkam, zu einem nicht zu bändigenden Gewirr. Kate dagegen mußte mit Brennscheren und Papilloten operieren, um die Ringellocken zu erreichen, die ihr über die Ohren hinabhingen, und ungeachtet dessen, was sonst noch alles getan werden mußte, drehte sie diese jeden Abend getreulich auf. Sie weigerte sich, eine Haube zu tragen. Ein Hut schützte sie vor den Sonnenstrahlen, doch verabscheute sie eine Haube. »Zu alt für mich«, meinte sie.

Dieser auffallende Geschmack und diese Nichtachtung dessen, was auf dem Goldfeld von den den Ton angebenden Frauen als schicklich anerkannt wurde, hätte Kate und Rose, wie mir schien, verdammen müssen — doch ich irrte mich. Sie besaßen keinerlei hausfrauliche oder praktische Gewohnheiten, die von andern Frauen gebilligt worden wären; doch hatte ich nicht mit Kates Freundlichkeit, mit jener eigenartigen Warmherzigkeit gerechnet, die anzudeuten schien, daß alles, was ihr gehörte, alles woran sie Vergnügen fand, auf irgendeine Weise auch allen andern gehörte. Sie wachte nicht eifersüchtig über ihre Habe. Sie tat, als gehörten diese Dinge heute zwar ihr, doch als könnten morgen ähnliche allen ihren Nachbarn gehören. Und die Frauen verziehen ihr ihren Besitz, weil sie großzügig war. Mrs. O'Donnell und Lucy waren die ersten Besucher, und Kate holte tatsächlich Porzellanteetassen hervor, über die sich alle sehr aufregten, gleichzeitig aber auch freuten. Sie saßen inmitten der Kisten und halbleeren Koffer, und Kate gab ihnen das Gefühl, als wären sie bei ihr in ihrem Dubliner Salon zu Gast.

»Mama«, bat Lucy, »könnt' ich nicht schnell Mrs. Healy holen? Die würde sich bestimmt die Augen verdrehen, um diese Sachen zu sehen . . .«

Mary Healy kam mit zwei kleinen Kindern im Schlepp und einem dritten auf dem Arm; sie hatte noch einen älteren Sohn, der seinem Vater in dem Schacht half. Sie war eine nahe Nachbarin am Eureka, eine verbrauchte Frau, verhärmt durch die Last ihrer Familie und die Tatsache, daß ihr Mann auf seinem Stück Land allein grub und dabei kaum genug Geld heraussprang, sie alle zu ernähren. Er war jetzt in eine Tiefe vorgestoßen, wo er jemanden brauchte, der die Winde für ihn drehte, um die Kübel mit Erde heraufzubefördern. Mary Healy konnte nur schnell für eine Tasse aus den Porzellantassen forteilen, während er unten am Fluß war und die letzte Schubkarrenladung in der Pfanne wusch. »Bei allem, was recht ist«, sagte Mary Healy, »sollte ich jetzt dort unten sein und es für ihn tun; aber er wußte, wie gern ich kommen wollte . . .« Sehnsucht schwang in ihrer Stimme, die sie jedoch rasch unterdrückte, als sie Kates Lächeln begegnete »Tja . . . 's wird großartig sein, nun ein paar neue Nachbarn zu haben . . .«

Und nicht nur sie — auch alle anderen Frauen am Eureka nahmen Kate freundlich auf — Rose hingegen nicht. Frauen erkennen immer instinktiv jene ihres eigenen Geschlechts, die sich nicht für die Angelegenheiten von Frauen interessieren — jene, deren Augen in Wirklichkeit immer über sie hinweg zu den Männern gleiten. Sie waren höflich zu Rose, aber nicht mehr, und Rose merkte es nicht einmal. Ich hielt Mary Healys Kind, einen großen, kräftigen Jungen, dem das Leben auf dem Goldfeld zu bekommen schien, auf dem Schoß; doch sie beobachtete nicht mich. Ihre Augen sahen nur, daß Rose ihre Kinder nicht beachtete, und ich wußte, sie hatte sie bereits im stillen als »unweiblich« gestempelt. Kein Mann hätte ihr bei Roses Anblick darin zugestimmt.

An jenem Tag half ich Kate, Ordnung in das Lager zubringen — größere Ordnung, als es ihr in ihren Sachen lieb war; doch ließ sie mich lächelnd gewähren, als ich die Kisten ordentlich aufstapelte und mit einer Persenning gegen die Witterung schützte. Wenn ich auch meinen Feldzug gegen den Gebrauch der guten Bettwäsche verlor, so gelang es mir dagegen zu verhindern, daß sie einige Stühle herausholte und diese ebenfalls den Witterungseinflüssen aussetzte.

Es waren hübsche, zierliche Stühle im Stil des vergangenen Jahrhunderts und nicht in dem schweren Stil, der heutzutage allgemein bevorzugt wird. Ich stellte sie ebenfalls unter eine Persenning. Der Planwagen mußte vollständig leergeräumt werden, weil Larry am nächsten Morgen zu seiner ersten Fahrt nach Melbourne aufbrach.

Ich ließ Pat drei große Klötze aus sehr hartem Holz heranrollen und sie in einem offenen Viereck um das Feuer gruppieren; diese, sagte ich, würden fürs erste unsere Sitzplätze sein. Obwohl sie es niemals erwähnte, hatte ich doch das Gefühl, Kate wisse es, daß Larry zu einer Entscheidung über mich gekommen war. Es schien jetzt vollkommen außer Frage zu stehen, daß ich bei ihnen bleiben würde.

Ich hatte an jenem Tag mein erstes Gespräch mit Kate. Es war schon Spätnachmittag, als das ganze Lager endlich nach meinem Geschmack aufgeräumt war. Das Hammelfleisch war schon in den Schmortopf gewandert, der an einem Dreifußgestell über dem Feuer hing. Plötzlich schien das Lager ganz still. Den ganzen Tag hatte rege Tätigkeit geherrscht; die Männer hatten keinen ersthaften Versuch unternommen, mit Graben anzufangen — sie waren umhergeschlendert, hatten sich mit Nachbarn unterhalten und ihnen zugeschaut. Sie standen ihrer neuen Arbeit noch verlegen und unerfahren gegenüber und waren noch nicht so vom Fieber nach dem Gold besessen wie so manche, die ich gesehen hatte. Es hatte beinahe den Anschein, als warteten sie, daß Larry wegführe. Sie waren jetzt in Richtung der Main Road fortgegangen — oder zumindest in Richtung des einzigen Stückes Straße, das zählte —, wo sich die Wirtshäuser und Läden befanden. Rose war auch mitgegangen, und wie mir schien, hatten sie sie nur widerstrebend mitgenommen. Sie waren zu Männerangelegenheiten unterwegs, und da war eine Frau nur ein Klotz am Bein. Aber Dan hatte es ihr nicht abschlagen mögen, und so war sie — Arm in Arm mit Pat — mitgegangen, mit einer Miene, die so etwas wie Interesse verriet.

Kate und ich tranken zusammen Tee — nicht aus Porzellantassen! Die hatte ich wieder eingepackt. Sie ließ sich auf dem Holzblock neben mir nieder, breitete ihre Röcke so aus, wie es für sie bequem war und nahm das ganze Bild der dichtgedrängt aufgeschlagenen Zelte mit dem Rauch der Abendbrotfeuer, die begonnen hatten, in die Luft hinaufzukräuseln, in sich auf. Plötzlich fiel mir auf, wie sehr sie bereits wie ein Teil dieses Ortes aussah, selbst mit ihrem unangemessenen Kleid und den hübschen blonden Ringellocken, die über ihren Ohren auf und nieder wippten. Kate besaß eine Erdverbundenheit, die sich in keinem ihrer Kinder zeigte. Auch in ihrer Sprechweise machte sich diese bemerkbar.

Sie blickte den Weg zwischen den Zelten hinunter —

den Rose und die Männer eingeschlagen hatten. »Ja«, meinte sie, »so ist Rose nun mal. Sie hat nicht den Verstand, mit dem sie geboren wurde — immer zieht sie mit ihren Brüdern herum, wenn sie nicht erwünscht ist. Sicherlich erwartet sie, sich so einen jungen Laffen da unten aufzutun. Oh, und beileibe nicht irgendeinen gewöhnlichen Johnny — nein, jemand mit Gold in der Tasche, der sich in derselben Sekunde, in der er sie zu Gesicht bekommt, in sie verliebt. Und auch kein schmutziges Gold darf es sein, das er etwa ausgebuddelt hat, sondern schönes, sauberes Gold geradenwegs aus Melbourne, und er muß auf einem Schimmel sitzen!«

Sie seufzte und lachte zugleich. »Nun, sie ist wohl nicht anders als andere junge Mädchen... und doch wünschte ich, sie würde nicht immer die Nase rümpfen über jeden anständigen, jungen Burschen, der ihr über den Weg läuft. Sie sucht etwas, was sie nicht finden wird. Ach, und vielleicht bricht's ihr das Herz, während sie sucht. 's war das gleiche in Dublin. Wie oft hab' ich nicht auf Dan eingeredet, er solle sie in der Wirtsstube mithelfen lassen, nicht, daß ich diese Schweinerei hätte brauchen können, die sie gemacht hätte, doch hätte es ihr vielleicht einige Flausen aus dem Kopf getrieben. Aber sie sagt nein und spielt sich auf, als wär' sie die Tochter eines Grafen. Die Schankstube sei gewöhnlich, sagt sie. ›Dada will nicht, daß man mich dort sieht!‹ Und Dan, der arme, gutherzige Trottel, hört auf sie und ist stolz auf sie; denn wenn sie sich nicht wie ein Teufel aus der Hölle gebärdet, redet sie daher wie 'ne Lady. Er hat sie verwöhnt und verhätschelt — Gesangsstunden und Klavierunterricht und weiß Gott was noch. Und was wird's ihr hier nützen? So wie ich diesen Ort sehe, sucht ein Mann hier bei seiner Frau zwei Hände, die zupacken können, bevor er sie fragt, ob sie ein kleines Stückchen für den Besuch zum besten geben kann . . .«

Sie schenkte sich noch ein wenig Tee ein. Ihr Gesicht war durchaus heiter, während sie sprach; es war schwer, über jemand bekümmert schwer, zu sein, der so von Fortuna begünstigt worden war wie Rose. Dann fuhr sie fort: »Es ist die Schuld des Großvaters — natürlich Dans Vater. Er lebte länger, als er hätte sollen, obwohl er soff. Er konnte nie vergessen, daß er ein Gentleman war. Er verkaufte das letzte Stück Wicklow-Land für das Wirtshaus in Dublin. Na, das war vielleicht 'ne armselige Angelegenheit, kann ich dir sagen, als ich zuerst da arbeitete. Da war ich nun, völlig unerfahren, frisch von einem kleinen Bauernhof in Meath, doch *ich* wußte, daß es nicht ordentlich bewirtschaftet wurde. Wie sollte es auch, mit dem alten Herrn, der oben für sich soff und zu stolz war herunterzukommen und sich mit den Gästen zu unterhalten, und dem armen Dan, der zu nichts nutze war mit dem Latein und dem ganzen Unsinn, mit dem der alte Herr ihn vollzustopfen versuchte. Der alte Herr war nicht begeistert, als Dan mich heiraten wollte. Aber ich kann dir sagen, ich brachte den Laden da in Schwung. Er hatte keinen Pfennig abgeworfen, bis ich ihn übernahm . . . doch der alte Herr verzieh mir nie, weil ich nicht seinen Vorstellungen von der Frau entsprach, die sein Sohn hätte heiraten sollen. Der alte Narr konnte nicht einsehen, daß sein Sohn der Wirt einer heruntergekommenen Schenke war. Er dachte immer noch, er sei einer der Maguires von Wicklow.

Das Schlimmste war, daß er lang genug lebte, der verdammte, alte Spinner, um etwas von diesem Quatsch in die Köpfe der Kinder zu säen. Das wird ihnen viel nützen. Er ließ Dan einen Hauslehrer für sie besorgen — die katholischen Schulen, sagte er, sind Hinterwäldlerschulen.

›Und was macht das schon?!‹ sage ich. Sie sind keine Dummköpfe, diese Jungen, und Larry kann wie der Blitz rechnen. Was braucht er sonst noch? frage ich mich. Aber trotz all dem ... sie sind gute Jungen ... sind mir gute Söhne ...«

Sie blickte versonnen in ihren Teebecher. »Ich wollte nicht hierherkommen — Irland war mir recht, sogar nach der Hungersnot war es uns noch recht. Doch Dan und ich, wir sind nicht jung, und wir waren zufrieden mit dem, was wir hatten. Aber es war nicht genug für all die Jungen. Wir mußten dahin gehen, wo sie eine Chance hatten ... wo sie nicht so benachteiligt wurden, weil sie katholisch sind. Dann schlidderte Pat auf Schwierigkeiten zu, und wenn wir ihn nicht am Galgen sehen wollten — so wie Dans Onkel endete, weil er mit Wolfe Tone gekämpft hatte —, mußten wir ihn von dort wegbringen. Also ... sind wir nun hier ...«

Sie deutete mit ihrem Becher auf das Zeltlager, die aufgestapelten Kisten, die Schlammwege zwischen den Zelten, auf die ganze kahle, von Menschen verschandelte Landschaft. »Es sieht nicht sehr nach einer Verbesserung aus«, meinte sie. »Aber dies wird sich alles ändern. Mein Dan, er war immer ein junger Glückspilz ...« Sie schob ihre Locken wieder zurecht, als sie von ihrem Mann sprach.

Ein wenig später kamen Rose und Con zurück, als ich Kate gerade zeigte, wie man einen »damper« machte — die Brotsorte, die beinahe überall hier üblich war, und die man in der heißen Asche des Feuers buk. Der Gehilfe in »The Digger's Arms« hatte mir den Trick beigebracht, bevor er den Streit mit Gribbon hatte. Rose sah ärgerlich aus, und ihr Gesicht war gerötet, Con war etwas niedergeschlagen, wurde jedoch wieder munter, als ich ihn die Asche vorsichtig über das Brot häufen ließ.

»Sie trafen einen der Ladenbesitzer — Sampson heißt er, einen Amerikaner —, Larry fing an, mit ihm über Geschäftssachen zu reden, natürlich, und sie sind jetzt alle zu einer der Kneipen abgezogen.« Ihre Stimme war gereizt, und sie verfolgte die Zeremonie des Brotbackens mit geringem Interesse.

»Nun, da hast du Larry«, erwiderte Kate aufgeräumt. »Er hat immer irgendwas vor. Man wird nie sehen, daß Larry das Gras unter seinen Füßen wachsen läßt.« Sie war erfreut, nicht über Larry, sondern über die Tatsache, daß Rose gezwungen war, zum Lager zurückzukehren. Zwischen ihnen bestand die übliche Eifersucht von zwei schönen Frauen, die um die Aufmerksamkeit der Männer wetteiferten. Kate war die stärkere Persönlichkeit, reif, und ihre Freundlichkeit verschaffte ihr den Vorteil des Charmes. Rose hielt es mit siebzehn Jahren nicht für notwendig, sich anzustrengen, um zu gefallen, außer wenn es ihr wichtig schien. Sie verließ sich auf ihre Schönheit und war sehr überzeugt von sich.

»Als ob an so einem Ort wie diesem hier überhaupt Gras wüchse«, meinte Rose verächtlich. »Hast du jemals so was Ähnliches hier gesehen? Hier ist nichts — aber auch gar nichts als eine Menge Männer, die von Schlamm verkrustet sind und alt wie . . . wie . . .« Sie machte eine erbitterte Gebärde. »Und die Läden . . . nichts, was sich anzuschau'n lohnt! Wenn es doch nur wie in Melbourne wäre!«

Wir alle wußten, was sie meinte. Melbourne war auch nur ein bißchen besser und erst zehn Jahre älter als diese Orte des Goldrausches; doch besaß es die Atmosphäre einer Stadt. Zugegeben, es hatte seine eigene Zeltstadt und barg ein Elend der Heimatlosen, das schlimmer war als das auf den Goldfeldern. Emigranten, denen sogar das Geld fehlte, sich auf den Weg nach Ballarat oder Bendigo zu machen, kampierten auf den Kais, wo die Schiffe sie abluden. Noch war alles in grobem Rohzustand; aber es gab doch schon schöne Steinhäuser, und die Schneisen für die breiten, geplanten Straßen waren bereits vorhanden. Es gab hübsche Vororte, wohin sich die Oberschicht zurückziehen konnte, um dem Chaos einer Stadt in der Entstehung zu entfliehen. Auf den Straßen konnte man sogar ein oder zwei elegante Kleider und wundervoll aufeinander abgestimmte Pferde vor prächtigen Kutschen sehen. Kein Wunder, daß Rose sich nach Melbourne sehnte, auch wenn es nicht ganz wie Dublin war.

»Es gibt da ein paar gute Läden in Melbourne«, meinte sie nachdenklich. »Vielleicht könnte Larry mir einen Schal mitbringen . . .« Dann wandte sie sich plötzlich zu mir. »Hast du in dem Laden, in dem du in London warst, Schals verkauft?«

Ich nickte. »Schals — und Hüte. Handschuhe. Was es in der Art nur gibt. Alles sehr teuer. Wir hatten eine vornehme Kundschaft. — Nicht eine jener Damen hätte sich etwas anderes als französische Seide und das allerfeinste Leinen auch nur angeschaut.«

Rose bekam große Augen. »Suchtest du die Sachen selber aus?«

»Nein — Elihu Pearson traute darin niemandem als sich selbst. Obwohl ich mich oft fragte, wie er wußte, was er aussuchen sollte. Er war ein vertrockneter, alter Junggeselle und machte sich nicht allzuviel aus Frauen. Er sagte oft zu mir, seine Kunden seien allesamt Närrinnen.«

»Du hast also vor allem mit dem Verkaufen zu tun gehabt?« fragte Kate. »Wenn ich eine seiner Kunden gewesen wäre, hätte ich nicht einmal ein Taschentuch als Geschenk von so einem widerlichen, alten Kerl angenommen.«

»So schlimm war er gar nicht«, entgegnete ich und war selbst erstaunt, daß ich es wirklich meinte. »Er lehrte mich eine Menge Dinge. Mein Vater und ich kamen zu ihm, als ich noch klein war, und Elihu sorgte sofort dafür, daß ich etwas lernte. Er schickte mich in die Schule und kaufte sogar die Bücher, die ich zum Lernen brauchte. Er war sehr geduldig. Er brachte mir Buchführung bei und alles, was man wissen muß, um ein Geschäft zu führen.«

Kate stieß die Luft geringschätzig durch die Nase. »Und geschah das nicht zu seinem eigenen Vorteil?« Sie hatte einiges von der Geschichte, die ich gestern erzählt hatte, mitgehört und deshalb eine Abneigung gegen Elihu Pearson gefaßt.

Ich zuckte die Achseln. »Warum auch nicht? Nicht viele hätten sich die Mühe gemacht. Mein Vater . . . nun, er war kein sehr guter Geschäftsmann. Elihu hätte ihn oftmals vor die Tür setzen können; doch er behielt uns beide, und so tat ich gern alles, was ich nur konnte. Er brauchte uns ja nicht zu behalten. Es gab viele, die unseren Platz sofort übernommen hätten. Das dachte auch mein Vater, als Elihu starb und wir das Geschäft verlassen mußten. Er sagte, es gäbe zu viele Menschen in London. Er entschied sich für Australien, weil er dachte, es gäbe hier mehr Platz . . . mehr Möglichkeiten.«

Ich zuckte wieder die Achseln und versuchte, die in mir aufsteigende Erinnerung an meinen Vater abzuschütteln, der gedacht hatte, es sei in diesem weiten, rauhen Land ein Platz für die Schwachen und Untüchtigen, der gedacht hatte, seine eigenen, schüchternen Unternehmungen würden dem Glück ein Zipfelchen für ihn abringen. Es zog mir das Herz zusammen, wenn ich daran dachte, wie ungeeignet er gewesen war, sich hier zu behaupten. In Wirklichkeit waren wir auf Georges beharrliches Drängen hin hierhergekommen — George, goldgierig, der bescheidenen Stellung überdrüssig, angelockt von Erzählungen über raschen wirtschaftlichen wie gesellschaftlichen Aufstieg in diesem neuen Land. Unser Vater hatte darauf gehört, ein sanftmütiger Mann, der selbst geheime Wunschträume hegte, und George hatte in seinem Hirn wohl so etwas wie das Feuer eines Besessenen entzündet. Nun, das Feuer war für ihn in jenem furchtbaren Schuppen bei »The Digger's Arms« erloschen, und George war auf und davon gegangen. Hier brach ich den Gedanken ab. Ich wollte George vergessen.

Ich blickte Kate und Rose zornerfüllt an, war jedoch nicht böse auf sie, sondern auf das, was ich als die Wahrheit dieses Landes entdeckt hatte.

Die Starken würden gewinnen, so wie immer — diejenigen, die sich hinter Geld und Macht verschanzten. Beinahe verstand ich jetzt Roses Ambitionen. Wäre ich schön wie Rose gewesen, wäre ich auch versucht gewesen, so wie sie zu denken und den leichteren Weg einzuschlagen, um das zu erlangen, was dieses Land zu bieten hatte.

»Aber in Wirklichkeit gibt es gar keine Chance, nicht wahr? Es ist genau wie Pat sagt — sie haben hier alles genau wie daheim geregelt. Den Leuten, denen das Land gehört, wird es auch weiter gehören. Der Rest von uns steht draußen vor. Hier ist nicht der Raum, die Weite, wie mein Vater es annahm.«

Damit verließ ich sie, um einen Stapel von Roses Unterwäsche durchzusehen, die ausgebessert werden mußte. Sie hatte mich nicht darum gebeten, doch wußte ich, sie würde sich niemals darum kümmern, und ich konnte nicht mitansehen, daß Wäsche so in Stücke ging. Außerdem brauchte ich etwas, meine Hände zu beschäftigen, meine Gedanken abzulenken.

Aber seit gestern, seit ich das Buch, in dem Elihu Pearsons Name stand, in das Loch bei »The Digger's Arms« geworfen hatte, tauchte sein Bild immer wieder vor mir auf, wie um mich zu verhöhnen. Ich konnte sein graues, zerfurchtes, jetzt sardonisches Gesicht sehen, dem es eine Art boshaften Vergnügen bereitete, mich zu quälen. Er und nicht mein Vater hatte mich als Mensch geformt. Obwohl er meist in einem Stuhl saß und mit seinen verkrüppelten Beinen nicht weit gehen konnte, war er eine Persönlichkeit gewesen. Er hatte bestimmt, was ich werden sollte, und er tat alles, mich dafür vorzubereiten.

»Kein Mann wird dich wegen deines Gesichts heiraten, Emmy«, sagte er. »Sei also tüchtig! Lerne dich nützlich zu machen, dann wirst du gut durchkommen! Die Faulenzer und die Dummen bleiben auf der Strecke.«

Wir hatten einige Dinge gemeinsam, an denen wir uns freuten. Das genaue Übereinstimmen der Kontobücher war ein Triumph. Es gab da auch ein winziges Gärtchen in dem feuchten Hof hinter dem Laden. Viel wuchs nicht in der rußgeschwängerten Luft Londons; doch wenn wir zusammen jenem unergiebigen Boden einen grünen Trieb entlockten, war auch das ein Triumph. Ich las Elihu aus der Zeitung vor, wenn seine Augen ermüdet waren, und manchmal forderte er mich auf, mit ihm zu debattieren — über Politik, den Prinzgemahl und wie wir die Dinge in Indien handhaben. Und am Ende sagte er mir, ich wüßte zu viel für eine Frau, und ich sollte lieber lernen, es zu verbergen. Er gab mit der einen Hand und nahm mit der anderen. Meine Garderobe zum Beispiel. Er gab mir Stoffe vom Lager, und ich lernte, meine eigenen Kleider zu nähen. Wie ich dieses gräßliche Grau und diese Brauns haßte! Ohne ein Stückchen Spitze oder Verzierung, um sie ein wenig aufzuheitern. Und wie häßlich waren diese Hüte, wahre Ladenhüter, die er billig eingekauft hatte, ebenso wie die Stiefel. Nie verzieh ich ihm jene Kleider und jene abscheulichen Altweiberschals.

»Du bist keine Dame«, pflegte er zu sagen. »Versuch nicht, etwas Besseres vorzutäuschen.«

Vielleicht liebte ich deshalb das grünkarierte Kleid so sehr, das mein Vater mir gekauft hatte, übrigens das einzige Geschenk von ihm. Vielleicht begann mein Vater in jenen Wochen nach Elihus Tod mich zum erstenmal als eine Frau zu sehen und nicht als ein Teil von Elihus Eigentum.

Elihu vermachte mir in seinem Testament einige Bücher — ich hatte es für einen grausamen Scherz gehalten, für eine Mahnung an das, was ich war. Aber dennoch hatte ich eines von ihnen bis ganz zu »The Digger's Arms« behalten. Vielleicht war ein Scherz von Elihu besser, als von ihm überhaupt nicht beachtet zu werden. »Ich dachte, er würde dir etwas Geld hinterlassen«, hatte George genörgelt. Er konnte sehr gut anderer Leute Geld ausgeben. Ich hatte die Achseln gezuckt und nichts erwidert. Ich hatte kein Geld von Elihu erwartet. Es war für ihn der kostbarste Besitz auf der Welt und durfte nicht an Leute, die nicht mit ihm verwandt waren, verschwendet werden. Es ging alles an seinen Neffen, den er jahrelang nicht gesehen hatte.

So war das am Ende vielleicht das beste Vermächtnis des alten Mannes an mich gewesen — diese strenge Schulung, das Wissen, daß ich auf mich selbst angewiesen war, mich auf nichts anderes verlassen konnte als auf meine Tatkraft und meinen schnellen Verstand.

Und das war wahrscheinlich auch der Grund, warum ich mich so zu Rose hingezogen fühlte — dem genauen Gegenteil von mir. Sie würde ihren Weg ohne Anstrengung gehen, einzig im Vertrauen auf ihre Schönheit. Sie war verwöhnt und kindisch, besaß jedoch die Großzügigkeit ihrer Mutter, und ich war nur zu geneigt, jeden, der großzügig war, zu bewundern. Ohne ein Wort hatte sie gestern nacht ihr Zelt und ihre hübschen Toilettensachen mit mir geteilt. Und heute schien sie bereit, mich als ein Teil der Familie anzuerkennen. Nun, wenn man von sich selbst überzeugt ist, besteht wohl kein Grund zur Eifersucht, für das Gefühl, jemand anders könne den eigenen Platz einnehmen. Ich wußte, sie würde bald beginnen, Forderungen an mich zu stellen, sowie sie es bei ihren Brüdern und ihrem Vater machte. Und ich wußte auch, daß, wenn es soweit wäre, ich gern das tun würde, was sie von mir verlangte. Für mich war es der Anfang von Liebe.

Larry sollte früh am nächsten Morgen nach Melbourne aufbrechen. Der Gedanke daran schien heute nacht schwer auf uns allen zu lasten, sogar auf mir, der es doch hätte gleich sein können, ob er ging oder blieb. Eigentlich hätte ich froh sein müssen, daß er wegfuhr, daß seine forschenden Augen nicht mehr auf mir ruhten. Aber es war genau umgekehrt. Er war unser Fels und Anker in dieser fremden Welt. Morgen würden Dan und seine Söhne ohne ihn zurechtkommen müssen, und sie sahen genau so verloren aus, wie ich mich fühlte.

Kate versammelte sie alle abends zum Gebet. In wichtigen Augenblicken nahm sie ihre Zuflucht zur Frömmigkeit. Ich lächelte, als ich mich daran erinnerte, wie Elihu »die Papisten« verachtet und gehaßt und mich aufgefordert hatte, es ebenfalls zu tun. Jetzt fragte ich mich, was denn in diesen Menschen zu fürchten war, wie sie nun Kates Aufforderung gehorchend um das Feuer herum knieten.

»Heilige Mutter Gottes . . . bring Larry wohlbehalten zurück!«

Da vergaß ich, daß ich Emmy war, die niemals über Beten nachgedacht oder irgend etwas davon erwartet hatte. »Bring ihn wohlbehalten zurück«, wisperte ich.

Ich war schon weit gegangen auf dem Weg, sie alle zu lieben. Bevor ich neben Rose einschlief, hakte ich einen weiteren Tag frei von Gribbon ab, einen weiteren Tag, an dem die Polizei nicht gekommen war, mich abzuholen. Über all die anderen Tage nachzudenken, die noch vor mir lagen, gestattete ich mir nicht.

Kapitel 3

In jenen Wochen, in denen Larry fort war, wurden wir ein Teil von Ballarat, nahmen wir seine Farbe an. Die Säume von Kates und Roses Kleidern, wie auch meiner eigenen, wurden von dem unvermeidlichen Schlamm verkrustet, und wenn sie trocken waren, auch noch vom Staub. Die Flanellhemden und Moleskin* – Hosen der Männer sahen nicht mehr neu aus, und ihre Strohhüte waren fleckig von Wasser und Schweiß. Die Männer bekamen an den Händen Blasen, die sich anfangs durch die im Wasser enthaltenen Mineralien entzündeten, dann jedoch heilten und Schwielen bildeten. Sie lernten die Spitzhacken im Rhythmus zu schwingen und wurden Experten in dieser Arbeit. Sie übernahmen den Brauch, ein paar Eukalyptusblätter in den Tee zu werfen; denn das ergab das einzige Getränk, das den Mittagsdurst löschte. Sie übernahmen die Gewohnheiten der Goldfelder, die Ausdrücke, die Denkweise. Sie stießen jedoch nicht auf Gold von irgendwelchem bedeutenderem Wert.

* Englischleder, aus Baumwollgewebe imitiertes Wildleder.

Die Schürfgrube wurde tiefer, und Dan bastelte ein Windrohr aus Segeltuch, um dem Schacht frische Luft zuzuführen. Sie arbeiteten sehr schwer; Dan war ein Mann von ungewöhnlicher Körperkraft, und Pat stand ihm darin nur um weniges nach. Den ganzen Tag beobachtete ich, wie die Ladungen mit Erde heraufkamen — ich half nämlich, die Winde zu drehen. Außerdem wechselte ich mich mit Rose ab beim Schwenken des Schwingtroges unten am Yarrowee, den auf beiden Seiten die hölzernen Schwingtröge säumten und das Tal mit ihrem unaufhörlichen, polternden Geräusch erfüllten.

Eine von uns drehte den Griff und zerkleinerte die Erd- und Gesteinsklumpen mit einem Stock, während die andere ständig Wasser daraufgoß. Der Bodensatz, der durch das Drahtsieb des Troges fiel, mußte dann in der Blechpfanne nach Goldstaub durchgewaschen werden. Con war darin sehr geschickt. Die Quarzstücke, die im Schwingtrog zurückblieben, wurden nach Goldstückchen oder gar Gold klumpen verlesen. Wir fanden keine Goldklumpen. Wir gewannen durch den Goldstaub, den Con wusch, gerade genug, um unsere täglichen Ausgaben zu decken, und damit hatten wir mehr Glück als einige andere.

Wir gewöhnten uns auch an den Ruf »Traps! Traps!«, der bedeutete, daß die Polizei auf einer Lizenzrazzia im Anzug war. Das Gesetz schrieb jedem Goldgräber vor, jeden Monat eine Lizenz zum Preis von 30 Shilling zu erwerben; diese hatte er ständig bei sich zu tragen. Wurde sie nicht im selben Augenblick, in dem die Polizeistreife sie von ihm verlangte, vorgezeigt, so verhaftete man den Mann auf der Stelle und behielt ihn in Arrest, bis er eine Geldstrafe bezahlen konnte. Viele konnten sich keine Lizenz leisten. Wenn nun der Schrei »Traps!« oder »Joe! Joe!« ertönte, rannten die Männer ohne Lizenzkarten zu den tiefen Schächten, in der Hoffnung, von der Bildfläche zu verschwinden, bevor die berittenen Gendarmen über dem Rand des Abzugkanals auftauchten. Wir alle haßten dies, ob wir uns nun eine Lizenz leisten konnten oder nicht, und es erbitterte viele Männer, so auch Pat.

»Taxation without Representation*«, schrie er genauso laut wie die übrigen Männer auf den Goldfeldern. In gewisser Weise stimmte es. Wir waren in diesem Land Fremdlinge, ohne Vermögen und deshalb ohne Stimmrecht. Wir waren heimatlos und besaßen als einziges das Recht, auf diesen drei Quadratmetern Gold zu schürfen ... Wir hatten niemand, der in der Rechtsprechung für uns eintrat. Und Tausende von Männern bezahlten diese Steuer, ohne jemals eine Unze Gold dem Boden abzugewinnen. Man konnte schon darüber verbittert werden.

Was Pat auch tat, Sean machte es natürlich nach. Wenn solch eine Razzia begann, stürzten beide auf den nächstbesten Schacht zu. Obwohl sie ihre Lizenzen bei sich trugen, machten sie es den Gendarmen so schwer wie möglich, diese zu überprüfen. Einmal tat Pat so, als könne er seine nicht finden, wurde mit Handschellen an den Sattel des berittenen Gendarmen angeschlossen und zurück zum »Kittchen« gejagt. Wenn das voll war, wurden die Männer an einen riesigen gefällten Baumstamm gekettet, bis der Magistrat sich mit ihnen befassen und die Geldstrafe über sie verhängen konnte. Pat brachte jedoch seine Lizenz zum Vorschein, bevor er in Ketten gelegt wurde. Er kam grinsend vor Genugtuung über seinen kleinen Triumph über die Obrigkeit zu uns zurück, war jedoch

---

* Der Wahlspruch im Unabhängigkeitskampf der neuenglischen Staaten Nordamerikas gegen ihr Mutterland England: »Steuerpflicht ohne jegliches Mitbestimmungsrecht.«

immer noch gereizt und wütend, daß es überhaupt geschehen war. Sein Tun war töricht und verkehrt, und er gewann nichts dadurch.

Es gab andere Dinge zum Nachdenken. Man hatte einfach keine Möglichkeit, sich abzusondern. Wir nahmen teil an allem, was rings um uns geschah. Ein Kind ertrank in einem verlassenen, mit Wasser vollgelaufenen Schacht am andern Ende des Ortes. Ich erinnerte mich nicht, das Kind jemals zuvor gesehen zu haben — es waren so viele dort —, aber weil ich flinke Finger hatte, fand ich mich auf einmal das Leichenhemdchen aus einem Leinenhemd nähen, das Kate mir zum Zerschneiden gegeben hatte. Ich besetzte es mit irischer Spitze, die Mary Healy beisteuerte. Wahrscheinlich war es das hübscheste Kleidchen, das dies Kind je getragen hatte. Ich ging auch zur Totenwache und folgte dem Sarg zum Begräbnisplatz. So wurden wir alle in den Tod eines uns fremden Kindes verwickelt.

Es gab auch andersartige Todesfälle. Einen Schutz durch die Polizei gab es so gut wie gar nicht. Also schützte sich die Bevölkerung von Ballarat so gut sie konnte — und so brutal sie konnte.

Einige Nächte nach unserer Ankunft wurde ein Mann am Eureka erschossen, als er spät nachts auf der Main Road aus den Kneipen nach Hause torkelte. Es trieben sich Diebe in der Finsternis jener unbeleuchteten Straßen herum, und die Männer drückten manchmal aus reiner Nervosität ab. Jener Tod war ein Unglücksfall, wie auch das Sterben jener Männer, die bei lebendigem Leibe begraben wurden, als ihre nicht abgestützten Schächte einstürzten. Andere Tote waren keine Unglücksfälle. Der Goldtransport von Ballarat wurde dreißig Kilometer außerhalb des Ortes aus dem Hinterhalt überfallen und ein Gendarm wie auch zwei Strauchdiebe getötet. Die anderen entkamen.

Nicht alles wurde vom Tod beherrscht. Es gab auch Geburten. In unserer Nachbarschaft brachte eine Frau nach einem langen Tag voller Wehen eine Tochter zur Welt. Wir lauschten ihren Schreien, und Rose kauerte sich an mich, die Hände über den Ohren.

Eine Hebamme stand der Frau bei, jedoch kein Arzt. Der einzige Arzt, den wir auftreiben konnten, war betrunken. Ärzte waren, wie wir alle, flüchtige Zugvögel auf den Goldfeldern.

Es gab auch Gelächter. Sonnabends waren die Galanächte. Ich zog mein grünkariertes Kleid an, wenn Rose und Kate sich mit Seide schmückten, und wir gingen zur Main Road hinunter wie fast alle anderen in Ballarat. Ich promenierte bei Con eingehakt dahin, und es freute mich, daß er stolz war. Wir betrachteten die Geschäfte und wünschten, wir könnten einige der Sachen, die wir dort sahen, kaufen. Verschiedenes war hübsch — Seidenhemden und Samtwesten verlockten den Goldgräber, der eine reiche Goldader entdeckt hatte und es nicht abwarten konnte, nach Melbourne zu kommen. Das Geklimper der Klaviere aus den Hotels und Kneipen winkte uns alle heran — Con buchstabierte ihre Namen mit ehrfürchtiger Stimme —, das Adolphi, das Montezuma, das Charles Napier. Sie holten ihre Artisten aus dem fernen Europa. Die Leute redeten immer noch davon, als Lola Montez hierherkam; der Gedanke, daß Ballarat genug Geld hatte, um die einstige Geliebte des Königs von Bayern anzuziehen, war etwas Bedeutungsvolles für sie.

In warmen Nächten ließen die Hotels die Türen offen, und wir konnten auf der Straße stehen und die Lampen mit den rosa Schirmchen sehen, die fransenbesetzten Vorhänge und die Frauen in den grellfarbenen Satinkleidern. Rose puffte mich dann immer heftig in die Seite und seufzte:

»Ich wünschte, wir könnten hineingehen! Was würde ich darum geben, hineingehen und Champagner trinken zu dürfen!«

Rose war sehr ruhelos. Sie paßte sich Ballarat weniger gut an als wir andern. Wir kamen uns in jenen Wochen so nahe, wie eine Frau überhaupt jemals Rose nahekommen würde. Wenn sie nachts in der Dunkelheit des Zeltes wachlag, vertraute sie mir flüsternd ihre Unzufriedenheit an.

»Glaubst du, wir werden jemals hier rauskommen, Emmy? Glaubst du, wir werden es? Er ist so furchtbar — dieser Ort! Es ist niemand da zum Kennenlernen. Es ist noch nicht mal jemand da, mit dem es sich zu reden lohnt!«

Ich wußte, was sie meinte. Wenn sie sagte, es sei niemand zum Kennenlernen da, meinte sie damit, es gäbe hier keine Männer. Natürlich gab es hier genügend Männer, von denen die meisten schon allein nach dem Anblick einer hübschen Frau hungerten. Aber diejenigen, für die sie sich interessierte, gab es hier nicht.

»Er soll jung und schön sein — und Geld haben«, sagte sie dann ungestüm.

»Die einzigen Männer hier, die Gold gefunden haben, sind alte Männer — nicht mal anseh'n würd' ich alte Männer!«

Zu den jungen Männern, die um das Maguire-Lager herumlungerten, war sie abweisend und fast hochmütig. Doch sie lungerten trotz solcher Entmutigungen weiter herum, weil Rose, wie ich festzustellen begann, eine Frau war, die Männer auch ohne es zu wollen anzog. Sie war sich natürlich darüber klar, und dieses Bewußtsein verlieh ihr noch größere Arroganz. Sie behandelte sie wie arme Tölpel und genoß ihre Macht. Ich hatte meine eigenen Verehrer — ziemlich jämmerliche Kerle, fand ich, die nicht einmal den Versuch unternahmen, Rose zu erlangen. Es lohnte sich nicht, dachte ich, sich um diejenigen zu kümmern, die das noch nicht einmal versuchten. Pat nannte mich immer noch »Grünauge«, und ich war froh darüber.

Ich hielt mein Larry gegebenes Versprechen in jeder mir möglichen Weise. Stundenlang saß ich tagtäglich bei Con und half ihm beim Lesen und Rechnen — ich war ein besserer Lehrer als Dan, logischer und auch viel geduldiger als die andern. Ich versuchte, Rose zu mäßigen — oder ihr zumindest das Mitgefühl, das sie verlangte, entgegenzubringen, und ihr eine bereitwillige Zuhörerin zu sein, damit sie sich einen Teil der Enttäuschung, die sie manchmal überwältigte, vom Herzen reden konnte. Ich kochte die meisten Mahlzeiten, wenn auch Kate als die Köchin galt; ich sorgte dafür, daß die Hemden und Hosen stets heil waren und kürzte die Unterröcke, damit sie nicht im Schmutz schleppten. Ich erinnerte Kate daran, ihren Sonnenhut zu tragen und rieb ihr die Arme, wenn sie Sommersprossen bekam, mit Fett ein. Und ich ermutigte Pat nicht, mich mehr als »Grünauge« zu nennen. Das war nicht schwierig, da Pat vielleicht einem Dutzend Mädchen am Eureka schöne Augen machte.

Und so hielt ich meine Abmachung mit Larry, doch nach einiger Zeit vergaß ich den abgeschlossenen Handel. Ich hätte es genauso getan, wenn es keine Abmachung und keinen Larry gegeben hätte. Ich tat es, weil sie meine Familie geworden waren. Ich kannte ihre Schwächen und hätte diese gegen jede Kritik verteidigt. Zum erstenmal liebte ich, und nun wollte ich diese Liebe durch die Dienste, die ich für sie verrichtete, zum Ausdruck bringen. Aber es gab nichts, was ich hätte tun können, außer den trivialen Dingen, die es täglich zu erledigen gab. Und ich wünschte mir nichts von ihnen, was sie mir nicht bereits gegeben hatten: nämlich das Gefühl dazuzugehören.

Ich suchte in der Zeitung von Ballarat, »Ballarat Times and Southern Cross«, nach irgendeiner Erwähnung Will Gribbons oder von »The Digger's Arms«, fand jedoch keine. Wo Gold ist, ist immer Gewalttätigkeit, und ich begann zu hoffen, daß dies einer der vielen Fälle sein würde, um welche die Polizei nicht viel Aufhebens machte. Ich fing an, mich weniger zu ängstigen. Es kam der Tag, an dem ich in der Lage war, auf der Main Road an einem Gendarmen vorbeizugehen, ohne mich hinter Rose verstecken zu wollen. Ich blieb nicht stehen, um in den Gesichtern der Menge nach Georges Antlitz zu suchen; doch nach der ersten Woche machte ich mir weniger Gedanken um ihn. Es gab viele abgelegene Goldfelder, und er konnte zu irgendeinem von ihnen gezogen sein. George würde, genauso wie ich, den Drang haben, eine möglichst weite Entfernung zwischen sich und »The Digger's Arms« zu legen.

Die Beruhigung, die ich hinsichtlich meiner Sicherheit erfuhr, erstreckte sich jedoch nicht auf meine Gefühle über Gribbons Tod. Es gab für mich tatsächlich keine Ruhe vor dem ewigen Wiederdurchleben jenes Augenblickes, in dem der Revolver in meiner Hand zu explodieren schien. Beinahe jede Nacht sah ich in meinen Träumen jenen langsamen Fall und hörte jenes Geräusch, als sein Körper zu Boden sank. In Angstschweiß gebadet, erwachte ich dann. Manchmal hörte ich auch meine eigene Stimme seinen Namen aussprechen. Ich war noch nicht erlöst von der Vergangenheit. Ich begann zu glauben, daß ich es niemals sein würde.

Manchmal weinte ich in jenen Nächten leise in mein Kopfkissen. Und ich war dankbar, daß Rose so fest schlief.

Tagsüber wich das Bild von mir. Ich war glücklich am Eureka. In jenen Tagen hofften wir alle noch auf einen großen Fund, der uns schnell reich machen würde. In der Zwischenzeit arbeiteten wir schwer, aßen gut, und das Wetter jenes Frühlings war ebenfalls gut — mit warmen Tagen und kühlen Nächten. Kate hielt hof an ihrem Lagerfeuer, so wie sie es zu Hause in ihrem Dubliner Wirtshaus getan hätte, und Dad teilte immer noch Whisky aus. Ich unternahm keine großen Anstrengungen mehr, ihn daran zu hindern, trotz meines Larry gegebenen Versprechens. Ich begann zu ahnen, wie wichtig Kates klingendes, herzliches Lachen für uns alle war — und sogar für die Leute in den Zeltlagern um uns herum. Es wäre töricht gewesen zu versuchen, Dan davor zurückzuhalten, seinen Tabak herumzureichen. Ihnen diese Dinge zu nehmen, hätte bedeutet, sie einer schützenden Haut zu berauben, hätte sie verletzlich gemacht für Niedergeschlagenheit, für ein Gefühl der Verlorenheit, das einen so schnell hier auf den Goldfeldern anfallen konnte. Sie brauchten all ihre Kraft, ihre ganze Bereitschaft zur Fröhlichkeit; denn die Hoffnungen, wie auch die seelische Verfassung von uns allen, hingen von ihnen ab.

Wir warteten natürlich auf Larry. Wir zählten jeden Tag. Und jeden Abend ließ Kate uns niederknien. »Heilige Mutter Gottes, bring Larry wohlbehalten zurück!«

Und danach wiederholte dann Rose im Zelt die Bitte, aber es war kein Gebet, sondern ein verzweiflungsvoller Wunsch. »Wenn doch bloß Larry bald zurückkäme!« Ich glaube, sie wußte selbst nicht, was sie von seiner Rückkehr erwartete, außer einem gewissen Kontakt mit einer Welt, die ihr vertrauter und nicht so verhaßt war wie diese. Doch in gewissem Sinn warteten wir alle auf mehr als nur seine Rückkehr.

Larry war fast drei Wochen fort; es schien jedoch viel länger. Eines Spätnachmittags kam er zurück; die Männer waren noch bei ihrem Tagewerk. Con und ich saßen auf einem der Holzblöcke und hatten seine Schulbücher vor uns auf einigen Kisten ausgebreitet; Kate rührte Teig für einen frischen Laib Brot an. Rose war ruhelos fortgegangen – um Lucy O'Donnell zu besuchen. Unser Lagerplatz lag nicht weit von der Stelle, an der die Landstraße von Melbourne am Eureka vorbeikam. Wir hörten Larrys Ruf, und da war er auch schon, schwang seine Peitsche grüßend zu uns herüber, und lenkte die Ochsen auf dem unebenen Weg durch die Zeltlager auf uns zu.

»Heilige Mutter Gottes!« schrie Kate. »Larry ist wieder da!« Sie wischte sich mit der Schürze das Mehl von den Armen und lief ihm entgegen. Am Schacht hielt sie eine Sekunde inne. »Dan! – Pat! Kommt rauf! Larry ist da!«

Con verschwand wie der Blitz von meiner Seite, und ich sah ihm nach, wie er zum Wagen rannte, über das Rad zu Larry auf den Kutschbock kletterte und seine ganze Mannesehre vergaß, als er seinen Bruder mit kindlichem Ungestüm umarmte. Bevor ich ihm folgte, griff ich mir eines der Kinder, die stets bei uns herumwimmelten. Es war Tom O'Brien, der zwei Zeltplätze weiter am Eureka wohnte. »Rasch«, befahl ich, »lauf und hol Rose von O'Donnells. Sag ihr, Larry ist zurück!« Als er nicht geneigt schien, sich die sich hier bietende Aufregung entgehen zu lassen, gab ich ihm eine leichte Ohrfeige. Zu oft hatte ich ihn mit dem von mir bereiteten Zuckerwerk gefüttert, um darüber jetzt Gewissensbisse zu verspüren. »Beeil dich!« mahnte ich, und er machte kehrt und lief los.

Inzwischen waren die Männer aus dem Schacht gekommen und um Larry versammelt, und unsere Nachbarn kamen von ihren Zelten herübergeschlendert. Sie waren höflich und warteten, bis die ersten Augenblicke der Begrüßung vorüber waren, bevor sie sich herandrängten, aber sie waren trotzdem recht entschlossen. Es wäre für uns undenkbar gewesen, Larrys Rückkehr nicht mit ihnen zu teilen, da sie doch zuvor unser Warten mit uns geteilt hatten.

Ich fand mich selbst, zusammen mit anderen, Larry umarmend und spürte sogar seinen leichten Kuß auf der Wange. Ich vermute, ich war nicht das einzige Mädchen, das er in jenen ersten Minuten küßte. Kate lachte, und die Tränen rannen ihr über die Wangen. Sie wischte sich mit der bemehlten Schürze ab. Dan schüttelte allen ringsum die Hände, als wäre *er* gerade von einer Reise zurückgekehrt.

Larry machte uns schließlich auf den zweiten Planwagen aufmerksam. Da wir nur einen erwartet hatten, sahen wir auch nur einen. Nachdem er seine Ochsen angebunden hatte, ging er zur Straße zurück und half, den zweiten Wagen über den holprigen Boden zu lenken. Es war ein großer, von zwei gut zusammenpassenden Pferden gezogener Wagen. Allein die Pferde hätten uns runde Augen machen lassen. Vielleicht starrte ich aber schon den Mann an, der sie lenkte.

Larry stieg auf das Rad, so daß er höher als die kleine um ihn versammelte Gruppe stand und rief laut: »Alle zuhören, bitte — ich möchte Euch Adam Langley vorstellen! Wir haben uns geschäftlich zusammengetan. Und wenn Ihr denkt, dieser Wagen und die Pferde gehörten mir, so habt Ihr Euch geirrt.« Und dann lachte er ein zuversichtliches, breites Lachen. »Aber sie werden mir bald gehören!«

Ein schallendes Gelächter des Beifalls quittierte seine Worte, und die Männer drängten sich vor, um dem Neuankömmling die Hand zu schütteln. Er trug eine Seemannsmütze und eine ebensolche Jacke und schien ein paar Jahre älter zu sein als Larry. Herzlich erwiderte er jeden Händedruck, und wir merkten an seinem Akzent, daß er Amerikaner war.

Eine Stimme aus der Menge rief scherzend: »Du wirst aufpassen müssen, Larry-boy! Diese Yankees sind spitzfindiger als 'ne Nadel. Sieh dich lieber vor, oder ihm gehört am Ende *deine* Ausrüstung.«

Adam Langley lächelte und wies diesen Gedanken mit einer Handbewegung weit von sich. Als die Pferde angebunden waren, kletterte er vom Bock herunter, und wir gingen alle zurück zum Feuer.

»Laßt die Gespanne, wie sie sind«, rief Larry. »Wir bleiben nur 'n paar Minuten. Der ganze Kram geht runter zu Ben Sampsons Läden.«

Adam kam mit uns, größer als die meisten Männer, breitschulterig und jetzt mehr geneigt zu nicken und zuzuhören als selbst zu reden. Seine Zähne waren um einen Pfeifenstiel geschlossen. Eine Sekunde lang stand ich neben ihm in der Menge, und er ragte hoch über mich empor. Obwohl er mitten zwischen ihnen ging, blieb er doch irgendwie abseits von diesem Haufen aufgeregter Irländer und schien willens, Larry das Reden zu überlassen. Seeleute waren kein ungewöhnlicher Anblick auf den Goldfeldern; sie türmten von ihren Schiffen, um hierherzukommen. Doch Adam Langley trug die Schirmmütze eines Schiffsoffiziers. Sein tiefgebräuntes Gesicht und das intensive, von greller Sonne angestrengte Blau seiner Augen erzählten vom Meer; er gehörte nicht ganz hierher — oder zumindest fühlte ich, daß er es vorgezogen hätte, woanders zu sein. Er nahm das Auf-die-Schulter-Klopfen jedoch freundlich hin. Ich glaube, ich erkannte in seinem nachsichtigen Lächeln und Kopfnicken Zuneigung zu Larry. Adam Langley sah auch sehr gut aus — groß und schlank, mit gutgeschnittenem, kantigem Gesicht und einem Ausdruck von Reserviertheit, die wohl nicht so leicht zu durchbrechen war. Als er die Mütze abnahm, kam sein braunes Haar zum Vorschein, dessen obere Strähnen jedoch von der Sonne gebleicht waren. Er setzte sich auf den Platz, den Kate ihm auf dem Holzblock zugewiesen hatte und wartete geduldig, daß das ganze aufgeregte Theater sich legen würde. Als ich Larry ankommen sah, hatte ich sofort den Wasserkessel wieder über das Feuer gehängt, und so war der Tee bald fertig. Kate und ich reichten die Becher herum, und Dan ging hinterher und goß jedem, der es so haben wollte, einen Schuß Rum in den Tee. Es herrschte festliche Stimmung unter uns, und wir lachten bereitwillig über die geringste Kleinigkeit.

Die Männer quetschten Larry nach Einzelheiten über die Fahrt nach Melbourne aus, während Kate den Fruchtkuchen aufschnitt, den sie in Erwartung von Larrys Rückkehr gebacken hatte.

Larry biß in sein Kuchenstück: »Nun, ich werde also erzählen. Eine Zeitlang schien es schlecht zu stehen, bis ich Adam kennenlernte. Es handelt sich nämlich nicht nur darum, nach Melbourne zu kommen und sein Geld für das, was man haben will, hinzulegen. Es hängt alles von der Ankunft der Schiffe ab. Wenn die Waren knapp werden, bekommen nur die regelmäßigen Kunden noch was aus den Lagerhäusern. In letzter Zeit gab es 'ne Menge Schiffsverspätungen. Es sah so aus, als müßte ich entweder die Ladenpreise zahlen und auf gut Glück versuchen, hier in Ballarat einen Gewinn zu machen, oder aber mit leeren Händen zurückkommen. Und da traf ich dann Adam, und er nahm mich mit zu John Langley...«

»Langley...?« Der Name lief durch die Runde, die ihn wiedererkannte, ihn aber auch mit einem Anflug von Respekt aufnahm. Dicht neben Adam fragte jemand:

»Du bist also 'n Langley? — einer von *jenen* Langleys? Ein Amerikaner . . .?«

Adam zuckte die Achseln. »Unsere Namen sind die gleichen. Zwei verschiedene Zweige derselben Familie. Meine Vorfahren gingen vor über hundert Jahren nach New England. Mein Vater traf John Langley in Van-Die-mens-Land*, als er in den zwanziger Jahren beim Walfang hierherkam. Wir sind Nantucketer!« erklärte er nachdrücklich, als erwartete er, daß jeder wußte, was das bedeutete.

»Ist das das Langley-Warenhaus in Melbourne, ja?«

»Viel mehr noch!« rief eine Stimme aus dem Hintergrund. »Das ist der Langley von Langley Downs und weiß Gott wovon sonst noch! Er besitzt mehr Schafe als der ganze Rest zusammen. Und er sähe es gerne, wenn wir alle — wir Goldgräber — aus dem Land müßten. Das sagte er vor kurzem im Gesetzgebungsrat.«

Ein leises Unbehagen bemächtigte sich der Anwesenden. Sie blickten Adam an und betrachteten ihn eingehender. Man verband ihn nicht in Gedanken mit Reichtum — in dieser vom Regen mitgenommenen Jacke und der eingebeulten Mütze. Und man fragte sich, was er hier in Ballarat mit einem Planwagen machte.

Larry tat das Gerede mit einer Handbewegung ab. »Mir ist egal, was der im Gesetzgebungsrat sagte. Wie jeder andere macht er, wenn er kann, ein Geschäft. Die Goldgräber werden hierbleiben, das weiß er genau. Also wird er ihnen Sachen verkaufen, so wie er an alle andern verkauft. Adam arrangierte es für mich, daß ich ihn sehen konnte, und nach einer Woche hatte ich ihn überzeugt daß ich der Mann für ein Geschäft mit ihm war. Und so

---

* Tasmanier.

sind wir also hier — Langley ließ mich aus seinem Lagerhaus aussuchen, was ich wollte; der Wagen und die Pferde gehören ihm. Adam ist hier, um auf den Langley-Teil des Geschäftes aufzupassen.«

»Nun, man sagt, Seeleute geben gute Händler ab — besonders Yankee-Seeleute.«

Adams Liebenswürdigkeit verschwand. »Es ist nur vorläufig«, sagte er schnell. Sein Gesicht spannte sich. »Nur so lange, bis ich wieder ein Schiff bekomme . . .«

»'s gibt 'ne Menge Schiffe in Melbourne. Sie verfaulen in der Bucht.«

»Und keine Mannschaften«, sagte Larry. »Die Kapitäne sitzen da und warten, daß ihre Leute von den Goldfeldern zurückkommen. Ein Mann muß ja etwas tun, um seinen Lebensunterhalt zu verdienen . . .«

»Aye . . .« erklang es in einstimmigem Einverständnis, und Adam Langley rückte in ihren Augen wieder an seinen Platz zurück. Die Tatsache, daß er sich seinen Lebensunterhalt verdienen mußte, hatte die Aura des Wohlstandes, die der Name Langley heraufbeschwor, von ihm genommen. Er war wieder ein einfacher Seemann. Die Spannung wich teilweise aus seinem Gesicht. Er klopfte seine Pfeife aus und stopfte sie erneut, und es gelang ihm, Kates Bitte, doch ein zweites Stück Kuchen zu nehmen, ohne sie zu kränken, abzulehnen.

»Na, da hast du aber einen guten Fang gemacht, Larry, wenn es wirklich der alte Langley ist, der hinter dir steht!« stellte Mike Healy fest. »Da gibt's für dich nu' kein Halten mehr, wo du das Langley-Geld im Rücken hast.«

Diese Version lehnte Larry jedoch ab. »Moment mal — es ist doch nur ein kleiner Kredit, und er hat mich nur genommen, anstatt jemand eigens für diese Aufgabe einzustellen. Er ist froh, wenn er durch Ben Sampsons Geschäft verdienen kann, anstatt hier sein eigenes aufzumachen;

denn er sagt, Ballarat habe keine Zukunft. Er wartet nur darauf, daß das Gold versiegt . . . da soll lieber jemand anders mit dem Grundstück und Laden sitzenbleiben, wenn die Leute von hier wegziehen, sagt er.«

»Der ist ja verrückt! Das Gold wird noch Jahre dauern . . .«

»Er ist sehr schlau. Dadurch hat er es ja zu so viel Geld gebracht. Man erzählte mir, daß er sogar in jener Anfangszeit, als es *die* Sache war, am Wal- und Seehundsfang in der Straße von Malakka beteiligt war . . . Was sagst du dazu, Langley? Stimmt das?«

Adam Langley meinte achselzuckend: »Ich weiß nicht viel über seine Angelegenheiten, und er neigt nicht dazu, sie mit einem armen Verwandten zu besprechen. Doch ich erinnere mich, daß mein Vater mir mal erzählte, John Langley habe eine Walfangstation bei seiner ersten Farm errichtet — Hope Bay heißt sie. Aber das ist jetzt alles vorbei.«

»Ja — sie schlachteten die armen Geschöpfe, und nun haben sie schon seit Jahren nicht mal 'nen Schwanz von einem Wal oder einem Seehund in der Malakka-Straße zu Gesicht bekommen. Die Leute ersticken an ihrer eigenen Habgier . . .«

»H-s-s-sch«, befahl Kate diesem Sprecher. »Redet man so vor dem Mann, der mit den Langleys verwandt ist?«

»Das macht mir nichts aus, Mrs. Maguire«, versicherte Adam Langley. »Ich betrachte mich nicht als einen Angehörigen dieser Familie. Wäre es nicht um Larrys willen gewesen, glaube ich nicht, daß ich überhaupt zu ihm gegangen wäre . . .«

»Das wird John Langley ändern«, bemerkte Mike Healy. Er lebte bereits länger als fast alle andern hier am Eureka, und sein Wort galt, wenn das Gespräch sich um den Klatsch der Kolonie drehte. »Nach dem, was ich von diesem Mann höre, läßt er niemals etwas wieder los, was er einmal in die Hand genommen hat. Da ist erst mal sein Sohn — der junge versucht ausgerechnet hier in Ballarat vom Alten loszukommen, aber nicht gerade mit viel Erfolg. Und dann die Langley-Tochter — man sagt, sie heiratete irgendeinen englischen Dandy — den Erben eines Barons —, und nach nicht mal einem Jahr, war sie da nicht schon wieder in Melbourne bei ihrem Vater? Sieht auch nicht so aus, als würd' sich das ändern.«

»Kennt Ihr Tom Langley?« unterbrach Adam Langley ihn.

»Aye, freilich . . . man findet ihn fast immer drüben in Bentleys Kneipe, die ist gerade hier am Eureka. Einem guten Gläschen ist er nie abgeneigt, wenn Ihr wißt, was ich meine. Er hat Geld in der Tasche, auch wenn er nicht viel tut, was Graben betrifft.«

Adam nahm diese Auskunft mit einem Kopfnicken zur Kenntnis. Mike Healy hätte gerne weiter über Tom Langley geredet; doch gab Larry ihm keine Gelegenheit mehr dazu. Er leerte seinen Becher und stellte ihn auf den Boden.

»Tja, wir werden jetzt zu Sampson hinunterfahren. Ich muß diese Fuhren unbedingt noch vor Dunkelheit abladen und überprüfen, und wir brauchen dabei ein paar, die uns helfen . . .«

»Die Jungen und ich kommen mit, Larry«, entschied Dan. »Wir waren gerade fertig im Schacht. Und vielleicht hilft uns auch Mike ein bißchen . . .«

»Ich kann mithelfen«, verkündete Con.

Sie bewegten sich nun alle auf die Wagen zu. Ich nahm Adam den leeren Becher aus der Hand, und er dankte mir mit einem flüchtigen Lächeln. Er wußte nicht, wer ich war — ich war ihm in den ersten wildbewegten Minuten seiner Ankunft vorgestellt worden; doch er erinnerte sich nicht mehr an meinen Namen.

»Ich bin Emmy — Emma Brown.«

Einen Augenblick blieb er hinter den andern zurück. »Emma . . . das ist ein hübscher Name. Es war der Name meiner Großmutter.« Er stand vor mir und sah auf mich herab, ein stattlicher Mann, dessen Schultern nicht genug Platz fanden in seiner Jacke. Das Lächeln spielte noch um seinen Mund, doch hatte es sich verändert; er war jetzt nachdenklicher und enthielt sogar einen Hauch von Wehmut. Mein Name hatte ihm sein Zuhause ins Gedächtnis zurückgerufen. Ich klammerte mich an diesen Strohhalm.

»Ihr werdet hier wohnen — im Lager?«

Er schüttelte den Kopf. »Die Mühe will ich Ihnen nicht machen. Ich werde mir ein Bett in einem der Wirtshäuser besorgen.«

»Davon wird Kate nichts hören wollen«, protestierte ich energisch, weil ich das genau wußte. »Da ist noch ein Zelt für Larry. Ihr könnt es mit ihm teilen. Ihr bleibt doch wohl ein paar Tage hier?«

Er nickte, warf einen Blick über die Schulter zu Larry und den Wagen hinüber und wandte sich zum Gehen. Ich folgte ihm in stolpernder Hast — und dabei war ich doch sonst nie so unbeholfen. An seiner Seite fühlte ich mich wie ein Kind und wollte doch, daß er mich als Frau sah.

»Wenn Ihr irgend was gewaschen haben wollt . . .« meinte ich linkisch. »Oder ausgebessert . . . ich kann sehr gut flicken.«

Er sah mich mit einigem Erstaunen an, und ich kam mir maßlos töricht vor. Ich wußte, was ich tat, und konnte mich doch nicht zurückhalten — ihm meine Dienste anzubieten, wo eine andere Frau ihm ein Lächeln geschenkt hätte. Nie war ich so unsicher gewesen oder so bestrebt, genau das Richtige zu tun.

»Vielen Dank, Miss Emmy«, erwiderte er sanft, doch nahm er das Anerbieten nicht an.

Larry war auf den Bock des Wagens geklettert. Sein Vater, Con und Mike Healy saßen neben ihm. Er hob die Hand und bedeutete der kleinen Gruppe neben dem Wagen, einen Augenblick ruhig zu sein.

»Alle mal zuhören! . . . Wir feiern heute abend. Ihr seid alle eingeladen. Whisky für jeden und leckeren Schinken aus Melbourne!« Jemand stieß ein »Hurrah!« aus und warf seinen Hut in die Luft. Im allgemeinen Lärm der Zustimmung und Freude eilte Adam von mir fort zu seinem Wagen. Pat und Sean erwarteten ihn bereits dort, um mit ihm zu Sampsons Geschäft zu fahren. Die Plötzlichkeit des Aufbruchs erfüllte mich geradezu mit Verzweiflung, obwohl ich wußte, daß sie zurückkommen würden. Ich verkrampfte meine Hände ineinander und sah zu, wie Adam auf den Wagen stieg und die Zügel von Pat übernahm.

»Larry! Larry! Warte . . . warte auf mich!«

Zwischen den Zelten entstand eine plötzliche Bewegung. Rose kam über den holperigen Boden gerannt, kletterte über die Geröllhaufen, die Röcke hochgeschürzt in den Händen, mit zerzaustem, wirrem Haar. Tom O'Brien, den ich losgeschickt hatte, sie zu holen, kam hinter ihr hergetrabt, und noch etwas weiter hinter ihm auch Lucy O'Donnell.

Rose stürzte auf Larrys Wagen zu und kletterte über das Rad zu ihm hinauf, um ihm einen Kuß zu geben. Er lachte liebevoll und zerzauste ihr Haar sogar noch mehr. »Na — Rosie, wie siehst du denn aus!«

»Oh — du bist wieder da! Ich bin ja so froh, daß du wieder da bist, Larry!«

Ihre Augen glänzten, und ihre Wangen hatten sich vom Laufen mit einem rosigen Hauch überzogen.

»Steig nun ab, Rose«, mahnte Larry. »Wir sind bald wieder zurück. Ich muß nur diese Sachen, bevor es dunkel wird, bei Sampson abladen.«

»Laß mich mitfahren«, bat sie. »Ich werde auch nicht im Wege sein . . .«

Er schüttelte den Kopf. »Nein, Rose. Diesmal nicht. Wir haben zu viel zu tun. Und wo du auch bist, es liegt dir bestimmt eine Schar von Männern zu Füßen.«

Ein leises Gelächter ertönte; doch Rose genoß dieses Mal nicht diese Anerkennung, die ihren leichten Eroberungen gezollt wurde. Langsam kletterte sie herunter, bereit, weiter darum zu kämpfen, falls Larry ihr eine Gelegenheit dazu gab. Sie bekam jedoch keine. Larry deutete mit der Peitsche auf den zweiten Wagen.

»Rose, das ist Adam Langley. Er arbeitet mit mir zusammen.«

Gleichgültig wandte sie sich um und blickte zum zweiten Wagen hinüber. Adam lüftete seine Mütze. »Guten Tag, Miss Rose!«

Die Veränderung vollzog sich sehr rasch. Rose lächelte wieder; befangen glitt ihre Hand zu ihrem Haar hinauf und versuchte es zu ordnen; nervös strich sie ihre Röcke glatt. Und es war nicht zu glauben, Rose, die Bewunderung in den Gesichtern so vieler Männer hatte erwachen sehen, errötete, als sie ihn jetzt sah, und schien ihre Sprache verloren zu haben. Sie nickte nur scheu und lächelte zu ihm hinauf.

Und ich stand da und sah in Adams Gesicht den Ausdruck, den ich so gern hervorgezaubert hätte. Jetzt lag er auf Adams Gesicht und galt Rose, und sie hatte ihn nur anzulächeln brauchen.

Ich konnte es nicht ertragen. Es war zu leicht für Rose gewesen. Unhöflich und abrupt bahnte ich mir einen

Weg durch die Menge zu Larry. Mir war es gleich, was die andern über mich dachten.

»Larry, ich komme mit! Du brauchst jemand, der eine lange Liste macht — damit man nachher alles nachzählen kann. Ich bin sehr flink . . . ich mache keine Fehler.« Er sah mich zweifelnd an und schien es mir abschlagen zu wollen, weil Rose sich von Adam abgewandt hatte, ihn wütend anstarrte und drohend »Larry . . .« rief. Er fürchtete sich jedoch nie vor Roses Zornesausbrüchen. Er war ein praktisch denkender Mann; er brauchte hilfreiche Hände und hatte bei mir keine Angst, daß ich eine Ablenkung sein würde. So nickte er kurz. »Also gut — aber beeil dich!«

Schnell nutzte ich meinen Vorteil aus: »Ich fahre mit Pat. Da ist mehr Platz.« Und als ich darauf zum andern Wagen eilte, hörte ich, wie Rose tief Luft holte, und ich ahnte, was für Worte sie mühsam unterdrückte.

Pat streckte mir schon die Hand entgegen, mir hinaufzuhelfen. »Los Grünauge!« sagte er, und dann saß ich eingeklemmt zwischen ihm und Adam auf dem Bock. Ich freute mich, daß er mich Grünauge nannte, und hoffte, Adam würde vielleicht bemerken, daß meine Augen grün waren und meine Haare eher rot als braun. Doch Adam schwieg.

Ich war müde, als ich von Sampsons Geschäft nach Hause ging. Con marschierte eifrig neben mir, als ob die Aufregung des Nachmittags ihn immer noch beflügelte. Obwohl der Frühling jetzt längst seinen Einzug gehalten hatte, wurde es nachts immer noch kalt zwischen den Bergen; ich zog den Schal enger um mich. Die Dunkelheit war hereingebrochen, und mit ihr erlahmte das rege Leben. Die Winden ächzten nicht mehr, und die Schwingtröge waren verstummt. Auf der Main Road waren die Lichter in den Wirtshäusern und Läden aufgeflammt; doch das nächtliche Treiben hatte noch nicht eingesetzt.

Ein kühler Wind erhob sich, und Con schob sich instinktiv näher an mich heran. Um uns herum leuchteten die Lagerfeuer, an denen die Kinder saßen, manchmal verdrossen oder auch über ihren Zinntellern mit einem Eintopfgericht eingeschlummert. Die kleinen, verschlafenen Stimmchen schienen nach uns zu greifen, als wir vorbeigingen.

»Es sieht hübsch aus, nicht wahr, Con?« meinte ich. »Die kleinen Kinder im Feuerschein. Schau . . . diese armen, müden Kerlchen sollten längst im Bett sein.«

Doch davon wollte Con nichts hören.

»Ich bleibe auf, Emmy. Dada sagt, ich darf für die Party aufbleiben.«

Ich lächelte in der Dunkelheit und antwortete ernsthaft: »Warum auch nicht? Was wäre die Party schließlich ohne dich?«

Er lachte verlegen und erfreut auf und verlängerte seine Schritte, so daß ich meine ebenfalls vergrößern mußte, um mitzukommen. Obwohl ich müde war, störte es mich nicht. Es war ein schönes Gefühl, zwischen all diesen Lagerfeuern hindurchzugehen und zu wissen, daß auch eines für mich brannte, zu dem ich zurückkehren durfte. Aber ich war auch mit mir zufrieden, und was mir noch viel mehr bedeutete, ich wußte, daß Larry zufrieden war. Drei Stunden lang hatten wir in rasendem Tempo gearbeitet — ich hatte an der Tür von Sampsons Laden gestanden und jede vorbeikommende Kiste und jedes Paket notiert. Die Männer hatten sich sehr beeilt; doch ich hatte mit ihnen Schritt gehalten; meine Schrift war leserlich und ordentlich gewesen, und die Zahlen hatten gestimmt, keine Fehler und keine Stümpereien waren mir unterlaufen. Morgen würde ich wieder auf Larrys Bitte hin zu Sampson gehen, um eine Abschrift der Liste anzufertigen und beim Überprüfen und Auszeichnen jedes Artikels zu helfen, bevor er in den Verkauf ging. Ich hatte meine Sache gut gemacht — und das wußte ich und auch alle andern.

Als wir alles fertig hatten, war Larry mit seinem Vater, den Brüdern, Adam und Ben Sampson zu einem der Wirtshäuser gegangen. Einen Augenblick lang hatte peinliche Unschlüssigkeit darüber geherrscht, wer von ihnen auf die gute Männerfröhlichkeit an der Bar verzichten mußte, um mich wieder zurück zu den Zelten zu begleiten. Doch dann hatten sie sich an Con erinnert, der ja nicht mit in die Schenke durfte, und so war der unangenehme Moment vorübergegangen. Ich hätte mit dem Lob, das ich mir verdient hatte, zufrieden sein sollen; doch ich wollte mehr. Ich wollte, daß einer von ihnen — nein, nicht einer von ihnen —, ich wollte vielmehr, daß Adam Langley mit mir zurückging aus dem Wunsch heraus, mit mir zusammenzusein. Ich mußte mich daran erinnern, daß derartige Dinge mir nicht unverdient wie Rose in den Schoß fielen; ich mußte sie mir erarbeiten — mußte noch härter dafür arbeiten als an jenem Nachmittag. Auch an das, was Elihu Pearson über den Wert des Sich-nützlich-Machens gesagt hatte, mußte ich mich erinnern.

Con unterbrach meine Gedanken. »Emmy — wenn heute getanzt wird — tanzt du dann mit mir? Ich hab' noch nicht tanzen gelernt, aber es wär' großartig, wenn du mit mir tanzen würdest.«

Am liebsten hätte ich ihn umarmt und gleichzeitig geweint. Ich wollte einen Mann, und ein Kind bot sich mir an. Und doch liebte ich auch das Kind.

»Es wird mir eine Ehre sein, Con«, entgegnete ich. »Ich . . . ich bin selbst keine Leuchte im Tanzen.«

»Uhm . . .« brummte er kurz, was sowohl seine Zustimmung wie Befriedigung ausdrücken mochte und verfiel wieder in Schweigen. Wir näherten uns jetzt den Maguire-Zelten.

Larry hatte eine Ladung an Vorräten aus den Planwagen heraufgeschickt, und so empfing uns der Duft von Schinken und Gewürzen — ein willkommener Geruch nach der monotonen Folge von Hammelgulasch und Hammelkoteletts. Das heiße Wasser stände bereit, rief Kate uns zu; heute abend war sogar Con darauf erpicht, sich zu waschen. Ich schöpfte mir einen halben Krug aus dem Kessel und ging zu unserem kleinen Zelt. Drinnen brannte die Lampe, und ich konnte Roses Schatten sehen. Erst in diesem Augenblick zögerte ich, als mir nun wieder einfiel, was ich am Nachmittag getan hatte, als ich mich daran erinnerte, wie gerne Rose meinen Platz auf dem Wagen neben Adam hatte einnehmen wollen. Ich hatte mich an ihr vorbeigedrängt und um jenen Platz gekämpft — um all das Gute, was ich dadurch erreicht hatte. Meine Freude schwand dahin, als ich jetzt an Rose dachte. Müdigkeit überkam mich, und ich empfand keine Genugtuung mehr über meine Leistung. Ich hob die Zeltklappe und ging hinein.

Natürlich wußte sie, daß ich da war. Sie hatte unsere Stimmen gehört und mußte den Luftzug im Zelt gespürt haben. Aber sie wandte sich nicht um und sprach auch nicht sofort mit mir. In Mieder und Unterrock stand sie da und hielt eine Haarbürste in der Hand, hatte jedoch noch nicht begonnen, das wilde Durcheinander zu entwirren.

»Wo ist Adam Langley? Wann kommt er zurück?« Mit diesen Worten drehte sie sich zu mir um.

So direkt war es. Sie fragte nicht einmal nach Larry.

»Sie sind noch alle in einem der Wirtshäuser . . . und feiern«, antwortete ich. »Ich glaube, Adam will seinen Vetter Tom Langley suchen.«

»Aber er kommt wieder?« drängte sie. »Bist du sicher?«

Ich wandte meinen Blick von ihr ab und stellte den Wasserkrug neben unsere Waschschüssel. »Ja«, bestätigte ich. »Ich bin sicher.« Es lag eine gewisse Schärfe in meiner Stimme, die sie aber nicht hörte. War es möglich, fragte ich mich, daß sie nicht bemerkt hatte, wie ich mich vordrängte, um auf jenen Wagen zu Adam zu kommen? Hatte sie wirklich gedacht, Larry sei für mich der Grund gewesen? Ich hatte geglaubt, Rose sehe nur das, was sie sehen wollte, nicht jedoch, daß sie dermaßen blind war.

Sie trat nun auf mich zu, berührte meinen Arm und beugte sich vor, um mir ins Gesicht zu blicken. »Emmy, glaubst du, er mag mich?«

»Wer?« Ich wußte es ja so genau.

»Nun, Adam natürlich.«

Ich lächelte sie so freundlich an, wie es mir möglich war.

»Jeder mag dich, Rose. Das weißt du doch. Du brauchst dich nur ein ganz klein wenig anzustrengen . . .«

»Oh, das!« Ungeduldig zuckte sie die Achseln und gab damit zu verstehen, daß jeder andere Teil ihres Lebens jetzt hinter ihr lag und daß die alten Regeln nicht mehr für diese Situation galten. »Ich meine doch Adam! Mag er mich?«

Es schien unfaßbar. Kaum länger als eine Minute hatte sie ihn gesehen, hatte noch nicht einmal ein einziges Wort mit ihm gesprochen, und doch kreiste ihr ganzes Denken bereits um ihn. Es war gar nicht so unfaßbar, stand es doch genauso um mich. Das jedoch wußte Rose nicht. Sie sah nur noch sich selbst und Adam. Sie betrachtete keine andere Frau als Bedrohung und Herausforderung. Es kam ihr gar nicht in den Sinn, daß auch ich das begehren könnte, was sie haben wollte. In völliger Unschuld konnte sie mich daher fragen, ob Adam sie leiden mochte, ohne zu ahnen, wie mich das verletzte. Es lag etwas Schreckliches und Zerstörerisches in dieser Art von Unschuld. »Ich nehme an, er mag dich«, erklärte ich. »Wer müßte das nicht?« Und ich meinte es so. Ihre Hand schloß sich fester um die Bürste; nie zuvor hatte ich Rose wirklich ernst gesehen. »Ich werde dafür sorgen, daß er mich mag, Emmy! Er muß! Ich werde es erreichen!«

Und dann wurde sie geschäftig, als wäre diese Sache jetzt für immer geregelt. Geschickt schlängelte sie sich in dem engen Zelt zu ihrer offenen Truhe zurück. Das Chaos ihrer Kleidungsstücke war größer als gewöhnlich und verriet ihre Unentschlossenheit, was sie an jenem Abend anziehen sollte. Aus dem Tohuwabohu zog sie ein Kleid hervor und hielt es mir hin. »Hier — du mußt noch ein paar Stiche daran machen, doch es ist beinah fertig. Ich hab' den Saum ungefähr fünf Zentimeter umgenäht. Die Taille hältst du am besten mit einer Schärpe ein, doch es wird schon gehen, bis du Zeit hast, einige Abnäher zu machen.«

Das Kleid war aus Seide von fast smaragdgrüner Farbe und nicht sehr verziert; seine Eleganz lag in seiner Schlichtheit — ein wunderschönes Gebilde.

»Du meinst . . . Ich darf es heute abend anziehen?« Ich hielt den Atem an bei dem Gedanken.

»Du sollst es behalten!«

Ich schüttelte den Kopf. »Es ist dein bestes! Ich kann es nicht annehmen!«

»Laß das meine Sorge sein! Es wird dir gut stehen. Es paßt zu deinen Farben.« Sie warf mir das Kleid zu, und ich fing es auf. Keine Frau auf der Welt hätte nach so einem Gewand nicht die Hand ausgestreckt.

»Du mußt dich mit dem Saum beeilen«, mahnte sie. »Wo ich ihn umgenäht habe, ist es ein bißchen grob.« Sie zuckte die Achseln. »Aber das sieht ja niemand.« Ich hob den Saum auf und betrachtete prüfend die großen, unregelmäßigen Stiche, die Roses Zugeständnis ans Nähen waren, und sah die winzigen, bräunlichen Fleckchen getrockneten Blutes, wo sie sich in den Finger gestochen hatte. Zärtlich strich ich über die seidigen Falten und versuchte den Gedanken zu verscheuchen, daß dies eine Art Trostpreis war. Und doch entdeckte ich, als ich sie anblickte, in ihrem Gesicht keinen Arg; wenn sie es als Trost für mich meinte, so war es eine unbewußte Geste. Rose konnte ja nichts dafür, daß sie schön war und daß die Männer auf sie flogen; dieses Kleid hatte keine andere Bedeutung als die sehr einfache eines Geschenkes. Und inzwischen lag es auf meinen Armen, dieses zauberhafte Etwas – das grünste Grün, das meine Augen tiefer und mein Haar dunkler erscheinen lassen würde.

»Ich . . . ich weiß nicht, was ich sagen soll . . . Es ist so wunderschön!«

Sie unterbrach mich: »O Emmy, still! Du hast keine Zeit für lange Reden. Sie werden bald hier sein, und du mußt vorher noch den Saum umnähen und mir mit meinem Haar helfen.«

Jene Nacht, in der Larry von seiner ersten Fahrt nach Melbourne zurückkehrte, war etwas für die Erinnerung. Sie war von einer Süße und Fröhlichkeit erfüllt wie keine der folgenden Nächte. Zu jenem Zeitpunkt waren die spaltenden Mächte noch nicht in unser aller Leben getreten und versuchten noch nicht, uns – oder vielmehr einige von uns – der Vernichtung dieser oder jener Art in die Arme zu treiben. Unser Gelächter erklang übermütig und unbeschwert, und der Feuerschein tanzte auf den von Zuversicht und Lebenskraft erfüllten Gesichtern. Zeitweise schien die Hälfte der Eureka-Siedlung anwesend zu sein, denn Kates Gastfreundschaft konnte es nicht ertragen, einige der von dem Gelächter, den Stimmen oder dem Klang von Jimmy O'Rourkes Fiedel angelockten Zaungäste nicht einzuladen. Dan war stolz auf seine Söhne; als der Whisky in ihm zu wirken begann, prahlte er mit ihnen, und niemand stieß sich daran. Er empfand großen Respekt vor Larry. Sein Ältester war plötzlich in die wahre Führungsposition der Familie aufgerückt, und niemand stellte das in Frage. Kate war glücklich, weil sich so viele Menschen um ihr Feuer scharten, und es gab Schinken und Apfelwein für alle. Sie sah fremdländisch schön aus in ihrem pflaumenblauen Satinkleid, das sogar in dem Dubliner Wirtshaus ausgefallen gewirkt hätte.

Ich blickte viele Male über das Feuer und sah, daß Adams Ernst von ihm abgefallen war; er stimmte in das Gelächter mit ein, als hätte er schon lange Zeit zu uns gehört. Neben Adam saß sein Vetter Tom Langley, den er in der Bar vom Palace aufgetan hatte und der zur Feier des Tages eine Seidenkrawatte, Seidenweste und die weichsten, elegantesten Stiefel, die ich je gesehen hatte, hervorgeholt hatte. Adam und Tom sahen sich nicht ähnlich. Zu viele verschiedene Heiraten und neue Blutlinien verdünnten ihre Verwandtschaft. Tom, braunhaarig und braunäugig, sah mehr im landläufigen Sinne gut aus. Er war erst einundzwanzig und besaß das noch nicht durch Bewährung gefestigte Aussehen eines Jünglings. Doch seine Manieren waren sanft und geschmeidig; seinen Akzent kannte ich von der Kundschaft des Londoner Geschäftes — er stammte aus einem vornehmen englischen Internat. Tom war das, was die Goldgräber einen »Stutzer« nannten. Und doch beteiligte er sich an unserer einfachen Festlichkeit mit einem Eifer, der einen fast rührte. Er wandte die Augen selten länger als einige Sekunden von Rose ab, und nachdem Rose ihn prüfend betrachtet hatte und mit dem Ergebnis zufrieden war, begann sie sowohl ihn wie Adam zu becircen und hatte damit unwahrscheinlichen Erfolg. Ich glaube, sie wollte nur Tom für sich entflammen, um Adam das Ausmaß ihrer Macht zu zeigen; doch war Tom, nachdem er einmal Feuer gefangen hatte, nicht so leicht abzuschütteln.

Dann war da jener Augenblick, in dem Con, der neben mir am Feuer saß, sich an mich lehnte und flüsterte: »Du bist hübsch, Emmy!« Es mag wahr gewesen sein. In dem grünen Seidenkleid, die Wangen vor Erregung gerötet, mag es beinahe gestimmt haben, daß ich an jenem Abend hübsch war.

Es wurde auch getanzt auf jenem unebenen Boden. Pat und ich tanzten; wir tanzten gut zusammen. Es verlangte kein großes Können, um zwischen den Schächten am Eureka zu tanzen. Man mußte nur leichtfüßig sein, und das war ich. Doch Rose und Adam waren *das* Paar.

Es wurde auch gesungen, die schwermütigen Lieder der Verbannung, welche die Emigranten immer singen, die ironischen Balladen, die ein Teil dieser neuen Heimat waren, und auch einige Lieder, die hier auf den Goldfeldern von Ballarat entstanden waren.

Wir hielten Kurs auf Geelong zu
Und dann nord-west auf Ballarat,
Wo einige sehr dünn wurden
Und andre dick und fett.
In Bendigo versucht sein Glück
gar manch einer . . .

Und dann sang Rose. Sie sang die alten, geliebten Lieder, die Lieder von Liebe und Aufstand, denen ihre Zuhörer, von denen die meisten Iren waren, voller Sehnsucht und Heimweh lauschten. »Des Spielmanns Sohn zog in den Krieg . . .« Ich sah die Tränen in den Augen einiger Männer, die nahe am Feuer saßen, und sah die verstohlenen Hände, mit denen sie sie fortwischten, als sie Rose um ein weiteres Lied baten und dann wieder um eines. An jenem Abend verziehen die Familien vom Eureka-Kanal Rose alles, ihren Hochmut, ihre Herablassung, ihren Dünkel, mit denen sie die meisten von ihnen bisher übersehen hatte. Ihr Gesicht leuchtete in einer zarten Schönheit, die auf einmal keine Spur von Arroganz und Stolz aufwies. Sie waren alle von ihr hingerissen und bezaubert und bereit, sie anzubeten. »Es gibt auf der Welt kein so liebliches Tal . . .«

In jener Nacht verliebte sich Tom Langley in Rose, und ich glaube, auch Adam begann in jener Nacht, Rose zu lieben.

Kapitel 4

Der australische Frühling begann dem Sommer zu weichen. Die wildwachsenden Blumen hatten geblüht und waren verblaßt an den verborgenen, lieblichen Stellen im Busch, zu denen die Zeltstadt noch nicht vorgedrungen war und den Boden noch nicht aufgerissen und zerwühlt hatte. Der Wind wehte manchmal den Duft von Mimosen und Boronien* herüber, nicht sehr häufig und auch nur sehr flüchtig; denn der Menschengeruch im Busch war sehr stark. Die neuen, roten Spitzen der Eukalyptusblätter gingen in das alte Graugrün über. Doch die Berge

---

* Boronia, australische Buschpflanze mit stark duftenden, roten, violetten oder weißen Blüten; nach dem Botaniker Francesco Borone benannt.

in der Ferne blieben weiter blau. Eine Staubschicht senkte sich allmählich auf die Zeltstadt, und sogar die Baumkronen entkamen ihr nicht; wenn die trockenen Winde über sie hinstrichen, erschienen sie zusammengeschrumpft und verdorrt. In der tiefen Stelle des unberührten Busches, fern der Stadt und sich ihrer doch bewußt, knabberten die trägen, würdigen Koalabären unablässig an den Eukalyptusblättern und fanden sie nicht so süß und saftig wie vor einem Monat. Die großen Känguruhs fraßen das scharfkantige Gras an den Abhängen und hörten manchmal das Geräusch des Menschen, seine Stimme, seine Flinte und das Krachen der Bäume, die er fällte. Wenn sie flohen und Deckung in dem schützenden Busch suchten, wirbelten ihre riesigen Hinterbeine große Staubwolken auf. Die Leute, die schon den vollen Zyklus der zwölf Monate in diesem Land durchlebt hatten, meinten bedeutsam, es würde ein trockener Sommer werden.

In den Gruben wurde es stickig, und wir wuschen immer noch nur gerade so viel Gold, um unsere täglichen Ausgaben decken zu können. Die Maguires waren von Natur aus keine geduldigen Menschen, und die Monotonie begann sich bemerkbar zu machen. Das tagtägliche Graben in ihrem Grundstück erschien Pat eine lahme Sache, verglichen mit der Abwechslung und dem raschen Erfolg von Larrys Unternehmen. Er sprach davon, aufzuhören und zu den Goldfeldern von Mount Alexander zu ziehen. Bis jetzt blieb das jedoch nur Gerede.

Der Rhythmus und die Eintönigkeit unseres Tagesablaufs wurden von Larrys Kommen und Gehen unterbrochen. Adam begleitete ihn stets.

Ballarat war ein bereitwilliger und guter Absatzmarkt für alles, was sie in ihren Planwagen mitbrachten.

104

»Wenn hier noch lange genug Gold gefunden wird, sind wir reich«, erklärte Larry.

Einige begannen das zu bezweifeln. Seltener stieß man jetzt auf aufsehenerregende Funde; die Gruben wurden tiefer, und kleinere Gruppen von Männern konnten sie nicht mehr in Betrieb halten. Für manche lauerte die Armut in den Schächten. Und mit ihr kam eine erbitterte Empörung über die monatlichen Lizenzgebühren und die brutalen, demütigenden Methoden, die bei den Razzien auf die Lizenzkarten angewandt wurden. Der verhaßte Ruf »Joe! Joe!« gellte zu oft durch die Gräben, und zu oft wurde Gewalt angedroht und angewandt. Die Männer begannen sich zu Gruppen zusammenzuschließen, um gegen diese Ungerechtigkeit zu protestieren und um eine Delegation zum Gouverneur, Sir Charles Hotham, nach Melbourne zu schicken. Einige taten sich als Anführer hervor. Pat ging zu jedem Treffen und nahm Sean mit. Sie kamen jetzt immer erst spät abends zum Lagerfeuer zurück.

». . . Sie fordern das Unglück heraus«, klagte Kate. »Immer fordern sie das Unglück heraus.«

Aber es war wenigstens ein Unglück, über das man sprechen durfte, über das man sich laut sorgen durfte. Ich hatte meine eigenen Sorgen, die ich tief in mir verschloß, und von denen nur Larry etwas wußte. Nach der Rückkehr von seiner ersten Fahrt hatte er einen Augenblick abgepaßt, in dem er mich allein antraf, frühmorgens, wie schon einmal, und hatte mir eine ungefähr zwei Wochen alte Ausgabe einer Melbourner Zeitung, des »Argus«, gegeben. Ganz unten auf einer der Seiten stand eine unscheinbare kurze Notiz. Und mir war, als träfen mich die Worte körperlich. ». . . ›The Digger's Arms‹ . . . die Leiche des Besitzers, William Gribbon. Polizei stellt Nachforschungen an . . .«

Ich sah ihn stumm an und wartete. Er streckte die Hand aus und nahm mir die Zeitung wieder fort. Dann folgten ihm meine Blicke, als er sie in das neu entzündete Feuer warf.

»Ich werde dich nicht fragen, Emmy«, war alles, was er sagte.

Ich schüttelte den Kopf. »Es ist nicht, was es scheint . . .«

Er nickte. »Ich glaube es dir«, erwiderte er. Und er fragte nicht weiter. Seit jenem Tage, da wir unseren Vertrag abgeschlossen hatten, hatte sich meine Stellung unwiderruflich geändert. Ich gehörte jetzt zu ihnen; das wußte ich und er auch. Ich war nun jemand, der beschützt werden mußte, jemand, mit dem man sich gegen die Welt verbünden mußte. Kein Wunder also, daß ich bereit war, alles für jeden einzelnen der Maguires zu tun.

Wir vernahmen Kates Stimme, die sich mit Dan beim Ankleiden unterhielt. In die Eureka-Siedlung ringsum kam Leben. Leise sagte Larry zu mir: »Sie suchen in Melbourne, nicht in Ballarat. Vergiß das nicht und mach dir keine Sorgen!«

Und er erwähnte nie wieder »The Digger's Arms«. Doch gelegentlich, wenn abends Muße herrschte und wir um das Lagerfeuer versammelt saßen, fühlte ich seine Augen auf mir ruhen — ein wenig forschend und fragend. Aber er sprach die Worte nie aus.

Jeden Tag arbeitete ich einige Stunden in Ben Sampsons Geschäft an der Main Road, auch als Larry und Adam nach Melbourne zurückgefahren waren. Ich zeichnete die Ware aus, führte die Bücher und half auch ein wenig im Verkauf. Und ich gewann Ben Sampson gern, jenen Mann mit dem borstigen Haar und dem grauen Schnurrbart aus Illinois »und jedem Ort westlich davon«, wie er es ausdrückte; ich hatte begriffen, daß er nicht nur mich ab und zu neckte, sondern alle, die er leiden mochte. Ben Sampson war ein Trinker, jedoch ein liebenswerter, und durch meine Anwesenheit im Laden blieben ihm tagsüber mehrere freie Stunden für die Bar im Palace. »Gott liebt sie«, sagte er, wenn Larry protestierte, daß er mich allein im Geschäft ließ. »Sie hat ein helleres Köpfchen für all das, als ich's jemals haben werde. Laß sie nur.«

Ich war froh über diese Arbeit im Laden und froh über das Geld, das ich von Ben Sampson dafür bekam und Kate mitbringen konnte. Er war nicht hoch, mein Lohn, doch ließ er mir jeden Tag, zu dem ich erwachte, in einem süßeren Licht erscheinen. Das Verlangen nach Unabhängigkeit war schon zu früh in mir durch Elihu Pearson geweckt worden, um es wieder aufgeben zu können. Ich leitete das Geschäft auch so, wie ich wollte, und bestellte die Sachen, von denen ich annahm, daß sie sich gut verkaufen ließen. Ich begann besondere Bestellungen für Luxusdinge aufzustellen, von denen mancher Goldgräber träumte, oder auch für ganz einfache Haushaltsgegenstände, an die kein Mann gedacht hatte. Die Leute kamen mit ihren oft seltsamen Wünschen zu mir; ich schrieb die Sachen sorgfältig auf, und dann suchte entweder Larry oder Adam genauso sorgfältig den gewünschten Gegenstand in Melbourne aus. Das kostete natürlich Zeit — mehr als die Waren wert waren, doch Ben Sampsons Geschäft an der Main Road wurde dadurch bekannt als der Laden, an den man sich wenden mußte, wenn man etwas brauchte.

Rose versuchte mir einmal einen Tag zu helfen, obwohl sie wußte, daß Ben Sampson es nicht wollte. Die Langsamkeit der Frauen, die hereinkamen, um einige kostbare Shilling auszugeben, langweilte sie, und die unbeholfenen Männer wagten sich mit ihren Anliegen überhaupt nicht in ihre Nähe. Ich machte die Entdeckung, daß es Augenblicke gibt, in denen es nichts nützt, hübsch zu sein. Sie gab das Geld verkehrt heraus, und ich brauchte zwei Tage, um den Warenvorrat wieder aufzuräumen. Sie wartete es nicht ab, daß Ben sie bat, nicht wiederzukommen.

»Wie hältst du das bloß aus?« fragte sie. »All diese Frauen, die die Hälfte aller Sachen anfassen und dann ein Pfund Tee kaufen? Und diese Männer — borniere, ungeschlachte Klötze, die nur dastehen und glotzen!«

»Was für andere Freuden gibt es hier für sie?« erwiderte ich achselzuckend. »Laß sie nur herkommen und sich alles ansehen; wenn sie Geld haben, kommen sie dann auch, um etwas zu kaufen.«

Wenn es mir gelang, die Melbourner Zeitung »Argus« und Will Gribbon zu vergessen, verbrachte ich zufriedene Stunden in Ben Sampsons Laden.

So füllte ich damals die Tage mit rechtschaffener Arbeit, und es machte mir Freude. Aber es gab neben der Arbeit noch andere Dinge in meinem Leben — die Arbeit bildete den leichteren Teil. Es ist bitter, einen Mann zu lieben, der einen nicht zu sehen scheint oder, wenn er einen sieht, wie eine gute, erprobte Kameradin behandelt, nicht aber wie seine Liebste. So nämlich stand es zwischen Adam und mir. Ich konnte nicht anders, als ihn lieben. Wenn man erst einmal liebt, kann man es nicht mehr ändern — auch nicht, wenn man klug und vernünftig zu sein versucht, wie ich es mir befahl. Jetzt, wo ich zum erstenmal verliebt war, entdeckte ich, daß es so gut wie nichts mit der Vernunft zu tun hat. Liebe ist keine sehr vernünftige Angelegenheit.

Ich glaube, er hätte mich vielleicht bemerkt, wenn Rose nicht dagewesen wäre — oder wenn sie nicht selber in ihn verliebt gewesen wäre. Rose konnte in ihrer Gleichgültigkeit grausam sein zu einem Mann, für den sie sich nicht interessierte, doch die verliebte Rose war ein völlig anderes Wesen. All ihre kindlich naiven Pläne hinsichtlich des Mannes, den sie heiraten würde, waren auf einmal beiseitegefegt. Jetzt konzentrierte sie ihre ganze Energie darauf, zu erreichen, daß Adam sie bemerkte, und, indem er das tat, niemand anders mehr sah als sie. Sie bezweifelte nicht, daß er sie lieben würde, wenn nicht jetzt, dann sehr bald. Warum sollte sie es auch bezweifeln? Noch nie hatte sie etwas nicht erlangt, an das sie ihr Herz gehängt hatte, und sie hatte ihr Herz wahrhaftig an Adam gehängt. Sie lebte nur von einem Besuch zum andern — wie ich —, nur bemerkte Rose das nicht. Sie war ganz von der eigenen Liebe in Anspruch genommen, und die ließ ihr keine Ruhe mehr, die Liebe eines anderen Menschen wahrzunehmen. Vielleicht war das ebensogut. Das Leid, das später über uns alle kam, hätte sonst schon viel früher begonnen.

Das heißt aber nicht, daß ich nicht mit allen mir zur Verfügung stehenden Waffen um Adam kämpfte. Sie schienen jedoch recht wertlos neben Roses Waffen. Ich arbeitete schwer — ich brachte meine paar Fertigkeiten zur Geltung und wußte doch, daß ein Mann von derlei Dingen erst Notiz nahm, wenn er sich an dem, was Rose zu bieten hatte, sattgesehen hatte. Die praktischen und unscheinbaren Tugenden zählen nicht viel in einer solchen Situation. Und obwohl die Zeit bei den Maguires mir auch äußerlich bekommen war — meine Wangen waren nun gerötet, und ich hatte mehr Fleisch auf den Knochen — konnte das Gesicht, das mir aus dem kleinen Spiegel in unserm Zelt entgegenstarrte, doch nicht neben Rose die Aufmerksamkeit auf sich lenken.

Adams Vetter, Tom Langley, wurde auch ein Teil unseres Lebens in jenen Wochen — wegen Rose. Wir brauchten uns nicht einmal zu fragen, ob er in sie verliebt war. Jedermann sah es ganz deutlich. Jeden Abend kam er zu uns, immer mit irgendeinem Geschenk — nicht für Rose, sondern für uns alle. Es war traurig, ihn so kommen zu sehen, das Bild eines Mannes, der dachte, er müßte sich unser Wohlwollen erkaufen, der seiner selbst so unsicher war, daß er sich hinter den Whisky, den er mitbrachte, und die kleinen Leckereien aus den Geschäften an der Main Road flüchtete, ein schwacher, verwirrter Mann, der seine Hände nach etwas ausstreckte, das er um sein Leben gern haben wollte. Nur für Rose hatte er Augen, nichts anderes begehrte er.

Er trug nicht mehr die Kleidung, in der wir ihn zuerst kennengelernt hatten, sondern die Moleskinhosen und das Flanellhemd der Goldgräber. An seinen Händen bemerkte ich sogar einige frische Blasen, die bewiesen, daß er manchmal versuchte, eine Spitzhacke in die Hand zu nehmen und sich sein Geld wie alle übrigen hier zu verdienen. Aber für ihn war das nur eine Spielerei. Wir wußten alle, daß er, obwohl er sich mit seinem Vater gestritten hatte und dies der Grund für seine Anwesenheit auf den Goldfeldern war, doch von dem Geld lebte, das jeden Monat von seinem Vater kam. Es blieb also nur eine kümmerliche Geste der Unabhängigkeit, die niemanden zu überzeugen vermochte.

Inzwischen hatten wir auch seine Geschichte erfahren. Wir entdeckten, daß man in dieser Siedlung nicht Langley hieß, ohne daß nicht jemand, der schon etwas länger als einige Monate hier war, die meisten Einzelheiten seines Lebens beisteuern konnte.

Jeder wußte Bescheid über das Langley-Vermögen. »Schafe — er kam mit den ersten Merinoschafen hierher nach Victoria, lud sie in Hope Bay aus und breitete sich von dort weiter aus. Er war ein Großzüchter — nahm ein paar hunderttausend Morgen in Besitz und kämpfte zehn Jahre lang mit dem Kolonialminister in London, um sie behalten zu können. Am Ende bekam er sie dann für'n paar Shillinge pro Morgen; und viele Leute glauben, er klaute mehr als er bezahlte. Er exportiert mehr Wolle als jemand anders im ganzen Land.«

Andere wiederum dachten mehr an das Geld, das er durch den Handel machte. »Er war bei den ersten Anfängen von Melbourne dabei, als Hoddle die ersten Straßen vermaß und den ersten Landverkauf abhielt. Man sagt, ihm gehörten einige Blocks der Elizabeth und Collins Street, kaufte sie, als der Boden für fünf Pfund die Parzelle wegging . . . Er hat da 'n großes Warenhaus und Lagerhäuser. Ihr müßt das Langley-Warenhaus gesehen haben, als ihr durchfuhrt.«

Wir erinnerten uns an kein Langley-Warenhaus, unterbrachen ihn jedoch nicht. »Was für ein Mann ist Tom Langleys Vater?« Der Erzähler, der irgendeiner von sechs Männern sein konnte, die darauf brannten, Klatsch über Tom weiterzugeben, meinte darauf achselzuckend: »Tja, wie kann ich das wissen? Er verkehrt ja nicht mit meinesgleichen.« Ein nachdenkliches Ziehen an der Pfeife folgte, und dann fuhr er trotzdem fort: »Soll ein Landedelmann in England gewesen sein. Kam mit dreißig seiner Gutsarbeiter her und versuchte, Land in Tasmanien zu kriegen, aber die guten Ecken waren schon alle futsch. So kam er dann hierher in diese Küstengebiete, bevor die Regierung irgend jemandem erlaubte, sich hier anzusiedeln. Er behauptet, er war der erste, der in dieser Kolonie Land bebauen ließ. Seinen Sohn und seine Tochter schickte er zurück nach England auf die Schule. War ja nichts gut genug hier für sie. Die Tochter heiratete den Sohn von so 'nem Adligen. Man sagt, sie war nur 'n Jahr verheiratet und kam dann zu ihrem Vater zurückgerannt. Keiner der beiden ist dem Alten gewachsen. Er ordnet an, was sie machen sollen, und sie tun es. Diese Sache mit Tom jetzt — 's wird nicht lange dauern. Er ist nur hier wegen einer Geschichte mit 'nem Mädchen, das im Haus seines Vaters angestellt war. Es heißt, Tom wollte sie heiraten, und der alte Herr hätt' ihn weggeschickt . . . sogar ganz zurück nach England. Er bekommt alles, was er will.«

»Tom hat er aber nicht.«

»Wird schon werden. Schickt ihm doch Geld, oder? Ist nicht so leicht, ohne das Zeug zurechtzukommen, wenn man sich einmal daran gewöhnt hat.«

»Aber warum — warum will er ihn wiederhaben, wenn sie sich gestritten haben?« rätselte ich.

»Blut ist dicker als Wasser. Er wird auch nicht jünger, der gute Langley. Hat spät geheiratet und nur diese beiden Kinder, und mit dem Mädchen ist es jetzt aus. Sie bleibt bei ihrem Papa, und es heißt, sie ginge nie wieder zu ihrem Mann zurück. Es sind keine Enkel da . . . Tom ist sein Erbe. Ein Mann macht sich Gedanken über seine Erben, wenn er so viel zu vererben hat wie der alte Langley!«

In Wirklichkeit erfuhren wir also John Langleys Geschichte und nicht die seines Sohnes. Tom stand im Schatten seines Vaters, und seine Anstrengungen, diesem zu entkommen, erschienen töricht, wenn wir auf seine Hände schauten, die sich niemals an den Griff der Hacke gewöhnten, und wenn wir ihm bei dem kläglichen Versuch, so zu tun, als verrichte er eines ehrlichen Mannes Tagewerk, zusahen. Und wir bekamen noch mehr über John Langley zu hören. »Er brachte Vollblutpferde aus England mit. Sein Vertreter kauft sie dort immer noch für ihn. Er besitzt die besten Pferde der ganzen Kolonie. Ihr könnt euch darauf verlassen, daß jedes anständige Pferd, das ihr seht, von einem Langley-Zuchthengst abstammt.«

Und dort gehörte Tom hin, in die Welt der Vollblüter und der gebildeten Gesellschaft. Er war an unserem Lagerfeuer fehl am Platze, und doch hätte keiner von uns es übers Herz gebracht, wegen der Art und Weise, wie er immer kam, und seines Eifers, mit dabeizusein — und das nicht nur wegen Rose —, ihn nicht willkommen zu heißen. Er sog die üblichen, unbedeutenden Nichtigkeiten des Familienklatsches so begierig in sich auf wie ein Verdurstender, als habe er solche Gespräche nie zuvor gehört, und die Maguires waren einfach keine Menschen, die ihn fortschicken konnten.

Und doch, glaube ich, hätten sie es oft gern getan. Manchmal kam er zu uns, eingehüllt in starken Whiskydunst. Es besteht ein Unterschied zwischen dem Mann, der am Ende eines langen, anstrengenden Arbeitstages Whisky trinkt und dem, der seine Nachmittage an der Bar des Palace verbringt. Was seine Größe und seine breiten Schultern betraf, so hätte Tom es mit den Maguires aufnehmen können, aber er glich ihnen in manch anderer Hinsicht nicht. Er tat uns leid, falls uns überhaupt der Sohn eines reichen Mannes leid tun konnte, und wir duldeten ihn an unserem Feuer. In der Zeit zwischen Adams Besuchen ermunterte Rose Tom stets, doch glaube ich nicht, daß es mit absichtlicher Herzlosigkeit geschah. Sie war naiv und unbedacht; stets mußte sie ein Publikum haben, und Tom war mit seinen guten Manieren und seiner angenehmen Stimme genau die Art von Publikum, die sie suchte. Jeden Abend putzte sie sich für ihn heraus, und jeden Abend kam er. Er bot eine Zerstreuung in den langen, heißen Tagen des Wartens auf Adam — und man konnte ihn als Mittel benutzen, Adam eifersüchtig zu machen. Niemals dachte sie daran, was sie Tom mit diesem Spiel antat. Sie spielte ihr törichtes Eva-Spiel ohne auch nur einen Blick auf die Folgen.

Unmöglich konnte man erraten, wie es um Adam stand. Er ging wahrscheinlich mit sich selbst zu Rate. Meistens blieb er stumm, wenn er abends mit uns am Feuer zusammensaß, schweigsam, ja beinahe finster. Er hatte die Angewohnheit, an kleinen Holzstückchen herumzuschnitzen, und zu seinen Füßen wurde der Haufen der Holzspäne immer größer.

Er hatte sehr geschickte Hände; er schnitzte kleine Holztiere für Con und eine lange Kette aus hölzernen Gliedern. Für Mary Healys Tochter Eileen machte er eine Holzpuppe und gab sie dann mir, damit ich das winzige Kleidchen und das Häubchen nähte. Kate bekam einige Schemel, und einmal brachte er ihr von Melbourne einen Tisch mit, an dem er dort in seiner Unterkunft gearbeitet hatte. Für Rose jedoch brachte er keine Geschenke mit.

Sie haßte sein Schnitzen. Seine Augen blieben manchmal eine ganze Stunde lang auf das Stückchen Holz in seinen Fingern geheftet, und er beteiligte sich kaum an der Unterhaltung. Fast niemals sprach er mit Rose, und ich glaube, er traute sich selbst nicht recht. Mir erschien Adam wie ein Mann, der von einem herzhaften Trunk in Versuchung geführt wurde. Nur seine Augen verrieten die Verlockung. Manchmal, wenn Rose Kate am Feuer zur Hand ging oder wenn sie in etwas anderes vertieft war, blickte er rasch zu ihr hinüber. Dann gewahrte ich einen Ausdruck in seinen Augen, der Verzweiflung sehr nahekam. Ich bemerkte all dies, weil ich ihn kaum aus den Augen ließ.

Einmal erkundigte ich mich nach dem Schnitzen und den kleinen Möbelstücken, die er bastelte. »Mein Großvater war ein Schiffsbauer«, erklärte er, »einer der besten von Nantucket. Er konnte einfach alles aus einem Stück Holz machen. Was ich kann, habe ich von ihm.«

»Hatten sie alle mit . . . Schiffen zu tun, deine Familie?« forschte ich. Mir war unbehaglich zumute bei diesem Gespräch; denn die Welt der Schiffe war mir nicht vertraut.

Er blickte von der kleinen Schnitzerei, an der er gerade arbeitete, auf, und sein Gesicht leuchtete plötzlich vor Stolz, obwohl ich nicht gleich verstand, weshalb. »Mein Großvater mütterlicherseits war Farrel Bedlow, der Kapitän der ›Julia Jason‹ — der ersten. Dieses Schiff brachte damals Öl im Werte von über einer Million Dollar nach Nantucket und ließ ihre Besitzer reich werden.«

Diese wehmütige Sehnsucht nach seiner Heimat und der Seefahrt war eines der wenigen Gefühle, die er zu zeigen sich gestattete; er konnte es einfach nicht verhindern. Deshalb unterschied er sich auch immer noch von der Masse der Goldgräber, sogar nachdem er eine Reihe von Fahrten mit Larry hinter sich hatte. Der Staub der Landstraße hatte sich in seiner Kleidung festgesetzt, und sein Körper hatte sich dem Bock des Planwagens angepaßt, als wäre er dort geboren worden — er gehörte immer noch nicht richtig zu uns allen. »Mein Vater war Kapitän und ging auf Walfang, bevor ich geboren wurde«, erzählte er. Er kam um bei der Umseglung von Kap Hoorn. Über Bord gespült . . . das Schiff kam heil nach Nantucket zurück.

»Und du, Adam?« fragte ich unbesonnen weiter. »Welches war dein Schiff?«

Er sah mich kalt an. »Die ›Julia Jason II‹. Ich brachte sie zum Sinken in der Bass-Straße. Ich war ihr Kapitän.«

Ich fuhr zurück, plötzlich fröstelnd durch seinen Ton, die Härte seines Gesichtsausdruckes und den Schatten tiefen Leidens. Er hat mich in jenem Augenblick vielleicht sogar gehaßt. Keiner von uns hatte je zuvor so viel über Adam erfahren. Vielleicht wußte Larry dies ebenfalls; doch Larry konnte sehr gut schweigen. Wir hatten immer die ungeschriebenen Gesetze dieses Kontinents befolgt, nach denen die Vergangenheit eines Menschen seine eigene Angelegenheit war. Nun hatte ich dieses Gesetz übertreten und wußte jetzt mehr, als ich vielleicht hätte wissen sollen. Ein Mann wie Adam verzeiht es einem nicht, wenn man weiß, in welcher Hölle er leidet.

Schweigend saß ich neben ihm, zu beschämt, um mich zu rühren; er begann wieder zu schnitzen. Nach einigen Augenblicken kam Rose und setzte sich an seine andere Seite, und der Strom ihres Geplauders ergoß sich über uns beide. Sie schien Adams Verfassung nicht zu bemerken oder kümmerte sich zumindest nicht darum. Rose ließ sich nicht so leicht einschüchtern. Sie schwatzte munter drauflos, und sofort lag ein Lächeln um Adams Lippen, und ein wenig später lachte er sogar. Rose konnte so unschuldig scheinen und war doch so geschickt.

Trotzdem überkamen auch Rose mit all ihrem Erfolg die Stunden des Zweifels, meistens wenn Larry und Adam länger als eine Woche fort waren, und Rose begann, sich Sorgen zu machen und Fragen zu stellen — oder wenn sie die zu leichte Eroberung Tom Langleys langweilte. Ich wußte von den Stunden, in denen sie vor dem Spiegel stand und sich putzte und den anderen, in denen sie mit Tom flirtete, welche sie Adams Rückkehr nur noch sehnlicher erwarten ließen. Ich kannte ihren ruhelosen Schlaf und die unruhigen Träume, in denen sie laut Adams Namen rief. Jeden Tag fragte sie mich, ob ich nicht glaube, daß Adam heute zurückkommen werde. Sie vertraute mir ihre kleinen Geheimnisse an, und ich bemühte mich, ihre Fragen zu beantworten.

»Glaubst du, er mag mein Haar so — oder weiter hochgekämmt...? Glaubst du, er bringt mir nächstes Mal ein Geschenk mit? Es würde etwas zu bedeuten haben, nicht wahr, wenn er mir ein Geschenk mitbrächte, weil er es so genau mit diesen Dingen nimmt? Glaubst du, Emmy... Emmy, meinst du...?«

Und schließlich, wenn sie in äußerster Besorgnis alle Koketterie fahren ließ, rief sie: »Emmy, ich liebe ihn! Wenn er mich nun nicht liebt?... oder es einfach nicht will?« Sie lag dann von Angst und Schluchzen geschüttelt auf ihrer Strohmatratze.

Und ich konnte nicht anders, als sie trösten, weil ich auch sie liebte. Indem ich meinen Arm um ihre Schultern legte und sie wie ein kleines Kind an mich zog, versicherte ich ihr:

»Es wird schon alles gut, Liebes. Du wirst es sehen! Alles wird gut.« Es ist nicht zu schwer, freigebig mit dem Mann zu sein, den man liebt, wenn man annimmt, selbst überhaupt keine Chance bei ihm zu haben.

Doch es gab Zeiten, in denen Adam sich mir etwas näherte — so damals, als er und Larry mir den Schal aus Melbourne mitbrachten. Ich war an jenem Tag, als sie zurückkamen, allein im Lager und wusch gerade Kleider — einen von Pats breitrandigen Hüten auf meinem zerzausten Haar und Hände und Arme bis hinauf zu den Ellbogen von der scharfen Seifenlauge gerötet. Leise kamen sie zwischen den Zelten heran und trugen beide einen Segeltuchsack.

»Sie sind alle unten am Fluß«, sagte ich. »Ich schicke Tom O'Brien runter, um sie zu holen...«

Larry ließ sich mit einer ablehnenden Handbewegung müde auf einen der Holzklötze fallen. »Nein, Emmy — nicht nötig. Sei nur ein liebes Mädchen und mach uns eine Tasse Tee.«

Wir hielten stets kochendes Wasser bereit, und so goß ich sofort Tee auf, da ich sah, wie müde und erschöpft sie waren.

»War es eine gute Fahrt?« erkundigte ich mich.

In Larrys Gesicht kam wieder etwas Leben: »Großartig! Es war gerade ein Schiff von Kalkutta eingelaufen — und auch eines von Liverpool. Langley ließ uns ordentlich einkaufen. Diese Dampfschiffe schaffen die Seereise jetzt in viel, viel kürzerer Zeit . . .« Er schlürfte den heißen, starken Tee. »Ah, das tut gut, Emmy! Manchmal werden die Staubwolken so dicht, daß ich dann Angst habe zu ersticken.«

Anerkennend nickte er mir zu. »Ich hab' eine Botschaft von John Langley für dich, Emmy.«

»Für mich . . .?«

»Ja . . . Er gratulierte mir zu meinem Buchhalter und sagte, daß, falls jener nach Melbourne käme und eine Stellung brauche, er sich beim Langley-Warenhaus bewerben solle.«

Ich blickte von ihm zu Adam, um zu sehen, ob sie Spaß machten, doch Adam lächelte zustimmend.

»Und deshalb meinte Adam«, fuhr Larry fort, »wir sollten versuchen, unsern Buchhalter zu bestechen, hier bei uns zu bleiben — gib mir mal den Sack, Adam.« Er setzte den Teebecher nieder und begann, in dem Sack herumzuwühlen. Dann zog er ein sorgfältig in Kattun gewickeltes kleines Paket heraus und reichte es mir. Langsam faltete ich den Schal auseinander — er war aus seidiger Kaschmirwolle und mit Stickerei verziert. Ich hielt vor Freude die Luft an, als ich ihn durch die Hände gleiten ließ.

»Für mich? . . . wirklich für mich?«

»Ich wollte, es wären noch zehn mehr da für dich, Emmy! Du hättest sie verdient. Magst du ihn leiden? Adam hat ihn ausgesucht.«

Ungläubig blickte ich Adam an. Es war schwer, sich Adam beim wohlüberlegten Auswählen eines so weiblichen Gegenstandes vorzustellen, und ich sagte mir wieder, daß ich ihn in Wirklichkeit gar nicht kannte. Keiner von uns kannte ihn. Zu meinem großen Erstaunen streckte er jetzt die Hand aus, um den Schal zu berühren, als bereite das auch ihm Freude.

»Er ist nicht gut genug für dich, Emmy. Wie Larry schon sagte – du hast zehn von diesen verdient.«

Und dann sah ich, als er über den Schal strich, den Verband, der kunstlos um seine rechte Hand gewickelt und so von Schweiß und Staub verschmutzt war, daß er fast dieselbe Farbe wie seine sonnengebräunte Haut angenommen hatte.

»Adam – was ist das? Was ist passiert?«

»Oh, nichts! Nur ein Kratzer von einer Geschirrschnalle.«

Ich legte den Schal wieder in die Kattunhülle zurück. »Ich mach' dir einen frischen Verband.«

Und während er noch protestierte, wusch ich die Schnittwunde aus und behandelte sie. Ich betupfte sie mit einer Lösung aus einem von Kates Fläschchen, und er zuckte zusammen, als es brannte. Es gab mir ein Gefühl der Macht, mich um diese Wunde zu kümmern, ja ihm sogar wehzutun. Ich war glücklich, ihn zu berühren. Während ich arbeitete, kniete ich auf dem Boden vor ihm und ließ mir länger Zeit als unbedingt nötig, um die Bandage um seine Hand zu wickeln.

»Vielen Dank, Emmy!« sagte er schließlich recht sanft, fast unterwürfig.

Ich sah zu ihm auf, um noch einen Augenblick länger dieses Besitzgefühl zu genießen, als ich plötzlich fühlte, wie mein Kinn ergriffen und zur Seite gezogen wurde; es war Larry.

»Du bist ein liebes Mädchen, Emma Brown«, sagte er und klopfte mir leicht und zärtlich auf die Wange. Ich errötete bei diesen Worten vor Freude, und meine Augen glitten sofort zu Adam zurück. Er sah mich an, lächelte und nickte, und es lag ein Ausdruck in seinem Gesicht, der beinahe Zärtlichkeit war und in einer eigenartigen Weise auch beinahe ein Erkennen, als forsche er in seinem Gedächtnis nach dem Grund einer Ähnlichkeit, die ich mit jemandem hätte. Eine ungläubige Sekunde lang dachte ich, er würde die Hand ausstrecken und mich wie Larry berühren. Es war einer jener seltenen Augenblicke, in denen ich nicht nur fühlte, daß ich hübsch war – es wurde tatsächlich Wirklichkeit. Ich wußte es genau.

Roses Stimme durchbrach die Stille und zerstörte diesen Augenblick. »Adam! . . . Adam! Adam ist da . . . und Larry!«

Ich sah, wie sich sein Ausdruck veränderte. Er schaute an mir vorbei zu Rose hinüber. Eine Sekunde lang enthüllte dieser Blick offene, nackte Sehnsucht. Da wußte ich mit Sicherheit, daß Adam Rose liebte.

Ich stand auf und wickelte den Schal wieder in seine Kattunhülle. Mein flüchtiger Augenblick der Schönheit war vorbei, zu Ende. Ich fühlte mich verbittert und ohne Hoffnung.

Die Zeit wirkte auf uns alle am Eureka. Wir stellten uns aufeinander ein und auf unsere Umgebung; die Freuden wie auch die Ärgernisse unseres täglichen Lebens nahmen an Bedeutung zu. Wir stießen uns an dem völligen Fehlen einer privaten Sphäre, und doch hätte keiner von uns ganz allein sein wollen. Die Tage waren heiß; die Sonne wie auch die Fliegenschwärme quälten uns. Die Nächte jedoch waren von ungeheurer, lindernder Schönheit, wie Balsam, mit unglaublich hellfunkelnden Sternen an jenem nachtblauen Himmel. Wir hörten das Schreien der Kinder in unserer Nachbarschaft und die Klagen über die geringfügigen Goldfunde in dem harten Quarz. Dan blieb unter diesen Belastungen so gütig wie immer, doch Kate mußte sich manchmal zu ihrer Heiterkeit zwingen, und wir alle wußten das. Rose war liebenswürdig und sanft, wenn Adam sich im Lager aufhielt, fuhr er jedoch fort, so wurde sie launisch und aufbrausend und neigte dazu, ihre Gereiztheit an Tom Langley auszulassen. Pat war ruhelos und von Wut erfüllt über die Methoden der Polizei in Ballarat und die Lizenzgebühren und steckte Sean damit an. Zu jener Zeit schien es, als wäre Larry der Glückspilz; er arbeitete genau so schwer wie irgendeiner von uns oder vielleicht sogar noch schwerer; aber er war wenigstens nicht der tötenden Eintönigkeit ausgeliefert. Pat beneidete ihn um seinen Platz auf dem Kutschbock des Planwagens. Wir schienen einen weiten Weg zurückgelegt zu haben, sowohl im Hinblick auf die Zeit wie auf unsere Gefühle seit jener Nacht, als Larry zum erstenmal von Melbourne zurückkam.

Und ich selbst? – Ich hatte aufgehört, so häufig von Will Gribbon zu träumen und auf die Polizei zu warten. Und ich mußte dabeistehen und zusehen, wie sowohl Adam wie auch Tom Langley immer mehr Roses Charme verfielen.

Die Unruhe, die in Pat rumorte, das Wüten gegen Autorität und jeden Zwang – und die Spannung, die zwischen ihm und Larry wuchs – brach offen aus. Und zwar in jener Nacht, als die Goldgräber Bentleys Schenke anzündeten.

Eine Menschenmenge hatte sich vor der Schenke ver-

121

sammelt — Pat und Sean waren auch dabei —, um gegen den Freispruch Bentleys von einer Mordanklage zu protestieren. Es hieß, jener habe einen Goldgräber umgebracht, der verlangt hatte, in seinem Wirtshaus bedient zu werden, und er war durch seine Freundschaft mit der Polizei vor einem gerechten Gericht geschützt worden. Die Behörde hatte sich den Fall angehört und sich geweigert, Bentley vor eine Jury zu stellen. Keiner wußte genau, wer den Stein geworfen hatte, der das Fenster zerschmetterte und die Petroleumlampe umwarf. Sehr bald jedoch konnten wir von unserem Zeltlager das Prasseln der Flammen und das Splittern von Glasscheiben hören.

Larry sprang auf und machte Adam ein Zeichen. »Komm!« sagte er. Adam folgte ihm auf der Stelle wie auch Dan und Tom Langley, der wie üblich bei uns war, und wir übrigen — Kate, Rose und ich. Und auch Con, der neben mir hertrabte.

Das Haus stand bereits in Flammen, als wir ankamen, und die Menge schrie nach Bentley. Die Männer drängten vorwärts, gefährlich dicht an die brennenden Holzwände. Es war schwierig, sich zu vergegenwärtigen, daß dies unsere friedfertigen, freundlichen Nachbarn waren, die Männer, die sich so geduldig und unermüdlich nach dem ersehnten Gold abrackerten. Einen Augenblick schien es, als erhöbe das Blut selbst seine Stimme in einem Schrei des Triumphes über diese der Autorität ins Gesicht geschleuderte Herausforderung.

Unvermeidlich erklangen nun die Rufe: »Bentley — da hinten ist Bentley! Faßt ihn!«

Pat und Sean befanden sich inmitten des Mobs, der jetzt zur Rückfront des brennenden Hauses und in den Weg zwischen diesem und einer Kegelbahn strömte. Larry, Adam und Dan drängten sich hinterher, und wir verloren sie aus den Augen. Der grelle Feuerschein fiel auf die breitrandigen Hüte und die Flanellhemden, und sie sahen alle gleich aus. »Allmächtiger Gott!« schrie Kate auf.

Und dann fühlte ich, wie Con von meiner Seite fortschlüpfte, um sich durch Stoßen und geschicktes Hindurchschlängeln einen Weg durch die dichtgedrängten Körper zu bahnen. Er war schon beinahe ein Mann und sehr bestrebt zu beweisen, daß er bereits mehr als das war. Er war ein Maguire, und wo seine Brüder hingegangen waren, würde auch er hingehen. Doch für mich war er noch ein Kind, und ich ängstigte mich um ihn. Ich begann mich ebenfalls hinterherzudrängen.

Ich hatte die falsche Größe für jene Menge. Mit Kopf und Gesicht war ich gerade in Reichweite der erhobenen Ellbogen, die sich vorwärtskämpften. Die Stöße betäubten mich beinahe. Die meisten Männer merkten gar nicht, daß sie eine Frau zur Seite boxten, und sie hätten sowieso gesagt, daß ich dort nichts zu suchen habe. Und sie hatten ja recht. Ich bekam Angst, hinzufallen und unter die schweren Stiefel zu geraten. Con hatte sich einen Weg bis in die Mitte des Mobs erkämpft, wo er Larry gesehen hatte. Er war noch dort, als ich ihn erreichte, hilflos herumgestoßen und gepufft. Ich schlang die Arme um ihn, aber wir besaßen beide nicht genug Kraft, um uns zurückdurchzuschlagen. Und so blieben wir dort und sahen, wie Adam zu Pat vorstieß. Sie standen alle in einem engen Kreis um Bentley herum, der dem Feuer entronnen war und sich auf das Pferd eines Gendarmen geworfen hatte. Das Tier war halb von Sinnen vor Angst, und vier Männer hängten sich ihm in die Zügel, um es festzuhalten; auch andere zerrten an Bentley und versuchten, ihn aus dem Sattel zu ziehen. Er klammerte sich jedoch fest und schlug mit der einen Hand, in der er einen Gendarmenknüppel hielt, wie rasend auf die Köpfe unter sich. Niemand anders als Pat krallte sich an seinem einen gestiefelten Bein fest und bekam die Schläge ins Gesicht. Er blutete bereits aus einem Riß am Mund und einer Platzwunde am Haaransatz.

Larry packte ihn: »Pat! Mach, daß du hier fortkommst! Bist du verrückt geworden!«

»Haltet ihn fest!« grölte Pat betrunken. Dann traf ihn ein erneuter Schlag von Bentleys Knüppel. Seine Augen wurden glasig. Mühsam hielt er sich aufrecht. In diesem Augenblick drängte Larry sich rückwärts gegen die Menge, um genug Platz zum Ausholen zu haben. Und dann ließ er einen Haken genau auf Pats Kinn sausen. Langsam und widerstrebend ließ Pat Bentleys Bein fahren und sackte zusammen. Larry fing ihn auf und erhielt gleichzeitig einen Stoß von Bentley auf den Kopf. Larry und Adam bildeten mit ineinander verschränkten Händen und Armen eine Art Wiege für Pat, und Dan bahnte ihnen einen Weg durch die Menge. Ich schob Con hinterher und heftete mich mit ihm dicht an ihre Fersen. Wir kamen derartig benommen am äußeren Rand des Menschengewühls an, daß wir kaum bemerkten, daß Bentleys Knüppel und die wirbelnden Hufe seines Pferdes schließlich die krallenden Hände abgeschüttelt hatten und er ihnen entronnen war.

Pat erlangte das Bewußtsein im Maguire-Lager wieder. Er schien nüchtern zu sein. Seine Augen blickten recht klar, als er vorsichtig seine aufgeplatzten Lippen und seinen Kopf betastete. Kate hielt geräuschvoll die Tränen zurück. Sie wusch seine Stirn und machte ihm gleichzeitig bittere Vorwürfe.

»Unglück und Ruin wirst du noch über uns bringen . . .«

Er unterbrach sie barsch, kämpfte sich zu einer sitzenden Stellung empor und sah Larry an.

»Warum hast du das getan?«

Larry zuckte die Achseln. Er hatte sich inzwischen beruhigt; sein Zorn war jetzt ganz kühl und beherrscht. »Soll ich dabeistehen und zusehen, wie du jemand ermordest? Soll ich zulassen, daß du dich an den Galgen bringst? Weiß Gott, du bist ein Narr; aber ich würde auch nicht zulassen, daß ein Narr gehenkt wird.«

Ein hilfloses Schluchzen der Wut stieg in Pats Kehle auf.

»Wer, glaubst du, bist du denn, Larry? Bist du der liebe Gott persönlich?«

»Halt den Mund! Du bist ja betrunken!«

»Ja — ich bin betrunken! Aber ich spiele mich nicht auf und mache andern keine Vorschriften, wann sie sich betrinken sollen. Wer gibt dir das Recht dazu . . .?«

»Ich hab' das Recht, dich vor den Händen der Polizei zu bewahren. Hätten wir dich nicht aus jener Bescherung rausgeschleppt, hätten sie dich umgebracht, oder du wärst ins Kittchen gewandert, zusammen mit dem Rest deiner nichtsnutzigen Freunde.«

Pat explodierte. »Du gottverdammter Idiot! Ich fahre zur Hölle, wenn's mir Spaß macht und in guter Gesellschaft!«

»Jetzt aber Schluß!« rief sein Vater.

Pat beachtete ihn nicht. »Mir wird übel von dir, Larry! Du kommst daher wie ein verfluchter, kleiner, englischer Krämer und siehst auf uns herab, weil unsere Hände schmutzig sind von dem Dreck, den wir aus dem Boden buddeln — und du machst dir die Hände nur vom Anfassen des Geldes schmutzig. Was weißt du schon, was es heißt, in diesem gottverlassenen Loch zu leben? — oder was kümmert's dich? Du sitzt da wie 'ne alte Jungfer und

willst mir vorschreiben, wann ich trinken darf und wer
meine Freunde sein sollen . . .«

Er tat einen tiefen, erschöpften Atemzug und zeigte
mit zitternder Hand auf Larry. »Also, ich sage dir, Larry
— das eine sage ich dir! Meine Sorgen gehen nur mich
was an! Laß mich in Ruhe, Larry! Kümmere dich nicht
um meine Angelegenheiten!«

Kapitel 5

Das Anzünden der Bentley-Schenke war nur ein Ausbruch der wachsenden Unruhe in Ballarat — ein wilder
und verantwortungsloser Ausbruch, der den gemäßigte-
ren Männern nicht sehr ähnlich sah, die sich anderer
Mittel bedient hätten, um der Ungerechtigkeit der Lizenzgebühren, den willkürlichen Verhaftungen und der
Korruption der Polizei ein Ende zu setzen. Es entstand
ein halbes Dutzend verschiedener Gruppen, von denen
einige gewaltsam Widerstand gegen die Einziehung der
Lizenzgebühren forderten, andere wiederum lieber
schrittweise und mit legaleren Mitteln vorgehen wollten
— durch Delegationen an den Gouverneur, Sir Charles
Hotham, durch Appelle an die verschiedenen Mitglieder
des Gesetzgebungsrates, die sich vielleicht für sie einset-
zen würden. Dieser Weg erschien einigen in Ballarat zu
langsam, zu wohlüberlegt. Sie wollten Taten sehen und
wollten sie bald sehen. Sie wollten Bentley vor Gericht
und für den Mord verurteilt sehen, den er begangen hatte, und sie verlangten die Freilassung der Männer, die
man wegen Brandstiftung an seinem Wirtshaus verhaftet
hatte. Dies bildete einen wesentlichen Teil ihrer nie er-
lahmenden Raserei gegen die Behörden. Ihre Stimmen

waren stets die lautesten und übertönten die Stimmen ihrer Nachbarn, die zu Mäßigung rieten. Pats Stimme war auch darunter. Jeden Abend verließen er und Sean das Lager und gingen in Richtung der Kneipen an der Main Road davon. Wir wußten nicht, wo sie das Geld zum Trinken hernahmen, und wir wußten seit jener Nacht, in der er den Streit mit Larry hatte, auch nicht viel über das, was Pat dachte oder tat.

Larry und Adam setzten ihre Fahrten fort, und die Nächte, die sie im Zeltlager am Eureka verbrachten, waren spannungsgeladen. Wir erwarteten und erhofften irgendeinen neuen Ausbruch zwischen Larry und Pat, etwas, wodurch die knisternd geladene Atmosphäre entschärft würde. Wir fühlten, daß etwas geschehen würde und daß eine Veränderung in die Routine, die unser Leben angenommen hatte, kommen, daß einer aus unserer Mitte ausbrechen würde. Am Ende kam die Veränderung aber aus einer Richtung, aus der wir sie nicht erwartet hatten.

Es ereignete sich nur wenige Wochen nach dem Abbrennen von Bentleys Wirtshaus. Ich erinnere mich, daß wir die übliche Gruppe um das Feuer bildeten — Kate und Dan, Rose, Con und Tom Langley. Larry war unten im Laden und überprüfte die in letzter Minute eingetragenen zusätzlichen Bestellungen auf seiner Liste; denn sie wollten am nächsten Morgen in aller Frühe wieder nach Melbourne aufbrechen. Pat und Sean steckten irgendwo unten an der Main Road. Sie würden erst wiederkommen, wenn wir alle zu Bett gegangen waren und uns vielleicht aufwecken; denn betrunken waren sie oft recht laut. Manchmal fragte ich mich, ob sie nicht absichtlich so viel Lärm machten; sie schienen immer am lautesten, wenn Larry da war.

Adam und ich hatten unsere Hocker an eine Packkiste

gesetzt. Beim Schein einer Kerze gingen wir die Listen der Waren durch und trugen die einzelnen Artikel und Preise in meine Bücher ein. Gleichzeitig versuchte ich, Adam etwas über das System, nach dem ich die Eintragungen vornahm, beizubringen. Doch er war nicht mit dem Herz bei der Sache; er schrieb deutlich und gut, murrte aber dauernd über die Listen. »Acht Yard Musselin . . .«, knurrte er. Es erforderte keine große Beobachtungsgabe, um zu begreifen, daß er den Musselin und alle anderen Sachen haßte. Er mühte sich mit ihnen ab, und einzig seine Willenskraft hielt ihn auf jenem Hocker.

Ich schüttelte den Kopf und zeigte auf die aufgeschlagene Seite vor ihm. »Nein — nicht da! Hier mußt du es eintragen.«

Er seufzte. »Ich wünschte, ich könnte den Musselin und die Bratpfannen und die guten, dauerhaften Moleskinhosen auf den tiefsten Meeresboden versenken!«

Von der anderen Seite des Feuers ließ sich Tom vernehmen.

»Na, hat das große Spiel mit Handelsgeschäften für dich noch nicht den Reiz verloren, Adam?« erkundigte er sich in spöttischem Ton. Tom schien sich in Adams Anwesenheit nie wohl in seiner Haut zu fühlen. Tom hegte einen geheimen Groll, den er nicht ganz verbergen konnte, gegen Adams Geschäftsverbindung mit seinem Vater. Fortwährend stichelte er und war gereizt, wenn Adam das einfach überhörte. Tom erwähnte niemals John Langleys Namen in Adams Beisein, noch sprach Adam ihn je vor ihm aus. Sie duldeten sich höflich gegenseitig, aber das war auch alles. Ich glaube, Tom neidete Adam seinen Platz hier an unserem Feuer, weil Adam ihn sich verdient hatte; er war eifersüchtig auf die Achtung, die wir seinem Vetter entgegenbrachten. Und ich vermute, daß er, der wochenlang nicht von Roses

Seite gewichen war und ihre Launen studiert hatte, endlich den Grund für ihre Veränderung, sobald Adam erschien, zu verstehen begann. Nur ein Narr hätte das nicht schon längst bemerkt; aber Tom war ein Narr und blind, wenn es um Rose ging.

An jenem Abend hatte er, glaube ich, eine Menge getrunken, bevor er zu uns kam. Er war gesprächig und streitsüchtig, versuchte Rose zu necken, sagte alles, was ihm in den Sinn kam, um ihre Aufmerksamkeit zu fesseln, und sah, wie sie nur für Adam Augen hatte, für Adam, der einfach weiter in seinen Büchern schrieb und wenig Notiz von Rose nahm. Dieses Mal war Tom erregt und verletzt genug, um es auf Roses Ärger ankommen zu lassen.

»Nun — was sagst du dazu, Vetter Adam?« Er nannte ihn so, wenn er den Unterschied zwischen ihnen betonen wollte. »Wie steht es um deine Träume, ein Handelskapitän zu werden?«

Adams Kopf fuhr hoch. »Die einzigen Träume, die ich habe, kreisen um Schiffe. Ich habe nichts gegen Bratpfannen und Musselin, solange sie in ihren Kisten auf einem Schiff bleiben.«

Tom lächelte, und sein Blick zuckte hinüber zu Rose. »Tatsächlich — aber wie ich sehe, hast du die Anlagen zu einem ausgezeichneten Buchhalter ... unter Miss Emmas Anleitung.«

»O Tom, laß sie in Ruhe!« unterbrach ihn Rose verdrossen. »Du störst sie schon den ganzen Abend, und sie werden sonst nie fertig mit diesen alten Büchern ...«

»Dann sing für mich, Rose«, erwiderte Tom. »Ich verspreche, brav zu sein, wenn du nett zu mir bist und singst.«

»Ich hab' keine Lust zu singen.« Eine ungeduldige Falte furchte ihre Stirn. Wie immer ärgerte sie diese zu leichte Eroberung Toms, während Adam sich ihr gegenüber nicht festlegte. Manchmal versuchte sie es zu verbergen, doch Rose war es nicht gewohnt, ihre Gefühle zu unterdrücken.

»Du willst also nicht singen . . . dann laß mich für dich singen. Laß mich dich mit einem Lied anbeten.«

»Du bist ein Dummkopf, Tom«, gab Rose bissig zurück. »Sei still!« Er ignorierte ihren Befehl; er wollte nur eines, nämlich dafür sorgen, daß sie seine Anwesenheit nicht vergaß.

Grünärmelchen ist mein Entzücken . . .
Grünärmelchen ist all meine Freud' . . .

sang er nun. Er besaß eine wohltönende, volle Stimme, und man hätte ihm gern zugehört, wäre er nicht so von Kummer und Demütigung verkrampft gewesen.

»Würdest du mein Grünärmelchen sein, Rose?« fragte er. »Soll ich dir ein grünes Kleid mit grünen Ärmeln kaufen, und wirst du dann meine Lady Grünärmelchen sein?«

Kate wachte mit einem Ruck aus ihrem Nickerchen auf. »Was war das mit einem Kleid?«

»Nichts«, entgegnete Rose. »Tom redet eine Menge Unsinn daher.«

»Ich würd' keinen Unsinn daherreden, wenn du singen würdest, Rose. Du könntest mich damit im Zaum halten.«

»Ja, Rosie, Liebling . . . sing uns was vor«, drängte Dan.

Plötzlich kam Leben in ihn; er klopfte seine erkaltete Pfeife aus und langte nach seinem Tabaksbeutel.

»Nun . . .«, meinte sie achselzuckend.

Tom schlug sich mit den Händen auf die Oberschenkel. »Wunderbar, Rose! Sing uns ein Lied . . .«

Sie sah Adam an, während sie sang. Einen Augenblick verharrte seine Feder bewegungslos, doch schließlich beugte er sich wieder über seine Bücher und wies das Lied von sich, das sie ihm anbot.

Ich weiß, wohin ich gehe,
Ich weiß wer mit mir geht,
Ich weiß auch, wen ich liebe,
Doch wer weiß, bei wem ich bliebe . . .

Für mich war es ein schwerer Augenblick, dies vor meinen Augen geschehen zu sehen. Diese beiden Männer begehrten Rose, und der eine, der sie haben konnte, versagte sie sich. Ich sah, wie Adams Finger sich um die Feder verkrampften. Er schrieb nicht mehr. Ich glaube, er sah auch die Worte vor sich auf der Seite nicht. Es war für uns alle eine Qual, diesen Strophen zu lauschen.

Federbetten sind weich,
Ausgemalte Räume reich,
Doch gern verließ' ich sie
Hab' ich nur meinen Johnny . . .

Plötzlich unterbrach Tom ihren Gesang. Sein Gesicht hatte sich dunkel verfärbt. »Würdest du sie alle verlassen, Rose? Würdest du wahrhaftig all diese guten Dinge verlassen, um mit einem Schiffsversenker zu gehen? Mit diesem Buchhalter? — diesem Krämer?«

Adam sprang auf. »Halt du deinen Mund!«

»Warum sollte ich? Hast du Angst, daß Rose die Wahrheit über dich erfährt? Wirst du nicht mehr so ein Held sein, wenn sie weiß, daß du dein Schiff in der Bass-Straße auf Grund gefahren hast? — daß du es durch Dummheit verloren hast und du einzig aus dem Grunde hier sitzt und deine Zahlen zusammenzählst, weil kein Reeder dir mehr ein Schiff anvertraut? Dein Name wäre zum Gespött von ganz Melbourne geworden, gäbe es da nicht jene Männer, die du mit in die Tiefe fahren ließest, die Männer, die mit der ›Julia Jason‹ umkamen. Trübt das das hehre Bild vielleicht? Die Seemannsmütze steht dir nicht mehr zu, Vetter Adam . . .«

Wir hörten schweigend zu, ebenso Adam. Seine Augen waren sehr hart, als er zu Tom hinüberblickte; es lag jene Kälte in ihnen, jene abweisende Kälte, mit der man versucht, Seelenqualen nicht an sich herankommen zu lassen. Es war, als wiese er alle Gedanken von sich, damit sie ihn nicht peinigen konnten. Sein Gesicht war verkniffen. Ich bemerkte die Vertiefungen, die sich plötzlich an seinen Schläfen abzeichneten. Er stand auf. Sein ganzer Körper sah aus, als spannte er sich, um dem Anprall der Schmerzen standzuhalten.

»Du hast kein Recht, über etwas zu reden, was du nicht weißt . . . und du weißt die Wahrheit hierüber nicht.«

»Ich weiß, was ich sehe«, entgegnete Tom, der ebenfalls aufgestanden war. »Ich erkenne einen Dummkopf und einen Betrüger, wenn ich einen sehe.«

»Wen nennst du einen Betrüger? Du wirst diese Worte zurücknehmen, und wenn ich dich umbringen muß . . .« Adam trat einen Schritt auf Tom zu, hielt jedoch inne, als Dan plötzlich aufsprang und zwischen die beiden trat.

»Das langt aber jetzt! Ich dulde hier keine Schlägerei! Und du, Tom, hüte deine Zunge . . .«

Tom beachtete ihn nicht, sondern redete weiter, und seine Stimme wurde mit seiner zunehmenden Wut und Erregung immer lauter und schriller.

»Ha — bist du etwa kein Betrüger? Hast du dich nicht schön bei meinem Vater eingenistet? Fährst du etwa nicht seine Wagen und nimmst nicht sein Geld? Und sagst du dir nicht, daß es eine gute Sache ist, daß ich aus dem Weg geräumt bin, weil dadurch das Feld für dich frei wird? Das aber sage ich dir, ich bin nicht aus dem

Weg geräumt! Weder was meinen Vater betrifft — noch Rose. Jeden Tag kann ich sie beide haben, wenn ich nur will ...«, er schnippte mit den Fingern, »... einfach so!«

»Halt den Mund!« befahl Dan.

»Ich sage dir«, fuhr Tom fort, »Blut ist dicker als Wasser, auch für meinen Vater. Nur sein eigenes Fleisch und Blut wird sein Erbe und kein anderer. Ganz gleich, wieviel du betrügst und dich einzuschmeicheln versuchst, du bekommst nicht das, was mir gehört. Gar nichts ... verstehst du! Gar nichts!«

Adam tastete auf den Büchern nach seiner Mütze und hieb sie auf seinen Kopf. Dann drehte er sich wieder zu Tom um.

»Und ich sage dir, du bist ein Lügner!«

Er schritt an Dan vorbei und warf im Fortgehen einen Hocker um. Wir alle blickten ihm nach, wie er vom Lager forteilte, fort aus dem Lichtkreis unseres Feuers, in den Lichtkreis des nächsten Feuers eintauchte und dann hinter diesem am Eureka entlangging, bis wir ihn schließlich in der Dunkelheit aus den Augen verloren.

Rose stieß einen jammernden Schrei der Verzweiflung aus. Sie wirbelte zu Tom herum, ihr Gesicht flammend vor Zorn. »Du hast das getan!« Und während sie vor ihm stand und ihn anfunkelte, fing sie an zu weinen, laut und von Krämpfen geschüttelt.

Ich lag wach und erwartete horchend sein Zurückkommen. Neben mir hatte Rose sich ruhelos eine Zeitlang hin und her geworfen und versucht einzuschlafen; nun ging ihr Atem tief und gleichmäßig. Ich hörte Pat und Sean zurückkehren, danach Larry. Es schien sehr spät zu werden, bevor Adam kam. Ich sagte mir daher, ich könne nun wohl einschlafen.

Da drang ein Flüstern an mein Ohr. »Emmy — Emmy!« Ich richtete mich sofort auf, dachte jedoch daran, mich vorsichtig zu bewegen und Rose nicht zu wecken. Er kauerte am Boden dicht vor dem Zelteingang.

»Adam! Was ist los?« Es war unmöglich, sein Gesicht zu erkennen. Das Feuer war bis auf einige glühende Holzscheite erloschen.

»Kannst du mir helfen, Emmy? Ich hab' mir an der Hand weh getan.« Ich langte hinter mich nach meinem Schal. »Ich komme . . .«

Ich stellte keine Fragen, bis ich ihn zum Feuerplatz geführt und eine Kerze angezündet hatte, die ich auf den Boden dicht an die Packkisten stellte, so daß der Lichtschein nicht auf die Zelte fiel. Dann kniete ich neben ihm nieder, und er streckte mir die Hand hin.

»Sie ist ja verbrannt!« Ich blickte auf und versuchte, in seinem Gesicht zu leise. »Wie ist das passiert . . .?« Er antwortete nur mit einem Achselzucken. »Ich hole etwas zum Darauftun.« Ich ging mit der Kerze zu dem Kasten, in dem Kate ihre Arzneimittel aufbewahrte. Er sollte eigentlich abgeschlossen sein, doch Kate vergaß das immer. Dann ging ich zu Adam zurück und begann, die Wunde zu reinigen. Asche und kleine Kohlestückchen steckten in ihr — es war eine häßliche Brandwunde quer über den Handrücken. Als ich sie schließlich mit Mullbinden verband, wurde ich böse auf ihn; ich hatte genug von seinem Schweigen.

»Wie ist es passiert?« flüsterte ich wütend und befehlend.

»Eine Schlägerei«, antwortete er. »Ich wurde niedergeschlagen, rollte rückwärts und griff mit der Hand ins Feuer. Der andere Mann lag auf mir . . .«

»Tom?«

»Ja . . . Tom.«

»Mußtest du mit ihm ringen?«

»Ja — du weißt, daß ich es mußte.«

Ich wollte so gern fragen, was mir so drückend auf dem Herzen lag — »Mußtest du wegen Rose kämpfen« —, sagte es jedoch nicht. Ganz ruhig fuhr ich mit dem Anlegen des Verbandes fort. »Fühlst du dich nun besser, weil du gekämpft hast?«

»Nein«, gestand er unglücklich. »Es ändert nichts.«

»Das tut es nie.« Ich wickelte die Binde weiter behutsam um seine Hand, da ich wußte, daß auch die leiseste Berührung ihm wehtun mußte.

»Es ist ein Jammer . . .«, meinte ich. »Gerade, wo dieser Schnitt so gut zu verheilen angefangen hatte. Morgen früh mußt du zu einem Doktor gehen. Er wird die Wunde neu verbinden und dafür sorgen, daß sie ordentlich gereinigt wird . . .«

»Ich fahre morgen früh.«

»Ja, ich weiß . . . aber du mußt die Hand vorher einem Arzt zeigen. Warte nicht damit, bis du in Melbourne bist.«

»Ich meine, ich gehe für immer fort. Ich komme nicht wieder nach Ballarat zurück.«

Ich setzte mich auf meine Fersen zurück. Ich begriff die Bedeutung blitzartig; ich glaube, ich hatte immer Angst vor diesen Worten gehabt, und eine schlimme Vorahnung hatte die Freude jedesmal, wenn Adam mit Larry zurückgekommen war, noch erhöht. Jetzt waren sie also gekommen; sie waren ausgesprochen worden. Für einen Augenblick herrschte ein wildes Chaos in der Welt meiner Gefühle. Ich vermute, es malte sich auf meinem Gesicht ab.

»Emmy, schau mich nicht so an! Was kann ich anderes tun? Könnte ich hierbleiben nach dem, was Tom sagte?«

»Warum solltest du dich um das, was Tom sagt, kümmern? Kümmerst du dich denn um jemand wie Tom, der nur neidisch auf dich ist? Es ist feige, vor dem, was er sagt, davonzulaufen! Eine Frau würde das nicht tun . . .«

»Frauen sind in diesen Dingen stärker«, erwiderte er. »Das weiß ich schon lange. Ein Mann muß kämpfen — oder das Feld räumen.«

»Und du denkst, du bist ein noch fabelhafterer Mann, wenn du beides tust?« fragte ich schroff. »Du läßt dich selber im Stich — wirst dir selber untreu, damit Tom dich vertreiben kann.« Ich erhob mich. »Warte hier!«

Als ich zurückkam, reichte ich ihm einen halben Becher Whisky. »Es wird die Schmerzen nicht lindern, aber dir ein wenig helfen zu vergessen.« Ich holte mir einen Schemel und setzte mich neben ihn. »Und wir können froh sein, daß Dan mich nicht gehört hat und mit seiner Flinte herauskam.«

»Du bist so gut, Emmy«, sagte er und lächelte.

»Ich bin es leid, das zu hören. Keine Frau will nur gut sein — wir wollen alle noch etwas anderes sein.« Wußte er, was in meinem Herzen tobte? Wußte er von dem ungestümen Drang, ihn zu bitten und anzuflehn hierzu bleiben, den ich aber unterdrücken mußte? Wußte er, wie qualvoll es war, über sein Fortgehen zu reden, so qualvoll, daß ich schroff zu ihm sein mußte, um es zu verbergen? Und wenn er auch mit seiner verbrannten Hand zu mir gekommen war, und wenn ich auch wußte, was diese Geste bedeutete, so wollte ich doch nicht, daß er mich nur »gut« oder »freundlich« fand. Ich wollte, daß es ihm aus anderen Gründen leid tat, mich zu verlassen. Aber es würde ihm nur wegen Rose leid tun. In meiner wilden Traurigkeit war ich damals beinahe überzeugt, daß Männer nie wissen, was für sie am besten ist.

»Du erinnerst mich . . .« begann er.

Ich unterbrach ihn mit einer ungeduldigen Gebärde. »Ich will es nicht wissen! Es ist mir gleich, an wen ich dich erinnere.«

Ich dachte, ich würde anfangen zu heulen, wenn er nun seine Mutter oder Schwester erwähnen würde.

»Warum mußt du denn fortgehen?« fragte ich. »Es ist doch töricht.«

»Glaubst du, ich könnte hierbleiben und mich von einem anderen Mann beschuldigen lassen, ihm sein Erbe zu stehlen? Es ist nicht wahr, Emmy! Kein einziges Wort davon! Sogar wenn ich es wollte, würde John Langley es nie zulassen. Es stimmte, was Tom da sagte . . . sein Vater wolle einen Erben, aber nur einen Erben von seinem eigenen Fleisch und Blut. Er ist ein besitzgieriger alter Mann. Ich bin für ihn lediglich ein Mann, der seinen Wagen fährt. Ich war niemals in seinem Haus. Wenn ich mit ihm rede, stehe ich vor seinem Schreibtisch im Geschäft. Wie ein kleiner Angestellter. Ich will nicht irgend jemandes Angestellter sein, Emmy!«

»Du trägst aber seinen Namen.«

Er zuckte die Achseln. »Was ist schon ein Name? Gar nichts! Er ist nur das, was man selbst aus ihm macht. Deshalb muß ich fort. Ich muß meinen eigenen Weg gehen . . .«

»Was wirst du tun?« fragte ich kläglich. »Wohin wirst du gehen?«

»Zurück auf See. Das ist das einzige, wofür ich tauge. Ich kann anders einfach nicht leben. Ich werde in Melbourne warten, bis jemand mich anheuert. Es wird nicht zu schwierig sein . . . andauernd türmen welche, und sie brauchen immer einen Matrosen.«

»Als Matrose?« fragte ich entsetzt. »Bist du wahnsinnig? Du hast doch dein Kapitänspatent!«

»Was nützt mir das? Sie kennen meine Geschichte in Melbourne. Sie wissen Bescheid über die ›Julia Jason‹. Wenn ein Kapitän einmal ein Schiff verliert, haben die Schiffseigner keine große Lust, ihm noch einmal die Chance zu geben, es ein zweites Mal zu tun. Ich kann von Glück sagen, wenn ich als dritter Steuermann auf ein Schiff komme. Wenn ich das nicht schaffe, gehe ich als Matrose.«

»Wohin wirst du gehen? — nach Hause, zurück nach Nantucket?«

Er schüttelte den Kopf. »Ich gehe dorthin, wo mich das Schiff hinbringt — aber auf keinen Fall zurück nach Nantucket.« Er senkte den Kopf über seinen Becher. »Ich verlor ein Schiff aus Nantucket. Du verstehst, Emmy — ich kann nicht mehr dorthin zurück.«

»Aber das ist schon tausendmal vor dir passiert. Die Männer gehen zurück . . . sie haben Familien, und sie gehen zurück. Nichts ist so schlimm wie fortzubleiben.«

»Ich werde nie mehr dorthin zurückgehen«, wiederholte er. Das war das Schlimmste an Adam — dieser übertriebene Stolz. Es machte ihn blind andern Dingen gegenüber und hochmütig. Er nahm nicht so leicht einen Rat an und wies Hilfe von sich, die ihm angeboten wurde. Er würde unzählige Male gegen das Unmögliche anrennen und sich dabei verletzen, würde aber nie zugeben, daß er verletzt, verwirrt oder einsam sei. Und jetzt hatte er sich entschlossen, Larry und uns alle zu verlassen; er warf alles Gute, das für ihn aus der Partnerschaft hätte erwachsen können, über Bord, alles, was John Langley vielleicht für ihn getan hätte. Und das alles wegen dieses Stolzes, der sich über Toms Verleumdung nicht hinwegsetzen

138

vermochte. Ich seufzte und fühlte mich hilflos vor diesem unbeugsamen Stolz.

»Du machst einen Fehler, Adam. Es gibt hier so vieles für dich . . .«

»Aber nicht das, was ich will«, erwiderte er kurz. »Verstehst du denn nicht? Es ist nicht das, was ich möchte.«

»Was möchtest du denn?«

Er sah verwirrt aus und schüttelte den Kopf über seinem Whiskybecher. »Ich weiß es nicht.« Seine Stimme war jetzt weicher. »Ich möchte es vergessen können — oder noch mal eine Chance haben . . . um es wiedergutzumachen, irgendwie.«

»Was gutzumachen?«

»Den Schiffbruch. Er war schlimm, der Schiffbruch«, sagte er langsam. »Es geschah in der Bass-Straße. Du hast von Strandräubern gehört, Emmy?«

»Ja.«

»Die Inseln in der Bass-Straße wurde früher als Walfangstationen benutzt. Sie wurden später aufgegeben, als die Wale diese Gewässer verließen; doch die Inseln wurden weiter von jedem, der auf der Flucht vor dem Gesetz war, als Versteck benutzt. Im Laufe der Jahre hat sich dort eine saubere Gesellschaft entkommener Sträflinge von Van-Diemens-Land versammelt — die Männer rauben sich sogar schwarze Frauen und bringen sie mit dorthin. Sie leben von Seeräuberei — von allem, was sie an ihre Küste locken können. Die ›Julia Jason‹ war von Nantucket unterwegs nach Melbourne — nicht auf Walfang, nur auf einer Handelsreise im Pazifik. Wir gerieten in einen Sturm. Die Stürme toben schrecklich in der Bass-Straße! Seit über vier Tagen hatten wir die Sonne nicht gesehen und wußten nicht mehr genau, wo wir uns befanden. Wir hielten ihre Feuer für Leuchtfeuer auf dem Festland. Die ›Julia Jason‹ lief auf die Klippen auf und brach auseinander. Siebenundzwanzig Männer kamen in der Brandung um, ebenso die gesamte Ladung. Doch vier von uns kämpften sich zum Strand durch, wo wir dann sahen, daß die Strandräuber nur sieben Mann waren — halbverhungert waren sie, hatten keine Munition mehr und nichts, um zu kämpfen. Ich tötete einen mit meinen nackten Händen, Emmy! Sogar nach dem Kampf in der Brandung war ich stärker als er. Ich umklammerte seinen Hals, bis er starb.«

»Und die anderen . . .?« wisperte ich.

»Waren zu schwach zum Kämpfen. Wahrscheinlich sind sie jetzt tot. Wir bauten ein Floß aus den geborstenen Planken der ›Julia Jason‹ und stachen wieder in See. Wir wurden von der ›Thistle‹ an Bord genommen und landeten in Melbourne. Die Sträflinge waren zu entkräftet, um uns am Verlassen der Insel zu hindern. Sie schlichen am Strand hin und her und durchstöberten die Taschen der ertrunkenen Matrosen, die angespült wurden. Das Wrack lag zu weit draußen, als daß sie es hätten erreichen können; so ergatterten sie nur eine magere Beute. Ich sage dir, Emmy, sie waren wie Aasgeier! Die ›Julia Jason‹ war kein Schiff, wie sie sich eins erhofft hatten — die Nahrungsvorräte versanken mit ihr in der Tiefe, und sie hatte keine weiblichen Passagiere an Bord gehabt mit Ringen an den Fingern und Uhren und Armreifen — weiß der Himmel, was solche Dinge diesen Männern an jenem Ort genützt hätten! Sie bekamen nur die armen Seeleute, die eine halbe Weltreise von ihrem Zuhause entfernt waren! Vielleicht rechnet ein Seemann damit zu ertrinken — in Ehren zu ertrinken, wenn die See die Oberhand über ihn gewinnt, nicht aber durch andere Menschen in den Tod gelockt zu werden. Sie hätten was Besseres verdient als das, und es ist meine Schuld, daß dies ihr Los wurde.«

»Es war nicht deine Schuld — quäl dich doch nicht selber, Adam!«

»Ein Kapitän trägt immer die Verantwortung. Ich schrieb den Eignern, als ich in Melbourne ankam, und nahm die volle Verantwortung auf mich. Da hat Tom nicht gelogen.«

»Vergiß es, Adam! Du mußt es vergessen!«

»Ich möchte es ja gern. Ich möchte es vergessen, werde es aber nie vergessen — solange ich lebe. Ich sage dir, Emmy, es ist, als würde ich es jede Nacht wieder von neuem durchleben. Ich sehe es noch alles vor mir . . .«

Und weiter und weiter erzählte seine Stimme, ein bißchen undeutlich von dem Whisky, voller Leidenschaft und voll des Leidens, von dem er nie zuvor hatte etwas über seine Lippen kommen lassen. Ich vernahm die Geschichte des Schiffbruchs noch einmal und dann noch ein drittes Mal, hörte von den ertrunkenen weißen Gesichtern seiner Besatzung, erfuhr ihre Namen . . . Jeremiah . . . Luke . . . die Namen von Männern, mit denen er am Strand von Nantucket aufgewachsen war. Ich hörte seine flüsternd bekannte Schuld und Scham, das ganze Elend, das er mit sich herumschleppte. Ich wußte, daß er diese Worte niemals einem anderen Menschen als mir anvertraut hatte. Ich legte die Hand in seinen Nacken und zog seinen Kopf an meine Brust. Für eine kurze Zeit lang war er mein. Ich flüsterte ihm die tröstenden Worte zu, nach denen es ihn verlangte.

Schließlich hob er den Kopf ein wenig und schien mein Gesicht zu suchen. Dann spürte ich seinen Kuß auf meinen Lippen; ich versuchte, ihn zu halten, doch es war vorbei, fast bevor ich fassen konnte, daß es begonnen hatte.

»Ich schlafe unten im Geschäft.« Schwankend richtete er sich auf. »Auf Wiedersehen, Emmy. Sag Rose . . .«

Ich hörte nicht, was ich Rose sagen sollte. Ich glaube, ich haßte ihn für diesen Augenblick, weil seine letzten Gedanken und Worte Rose galten.

»Paß auf Rose auf, Emmy! Sie ist nicht so klug wie du.«

Kapitel 6

Nachdem Adam fort war, stand es nicht so gut um uns.

Vielleicht war Roses Traurigkeit der wahre Grund. Sie war nicht der Mensch, der in seinem Kummer still ist. Wir hörten ihre Tränen und Vorwürfe; wir ertrugen ihre schlechten Launen, weil wir ihnen nicht entkommen konnten.

»Wirst du jetzt ruhig sein«, schrie Kate dann wohl verzweifelt. »Es gehört sich nicht, sich so wegen eines fremden Mannes zu gebärden.«

»Was kümmert's mich, was sich gehört? Was nützt das alles, wenn ich Adam nicht haben kann?«

»Was sollten dann deine großartigen Reden über einen reichen Mann, der dich in Samt und Seide packen und den ganzen Tag Klavier spielen lassen würde? Adam ist arm . . .«

»Armsein macht nichts«, erwiderte sie, und ich glaube, sie meinte es tatsächlich. »Solange es nur Adam ist.«

Tom Langley verzieh sie nicht. Ein- oder zweimal kam er verschüchtert zu uns und entschuldigte sich stammelnd bei Dan, doch seine Augen hingen flehend an Rose. Sie wandte sich ab und ging zu ihrem Zelt, wo sie blieb, bis er gegangen war. Und bald begriff er, daß sie unerbittlich war, und kam nicht wieder. Rose hatte von dem Kampf zwischen Adam und Tom erfahren, wie auch die meisten der Eureka-Anwohner. Sie war stolz auf Adam, daß er sich mit Tom geschlagen hatte, doch verstand sie nicht, warum er es tat und dann fortging.

»Aber er blieb doch Sieger«, beharrte sie immer wieder. »Er brauchte sich nicht zu schämen. Weshalb mußte er gehen?«

»Es gibt Kämpfe, die nie gewonnen werden«, erklärte Dan.

Pat verstand Adams Gründe und billigte sie. Es war die Art zu handeln, nach der er sich selbst sehnte. »Er mußte einfach fortgehen. Er ist ein Seemann«, lautete sein Kommentar.

Ein Teil unserer Schwierigkeiten beruhte wahrscheinlich darauf, daß die allgemeine Lage auf den Goldfeldern sich zuspitzte und daß Pat daran beteiligt war — Sean ebenfalls. Pat stattete auf dem Weg zu den Schenken an der Main Road nicht länger den Lagerfeuern der anderen Familien am Eureka jene freundschaftlichen Besuche ab, bei denen er mit den Töchtern liebäugelte und manches Herzeleid verursachte. Dafür schien nun keine Zeit mehr. Das Trinken war auch nicht mehr ein freundschaftliches Zusammensein. Er wußte, daß Larry nichts übrig hatte für die Gruppen, die Reformen mit gewalttätigen Mitteln erstrebten, und so verbreiterte sich die Kluft zwischen den beiden. Sie redeten kaum mehr miteinander, wenn Larry von Melbourne zurückkam. Pats Idole waren die Männer, die sich als Führer an die Spitze der verschiedenen Reformgruppen stellten — Vern, Lalor und einer der Humphray-Brüder. Bentley wurde wegen Scobies Ermordung verspätet zu einem weiteren Verhör vor den Magistrat gebracht; dieses Mal klagte man ihn an und eröffnete einen Prozeß, als dessen Ergebnis er schließlich zu Zwangsarbeit verurteilt wurde. Doch die Goldgräber hatten sich bereits zu weit in ihre Kümmernisse hineingesteigert, um sich dadurch besänftigen zu lassen. Drei von ihnen, Fletcher, McIntyre und Westerby wurden wegen Brandstiftung an Bentleys Wirtshaus vor Gericht gestellt. Alle drei waren willkürlich herausgegriffen und verhaftet worden – von einem wußte man sogar, daß er sich in der Nacht des Brandes gar nicht in der Nähe des Wirtshauses befunden hatte. Kommissar Rede vom Gefangenen-Camp brauchte einfach einige Männer, um ein Exempel zu statuieren; seine Wahl fiel zufällig auf diese drei. Sie wurden in Melbourne vor Gericht gestellt, in sicherer Entfernung von den entflammten Gemütern auf den Goldfeldern, und zu sechs Monaten Zwangsarbeit verurteilt.

Die wenige Zeit, die Pat zwischen seinen Versammlungen noch für uns übrig hatte, verbrachte er damit, uns feierliche Ansprachen zu halten, als ob wir die schuldigen Richter wären. Er war verärgert über Dans Bitte, besonnen vorzugehen.

»Du redest wie Larry – du hast Angst!« Noch vor wenigen Monaten wären derartige Worte zu seinem Vater nie über Pats Lippen gekommen, doch er war jetzt völlig zügellos geworden; die alten Regeln schienen nicht mehr zu gelten.

»Wir sollten Geiseln festnehmen«, sagte er. »Wir sollten uns Geiseln von den Gendarmen und Polizisten greifen und sie so lange behalten, bis diese Schweinehunde in Melbourne Fletcher und die andern freilassen . . .«

Ich erkannte, daß der Geist der Gesetzlosigkeit und des Aufruhrs nicht so leicht einzudämmen war. Er kroch in die Winkel, für die er nicht bestimmt war. Con lauschte Pats Ausbrüchen und wurde angesteckt – nicht von dem politischen Fieber des Augenblicks, sondern von seinem ihm eigenen Unheil. Vielleicht stachelte ihn Roses dauerndes Nörgeln an: was er auch tat, sie hatte etwas daran auszusetzen, und so tat er schließlich Dinge, um ihre Kritik zu rechtfertigen. Er paßte nicht auf, wenn ich versuchte, ihm Stunden zu geben und war oft nicht zu finden, wenn man seine Hilfe bei einer Arbeit brauchte. Die Kinder am Eureka bekamen plötzlich einen Anführer. Er erfand ein Spiel, das »Goldgräber und Gendarm« hieß. Sie jagten sich gegenseitig die Erdhaufen an den Schächten hinauf und hinunter; zeitweise wurde ihr Schreien und Johlen ohrenbetäubend. Con war ständig mit kleinen Schnittwunden und blauen Flecken bedeckt; einmal kam er auch mit einem blauen Auge von einem Kampf mit einem anderen Jungen nach Hause. Während Kate ihn ohrfeigte, rief sie aus: »Dieses Ballarat verdirbt ihn — wie überhaupt uns alle. Ich bete zu Gott, daß wir von hier wegkommen!«

Doch Con hatte noch viel des früheren Kindes an sich. In seinen Augen gehörte ich immer noch nicht zur Familie, und er schämte sich nicht, mit seinen Tränen zu mir zu kommen. Diese Tränen wurden nicht so sehr wegen der brennenden Ohren und blauen Flecken vergossen, als wegen der dunklen Angst und Unsicherheit, die wir alle empfanden.

John Langley stellte einen anderen Mann ein, der den zweiten Planwagen fuhr. Wir behandelten ihn höflich, doch das war auch alles, wozu wir uns zu überwinden vermochten. Er übernachtete und aß unten in »The Star« an der Main Road.

»Ich kann mich wirklich nicht mit Fremden aufhalten«, erklärte Kate. Die Maguires hatten jetzt etwas von einer wachsamen Vorsicht an sich, die sie nicht gekannt hatten, als sie mich auf der Landstraße nach Ballarat aufsammelten. Sie verschenkten ihr Vertrauen nicht mehr so leicht.

Als die Wochen vergingen, wurde Adam seltener in unseren Gesprächen erwähnt; aber ich glaube nicht, daß er deshalb unsere Gedanken weniger erfüllte. Larry vermißte seine Gesellschaft auf den langen Fahrten, obwohl er das nicht aussprach — ebensowenig wie er nicht sagte, daß ihn Adams Fortgehen verletzt hatte. Rose blies jetzt Trübsal, wo sie vorher vor Zorn und Kummer getobt hatte. Sie verwendete keine Sorgfalt mehr auf ihre Kleidung, und ihr Haar bekam beinahe nie eine Bürste zu spüren.

»Es ist 'ne Schande!« schalt Kate. »Du siehst aus, als kämst du direkt aus der Gosse!«

»Wer sieht mich hier schon?« erwiderte Rose mit großartiger und verzweiflungsvoller Gleichgültigkeit dem gesamten Gewimmel von Ballarat um sie herum gegenüber.

Ich fühlte den Schatten von Adam zwischen uns in jener Nacht, als Mary O'Caseys Baby geboren wurde. Kate stand ihr in ihren Wehen bei — es fing am frühen Nachmittag an und dauerte beinahe bis zum Morgengrauen. In den letzten Wochen hatten wir die Bettlaken und Leinentücher herausgelegt und die Babysachen genäht. Nun blieb uns nichts weiter übrig, als heißes Wasser bereitzuhalten und zu versuchen, den Doktor zu finden. Er kam dann auch, nahm eine kurze Untersuchung vor und ging wieder. »Es verläuft alles ganz normal«, sagte er. »Das übrige überläßt man am besten euch Frauen.« Wie die meisten Männer war er dieser Ansicht.

Es wurde eine schwere Geburt, und Mary O'Casey war schon erschöpft, bevor es überhaupt richtig begann. Ihre Schreie jagten Rose solche Angst ein, daß sie sich an mich klammerte, während wir wartend dasaßen und auf das Feuer aufpaßten. »Ich will keine Kinder, Emmy!« erklärte sie auf einmal.

»Natürlich willst du welche!«

»Nein, ich will nicht — ich habe Angst!« Und sie hielt sich die Ohren zu vor den Schreien.

Doch als das Baby geboren war, half sie es waschen und wiegte es danach behutsam auf dem Arm. »Es ist ein wonniges Kerlchen«, meinte sie. »Ich wünschte, es wäre meins — und Adams.«

Und seltsam, die Schreie des Babys verstummten, wenn es in Roses Armen lag und sie sich liebkosend über es neigte. Ich war eifersüchtig darauf — und auf den Gedanken an Adam, der uns beide beschäftigte. Wir gaben es sogar auf, Larry zu fragen, ob es Nachrichten über ihn gäbe. »Ich hörte, er sei auf der ›Swallow‹ aus gefahren — er ist als Steuermann angeheuert worden. Es ist 'ne kleine Schaluppe — fährt im Küstenhandel.«

Küstenhandel — das bedeutete, daß er nach Melbourne zurückkehren würde. Vielleicht auch nach Ballarat. Wir beide, Rose und ich, erwogen diese Möglichkeit. Doch nur Rose sprach sie aus.

Es geschah auf meinem Rückweg von Sampsons Laden. Plötzlich gewahrte ich Adams Gesicht in der Menschenmenge bei der Postkutsche, die gerade ihre Passagiere auf die Main Road entlud. Ich sah zuerst seinen Rücken — die breiten Schultern, die sich unter der Seemannsjacke spannten, die alte Mütze auf seinem Kopf, den hoch geschulterten Segeltuchsack. Unverkennbar Adam — und ich flog durch die Menge zu ihm. — »Adam!«

Er wandte sich um und schien im selben Augenblick den Seemannssack fallen zu lassen. Ich wurde in seinen

Armen emporgeschwungen, meine Füße verließen den Boden, und er umarmte mich mit der Kraft und Freude eines großen Mannes.

»Emmy! Kleine Emma!« und er küßte mich — auf die Wange —, aber in diesem Augenblick war mir das gleichgültig.

»Du bist zurück!« rief ich. »Oh, wie herrlich!« Dann hielt ich inne. »Aber du hast Larry verfehlt — er ist nach Barrandilla weitergefahren. Mr. Langley findet, es sei an der Zeit, einige Fühler in der Richtung auszustrecken.«

»Ich weiß«, erwiderte er. »Ich war gerade bei John Langley. Er erzählte mir davon.«

»Dann fährst du also weiter, um wieder mit ihm . . .?«

Er schüttelte den Kopf. »Nein, Emmy — etwas noch viel Besseres. Ich erzähl' es dir gleich auf dem Weg.« Ich zerrte mit Roses gebieterischer Geste an seinem Ärmel. »Nein! Erzähl es mir jetzt!« Er hob seinen Segeltuchsack auf. Wir hielten den Verkehr auf, und die Leute drängten sich an uns vorbei. Er führte mich zur Seite der Straße.

»Die ›Swallow‹ lief vor drei Tagen in Melbourne ein. Ich hatte den Steuermannsposten nur bekommen, weil der richtige Steuermann krank war, und so zahlte man mich aus, als die Ladung gelöscht war. Ich saß mal wieder auf dem trockenen, Emmy, und da dachte ich mir, es könne nichts schaden, zu Langley zu gehen. Nicht um zu betteln, wohlverstanden — nur um mich zu erkundigen, ob er einen Job für mich hätte. Das heißt, auf Schiffen — nicht in Läden! Er weiß alles, was in Melbourne passiert.«

»Ja — ja!« Zum erstenmal störte mich Adams geduldige Bedachtsamkeit.

»Er bat mich zu sich nach Hause . . .«

Und bei diesen Worten leuchteten seine Augen in ei-

148

ner Erregung und Befriedigung auf, die ihm beinahe fremd waren. »Er goß mir Wein ein ... Und, Emmy, er bot mir die ›Langley-Enterprize‹ an!«

»Bot dir die *was* an?«

»Die ›Langley-Enterprize‹! Das erste Langley-Schiff! Er baut sich seine eigene Flotte auf. Am Anfang nur Küstenschoner. Wenn das gut anläuft, will er sein eigenes Schiff bauen lassen, um Wolle nach England zu bringen und eine Ladung anderer Waren von dort hierher mitzunehmen. Und ich bekomme das erste Schiff! Hörst du, Emmy? – Ich bekomme das erste von diesen!«

»Du meinst – als Kapitän?«

»Ja, als Kapitän! – nichts anderes!«

Und da schlang ich meine Arme auf der Main Road zum zweiten Male um ihn und kümmerte mich nicht einen Deut um die gaffenden Leute. Ich hatte Glück in seinen Augen gesehen – mehr als das, sogar echte Freude. Es war das Gesicht eines Mannes, der das eine im Leben erhalten hatte, das ihm mehr bedeutete als alles andere. Adam war nicht mehr der Mann, den ich kannte; er hatte sich verändert. Er war jetzt ein ganzer Mensch, in sich geschlossen, und die zersetzende Umklammerung der Bitterkeit war von ihm genommen. Und so küßte ich ihn.

»Es ist die allerschönste Nachricht!« rief ich, als ich wieder genug Atem zum Sprechen geschöpft hatte. »Es ist die beste Nachricht, die ich je gehört habe! Oh – denk doch nur, Adam! Dein eigenes Schiff – deins!«

»Ich kann gar nicht schlafen, weil ich dauernd daran denken muß«, gestand er. »Zuerst konnte ich es überhaupt nicht glauben. John Langley ist kein Mann, der Preise für nichts und wieder nichts austeilt. Ich erfuhr, daß er Erkundigungen eingezogen hatte. Er hatte die anderen vier Überlebenden der ›Julia Jason‹ ausfindig

gemacht und sich ihre Berichte angehört. Danach beschloß er, mir das Angebot zu machen.«

»Warum auch nicht?« entgegnete ich entrüstet darüber, daß überhaupt ein Zweifel bestanden hatte.

Er zuckte die Achseln, war jedoch zu glücklich, um es
ernst zu nehmen. »Es ist ein Risiko — einen Mann anzu-
heuern, der ein Schiff verloren hat. Die Besatzung hat
nicht das gleiche Vertrauen zu ihm. Wenn man einmal
ein Schiff verloren hat, muß man ein doppelt so guter
Kapitän wie jeder andere Mann sein, unter dem sie jemals gesegelt sind, oder aber sie haben keinen Respekt
vor einem. Lieber in der Hölle als auf einem Schiff, auf
dem die Männer dem Kapitän nicht vertrauen.«

»Du wirst ein viermal so guter Kapitän sein!«

Er lächelte auf mich hinunter, jetzt im vollen Selbst-
vertrauen. »Das will ich, Emmy! Und ich werde es auch
sein!«

Und wieder hob er seinen Sack vom Boden auf und
warf ihn sich über die Schulter.

Wir gingen nun die Main Road entlang in Richtung
Eureka — und ich hätte vor Stolz platzen können. So viele Augen richteten sich auf ihn, den hochgewachsenen,
sonnenverbrannten Mann mit dem Ausdruck reinsten
Glücks im Gesicht. Er rief den Männern, die er kannte,
fröhliche Grußworte zu, verneigte sich vor den Damen,
während er bisher stets die Straße entlangmarschiert
war, ohne jemanden zu sehen. Die Scham über die »Julia
Jason« war von ihm abgefallen. Er wollte von der Welt
gesehen und erkannt werden. Er trug den Kopf hoch erhoben wie ein Mann, der der ganzen Welt freudig entge-
gentreten möchte.

»Und da dachte ich«, sagte er, »ich sollte herkommen . . .«

»Was sagtest du gerade, Adam?« Ich beschleunigte

meine Schritte, um nicht zurückzubleiben. An der Art seines Ganges sah ich, daß er am liebsten den ganzen Weg am Eureka entlang zum Maguire-Lager gerannt wäre.

»Ich dachte, ich sollte herkommen«, wiederholte er. »Die ›Enterprize‹ ist erst in zwei Monaten zum Auslaufen fertig, und ich sagte Langley, daß ich zuerst hierherginge. Ich sagte ihm, daß Sampson vielleicht Hilfe brauchen würde, wenn es hier Schwierigkeiten gäbe, aber ich glaube, er wußte, daß ich hierherwollte, um den Maguires zu helfen . . .«

»Schwierigkeiten . . .?«

Er sah mich verblüfft an. »Ja — ganz Melbourne spricht doch darüber, daß Hotham Abteilungen des 12. und 40. Regiments herschickt. Und eine Menge Waffen und Munition . . . anscheinend rechnen sie mit einer Art Aufstand. Langley riet mir, mich von jenen hitzköpfigen Rebellen fernzuhalten — sie würden alle am Galgen landen, wo sie hingehörten.«

»Ja«, sagte ich und verstand jetzt alles. Von dem Augenblick an, in dem ich ihn dort auf der Main Road hatte stehen sehen, waren alle Probleme aus meinem Kopf fortgeblasen gewesen. Aber nun rief er sie mir ins Gedächtnis zurück, wo sie unheilvoll verharrten. Nicht nur ihre Nöte erbitterten die Goldgräber, sondern noch viel mehr die Weigerung der Behörden, deren Existenz anzuerkennen. Die autokratische Regierung in Melbourne fühlte sich in ihrer Würde verletzt durch die Delegation der Goldgräber, die gekommen war, um den Freispruch der wegen Brandstiftung an Bentleys Wirtshaus verurteilten Kameraden zu verlangen. Niemand könne Forderungen an Sir Charles Hotham stellen, lautete die Antwort.

Das drohende Gerücht, Polizisten und Gendarmen als

Geiseln zu ergreifen, verbreitete sich. Hotham wurde rasend vor Wut. Er entließ die Delegation und kommandierte Verstärkungen nach Ballarat ab. Wir wußten, daß sie bereits unterwegs waren.

»Diese Dummköpfe in Melbourne denken, es sei unter ihrer Würde, ein paar ehrenwerte Männer anzuhören«, sagte ich. »Sie haben ja keine Ahnung von den Zuständen hier auf den Goldfeldern. Irgend etwas wird bald passieren . . .«, und ich blickte zu ihm auf. »Ich bin froh, daß du hier bist, und ich wünschte, Larry wäre es ebenfalls.«

»Wann erwartet ihr ihn zurück?«

Ich zuckte die Achseln. »In einigen Tagen . . . wer weiß, wann er kommt? Es liegen noch ein paar abgelegene Orte hinter Barrandilla. Er sagte, er wolle eine Rundfahrt machen . . . doch er versprach, sofort hierzusein, wenn es Schwierigkeiten gäbe. Doch das war, bevor wir hörten, daß Hotham die Verstärkungstruppen schickt. Aber — es passiert ja vielleicht gar nichts. Am Ende verläuft alles überhaupt im Sande. Das meinte jedenfalls Larry. Er kann nicht einfach hier sitzen und warten . . .«

»Und Pat?«

»Pat hält Ausschau nach Schwierigkeiten — er wünscht sie geradezu herbei.« Ich wußte, daß das stimmte, obwohl ich zum erstenmal diesen Gedanken aussprach. »Fast wünscht er sie herbei, um Larry zu ärgern.« Ich war erstaunt, mich diese Worte aussprechen zu hören, doch Adam nickte zustimmend.

»Familien sind nun einmal so. Pat muß seinen eigenen Weg gehen, und es ist nicht Larrys Weg.«

Wir gingen weiter, Adam begrüßte einige Bekannte in den Zeltlagern am Eureka, und ich wünschte, meine unbändige Freude, ihn wiederzusehen, wäre nicht so rasch von dem Unheil, das über uns schwebte, getrübt worden.

Was auch immer auf uns zukam, würde leichter zu ertragen sein, besonders jetzt, wo Adam hier war, wenn die Maguires noch so gewesen wären wie zur Zeit ihrer Ankunft in Ballarat und wenn kein Bruch zwischen Larry und Pat entstanden wäre. Doch mich tröstete die Tatsache, daß Adam hier neben mir ging. Hoch ragte er über mir empor. Ich spürte seine Kraft, ein ruhiges, festes Element inmitten der Konflikte der Maguires. Ich schaute ihn aus den Augenwinkeln an. Sein Gesicht war unbeschwert, so, als denke er nicht an die Gerüchte und Nachrichten, die ihn, wie er sagte, hergeführt hatten. Er sah erwartungsvoll aus, so wie ein Mann, der das Ende seiner Reise kaum abwarten kann. Da kam mir der Gedanke an Rose, und ich glaubte, seine Miene zu verstehen.

Es war ein vollkommen veränderter Adam, der zu uns zurückkehrte. Er war der Kapitän eines Schiffes, nicht länger der bescheidene Fahrer eines Fuhrwerks. Allmählich begriff ich, warum der Gedanke an allgemeine Unruhen ihn nicht bedrückte, warum es ihm kaum gelang, seine Erregung und Erwartung im Zaum zu halten. Ich mußte der Wahrheit ins Auge sehen, daß dies das Gesicht eines Mannes sein konnte, der nach Ballarat gekommen war, um sich eine Frau zu holen. Und in meinem mich plötzlich überflutenden Elend wollte ich fort von ihm, wollte ich mein Gesicht vor ihm verbergen. Vor allem wollte ich den Augenblick nicht miterleben, in dem er Rose wiedersah. Ich glaubte, nicht stark genug zu sein, um das zu ertragen. Deshalb suchte ich nach einem Vorwand, um fortzueilen. »Adam . . . ich . . . ich habe etwas im Laden vergessen . . . unten bei Sampson. Geh du nur weiter. Sag ihnen, daß ich bald nachkomme.«

»Nein, geh nicht . . .«, erwiderte er. Er war stehengeblieben. »Ich gehe später zurück und hole es dir, was es auch ist. Du brauchst also nicht noch einmal den Weg zu machen.«

Ich wunderte mich, daß er den Jammer in meinem Gesicht nicht bemerkte. Ich hielt Ausschau nach einer Rettung, und sie kam, kam in Gestalt einer plötzlichen, zunehmenden Bewegung um uns herum am Eureka. Die Rufe eilten von Lager zu Lager, und die Männer kamen aus ihren Schächten herauf.

»Eine Versammlung! Eine Versammlung drüben auf Bakery Hill!« Oft hatten wir diese Rufe in jenen Tagen vernommen. Die verschiedenen Reformgruppen, die gemäßigten ebenso wie die radikalen, beriefen Versammlungen ein, so oft sie es für nötig hielten, ihre Anhänger zu einer Einheit zusammenzuschweißen.

Die Männer beendeten ihr Tagewerk und begannen, uns in einem ununterbrochenen Strom am Eureka entlang entgegenzukommen. »Laß uns lieber schnell nach Hause gehen«, drängte ich, »damit Pat nicht auch hingehen kann.«

Ich spornte Adam zur Eile an und wußte, daß sein erstes Wiedersehen mit Rose nun im Vorbeifluten der Leute am Maguire-Lager untergehen würde.

Pat kam gerade aus dem Schacht und begrüßte Adam im Vorbeigehen — freundlich, jedoch zerstreut. Er schien Adams Anwesenheit für selbstverständlich und erwartet zu halten.

»Bin froh, dich wiederzusehen!« rief er. »Du kommst gerade rechtzeitig für den Kampf. Ich hoffe, du hast eine Flinte mitgebracht!«

Und damit eilte er davon. Einen Augenblick später begegneten wir Sean, der hinter Pat herrannte. Kate kam uns entgegen. Sie umarmte Adam und flüsterte dann drängend und heiser:

154

»Bitte, geht und schaut, was Pat vorhat. Sein Vater ist noch nicht aus dem Schacht gekommen.«

»Rose . . .?« fragte Adam.

»Was weiß ich?« erwiderte Kate achselzuckend und nahm Adam den Segeltuchsack ab.

»Geht jetzt, schnell!«

Und so machten wir kehrt und folgten dem Menschenstrom. Die Schwingtröge unten am Fluß verstummten, und die Winden knarrten in wilder Hast, als die Männer aus der Tiefe kamen. Ich bemerkte, daß die Scharen der Goldgräber durch die Männer verstärkt wurden, die ihre Tage in den Wirtshäusern verbrachten, die müßigen Zuschauer. Die Menge wurde immer größer und dichter, bis ungefähr zehntausend Menschen um eine Art Plattform auf Bakery Hill versammelt waren; die größte Menschenmenge, die ich je in Ballarat gesehen hatte. Einige hatten Angst, genauso wie ich; die meisten aber waren wuterfüllt.

Ich griff nach Adams Arm, und er beugte sich zu mir herunter.

»Pat wird ganz vorn sein«, sagte ich. »Wir sollten versuchen, dahinzukommen.«

Und schamlos nutzte ich mein kleines Privileg aus, eine Frau zu sein. Ich drängte und stieß, zerrte an den Ärmeln der Männer, und Adam folgte mir in der schmalen Gasse, die ich uns bahnte. Auf diese Weise schafften wir es, uns beinahe bis in die vordersten Reihen vorzuschieben, als die Versammlung von Peter Lalor zur Ruhe gerufen wurde. Pat war nicht unter den Rednern, doch erspähte ich ihn gleich hinter der Plattform.

Nach einigen Minuten war es still, und Lalor begann zu reden. Er sprach über die von Melbourne herannahenden Verstärkungen und die Zurückweisung der Bit-

155

te um Freilassung der verurteilten Männer. Mit jedem
Wort, das er ausstieß, stieg die Erregung der Menge.

»Unsere Freiheit ist bedroht. Entweder kämpfen wir
für sie, oder wir sehen sie zugrunde gehen!«

Die grölenden Rufe der Zustimmung hallten im Tal
wider. Ich merkte, daß ich zitterte und ertappte mich dabei, daß ich in das Geschrei einstimmte und mein Taschentuch schwenkte.

»Ich behaupte, die Lizenzen müssen abgeschafft werden! Wir müssen ein für allemal mit ihnen aufräumen;
denn sie sind die Symbole der Tyrannei! Wer ist dafür?«

Und wieder erschollen brausende Schreie.

»Ich behaupte, wir müssen uns weigern, sie bei uns zu
tragen; wir müssen uns zusammentun und ins Gefangenen-Camp eindringen und jeden, den sie eingesperrt haben, weil er keine Lizenzkarte hatte, dort rausholen.
Wenn wir gemeinsam vorgehen, sind wir stark genug.
Macht ihr mit, Kameraden?«

Die Hüte flogen zu Hunderten in die Luft, und die
Rufe und Pfiffe und Schreie schienen die Berge ringsum
erbeben zu lassen. Es folgte eine allgemeine Bewegung
und ein Emporrecken, und ich stellte mich auf die Zehenspitzen, um zu sehen, was Pat tat. Der Ellenbogen eines Goldgräbers fuhr mir ins Gesicht, und ohne Adams
felsgleiche Kraft wäre ich unter die scharrenden Stiefel-
absätze geraten. So verpaßte ich den Augenblick, in dem
Pat sich aus der Gruppe bei der Plattform löste, um zu
einem der Feuer zu eilen, das die Menge umzingelt hatte. Dann spürte ich Adams Hände unter meinen Ellbogen und fühlte mich über die Köpfe der Menge emporgehoben. Ich sah, wie Pat seine Lizenzkarte in die
Flammen stieß und sie dann brennend in die Höhe hielt.
Er schwenkte sie in wilden Kreisen und wurde in wenigen Sekunden von den herbeistürzenden Männern zur

Seite gestoßen, die unter lautem Geschrei ebenfalls ihre Lizenzkarten verbrannten.

Eine Zeitlang sah Bakery Hill aus, als tanzte eine Gruppe von Wahnsinnigen dort herum, und die brennenden Papierfetzen züngelten über ihren Köpfen wie die Lichter der Freiheit.

Diejenigen, die nur zum Zuschauen herbeigeeilt waren, gingen schnell fort; andere verstauten ihr kostbares Stück Papier in der Tasche und stahlen sich ebenfalls fort. Doch es blieben genügend, um die Flammen in der Dämmerung zucken zu lassen, genügend, um ganz Ballarat wissen zu lassen — die Beobachter auf Specimen Hill, auf Black Hill, in den Gravel Pits und auch den Beobachter im Gefangenen-Camp —, daß ihr Zorn begann, Gestalt anzunehmen.

Wir saßen an jenem Abend in einer bedrückten Gruppe um das Feuer. Sogar Rose, deren Augen vor Freude über Adams Rückkehr leuchteten, wagte es nicht, in das allgemeine Gefühl einer unheilvollen Spannung, das sich unser bemächtigt hatte, hineinzuplatzen. Ausnahmsweise war sie einmal geduldig; sie schien willens, ihren Augenblick abzuwarten, bis auch Adam sprechen würde. Sie erfuhr die gleiche Geschichte von der »Langley-Enterprize« und gelangte zu dem gleichen Schluß wie ich — daß Adam gekommen war, um sie zu fragen, ob sie seine Frau werden wolle. Sie war stolz; sie war bereit gewesen, Adam zu erhören, in welchen Verhältnissen er sich auch befunden hätte; doch jetzt kam er mit einer festen Position und etwas Geld, und sie konnte den Kopf erhoben tragen. Ich konnte beinahe sehen, wie sie einen Plan entwarf, um die Hindernisse der nächsten Tage zu überwinden — daß Adam nicht katholisch war, bildete natürlich das Hauptproblem, und das würde

Schwierigkeiten geben. Sie war jedoch ganz zuversichtlich; ich entdeckte kein Anzeichen eines Zweifels an ihr. Doch war ich trotz all dem froh, daß Adam wartete. Nichts ist jemals ganz gewiß, bevor es ausgesprochen wird. Unerklärlicherweise hatte ein wenig Hoffnung in mir überlebt — und lebte auch noch weiter —, daß Adam meinetwegen gekommen war und nicht Roses wegen.

Aber die Ströme, die zwischen uns dreien, Rose, Adam und mir, hin und her glitten, gingen unter in den drängenderen Fragen des Augenblicks. Adam packte eine lange Segeltuchrolle aus und brachte ein Gewehr zum Vorschein. Er hatte stets eins bei sich getragen auf seinen Fahrten mit Larry; aber das war nichts im Vergleich zu diesem.

»Ich habe einen Monatslohn dafür in Melbourne bezahlt«, sagte er. Pat und Sean beugten sich über die Büchse. »Es ist 'ne Winchester«, erklärte Adam, »fast ganz neu.«

Pat legte seine Hand darauf; seine Stimme klang rauh, gepreßt so wie die eines Mannes, der über eine Frau spricht, die er begehrt, dachte ich. Ich sah, wie seine Fingerknöchel weiß wurden in jenem besitzgierigen, harten Griff. »Adam — ich möchte sie kaufen, ich hab' das Geld nicht . . .« Dann stieß er ein heiseres krächzendes Lachen aus. »Larry, der hat das Geld!«

Ich wartete auf Adams Ablehnung und sah die ängstliche Spannung in Kates Gesicht. Dann sagte Adam: »Ich verkaufe keine Gewehre, Pat.« Und damit reichte er ihm die Büchse. »Nimm sie!«

»Ist das dein Ernst?«

»Nein!« Kate sprang auf und schien sich mit den Händen in die Luft zu krallen, als wollte sie die Büchse wegreißen. »Gott bewahre! — du gibst ihm Unglück in die Hände mit diesem verfluchten Ding! Und er ist doch erst ein Junge . . .«

Worauf Dan sie ausnahmsweise einmal zurechtwies. »Na, na, Kate! Wir haben hier keinen Jungen vor uns, sondern einen Mann!«

»Dann läßt du ihn also als Mann in sein Unglück rennen?« Flehend erhob sie die Hände. »Heilige Muttergottes! Wenn doch bloß Larry hier wäre!«

Pat erbleichte; rasend vor Eifersucht funkelte er sie an.

»Zum Teufel mit Larry! Als ob ich nicht Manns genug wäre! Kann ich nicht genauso gut für euch sorgen wie er? Warum heißt es immer Larry? Warum? . . . Warum?«

Pat schien ruhelos und verzweifelt. Am nächsten Morgen weigerte er sich, hinunter in den Schacht zu steigen, und wir wußten wohl, warum er oben sein wollte: falls eine Polizeikontrolle käme. Er mußte unbedingt damit prahlen, daß er keine Lizenzkarte mehr besaß. Adam nahm seinen Platz unten im Schacht ein, und Rose war schlechter Laune, weil sie sich auf den Tag mit Adam gefreut hatte. Bissige, scharfe Worte flogen zwischen ihr und Pat hin und her, bis sie sich aufraffte, um Lucy O'Donnell zu besuchen. Pat arbeitete darauf schweigend weiter, zertrümmerte die großen Quarzbrocken in kleine Stückchen und holte die Kübel mit der Winde aus dem Schacht.

Der Schrei, auf den wir alle warteten, kam von drüben von den Gravel-Pits-Gräben.

»Traps! Traps!« Pat ließ seine Spitzhacke fallen und stürzte ins Zelt. Ich stand beklommen da und beobachtete ihn; denn ich wußte, was nun folgen würde. Ich hörte ihn fluchen, und dann kam er wieder aus dem Zelt herausgeschossen.

»Wer hat es?« schrie er. »Wer hat es jetzt?«

»Was denn?« fragte Kate.

»Das weißt du genau! Mein Gewehr — mein Gewehr!«

Kate schüttelte den Kopf und wischte sich langsam das Mehl von dem Brotteig, den sie gerade zubereitete, von den Armen. »Ich hab' es mit keinem Finger angerührt«, erwiderte sie. »Aber wenn ich es jetzt zu fassen bekäme, würde ich es dir auf dem Kopf zerschlagen, bevor ich zuschaue, wie du . . .«

Hilflos blickte er umher. »Wo hast du es versteckt? Warum mußt du dich in meine Angelegenheiten mischen . . .?Wo ist es?«

»Der Teufel hole das Ding«, empörte sich Kate, »und dich auch, bevor ich dir das sage! Willst du deine Hände mit Mord beflecken, Pat Maguire? — denn das wird es geben.«

»Verflucht sei der Teufel — und du auch!« brüllte Pat. Nicht einmal der Schock, der bei diesen Worten ihr Gesicht erstarren ließ, hemmte ihn. Er begann rasend vor Wut und hilfloser Enttäuschung in den Packkisten zu suchen und schleuderte dabei ihren Inhalt zu Boden. Kate stieß einen Schrei aus, als ein Kasten voll Porzellan krachend hinuntersauste. »Du bist ja verrückt!« kreischte sie. »Du Idiot, du!«

»Und du bist ein aufdringliches altes Weib!«

Wütend stieß er mit dem Fuß einen Schemel aus dem Weg. »Was mischst du dich dauernd in Männerangelegenheiten?« Er spähte hinüber zu den Gravel Pits und verharrte einen kurzen Augenblick, um den Geräuschen zu lauschen, die von dort herüberdrangen.

»Verdammt, ich werd' zu spät kommen!« Er rannte los und schloß sich den anderen Männern an, die ihre Hacken hingeworfen hatten und zu den Gravel Pits eilten.

»Wenn Gott gnädig ist, wirst du zu spät kommen!« rief Kate ihm nach. Die Tränen rannen ihr übers Gesicht, als sie Pat nachblickte, der in langen Sprüngen zwischen den Schächten und aufgeworfenen Erdhaufen davonschoß. »Du bist ein Narr, Pat Maguire!« Er war schon zu weit weg, um es zu hören. Sie wandte sich zu mir um.

»Wo hast du dies gräßliche Gewehr hingetan, Emmy?«

»Woher weißt du das?«

Sie machte eine ungeduldige Handbewegung. »Wer anders hätte rechtzeitig daran gedacht? Gott sei gedankt, daß du es tatest!«

»Ich hab' es in Adams Segeltuchhülle zurückgelegt. Dort, dachte ich mir, würde er es am allerwenigsten vermuten.«

Sie nickte. »Gut gemacht, Emmy! Lauf jetzt hinter ihm her und sieh zu, ob du ihn irgendwie zur Vernunft bringen kannst!«

»Hinter ihm her — ich?«

Sie deutete auf den Schacht. »Wer sonst? Er hat unsere drei Männer da unten gelassen, und ich schaffe es nicht, den Kübel und das Gewicht von einem von ihnen heraufzuziehen.«

»Ich helfe mit.«

»Keine Zeit mehr. Geh jetzt!«

Und als ich loslief, hörte ich sie nach Rose rufen. »Wo steckst du, Rose? Heilige Muttergottes, sie ist nur hier, wenn man sie nicht brauchen kann!«

Es gab nichts, was ich hätte tun können. Eine zahlreiche Menge war an den Gravel Pits versammelt, und die Polizei hatte bereits einige der Männer verhaftet, die keine Lizenzkarten vorzeigten. Kommissar Rede war, Schwierigkeiten voraussehend, mitgekommen. Seine Leute saßen wie immer auf ihren Pferden; doch jetzt konnten wir über den Rand der Grube die Verstärkung herannahen sehen — die Kavalleristen, die er in Reserve im Gefangenen-Camp gehalten hatte. Einer der Anführer, ein Deutscher namens Vern, war festgenommen worden; doch sogleich umringte ihn die Menge und zerrte ihn zurück. Einer der Goldgräber feuerte einen Schuß in die Luft ab. Die Antwort darauf war eine Feuersalve über die Köpfe der Menge hinweg von den Gendarmen und Soldaten. Sie rückten jetzt von allen Seiten näher an uns heran mit gezückten Bajonetten, flankiert von der berittenen Truppe. Ich bemerkte plötzlich ein Gefühl der Angst in der Menge, ein leichtes Zurückweichen beim Anblick der blanken Bajonette. Auf einmal schienen sich die Männer ringsum der Sinnlosigkeit der Steine, die sie in den Händen hielten, bewußt zu werden — das war nämlich alles an Waffen, was die meisten bei sich trugen. Wir wichen alle noch etwas weiter zurück und drängten uns näher zusammen. Jetzt durchbrach niemand mehr die Reihen, um zu versuchen, noch einige der verhafteten Männer zurückzuholen. Wir mußten zusehen, wie man sie mit Handschellen an das Sattelzeug der Kavalleristen fesselte.

Rede wußte über die Verfassung der Menge genausogut wie einer von uns Bescheid. Er war im Vorteil, und er nutzte ihn aus. Er befahl, eine zweite Gewehrsalve über unsere Köpfe abzufeuern. Es unterstrich unsere Kapitulation; ich empfand die Schmach ebensosehr wie alle andern, das Gefühl, daß wir gegen unseren Willen und gegen Gerechtigkeit und Recht zurückgestoßen wurden. Es ist leicht, einen Mann in einem Augenblick wie diesem in Gedanken zu einem Tyrannen zu stempeln. Der Kommissar begann, das Gesetz gegen Aufruhr zu verlesen, und wir, ganz gewöhnliche Menschen, schienen dadurch in einen gesetzlosen Mob verwandelt. Als er zu Ende gelesen hatte, hatten seine Leute allen Gefangenen die Handschellen angelegt und waren bereit, sich zurückzuziehen, zurück zum Camp zu reiten und die Gravel Pits uns zu überlassen. In der bitteren Demütigung dieses Augenblicks stand ich zum erstenmal auf Pats Seite.

Ich wußte, wo ich ihn zu suchen hatte. Er war ganz vorn in der Menge gewesen und hatte sich beinahe zur Verhaftung angeboten. Jetzt sah ich, wie man ihn abführte. Auf seinem Gesicht lag seltsamerweise ein Ausdruck des Triumphes. Ich erkannte, daß er von glühendem Stolz erfüllt war, weil er nicht gedemütigt oder besiegt worden war.

Und so, ohne eigentlich recht zu wissen, warum, schloß ich mich der kleinen Gruppe von Frauen an, die neben ihren Männern zum Camp mitgingen. Ich hörte mich sogar in den Chor von Beleidigungen einstimmen, mit denen wir die berittenen Soldaten und Gendarmen überhäuften. Sie waren uns Frauen gegenüber hilflos und konnten uns nicht wegjagen, und wir nutzten das weidlich aus. Die Goldgräber grinsten, als sie unserem giftigen Gezeter zuhörten und hoben wieder ihre Köpfe. Wir müssen einer wilden Schar kreischender Harpyien geglichen haben, als wir so vorwärtshasteten, um mit dem raschen Tempo des Trupps Schritt zu halten — häßlich, die Gesichter schweißverschmiert und die Kleider hochgerafft. Ich schob mich auf gleiche Höhe mit Pat vor. »Pat — ich bin's, Emmy.«

Er wandte sich um und zerrte an dem Zaumzeug, an das er gefesselt war.

»Grünauge . . .!« sagte er, und sein Mund verzog sich zu einem Lächeln.

Ich lief den ganzen Weg bis zum Camp neben ihm her. Er befahl mir nicht umzukehren. Vielleicht ahnte er die

Sache mit dem Gewehr und wußte, warum ich neben ihm gehen wollte. An den Toren des Lattenzaunes, der das Camp umgab, hielten sie uns an. Und so blieben wir stehen und verspotteten sie, während wir zusahen, wie sie die Männer an die Baumstämme ketteten.

Die Goldgräber am Eureka und auf Bakery Hill warteten den ganzen Tag, daß die Polizeipatrouille zu einer neuen Razzia zurückkehren würde; doch ließ man sie in Frieden. Die erste Verstärkungstruppe kam von Melbourne an, und als der Gepäckzug durch die Main Road nahe am Eureka zog, schnitten die Goldgräber dem letzten Gespann den Weg ab. Der Fahrer wurde zusammengeschlagen, und ein junger Trommler ins Bein geschossen. Die Männer hatten jetzt allen klugen Verstand fahren lassen und wußten nur noch, daß sie das Militär herausgefordert hatten, jedoch keine Waffen besaßen, um einem Angriff begegnen zu können. Ich beobachtete Lalor, der versuchte, am Eureka etwas Disziplin in die Männer zu bringen und ihnen klarzumachen, in was für einer Lage sie sich befanden. Er teilte sie in Gruppen auf und gab Anweisungen zum Exerzieren. Unter den Männern war auch ein deutscher Schmied, der für diejenigen, die keine Flinten hatten, begann, grobe Piken aus jedem Stück Metall, das sie ihm brachten, zu hämmern. Und diejenigen, die keine Gewehre hatten, nahmen einfach Besenstiele. Sie richteten Botschaften an die gesamte Ortsbevölkerung mit einem Appell um Geld und Waffen; außerdem schickten sie Reiter nach Mount Alexander, Creswick und Clunes und forderten die Goldgräber von dort auf, auf Bakery Hill zu ihnen zu stoßen. Und sie begannen, Barrikaden aus hastig aufeinandergetürmten Grubenbrettern zu errichten, eine niedrige, dreiseitige Barrikade, die einen Exerzierplatz von ungefähr einem Morgen umschloß. Es hieß, sie sei nur provisorisch;

morgen würde sie verbessert. An der offenen Seite auf dem höhergelegenen Ende erstreckte sich der Barrikadenplatz bis dicht an unser Lager. Aber wir hatten mehr Glück als manch andere, deren Zelte und Schächte gegen ihren Willen einfach mit eingezäunt wurden.

Den ganzen Nachmittag schauten wir dem Exerzieren zu, den struppigbärtigen Gestalten mit den lehmverkrusteten Moleskinhosen und den aus Palmblättern geflochtenen, breitrandigen Hüten, die dort in der prallen Hitze der Nachmittagssonne feierlich hin und her marschierten. Wir lächelten nicht über diesen Anblick, obwohl sie lächerlich genug aussahen mit ihrem schlurfenden Gang und der linkischen Ausführung der Befehle. Sean war auch dabei. Er hatte die Büchse gefunden und trug sie stolz geschultert. Es war ein Schock, zu erkennen, wie sehr er Pat ähnelte und wie er auf einmal ein Mann geworden war, jetzt, wo er nicht mehr im Schatten seines Bruders stand.

Gegen Abend rief Lalor die Männer zusammen, um ihnen den Eid abzunehmen. Einige der Frauen hatten den Goldgräbern eine Fahne genäht; sie glitt nun seidig und prächtig an einem dreißig Meter hohen Fahnenmast empor, dunkelblau mit einem weißen Kreuz aus Satin und achtzackigen weißen Sternen in den Zwischenräumen und an jedem der vier Enden des Kreuzes. Es war ein feierlicher Augenblick, diese Flagge über unseren Köpfen am Eureka wehen zu sehen. Sogar jene, die nicht mit Lalor und seinen Leuten sympathisierten, und auch die, die nichts mit seinem Kampf gegen das Camp zu tun haben wollten, kamen nun näher heran.

Lalor kletterte auf einen Baumstumpf und stützte den Gewehrkolben auf seinen Fuß. Die Fahne kräuselte sich in der leichten Brise über ihm. Es war die Stunde der Dämmerung, die Stunde, in der die Lagerfeuer plötzlich in der hereinbrechenden Nacht aufglühten. Der weiße Satin auf der Fahne wurde von dem rötlichen Feuerschein von unten getroffen und schien diesen in die zu ihr emporgewandten Gesichter der Männer zurückzuwerfen.

Lalor brachte sie mit einer Handbewegung zum Schweigen. »Laßt alle Abteilungen in Waffen in ihrer Reihenfolge hier um den Fahnenmast treten. Allen Personen, die nicht vorhaben, den Eid abzulegen, befehle ich, augenblicklich diese Versammlung zu verlassen.«

Er wartete schweigend, während die Männer herangeschlurft kamen und sich in Gruppen aufstellten. Wir, die Zuschauer, zogen uns in den Hintergrund zurück. Schließlich stieg Lalor von seinem Baumstumpf herunter, nahm seinen Hut ab und kniete nieder. Um ihn herum folgten ungefähr fünfhundert Männer — Sean befand sich auch darunter — seinem Beispiel. Lalor hob den rechten Arm. Er sprach die Worte vor, und die Männer wiederholten sie.

»Wir schwören bei dem Kreuz des Südens, getreu zusammenzuhalten und zu kämpfen, um unsere Rechte und Freiheiten zu verteidigen.«

Es erschien uns unwirklich, daß Sean im Anschluß daran sein Abendessen an einem Feuer innerhalb der Barrikade einnahm.

»Alles nur Theater«, schnaubte Kate verächtlich. »All diese erwachsenen Männer spielen nur Soldaten. 's kommt ja doch nichts dabei heraus. Und Sean gehörte jetzt in sein Bett, anstatt diesen Unsinn mitzumachen.«

»Also, morgen hole ich Pat aus dem Camp heraus — morgen ganz bestimmt«, versicherte Dan. »Sie kamen mir heute nachmittag mit Vorwänden, daß keine Richter da wären, um sich die einzelnen Fälle anzuhören; aber sie werden niemals wagen, das morgen den ganzen Tag aufrechtzuerhalten. Es wird auf eine Geldbuße herauskommen . . .«

»Du wirst Pat lassen, wo er ist, Daniel Maguire! Er ist im Camp sicherer als draußen. Wo er jetzt ist, kann er sich selbst und anderen nichts tun, also laß ihn da!«

»An einen Baumstamm gekettet? So will ich meinen Sohn aber nicht sehen!«

»Dann kennst du deinen Sohn eben nicht. Durch einen kleinen Geschmack davon mag ihm dämmern, daß Rebellion nicht nur all das ist, was es scheint. Ihm wird dort nichts geschehen. Ich war selber unten, und sie gaben ihm das Essen, das ich ihm gebracht hatte, und eine Wolldecke. Er ist dort besser aufgehoben als in diesem Schweinestall von Polizeiwache.« Sie stand auf und zündete Kerzen für uns an. »Und nun geht ins Bett, alle miteinander — morgen wird das alles vorüber und zu Ende sein. Ganz bestimmt fällt das Ganze morgen auseinander, weil sie in dieser Barrikade nicht genug Whisky und zu essen haben. Morgen sind sie wieder alle bei ihren Frauen, sanft wie die Lämmer — und werden ziemlich betreten dreinschauen.«

Sie begann, langsam die Asche über die glühenden Scheite zu häufen und nahm so dem Eureka-Barrikadenunternehmen jeden romantischen Glanz, den es vielleicht in unseren Augen hatte. Folgsam gingen wir zu Bett.

Als sie zu Con ging, der jetzt allein in dem Zelt lag, in dem er sonst mit Pat und Sean schlief, um die Bettdecke um ihn festzustopfen, hörte ich seine dünne, junge Stimme schlaftrunken zu ihr sagen: »Morgen werden Tommy O'Brien und ich eine eigene Truppe aufstellen . . .«

Am nächsten Morgen sah es so aus, als könnte Kate recht behalten. Im hellen Sonnenschein und mit den

Realitäten des Tages vor Augen, erschien uns die Barrikade jämmerlich unzulänglich; ihre Verteidiger spielten tatsächlich Soldat, wie Kate es genannt hatte. Lalor ließ sie unverzüglich nach dem Frühstück wieder exerzieren, und wir sahen, daß es nur noch halb so viele waren wie am Abend zuvor.

»Na also, sind 'n bißchen zur Vernunft gekommen«, stellte Kate fest. »'s dauert nicht mehr lange, und Sean ist wieder hier und möcht' was zu essen haben, und das ist dann das Ende des großartigen Aufstands!«

Gegen zehn Uhr, als die Männer aus dem Schacht kamen, um ihren Tee zu trinken, machten verschiedene Geschichten die Runde.

»'s sieht nicht so gut aus«, bemerkte Dan. »Einige Männer gingen gestern nacht los und beschlagnahmten im Namen der Eureka-Barrikade Lebensmittel, Geld und Munition. Der größte Teil davon gelangte niemals ins Innere der Barrikade. Die Männer behielten es selbst.«

»Freilich, was hattest du denn erwartet? Werden Aufstände nicht immer zur Hälfte von Leuten angezettelt, die etwas umsonst haben wollen?«

Im Laufe des Vormittags erreichten uns noch mehr Gerüchte, so auch, daß einige Männer der Barrikade die Bank stürmen wollten. Als eine Truppenabteilung die Bank besetzte und anfing, sie mit Sandsäcken abzudecken, wußten wir, daß die Gerüchte zum Camp und zu Kommissar Rede gedrungen waren.

»Bestimmt übertreibt er das Ganze«, meinte Kate. »Typisch für 'n Engländer! Wenn man sich die paar lächerlichen Piken ansieht, die unsere Jungs hier haben und dann all die Gewehre ... Und außerdem ist die Bank das einzige Steinhaus im ganzen Ort.«

Lalor schickte eine Abordnung zum Camp, um die

Freilassung der auf der Razzia am Tag zuvor gefaßten Gefangenen zu fordern. Rede nahm die Forderung auf, als wäre sie ein Ultimatum. Aber wir alle, und sogar die Goldgräber, die sich von der Barrikade fernhielten, litten unter der Demütigung der Abweisung. Der Tag war ein einziges Hin und Her der Ereignisse für und gegen Lalor. Die Appelle um Hilfe, die man an die umliegenden Goldfelder gerichtet hatte, brachten einige Freiwillige ein, die jedoch mit einer bewaffneten und sicher befestigten Barrikade gerechnet hatten. Als sie aber sahen, was auf sie wartete — bar jeden aufregenden Reizes eines Kampfes —, kehrten die meisten wieder um. Und mit ihnen auch einige der Männer aus Ballarat, die den Eid geschworen hatten. Doch die Gruppe, die blieb — der feste Kern des ganzen Unternehmens —, meinte es sehr ernst. Sie exerzierten jetzt mit größerer Disziplin und verfügten auch über mehr Waffen, die in einem ständigen, wenn auch spärlichen Zufluß zu ihnen gelangten. Trotzdem wäre das Ganze vielleicht, wie Kate sagte, auseinandergebröckelt; vielleicht hätte man uns in jener Nacht am Eureka in Frieden gelassen, wenn uns die Nachrichten nicht vor den Männern, die auf der Landstraße heranmarschierten, erreicht hätten. Gouverneur Hotham sei entschlossen, das Aufbegehren gegen das Gesetz auf den Goldfeldern zu unterdrücken, hieß es; er habe zusätzliche Verstärkungen aus Melbourne entsandt. Die restlichen Bataillone des 12. und 40. Regiments mit zwei Feldgeschützen und zwei Haubitzen seien unterwegs nach Ballarat.

»Das wird nun kein friedliches Ende mehr nehmen«, erklärte Adam. »Das bedeutet Kampf.«

Nach dem Mittagessen mietete Adam aus dem Mietstall unten an der Main Road einen Dogcart und nahm uns — Rose und mich — auf eine Fahrt mit, um Waffen und Munition aufzustöbern. Wir hatten unsere besten Kleider, Hüte und Handschuhe hervorgeholt; ich trug mein grünkariertes Kleid und Rose ein blaues Musselinkleid, das für ein Gartenfest richtig gewesen wäre und ihre Schönheit unfair erhöhte. Adam hatte uns eingeschärft, uns herauszuputzen, und Rose brauchte man darum nie zweimal zu bitten. Ihr Haar war unter ihrem Bänderhut glatt gebürstet, ihre Handschuhe sauber und ihre Strümpfe ebenfalls, und solche Dinge wie die getrocknete Schlammkruste am Saum eines Rockes bemerken Männer niemals. Sie sah bezaubernd aus, bescheiden und heiter, und sie lächelte die ganze Welt an, als wir die Main Road entlangfuhren. Es hätten mehr Menschen dort sein sollen, um sie zu sehen; doch die Main Road bot einen ungewohnten, verlassenen Anblick. Als die Soldaten begonnen hatten, die Bank mit Sandsäcken zu schützen, hatten die klugen Kaufleute sofort ihre Läden geschlossen und ihre Waffen und Munition überprüft. Es war jedoch Sonnabend, und die Wirtshäuser hielten den Betrieb aufrecht. Rose lächelte und nickte Bekannten von ihrem Sitz neben Adam zu. Ihr Besitzerstolz war vollkommen unschuldig und unbewußt. Sie konnte nicht gewußt haben, wie weh er mir tat.

»Es war nicht leicht, von Muma wegzukommen. Ich sagte ihr schließlich, daß Mrs. O'Donnell mich brauchte.«

»Sie wird die Wahrheit erfahren, wenn wir zurückkommen«, antwortete Adam. »Sie wird nicht begeistert sein, daß ich diese Fahrt für Peter Lalor mache; aber sie sind so furchtbar knapp mit allem, was sie in der Barrikade brauchen. Ich habe seine schriftliche Vollmacht, um

Hilfe zu bitten. Ich dachte, wir versuchen es in Clunes und Arrarat und rund um Creswick Creek. Da müssen doch ein paar sein, die etwas beisteuern — sei es Essen oder Geld, wenn sie sich von ihren Waffen nicht trennen wollen. Ich kann einen Mann verstehen, der sein Gewehr in so einer Zeit wie jetzt nicht hergeben will.«

»Und wozu sind wir da?« Ich fühlte mich so überflüssig neben den beiden, wie eine lustlose Anstandsdame auf einer Spazierfahrt.

Adam lachte leise befriedigt vor sich hin. »Dekoration, das seid ihr beide, Emmy. Ihr verleiht mir ein gediegenes, ehrbares Aussehen. Die Frauen werden keine Angst vor mir haben, wenn wir vorfahren, und die Männer sehen, daß ich keiner dieser Ballarater Raufbolde bin . . .«

Ich schob meinen Hut ein wenig nach vorn, um mein Gesicht vor der Sonne zu schützen. Es war sehr heiß. »Es ist nicht dein Kampf, Adam. Du bist ja kein Goldgräber.«

Er hantierte unnötig mit den Zügeln herum; gewöhnlich war er ein ruhiger Fahrer und nicht auf Wirkung bedacht. »Alles ist mein Kampf, wenn es die Maguires betrifft«, antwortete er und nickte dabei uns beiden zu. »Aber ich bin für die Goldgräber — zumindest bin ich gegen das Camp. Ich vermute, ich bin gegen alles, was nach Tyrannei riecht. Dies ist ein neues Land — rein, frei — oder versucht es auf alle Fälle zu sein. Wir wissen in Amerika Bescheid darüber. Wir wissen, was es heißt zu versuchen, die Freiheit zu erhalten . . .«

Er verstummte in einem verlegenen Schweigen, als glaubte er, daß dies Ideen seien, nach denen man handelte, über die man aber eigentlich nicht sprach.

Rose ließ ihn in seinem Schweigen nicht allein. Sie lehnte sich zu ihm hinüber und drehte sich dabei zur Seite, um ihm möglichst voll ins Gesicht zu sehen. Sie liebte ihn sehr, und sie wollte jeden Teil von ihm, jeden Gedanken: in diesen Gedanken mußte sie Adam fest an sich binden.

»Ich glaube, Adam, du wirst ein Australier.« Auf diese Feststellung reagierte er jedoch nicht mit einem Lächeln. »Ich bleibe ein Nantucketer, bis ich sterbe . . .«, entgegnete er. »Man kann die ganze Art eines Mannes nicht ändern. Meine Kinder jedoch . . . ja, die werden Australier sein.«

Ich dachte an Adams Kinder. Rose wahrscheinlich auch. Ich dachte an sie, während die Landschaft sich vor uns ausbreitete; das frische Grün des Frühlings war jetzt verschwunden, und der Sommer dörrte schon den Boden aus. Es war eine einsame Gegend, abgelegen und abweisend. Sogar dort, wo wir auf menschliche Spuren stießen — ein Gehöft, das in der Hitze nach Luft zu schnappen schien und ganz zusammengeschrumpft aussah, die eingezäunten Schafweiden —, waren sie nur unbedeutende Kennzeichen, gleichsam versuchsweise. Sie schienen keinen tiefen Eindruck zu hinterlassen, weder hier an der Landstraße noch auf den sanftgeschwungenen Hügeln, die allmählich der blauen Ferne wichen. Sie waren lediglich die ersten schwachen Versuche, dieses Land urbar zu machen, es sich zu unterwerfen, zu bevölkern und in Besitz zu nehmen. Eine Menge von Adams Söhnen und den Söhnen anderer Männer würde nötig sein, um dieses riesige Land bis an die Grenzen seiner Horizonte zu füllen. Dann fielen mir die etwa vierzigtausend Leute in Ballarat ein und ihr Hunger und Bedarf an Land. Viele von ihnen hätten die Goldfelder verlassen, wenn das Land ihnen offengestanden hätte. Doch wenn Adam und andere wie er von ihren Kindern sprachen, wußte ich, daß sie nicht ewig in ihren Zeltstädten und

172

den Elendsvierteln von Melbourne warten würden. Sie würden sich in Schwärmen in dies Land ergießen und von ihm Besitz nehmen. Mich ergriff ein Gefühl der Erregung, der Gewißheit, ein Gefühl, daß ich ein Teil dieser Bewegung und Ausbreitung sein würde, und das verlieh meiner Anwesenheit hier auf dem Wagen einen Sinn.

Die Ausbeute dieses Nachmittags war sehr dürftig. Es lag uns nicht zu betteln — auch nicht, wenn es in Peter Lalors Namen geschah und für die Männer in der Barrikade. Die Nachrichten von den Unruhen in Ballarat verbreiteten sich rasch, sogar bei diesen weiten Entfernungen. Die meisten Leute, mit denen wir sprachen, hatten bereits von der Barrikade erfahren; an einigen Orten waren schon andere vor uns dagewesen und hatten um Hilfe gebeten, und so erhielten wir mürrische Antworten; an anderen hörte man sich unsere Geschichte aufmerksam an, und wir erhielten vielleicht einen Sack Mehl oder ein wenig Munition. Geld war knapp. Zuletzt brachte keiner von uns es mehr fertig, darum zu bitten. In entlegenen Wohnsitzen — ob es nun das Zelt eines Goldschürfers war oder ein einsames Gehöft — wurden wir, wenn eine Frau dort war, stets eifrig eingeladen, hereinzukommen und eine Tasse Tee zu trinken. Und während wir dann vor unserem Tee saßen, stürzte sich die Frau ausgehungert auf alles, was wir erzählten und heftete ihre Augen wie hypnotisiert auf unsere Kleider und Hüte.

Eine Frau mit drei kleinen Kindern, die sich an ihre Röcke klammerten, sagte niedergeschlagen: »Es ist mehr als vier Monate her, seit ich ein Wort mit einer anderen Frau gesprochen habe. Mein Mann nimmt mich nicht mit in den nächsten Ort.« Und sie gab uns eine

Schachtel mit Munition. »Joe wird toben, wenn er zurückkommt und es entdeckt. Aber von mir aus. Mit Euch zu sprechen, war es wert ...«

Der einzige Ertrag des Nachmittags war eine Muskete. Es war ein altes Modell; aber wir bekamen es mit Munition. Ein Schürfer, auf den wir zufällig stießen, gab es uns. Er und sein Maulesel waren unterwegs in die weite Einsamkeit hinter Mount Alexander, und er schlug frühzeitig sein Nachtlager auf, als wir angefahren kamen. Wir tranken eine Tasse Tee mit ihm, die achte für uns an diesem Nachmittag. Er war ein Londoner Cockney, drahtig und runzelig, nach mehr als zwanzig Jahren Australien — in denen er die meiste Zeit nach Gold gesucht und sich jedesmal, wenn sein Geld aufgebraucht war, als Schäfer verdingt hatte, um seine Schürfgebühr zu verdienen. Wir vermuteten, daß er ein entlassener Sträfling war; er sprach von England — oder zumindest von London — mit der Wehmut eines Mannes, der es nicht freiwillig verließ. Er bestürmte mich mit Fragen über London; ich beantwortete sie so gut ich konnte. Außer der Tasse Tee erwarteten wir nichts von ihm. Das Gespräch war eine kleine, gütige Geste einem Manne gegenüber, der auf dem Wege in die Einsamkeit war, wie sie sich keiner von uns auch nur vorstellen konnte. Als wir uns jedoch zum Weiterfahren anschickten, verschwand er plötzlich im Zelt und kam mit der Muskete zurück. Er reichte sie mir.

»Vielleicht zeigt Euch der Yankee hier, wie man sie benutzt. Scheint, als ob Ihr sie brauchen könntet. Brauch' selber nicht mehr als eine, um die Känguruhs und Schlangen da zu schießen.« Er stand mitten auf der Landstraße und winkte uns nach, bis wir seinen Blicken entschwanden. Ich sah ihn im Geiste immer noch dastehen und uns nachstarren, und wenn er zu seinem Zelt zurückging, um sein Abendbrot zu kochen, würde er — das wußte ich genau — die Namen der Plätze in London, über die wir gesprochen hatten, laut vor sich hersagen, so wie einsame Menschen es tun.

Bevor wir nach Ballarat zurückfuhren, bog Adam noch einmal von der Straße ab. Es war überhaupt nichts zu sehen — kein Haus, kein Zelt, nicht einmal die erkaltete Glut eines ehemaligen Lagerfeuers —, nichts außer ein paar hohen Gummibäumen in der Nähe und der einen bewaldeten Talseite, die in violetten Schatten tauchte, als die Sonne hinter den Bergen auf der anderen Seite verschwand.

»Wozu, Adam?« wollte Rose wissen. Er hob uns beide rasch vom Wagen.

»Ich dachte mir, es wär' Zeit, daß ihr beide lernt, mit einer Waffe umzugehn. Wenn es zu Kämpfen kommt, haben die Männer vielleicht keine Zeit, sich um euch zu kümmern. Wir werden es hier mal versuchen — wo eure Mutter es nicht sieht.«

Er zog ein in schmutzigen Kattun gewickeltes Paket unter dem Sitz hervor. Als er den Stoff auseinanderschlug, kam ein polierter Holzkasten zum Vorschein, der mit blauem Samt ausgeschlagen war; in ihm lagen zwei blanke Pistolen, beide genau gleich, mit geschweiftem Griff und völlig schmucklos. »Duellpistolen«, sagte Adam. »Ich habe sie in Melbourne gekauft. Es sind zwei schöne Stücke. Seht mal . . .« Wir beugten uns über den Kasten, und sein Finger folgte den winzigen eingravierten Buchstaben. »F. Junes — Edinburgh.« »Jede hat nur einen Schuß — aber ein Schuß ist auch alles, was eine Frau abfeuern wird.«

Rose streckte die Hand aus und nahm eine der Pistolen aus dem Kasten. Ihr Arm sank jäh von dem schweren Gewicht.

»Ich habe einmal ein paar Duellpistolen gesehen«, sagte sie, »die waren aber viel hübscher als diese — aus Silber und Perlmutt.«

»Nichts als Firlefanz«, erwiderte Adam verächtlich.

Er nahm die zweite Pistole heraus. »Hier, Emmy, versuch mal.« Ich wich vor beiden zurück. Mit Abscheu und Furcht starrte ich auf die Pistolen — und wieder stieg das Bild jenes verhaßten Revolvers vor mir auf, mit dem ich Will Gribbon erschossen hatte. Ich wollte sie nicht anfassen; ich wollte nichts mit ihnen zu tun haben.

»Ich mag keine Schußwaffen«, erklärte ich tonlos und trat noch einen Schritt zurück.

»Wie du willst —«, meinte Adam achselzuckend, »aber ich finde, du solltest es für deine eigene Sicherheit lernen.« Er wandte sich ab; er war von mir enttäuscht. Ich wußte es und konnte es trotzdem nicht über mich bringen, diese Pistolen zu berühren. Schweigend sah ich zu, wie Adam einen Gummibaum aussuchte und die weiße Papierscheibe, die er mitgenommen hatte, am Stamm befestigte. Darauf maß er eine Entfernung von zwanzig Schritt ab. »Du wirst nicht so weit schießen müssen, falls es am Eureka zu einem Zusammenstoß kommt«, sagte er zu Rose. »Aber es schadet nichts, wenn du es erst mal etwas schwieriger versuchst. Diese Pistolen sind treffsicher. Wenn eine Frau sie hochheben kann, um zu zielen, ist es fast unmöglich, vorbeizuschießen . . . Fühl mal die Balance«, drängte er. »Fabelhaft, was?«

Doch als Rose versuchte, die Waffe zu heben, schwankte ihr Arm unter dem Gewicht. Sie ließ sie sinken. »Sie ist zu schwer.«

»Das muß sie sein«, antwortete er. »Wenn du abdrückst, verhindert das Eigengewicht, daß sie nach rechts geschleudert wird. Du hast keine Zeit zum Zielen . . . Die Pistole erfühlt gleichsam das Ziel für dich.«

Er erklärte ihr den Lade- und Schießmechanismus. Rose machte das großen Spaß; sie hielt die Finger verkehrt, so daß Adam sie ihr richtig hinlegen mußte. Sie übten mit gesichertem Hahn. Adam stand sehr dicht neben ihr und zeigte ihr, wie sie Schulter, Hand und Auge in eine Linie bringen mußte. Sie lehnte sich flüchtig an ihn, und er trat nicht zurück.

Bei den ersten zwei Versuchen schoß sie weit daneben. Adam lud die Pistole neu und gab sie ihr zurück. Beim drittenmal traf sie die Zielscheibe, und beim fünften Schuß schlug die Kugel nicht weit vom Mittelpunkt ein.

»Noch einen Versuch«, sagte sie lachend vor nervöser Erregung und Freude über ihre Geschicklichkeit. Diesmal lud sie selbst, eifrig bestrebt, Adam zu beweisen, wie gut sie von ihm gelernt hatte. Es war eine der Gelegenheiten, bei der Rose sich von ihrer besten Seite zeigte — ihre ganze Intelligenz und Konzentrationsfähigkeit, die sie sonst nicht für nötig hielt zu bemühen, waren jetzt erwacht. Sie wollte Adams Bewunderung, und sie würde sie auch erlangen. Sie lud, zielte und drückte ab mit einer intuitiven, natürlichen Sicherheit. Sie konnte nicht abwarten, bis Adam das Ergebnis geprüft hatte, sondern rannte selbst zu dem Baum, und die weiten Musselinröcke umspielten sie wehend; ein mit der todbringenden Waffe in ihrer Hand unvereinbares Bild.

»Mitten ins Schwarze!« jubelte sie. Vielleicht stimmte es nicht ganz, aber niemand würde ihr die Freude wegen dieser kleinen Lüge verderben. Sie drehte sich um und flog zu Adam zurück, und die Leichtigkeit und Anmut dieses Laufs waren hinreißend anzusehen; ihr ganzer Körper frohlockte über das, was ihr gelungen war.

»Wundervoll! Wundervoll!« erklärte Adam, und seine Hand liebkoste sekundenlang ihren Arm. »Du hast die Anlage zu einem erstklassigen Schützen, Rose!«

»Laß mich noch mal versuchen!«

Er schüttelte den Kopf. »Nicht jetzt. Wir können keine Munition verschwenden. Aber später, wenn all dies vorbei ist, zeig' ich dir, wie man mit einer Flinte schießt. Eine Frau sollte solche Dinge können, ganz gleich, was man dazu sagt. Eine meiner Großmütter hielt einmal sieben Indianer von ihrer Hütte in Connecticut fern, als sie allein mit zwei Babys war. Sie war ein toller Schütze . . . es ist eine Geschichte, die man in meiner Familie als eine Art Scherz erzählt, weil ihr Mann nämlich ein Quäker war. Wir fragten uns immer, ob er ihr wohl geholfen hätte zu schießen, wenn er dagewesen wäre.«

»Laß mich's versuchen!« unterbrach ich ihn schroff und langte nach der Pistole.

Sie drehten sich beide erstaunt nach mir um. Vielleicht hatten sie mich sogar völlig vergessen. Ich deutete wieder auf die Pistole, die Rose in der Hand hielt. Nach einem Blick auf Adam trennte sie sich widerstrebend von ihr.

Ungeduldig hörte ich Adams Erklärungen über den Schießmechanismus zu; ich hätte alles, was er darüber zuvor zu Rose gesagt hatte, auswendig wiederholen können. Nur eines wußte ich — daß ich dies hinter mich bringen mußte. Wie sehr ich es auch fürchtete und haßte, ich mußte es tun, oder aber ich hätte mich vor Adam als Feigling gezeigt. Ich konnte diesen Triumph nicht so ohne weiteres Rose überlassen, konnte auch nicht ertragen, daß sie sich allein in Adams Bewunderung sonnte. Ich mochte diese Pistole — und auch alle übrigen — in meiner Hand zutiefst verabscheuen, doch wegen Adam würde ich diese ruhig halten, ohne meiner Hand ein Zittern zu erlauben, und zuhören, wie er das mystische Ritual dieser Waffe erklärte — die Balance, das Zielen, den winzigen Druck auf den Abzug. Aber er muß dennoch meine Angst gespürt haben; denn er sagte all diese Einzelheiten ohne Begeisterung, als erwartete er, daß sie an taube Ohren drangen. Er stand hinter mir, sowie er es bei Rose getan hatte, um mir das Ausrichten von Arm, Kimme, Korn und Ziel zu zeigen. Aber zwischen uns herrschte nichts als eine schreckliche Kälte. Dann trat er zurück.

Ich senkte meinen Arm und hob ihn. Ich hörte den Knall und sah, wie ein Stück Holz und das Papier vom Baumstamm absprangen. Adam war eine verblüffte Sekunde lang stumm. Dann lief er zu dem Baum. Es verging ein Augenblick, bevor er etwas sagte.

»Mitten ins Schwarze!« rief er. Eine Lüge war bei Adam ausgeschlossen. Langsam kam er zu uns zurück. Ich verachtete das heftige Zittern, das mich schüttelte. Der beißende Pulvergeruch drang in meine Nase, dieser verhaßte Geruch, der für mich der Geruch des Todes war. Der Rauch des Schusses schien in sichtbaren Wolken unter den abendlichen Schatten der Bäume zu hängen. Adam schaute mich merkwürdig an. »Du hast vorher nie geschossen?«

Ich schüttelte den Kopf. »Ein Zufallstreffer«, log ich und reichte ihm die Pistole zurück.

Er schlug nicht einmal einen zweiten Versuch vor. Eindrückendes Schweigen lastete auf uns, als er die Pistolen vorsichtig wieder in ihre Samtpolster legte. Er gab mir den flachen, polierten Kasten.

»Nimm du sie, Emmy.« Er sagte diese Worte ohne Freude. Meine freudlose Gleichgültigkeit über diesen Schuß hatte auch ihm die Freude geraubt. Neben meiner abstoßenden Angst mußte Roses frohe Erregung ihm wie eine menschliche, warmherzige Regung erschienen sein. Mir jedoch gab er die Pistolen.

Auf der Rückfahrt nach Ballarat unterhielten sich nur Adam und Rose. Ich hielt den schönen, glänzend polierten Kasten auf meinem Schoß krampfhaft gepackt und wünschte, ich hätte den Mut, ihn in hohem Bogen in das ausgedörrte Gestrüpp am Straßenrand zu schleudern.

Kapitel 7

Ich tat kein Auge zu in jener Nacht. Es war eine warme Nacht; wir hatten die Zeltklappe zurückgeschlagen, und wenn sich eine leichte Brise regte, strich sie über mein Gesicht. Ich konnte ein kleines Stückchen Himmel sehen. Dieselben Sterne wie in anderen wachen Nächten blickten auf mich herab. Sie waren mir schon vertraut, diese südlichen Sterne. Der Wind trug die Laute der Männerstimmen aus der Barrikade herüber. Ihre Feuer glühten die ganze Nacht hindurch. Ich dachte nicht viel über das Unheil nach, das über uns hereinbrechen könnte. Ich dachte an Adam und die Pistolen in jenem kleinen Kasten dicht neben meinem Lager. Ich dachte an Rose, die so friedlich schlief. Ich wollte mich freuen, daß sie und Adam sich lieben konnten, daß sie genügend zu lieben vermochte, um von ihrer Ichsucht erlöst zu werden. Ich wollte mich freuen, weil ich auch Rose liebte. Ich würde vor anderen so tun müssen. Vor mir selber mußte ich jedoch der Wahrheit ins Gesicht sehen.

Kurz bevor es anfing zu dämmern, stand ich auf, ging hinaus und stocherte die glühenden Reste des Feuers zu neuem Leben auf. Ich hängte den Wasserkessel darüber und beschloß, Tee, Schinkenspeck und Brot den Männern zu bringen, die mit Sean um vier Uhr von der Wache abgelöst wurden. Ich zog also meine Stiefel an und schlang einen langen Schal um meine Schultern. Es war nur ein Tribut an die Schicklichkeit, denn der leichte Nachtwind hatte sich schon gelegt, und wenn die Sonne aufging, würde die dunstige Hitze schnell emporsteigen.

Die erste Morgendämmerung brach an, als ich den Tee aufgegossen und das Brot und den Speck in einen Korb gelegt hatte. Bevor ich mich aufmachte, ging ich ins Zelt zurück und nahm leise eine der Pistolen aus dem polierten Kasten. Ich legte sie zu den anderen Sachen in den Korb, wobei mir nicht recht klar war, warum ich es tat, außer, daß ich wußte, es hätte Adam gefreut, wenn er es gesehen hätte. Sie schliefen alle noch, als ich fortging. Die Sterne verblaßten und standen nun niedrig am Horizont. Aus der Dunkelheit um mich herum begannen die Dinge Gestalt anzunehmen. Als ich die offene Seite der Barrikade erreichte, rief mich die Wache an.

»Halt — wer da?«

»Das wißt Ihr ganz genau«, erwiderte ich mit einem Anflug von Ärger. »Hab' ich nicht während der letzten halben Stunde nicht mal zehn Meter von Euch entfernt Tee gekocht?!«

Er bedeutete mir mit seiner Flinte, durchzugehen. »Es ist 'n Befehl, Emmy. Wir müssen es sagen — obwohl ich mir weiß Gott die Augen seit Mitternacht in dieser Dunkelheit ausgeguckt hab' und doch nichts sehen konnte und mich fragte, was ich denn tun sollte, wenn tatsächlich jemand käme.« Es war Jim Wilson, ein Mann, den ich aus Sampsons Laden kannte, ebenso wie seine Familie. Sie besaßen ein Stück Land drüben bei Black Hill.

»Ich hab' etwas frischen Tee gebracht, und ich hab' auch einen Becher voll für Euch, wenn Ihr abgelöst werdet.«

»Danke, das kann ich wahrhaftig brauchen! Na — es ist meine letzte Nacht hier. Ich weiß was Besseres mit meiner Zeit drüben auf Black Hill anzufangen. Die Familie wird nicht satt davon, daß ich hier wie ein Idiot herumstehe . . .«

Ich nickte und ging weiter. An einem Lagerfeuer wurden die Männer gerade für die neue Wachablösung geweckt. Ich ging zu ihnen und erwiderte ihre leisen Begrüßungen. Eifrig streckten sie mir ihre Teebecher entgegen.

»Ihr solltet überhaupt nicht hier am Eureka sein, Miss Emmy«, erklärte einer von ihnen. »Wenn diese Verstärkungen kommen, die sie von Melbourne schicken, ist es hier nicht mehr sicher.«

»Das stimmt«, bestätigte ein anderer. »Ich hörte, wie Dan Maguire gestern abend sagte, er würde die Frauen wegbringen. Ben Sampson würde Euch sicher eine Unterkunft geben . . . Sean sagte, daß Ihr wahrscheinlich zu ihm geht.«

»Ich weiß nichts davon«, entgegnete ich. »Wir sind sicher genug am Eureka. Ich kann mir nicht vorstellen, daß Kate Maguire weggeht, wenn ihre Männer noch hier sind.«

»Gut gesagt, Emmy!« Das war Rory Mitchell. »Wir haben Gewehre und können genauso gut kämpfen wie die Bande da unten im Camp. Habt ihr die Flinte gesehen, die ich von Tom Langley kriegte? Ein Repetiergewehr . . . beste, das ich je sah.«

»Tom Langley? Ist er hier?«

»War hier bis Mitternacht. Hätte bleiben können, wenn Ihr mich fragt. Übernahm 'ne Wache auf der Barrikade. Merkwürdiger Kauz, der! Irgendwie komisch, einen Langley hier in der Barrikade zu haben. Von Rechts wegen sollt' er auf der andern Seite sein. Ist noch Brot da, Emmy?«

Ich fühlte mich bei ihnen zu Hause; ich verursachte keine Verwirrung oder Unruhe, wie es Roses Gegenwart

182

getan hätte. Ich war für sie alle Emmy, vertraut, erwartet, gefahrlos, wie ich nun Speck und Tee austeilte, dem Klatsch über die Nacht in der Barrikade lauschte und auf den Morgen wartete, wartete, bis Sean aus dem abgezäunten Gelände kommen würde. Sie lauerten darauf, daß ich ihre Gewehre und Heldentaten bewunderte. »Emmy, habt Ihr gehört, wie ich Charlie Furgess in zehn Runden drüben in Creswick schlug? Es war 'ne Zwanzig-Pfund-Börse. Vom Marquis von Queensberry...«

»Emmy, ich schrieb ihr einen Brief nach Melbourne, erzählte ihr, daß ich hundertvierzig Pfund auf der Bank beiseite gelegt hab'. Und sie sagte, komm nach Melbourne, und dann heirate ich dich, aber ich komm' nicht zu den Goldfeldern. Also geh' ich, wenn ich hundertundfünfzig auf der Bank hab'...«

Der Himmel wurde im Osten hell. Das Gespräch ging weiter, und wir hörten keine Warnung von den Männern auf den Wällen. Nur einen einzigen Schuß, sehr nahe. Dann eine Antwortsalve. Sie krachte wie Donner an unsere Ohren.

»Ein Angriff!«

Und in derselben Sekunde waren sie schon fort, und ich saß allein am Feuer. Sie rannten schreiend zu den Wällen, ergriffen ihre Waffen und riefen die Schläfer ringsum wach. Eine abgehackte Feuersalve knatterte von den Wällen, vereinzelte Schüsse. Die Männer kamen jetzt aus den Zelten, Verwirrung, Angst und Verschlafenheit in den Gesichtern. Es waren mehrere Reihen Infanterie herangerückt, und an den Flanken näherte sich die Kavallerie. Im ganzen mögen es wohl dreihundert Soldaten gewesen sein, und wir in der Barrikade zählten nicht mal einhundert und besaßen weniger Gewehre als Männer. Einige trugen als einzige Waffen die selbstangefertigten Piken und rannten damit in törichter Tapferkeit zu den Wällen.

Es waren auch einige Familien in der Barrikade, und die Schreie der zu Tode erschrockenen Frauen und Kinder brachten mich ein wenig zur Besinnung. Ich griff nach meinem Korb und der in ein Tuch gewickelten Pistole. Jetzt, als ich sie in die Hand nahm, war keine Zeit, Angst zu haben.

Ich wußte nicht, wie es zu den ersten Flammen kam — vielleicht kippte eine Petroleumlampe in der Aufregung um —, jedenfalls brannte ein Zelt in meiner Nähe. Es war das Foley-Zelt; Sarah Foley stand in einer Art Trance barfuß davor; ihr Haar fiel so, wie sie aus dem Bett gekommen war, auf ihre Schultern hinab. Ihre vier Kinder umringten sie — das jüngste, noch ein Baby, lag brüllend vor ihr auf der Erde, das Gesicht krebsrot vor Wut. Eines der Mädchen hielt eine schwelende Lumpenpuppe in der Hand. Rasch ging ich zu ihnen.

Ich packte Sarah Foley. »Matt?« fragte ich. »Wo 's Matt?«

Sie sah mich benommen an und schüttelte den Kopf. »Papa ist weggelaufen«, sagte das älteste Mädchen. »Er's mit den andern da drüben weggerannt — und hat uns allein gelassen.« Sie begann zu weinen und hielt mir die Puppe entgegen.

»Wir müssen hier raus — über die Main Road! Da ist es sicherer . . . so weit kommen sie bestimmt nicht.«

»Mmh . . .?« Sarah Foley stand der Mund offen; ihre Augen starrten auf das brennende Zelt. Der Rauch quoll auf uns herab; das schreiende, wütende Baby begann fortzukrabbeln. Verzweifelt sah ich mich nach Hilfe um; aber es war keine da für eine so unwichtige Angelegenheit wie die Foley-Familie. Man konnte jetzt noch weniger sehen. Der Rauch hing in der windstillen Luft; ich brauchte jedoch nur meine Ohren, um zu wissen, was geschah. In schneller, präziser Folge knatterte eine Salve nach der andern von den Soldaten. Von den Barrikaden ertönten nur einzelne Schüsse und die Schmerzens- und Schreckensschreie der Männer.

Eine Kugel schlug dicht neben Sarah Foleys Füßen in den Boden. Sie schrie auf; ich glaube, es war das erstemal, daß sie etwas anderes als ihr brennendes Zelt wahrnahm. Sie wandte sich zu mir um.

»Was sollen wir tun?«

»Machen, daß wir hier rauskommen.« Ich hob das Baby auf und gab es ihr in die Arme. »Hier – nimm Klein Matt – und Mary!« Das war das zweitjüngste Kind, das sich die ganze Zeit an das Nachthemd seiner Mutter geklammert hatte. Ich gab ihr einen Schubs in Richtung der Main Road. Eine zweite Kugel zischte dicht an uns vorbei und krachte in eine Vorratskiste der Foleys. Sarah schaute betäubt hin und wollte zurücklaufen.

»Meine Sachen . . . Hilf mir meine Sachen holen, Emmy!«

Ich fuchtelte mit der Pistole vor ihr herum und merkte gar nicht, was ich in der Hand hielt. »Um Himmels willen, geh!« Ich schlug ihr auf die Schulter, um sie etwas zur Vernunft zu bringen. Sie begann auf die Straße zuzustolpern.

Der andere Foley-Junge heulte jetzt und kämpfte mit seiner Schwester um den Besitz eines Balles, den sie aus ihrer Habe gerettet hatte. Ich gab ihm eine kräftige Ohrfeige. Er hörte vor lauter Verblüffung auf zu heulen.

»Seid jetzt ruhig und kommt – los, alle beide!« Ich schüttelte das Mädchen. »Hier, du nimmst deinen Bruder an die Hand und läßt ihn nicht los, sonst ergeht's dir ebenso!«

Das Gewicht der Pistole war mir im Wege. Ich hatte nur eine Hand frei, aber ich merkte in dem Augenblick nicht, wie eindrucksvoll die Waffe in meiner Hand aussah. Sie gehorchten unterwürfig. Ich packte das Mädchen an der Hand und begann loszurennen; sie wiederum zerrte ihren Bruder hinter sich her.

Einige Minuten waren wir gezwungen, uns hinter einen schützenden Steinhaufen zu kauern. Die Soldaten rückten gegen die Barrikade vor, und es war eine Phase bösartigen Kreuzfeuers. Noch andere Frauen hockten mit uns zusammen; ich sah in ihren Augen den fassungslosen Unglauben, die betäubte Weigerung, die Tatsache zu begreifen, daß die Männer, die Ehemänner, die Freunde, die Fremden auf der anderen Seite der Barrikadenwälle töricht genug sein konnten, diese Verwüstung anzurichten. Wir vermochten nichts zu tun, sie aufzuhalten oder zu helfen. Wir konnten nur zurückweichen in dem Bewußtsein, daß wir in das Chaos der Verwundeten und Toten zurückkehren würden.

Das Feuer wurde unregelmäßiger. Unten an der Frontseite der Barrikade stürmten die Soldaten die Wälle. Die Schreie, die jetzt an unsere Ohren gellten, kamen nicht von den Frauen, sondern von den Männern. Und unter den Frauen wurde das Wort laut:

»Bajonette!«

Wir packten die Kinder und rannten los. Ich bekam die Foley-Kinder unter Drohungen und indem ich sie einfach mitriß, aus der Barrikade und schließlich über die Straße. Nicht mehr in Gefahr, begannen die Kinder wieder zu heulen. Der Junge wollte mir in seiner Angst einen Fußtritt versetzen, doch ich gab ihm ebenso schnell wieder eine Ohrfeige. Mrs. Foley schien in ihren von panischem Schrecken erfüllten Trancezustand zurückzufallen.

Die Frauen von den umliegenden Zeltlagern kamen herbei, um uns zu helfen. Wir waren nun außer Reichweite des Feuers — oder dessen, was noch davon übrig war. Der Widerstand in der Barrikade schien zusammengebrochen zu sein.

Viele der Leute von den Zeltlagern an der Barrikade waren hierhergestürzt. Ich suchte die Maguires zwischen ihnen, doch konnte ich keine Spur von ihnen entdecken. Ich fragte die Frau, die mir Mary Foley abgenommen hatte.

»Mrs. Simmons, habt Ihr die Maguires gesehen? — irgend jemanden von ihnen?«

»Kate Maguire ist da hinten bei den Flahertys. Die andern hab' ich nicht gesehen.«

»Adam Langley? Habt Ihr ihn gesehen?« Ich mußte einfach nach ihm fragen.

Sie schüttelte den Kopf. »Wahrscheinlich in der Barrikade — mit Dan.«

Also machte ich kehrt und rannte zurück — über die Straße zur Barrikade.

Als ich in ihr ankam, war der Kampf zu Ende. Es war niemand mehr übriggeblieben, um Widerstand zu leisten. Diejenigen, die noch laufen konnten, waren geflohen; die Verwundeten lagen dort, wo sie zusammengebrochen waren. Nicht mehr als fünfzehn Minuten waren seit dem ersten Schuß vergangen. Jetzt strömten die Soldaten und Gendarmen ungehindert über die Wälle, und ich sah, daß sie über die Körper toter Männer stiegen. Die Luft war erfüllt von Rauch. Mehrere Soldaten liefen mit lodernden Pechfackeln von Zelt zu Zelt, und das Prasseln und Zischen des brennenden Segeltuchs war sogar inmitten der Schreie laut zu hören. Es befanden sich immer noch Frauen und Kinder in der Barrikade — verwirrt und unfähig, richtig zu begreifen, was geschehen war und wohin sie gehen sollten. Und da waren jene, die, wie ich, vorsätzlich gekommen waren, um ihre Männer in dem Chaos von Grubenbrettern, brennenden Zelten und umgestürzten Wagen zu suchen. Ich konnte Adam nicht sehen. Mühsam begann ich, mir einen Weg durch die Trümmer und die am Boden liegenden Männer zu bahnen. Ich bemühte mich, meine Ohren vor dem Stöhnen der Verwundeten zu verschließen. Ich wandte mich von den vertrauten Gesichtern, die ich am Boden erkannte, ab und dachte in meinem Egoismus nur an Adam.

Als ich in die Mitte der Barrikade kam, ertönte plötzlich ein irrsinniges, wildes Triumphgeheul von einer Gruppe Soldaten, die um den Fahnenmast standen, als einer von ihnen die Fahne der Goldgräber herunterholte, das Kreuz des Südens. Einige Sekunden lang sah ich sie unter ihren Füßen. Das war das Ende der Barrikade. Die Kavalleristen ritten nun ungehemmt umher. Einer kam mir sogar so nahe, daß ich den Luftzug spürte, als er vorbeipreschte. Sie beachteten mich nicht; ich hielt die Pistole unter meinem Schal verborgen. Hin und wieder feuerten sie einen vereinzelten Schuß ab; doch es schien niemand mehr übrig zu sein, auf den sie hätten schießen können.

Das Allergrausigste begann erst, als sie sich überzeugt hatten, daß die Barrikade ihnen ausgeliefert war. Sie nahmen ihre Bajonette und fielen über die am Boden liegenden Goldgräber her, indem sie sowohl nach den Toten wie Verwundeten stachen. Manchmal stießen sie mehr als einmal zu in einer Art Raserei. Dicht neben mir wurde einem Mann die Kehle aufgeschlitzt, und das Blut sprudelte leuchtend heraus. Ich hörte meine eigene Stimme gellend aufschreien, doch ihr Ton ging unter in all den anderen Schreien der Qual und des Grames. Ich drehte mich in panischer Angst im Kreise und wollte jetzt nur noch dem Anblick dieses Gemetzels entfliehen. Da stolperte ich gegen die vorstehende Kante eines Grubenbrettes, das auf einem Haufen an einem Schachteinstieg lag. Der Stoß schlug mir die Pistole aus der Hand, doch der Schock brachte mich zur Besinnung. Ich blickte mich aufmerksamer um. Ein Mann lag mit dem Gesicht nach unten quer über dem Bretterhaufen. Sein Hemd war blutgetränkt von einer Wunde im Rücken oder in der Schulter — ich konnte es nicht erkennen. Er sah grotesk in dieser ungelenken, verzerrten Lage aus. Ich kniete neben ihm nieder, und sofort breitete sich die klebrige Nässe des Blutes auch auf mir aus, auf meinem Nachthemd und auf meinen Händen.

»Adam!«

Er war bewußtlos. Es erforderte meine ganze Kraft, ihn umzudrehen; durch die Bewegung begann der Strom von Blut heftiger zu fließen. Aber beim Anblick dieses Blutes fühlte ich gleichsam das Leben in meinen eigenen Körper zurückkehren. Bis zu diesem Augenblick hatte ich nicht geahnt, wie sehr ich Adam liebte. Durch die Schmerzen kam er für einige Sekunden zu sich. Er öffnete halb die Augen. »Ich bin's, Adam! Emmy. Es wird alles gut! Ich bring' jemand, der dir hilft.«

Seine Augen drückten kein Verstehen meiner Worte aus. Ich dachte, er würde womöglich vor meinen Augen sterben. Verzweifelt irrte mein Blick nach der Hilfe umher, die ich ihm versprochen hatte. Da hatte ich das Gefühl, als stände jemand über mir. Als ich aufschaute, packte mich der Soldat und versuchte, mich hochzuziehen. »Weg da — es ist gegen das Gesetz, Rebellen zu helfen!«

»Laßt ihn in Ruhe! Rührt ihn nicht an!« Ich entwand mich seinem Griff, und meine Hand tastete fieberhaft nach der Pistole; als ich sie zu fassen bekam, verbarg ich sie unter meinem Schal. Der Mann beugte sich über mich; ich spürte, daß sein massiger Körper Adam bedrohte, roch den Pulvergeruch seines Wamses. Mehr noch als das war ich mir des Bajonettes bewußt.

Er zerrte erneut an mir und versuchte, mich von Adam fortzuziehen. Ich sollte nie erfahren, ob er Adam töten wollte. Aber ich konnte es nicht darauf ankommen lassen. Ich entsicherte die Pistole, drehte mich, immer noch auf den Knien, um und feuerte den einen Schuß auf den Mann ab. Er stand so nahe vor mir, daß das Schießpulver uns beide verbrannte.

So sah ich zum zweiten Male einen Mann durch die Waffe in meiner Hand zusammensacken und sterben — genau wie Will Gribbon. Ich ließ die Pistole fallen und hob die Hände, damit er nicht auf Adam und mich herunterstürzte. Ich packte seine Schultern und stieß ihn zur Seite. Im Fallen traf das Bajonett meinen Arm und glitt durch das Fleisch bis auf den Knochen.

Die Wunde blutete stark, und ich mußte meine Kräfte rasch brauchen. Ich zerrte zwei Bretter so aus dem Haufen, daß sie vorstanden und eine Art Dach über Adam bildeten. Es war sehr dürftig, aber alles, was ich in dieser kurzen Zeit fertigbrachte. Das erste wahnsinnige Wüten der Soldaten war vorbei; sie gingen jetzt etwas vorsichtiger vor und nahmen Gefangene. Ich hatte nichts anderes als meinen Körper, um Adam zu verstecken. Ich legte mich also schnell über ihn; mein Gesicht reichte gerade bis zu seiner Brust. Mein Nachthemd bedeckte seine Beine, und den Schal breitete ich über sein Gesicht. Mein Nachthemd war jetzt blutdurchtränkt, und ich betete, daß die Soldaten mich für tot halten und deshalb in Ruhe lassen würden.

Wir lagen dicht zusammen in der kalten Finsternis der

Schmerzen. So mit Adam zu liegen, hatte ich mir nicht in meinen Träumen gewünscht. Aber er war mein und wenn er auch starb, er war mein für diese Augenblicke. Ich hatte mit jenem Schuß für ihn bezahlt. Weder die Angst vor Waffen noch das Grauen zu töten hatte in dem Augenblick gezählt. Nichts außer Adam hatte gezählt. Ich wollte den Gedanken daran nicht allein ertragen; ich wollte, daß Adam mir half, ihn zu ertragen. Wie eine Geliebte an ihn gepreßt, schützte ich ihn und holte mir Trost bei ihm, bis die Dunkelheit mächtiger wurde als er, und ich mich dankbar in sie hinabgleiten ließ.

Kapitel 8

*Gib ihm die ewige Ruh, o Herr und Dein
ewiges Licht leuchte ihm . . .*

Das waren die Worte, die ich beim Aufwachen vernahm, nachdem man Adam und mich in der Barrikade gefunden und zu den Maguire-Zelten zurückgebracht hatte. An diese Worte erinnere ich mich am besten. Die Klappe des Zeltes war offen, und ich hörte die Worte deutlich, verstand sie jedoch nicht. Mein Arm war verbunden und schmerzte.

Ein wenig später kam Rose herein; sie gab mir Wasser zu trinken und wischte mir den Schweiß von der Stirn. Ihre Hände waren sehr behutsam, ganz ohne Ungeduld.

»Was ist passiert?« forschte ich. »Adam . . .?«

»Er lebt. Er ist außer Gefahr.« Ihre Stimme war erschöpft und besänftigend.

»Aber was . . .? Ich hörte das da draußen.«

»Sean — Sean wurde an den Barrikadenwällen erschossen. Dreiunddreißig andere Männer mit ihm. Sie sollen alle vor Sonnenuntergang begraben werden.«

Es war an jenem Tag am Eureka kaum ein anderes Geräusch zu hören, als das Klopfen der Hämmer an den Särgen. Jedes Zeltlager stellte seinen eigenen Tischler. Die Särge waren rauh und klobig; durch die Spalten zwischen den Planken sah man die weißen Leinentücher der Toten.

Eine schreckliche Stille schien sich gegen Abend auf die Siedlung am Eureka und auf Bakery Hill zu senken. Tagsüber hatte die Geschäftigkeit das Leid überdeckt und zurückgedrängt. — Doch alle Geschäftigkeit endete an jenem Massengrab — immer noch zu flach, so daß sie die Erde darüber häufen mußten —, und die Stille drang durch das ganze Tal.

Sie ließen mich allein, als sie zu dem Begräbnis gingen, allein mit Adam in einem Zelt dicht neben mir. Er war nur für kurze Augenblicke zu sich gekommen. Die Kugel steckte noch in seiner Schulter; der Arzt hatte noch keine Zeit gehabt, sich um ihn zu kümmern. Es lagen andere, schwerer Verwundete, am Eureka. Die Einsamkeit bedrückte mich. Ich fühlte brennende Tränen auf meiner Wange und wischte sie nicht fort. Ich dachte an Sean, vermochte ihn mir aber nicht in einem der grobgezimmerten Särge dort unten auf dem Friedhof vorzustellen. Der Priester war am Morgen hier gewesen. Ich erinnerte mich an seine Worte. »Mögen jetzt die strahlenden Heerscharen der Engel deine Seele empfangen. Möge die triumphierende Schar der siegreichen Märtyrer dich geleiten . . .«

Ich flüsterte die Worte vor mich hin, um die Einsamkeit zu verscheuchen. »Strahlende Heerscharen der Engel . . .« Und Sean unter ihnen, ebenso jung und schön wie sie. Ein merkwürdiger Engel, immer bereit zu Gesprächen und Diskussionen. Nein, das war ja Pat; Sean sagte nie etwas, wenn Pat da war, der für ihn redete. Er würde ein lauschender Geist sein. Aber trotz des großen Friedens, den diese Worte spendeten, haftete ihnen doch ein vager Unterton an. Ich hungerte nach einem handfesteren, menschlichen Trost. Das Gewicht des Mannes, den ich am Morgen getötet hatte, lastete drückend auf mir. Ich konnte mich nicht davon befreien. Ich wußte nicht, wie ich das und die Bürde der Einsamkeit in der kommenden Zeit ertragen sollte.

Ich nahm meine ganze Kraft zusammen. »Adam... Adam, bist du wach? Kannst du mich hören?«

Es schien mir eine lange Zeit zu verstreichen, in der ich wartend lauschte. Doch endlich antwortete er. Seine Stimme klang schwach und fragend, als wüßte er nicht, ob er den Laut geträumt habe.

»Emmy...?«

Das war alles, aber es erreichte und tröstete mich.

Später war ich in der Lage, die Geschichte der Eureka-Barrikade zusammenzufügen. Sie sagten, Sean sei als einer der ersten an der Barrikade gefallen. Dan hätte ihn, als alles vorbei war, an der Stelle, wo die Barrikaden niedergerissen worden waren, halb unter Grubenbrettern begraben, gefunden. Er hatte nur eine Wunde am Hals, wo die Kugel in seine Kehle gedrungen war. Dan hatte sein Gewehr bei sich; er gab es Tim O'Donnell, als er sich bückte, um Sean aufzuheben. Sie gingen zusammen aus der Barrikade; ein Soldat wollte sie anhalten und verlangte das Gewehr und die Munition.

»Ihr bekommt nichts mehr von uns«, erwiderte Dan. Er streckte die Arme mit ihrer Last aus und enthüllte mit dieser Gebärde das tote Gesicht seines Sohnes.

Tim O'Donnell erzählte mir, daß der Soldat ihnen nur einen kurzen Augenblick länger den Weg versperrt hatte, dann jedoch zur Seite getreten war und sie vorbei gelassen hatte.

Das war die Stimmung in Ballarat. Als die fünfzehn Minuten des Scharmützels vorüber waren, standen die Leute innerlich auf der Seite der Goldgräber. Und als die Botschaften von Melbourne, von Geelong, ja, aus dem ganzen Lande einzutreffen begannen, wußten wir, daß sie alle ebenfalls auf unserer Seite waren. Die militärischen Verstärkungen und Kanonen trafen von Melbourne ein und wurden nicht benötigt. Sie kamen geschlichen wie Männer, die sich schämen. Die Goldgräber, die aus der Barrikade geflüchtet waren — und im besonderen die Anführer Lalor, Vern und Blake —, wurden gesucht. Man hatte Geldsummen auf sie ausgesetzt. Doch die Bevölkerung gewährte ihnen Zuflucht und hielt sie versteckt; keiner hätte sie ausgeliefert. Die Soldaten schienen es beinahe auch nicht zu erwarten. In den Zelten von ganz Ballarat lagen Verwundete, doch niemand kam und versuchte sie zu verhaften oder zu belästigen. Sie unternahmen keinen Versuch, die Zelte zu durchsuchen. Die Leute hätten es auch nicht geduldet.

Endlich erfuhr ich auch, was mit Rose während des Feuers auf die Barrikade geschah. Kate flüsterte es mir zu. »Tom Langley brachte sie heraus. Wahrhaftig, sie rannte wie ein wildes Tier herum, immer hin und her, sagte er, und suchte Sean!«

Wir sprachen nicht mit Rose darüber. Sie schien es Tom Langley nicht zu verzeihen, daß er sie weggezerrt hatte. Sie glaubte, sie hätte Sean retten können, wenn Tom sie dort gelassen hätte.

Wir hörten auch die häßliche Geschichte, wie Kevin O'Neill Tom einen Feigling genannt hatte, als Tom versucht hatte, Rose aus der Barrikade zu bringen. Kevin hatte Tom die Flinte abgefordert, und drei Minuten später lag Kevin tot da mit durchschossener Brust. Die Flinte befand sich unter den Waffen, die von den Soldaten erbeutet wurden. Die Nachricht, daß Tom Langley in die Aufstände der Eureka-Barrikade verwickelt war, geriet in die Melbourner Zeitungen.

Das waren jedoch alles nur Nebensächlichkeiten neben dem Leid, das die Maguire-Familie um den Tod Seans trug. Sie waren stiller in ihrem Kummer, als ich erwartet hatte, und die Trauer ging auch tiefer. Einmal sprach Kate darüber.

»Irgend etwas wird anders, wenn man sein erstes Kind an einem fremden Ort verliert«, sagte sie. »Er ist einem nicht länger fremd, weil man ein Stück von sich selbst in die Erde gelegt hat.« Und so ließ Seans Tod sie zu einem Teil dieses Landes werden; jetzt gehörte es ihnen.

Am Tage nach dem Barrikadenkampf kam Dan mit einer Geldstrafe davon, und Pat wurde aus dem Camp freigelassen. Merkwürdig, wie unbedeutend der Grund seiner Verhaftung uns nun erschien; dafür, daß man keine Lizenzkarte besaß, eingesperrt zu werden, schien jetzt sowenig, nachdem Sean dafür gestorben war. Pat kam still zu uns zurück. Nichts von wilder Erbitterung, die wir erwartet hatten.

Er nahm seine Mutter kurz in die Arme und legte Con einen Augenblick die Hand auf den Kopf. Rose stürzte ihm in die Arme und klammerte sich schluchzend an ihn.

»Ich versuchte, ihn herauszuholen, Pat! Verstehst du? Ich versuchte, zu ihm zu kommen und ihn zu holen — aber Tom kam und nahm mich mit fort! Ich hätte ihn für dich rausgeholt, Pat! Ich hab's versucht!« Er strich ihr über das Haar. »Ruhig, Rosie — ruhig . . . Du hast getan, was du konntest.«

Als sie sich etwas beruhigt hatte, machte er sich sanft frei. Zwischen den beiden bestand ein physischer Kontakt — aber nicht mehr. Pat gehörte nur sich selbst, und welchen tiefen Kummer er auch empfand, er verschloß ihn fest in sich.

Zu seinem Vater sagte er: »Tja — ich fang' nun wieder an zu arbeiten. Uns fehlt ein Mann, aber ich werde für zwei arbeiten.« Er trank den Becher Tee aus, den Kate ihm gegeben hatte, und begab sich hinunter in den Schacht.

An jenem Abend kam Larry zurück, während die andern gerade zu Abend aßen und Adam und ich noch in unseren Zelten lagen. Ich vermochte nur die Umrisse ihrer Gestalten gegen den Feuerschein zu sehen; aber ich konnte ihre Worte verstehen.

»Ich hab's gehört«, sagte Larry. »Ich erfuhr es gestern abend in Barrandilla. Ich weiß von Sean.«

Es herrschte Stille um das Feuer; dann ertönte Pats tiefe Stimme. »So so — du bist also zurückgekommen. Jetzt, wo es zu spät ist!«

»Ich kam so schnell, wie ich konnte. Ich bin seit heute früh unterwegs . . .«

»Aber du bist weggefahren . . . du bist weggefahren, obwohl du wußtest, daß es zu Aufständen kommen konnte.«

»Ich wußte nicht, daß es soweit gehen würde — oder so schnell. Und *du* warst ja hier . . .«

»Nein, ich war nicht hier. Ich ließ mich von ihnen einsperren, weil ich dachte, das wär 'ne gute Art, ihnen zu zeigen, was ich von ihnen hielte. Und so ließen wir — unter uns gesagt — Sean im Stich. Wär' einer von uns beiden hier gewesen, wäre er vielleicht jetzt nicht tot. Wir ließen ihn beide im Stich. Ich verließ ihn wegen eines nutzlosen Papierfetzens und du wegen Geld. Vergiß das nicht, Larry — wegen Geld! Wir haben beide schuld, doch meine Hände sind sauberer als deine!«

Keiner sagte mehr etwas. Ich vernahm nur Kates Schluchzen.

Die Tage müssen lang und eintönig und doch beunruhigend für Adam gewesen sein. Ich wußte, daß er beunruhigt war; sein Gesicht verriet es, das häufige, lange Schweigen und die zögernden Versuche, sich mit mir zu unterhalten, wenn wir beide in unserer erzwungenen Untätigkeit dasaßen. Die Kugel war sauber aus seiner Schulter herausgekommen, und die Wunde begann zu verheilen. Mir ging es noch nicht so gut. Die Bajonettwunde eiterte und tat mir ziemlich weh. Der Doktor sagte, sie würde eine Narbe hinterlassen. Als sie endlich anfing zu heilen, sah ich, wie sich das neue Fleisch zusammenzog. Adam verfolgte den Fortschritt der Wunde ebenfalls. Sie bildete einen Teil seiner Beunruhigung. Sobald er imstande war aufzustehen, hätte er unserem Lager beinahe den ganzen Tag fernbleiben können. Doch er blieb und schien immer gerade dann bei mir zu sein, wenn Kate meinen Arm badete und verband. Ich mochte es nicht, wenn sein Blick auf der Wunde ruhte; aber ich konnte es nicht ändern. Wir verbrachten die meiste Zeit zusammen, waren jedoch nicht wirklich zusammen. Ich mied Adam, wo ich konnte, oder errichtete durch künstliche Geschäftigkeit, die ihn jedoch nicht zu täuschen vermochte, eine Schranke zwischen uns. Da mein Arm in einer Schlinge steckte, konnte ich weder kochen noch nähen, doch trommelte ich aus der Nachbarschaft die Kinder, die man an den Schwingtrögen entbehren konnte, zusammen und unterrichtete sie.

Adam bot seine Hilfe an, und ich lehnte sein Angebot beinahe schroff ab.

Und wenn ich ihn so gleichermaßen auf Armeslänge von mir hielt, war stets Rose da und wartete nur darauf, die leeren Stunden mit Geplauder zu erfüllen, ihm zuzuhören, ihn zu bezaubern und ihm die langen Tage zu verkürzen. Ihr Charme war sehr zurückhaltend, sehr sanft. Sie zeigte Adam nicht ihr unverhülltes Verlangen; doch jede Frau konnte es — so wie ich — sehen.

Was mich betraf, so wollte ich gar nicht, daß Adam mich ansah. Ich wollte nicht an das erinnert werden, was ich am Morgen der Barrikade getan hatte. Es ist keine leichte Sache, vor der ganzen Welt zuzugeben, daß man sein Leben bereitwillig für einen Mann hingibt, der nicht der Geliebte oder der Ehemann ist. Deshalb war ich jetzt kühl zu ihm und versuchte zu leugnen, daß es etwas anderes als eine ganz normale Handlung gewesen war, wie sie jede Frau getan hätte. Aber das stimmte nicht, und Adam wußte es. Er wußte, welche Angst ich gehabt hatte, die Pistole anzufassen; er wußte, daß nur eine außergewöhnliche Macht mich dazu bewegt hatte, sie auf einen Mann abzufeuern.

So bildeten wir keine einfache Gruppe im Maguire-Zeltlager. Larry war wieder nach Melbourne gefahren; doch das hellte die düstere Trauerstimmung, die auf Pat lastete, nicht auf. Wir alle trauerten; aber Pats Trauer war von einer harten, drängenden Art und ließ ihm keinen Frieden. Er arbeitete für zwei und entwickelte die Kraft und Ausdauer eines gestählten Mannes. So gut wie gar nichts schien von dem alten Pat aus dem Camp zurückgekehrt zu sein. Er war still und schweigsam; er trank jetzt mehr, aber man merkte es ihm nicht an. Jede Nacht ging er fort und kam erst lange, nachdem Kate uns zum Familiengebet versammelt hatte, zurück. Er war jedoch jeden Morgen als erster auf und hackte Holz für das Feuer und war, noch bevor Dan zu Ende gefrühstückt hatte, bereit, in den Schacht hinunterzufahren.

Wir fürchteten allmählich sein Schweigen, und seine alten, rebellischen Reden wären für uns eine Erleichterung gewesen. Er sprach nie von der Eureka-Barrikade und hatte auch nichts mehr mit den Männern zu tun, die in ihr gekämpft hatten. Er fand seine Kameraden jetzt in den Wirtshäusern an der Main Road. Er spielte um Geld und gewann offensichtlich, denn er hatte genug Geld in den Taschen, um zu trinken.

Kate trauerte etwas weniger um Sean, da ihre Gedanken sorgenerfüllt um Pat kreisten. Sie war jedoch geduldig und ermahnte ihn selten. Zu uns sagte sie: »Wenn bloß Gott ihm hilft — er denkt nämlich, er sei derjenige, der hätte sterben sollen.«

Kapitel 9

Zuletzt fand Adam einen Weg, mir das zu sagen, was — wie er glaubte — gesagt werden mußte. Wir gingen zu Sampsons Laden hinunter — Larry wurde innerhalb der nächsten zwei Tage von Melbourne zurückerwartet, und wir mußten die Listen der Waren aufstellen, von denen nicht mehr viel vorrätig war. Als Adam mich bat mitzukommen, wollte ich mich damit herausreden, daß ich mit meinem Arm nicht schreiben könnte.

»Ich fange an zu glauben, daß du mich nicht magst, Emmy, wenn du weiter so vor mir davonläufst — oder daß ich dich durch etwas verletzt habe.«

»Was könntest du schon tun, mich zu verletzen?« erwiderte ich kurz angebunden.

»Nun, dann — hol deinen Hut und komm mit!«

Wir gingen zusammen die Main Road hinunter, und es herrschte meist Schweigen zwischen uns — verlegenes Schweigen. Meine Zunge lag mir wie hölzern im Munde, und ich war wütend auf mich, daß ich kein leichtes Geplauder für ihn zustande brachte. Ben Sampson begrüßte uns mit sardonisch emporgezogener Augenbraue.

»Na, wenn das nicht das Rebellenpaar ist!«

»Oh, psst!« warnte ich. »Wenn Euch die Leute nun hören würden? Wenn sie kämen, um Adam zu verhaften?«

»Quatsch!« entgegnete Ben. »Die wären froh, wenn sie die Gefangenen loswürden, die sie schon haben. Keine einzige Zeitung gibt es in der ganzen Kolonie, die ihnen nicht im Nacken saß wegen der Barrikadensache. Hört auf meine Worte, wenn den Männern der Prozeß gemacht wird, gibt es kein einziges Geschworenengericht im ganzen Land, das sie für schuldig erklärt. Macht Euch also keine Sorgen mehr, kleine Miss Emma! Adam war ja kein Rädelsführer, also werden sie ihn in Ruhe lassen.«

Dann zwinkerte er Adam sehr auffällig zu und vergewisserte sich, daß ich es auch bestimmt sah. »Nicht, daß ich was dagegen hätte, wenn unsere Miss Emma so besorgt um mich wäre — und so hinter mir her in die Barrikade stürzte!« Er sah mein Unbehagen und verstummte. »Na, ich schätze, wir müssen was tun, nicht? Was sind deine Pläne, Adam? Machst du noch weitere Fahrten hierher zurück, oder ist das Langley-Schiff fertig?«

»Ich wünschte, ich wüßte es«, antwortete Adam. »Ich wünschte, ich wüßte, ob John Langley immer noch bereit ist, mir die ›Enterprize‹ zu geben. Langley steht auf seiten von Recht und Ordnung, besonders, wenn es um sein Eigentum geht.«

Wir blieben eine Stunde bei Ben. Diesmal schrieb er selbst die Listen, was sonst meine Arbeit war. »Ich vermisse Eure flinken Finger, Miss Emma«, sagte er.

Er war sehr nett zu mir und neckte mich ausnahmsweise einmal nicht. Ich lächelte über seine Witze, um ihm eine Freude zu bereiten, und protestierte nicht, als er mir ein bunt bedrucktes Kopftuch für eine Armschlinge schenkte. »Besser als das Kattunding, das Ihr da habt«, meinte er. »So, ja — das sieht besser aus! Paßt nur auf, alle Frauen am Eureka werden sich einbilden, einen schlimmen Arm zu haben, wenn sie Eure Aufmachung sehen.«

Bens Gesellschaft war eine Hilfe für Adam und mich; wir verfielen jedoch wieder in Schweigen, kaum daß wir draußen auf die Straße traten. Es war Abend, beinah schon Essenszeit. Die Goldgräber hatten ihr Tagwerk in den Schächten beendet; einige schlenderten über die Main Road, um Vorräte einzukaufen, andere auf der Suche nach Gesellschaft. In den Läden hatte man alle Hände voll zu tun. Es war ein heißer, stiller Abend, und der Gedanke an Hammelkoteletts und Brot im Maguire-Lager hatte nichts Verlockendes.

»Komm, schauen wir uns Heath's an«, schlug Adam plötzlich vor. Heath's war das Geschäft, in das alle gingen, wenn sie genügend Geld für Luxusgegenstände besaßen oder auch nur eine halbe Stunde damit verbringen wollten zu überlegen, was sie kaufen würden, wenn sie auf Gold stießen. Es war ein Geschäft, das Adam niemals betrat; er war kein Mann, der sich sehr für Dinge um des Besitzes willen interessierte. Aber er drängte mich jetzt vorwärts, und ich war froh über die Unterbrechung unseres Schweigens. Doch wich ich trotzdem vor seiner angebotenen Hand zurück; er sagte nichts, ließ aber die Hand sinken. Rasch gingen wir über die Straße zu Carl Heath.

Ich sah mir die Waren mit Kennerblick an. Von allen Sachen, die nach Ballarat gelangten, führte Heath die besten. Viele Leute kamen aus demselben Grund wie wir hierher — nur um zu schauen. Carl Heath war seiner Zeit darin voraus, daß er niemanden drängte, etwas zu kaufen. Er wußte, sie würden wiederkommen. Elihu Pearson hatte es ebenso in seinem Geschäft in London gemacht — ich kannte den Trick.

»Er hat ein gutes Lager«, sagte ich zu Adam. »Er ist seiner Sache sicher. Man sieht, daß er sich nicht mit Bratpfannen und billigen Baumwolldrucken und Scheuerbürsten abgibt. Das sind Dinge, die wir alle haben müssen; aber wir würden sie lieber vergessen. Die Leute kommen hierher, um Freude am Geldausgeben zu haben, oder um zu planen, wie sie es ausgeben sollten. Es ist wie . . .« Zögernd hielt ich inne, weil ich nicht wußte, wie ich es ausdrücken sollte. »Es ist, als käme man, um einen Traum zu kaufen. Das Seidenkleid dort drüben zum Beispiel ist ein Traum. Oder ein Teil eines Traumes. Nur jemand, der gerade auf einen Goldklumpen gestoßen ist, würde hierherkommen und es kaufen.«

Ich trat näher und stand vor dem Kleid. Es hing auf einer Schneiderpuppe, weiche, schimmernde, blaue Seide mit Spitzen am Halsausschnitt, ein empfindliches, unpraktisches Ding, das nicht auf die staubigen Straßen der Goldfelder paßte. Ehrfürchtig berührte ich es. »Es ist aus allerbester Seide! Ich kenne sie — ich habe sie schon mal in Elihus Laden in der Hand gehabt.«

»Es ist ein schönes Kleid«, meint Adam hinter mir. »Es würde dir gut stehen, Emmy!«

Ich zuckte die Achseln. »Ich sagte dir doch, daß es ein Traum ist. Es ist nicht zum Anziehen da. Es ist da, damit man es sich wünscht. Außerdem ist es mir zu groß.«

»Könntest du es ändern? Könntest du es enger und kürzer machen?«

»Natürlich, wenn ich dumm genug wäre, es zu kaufen. Aber niemand ist so dumm.«

»Könntest du es in ein Hochzeitskleid umändern, Emmy? Ich möchte es für dich kaufen.«

»Es kostet ein Vermögen, und es ist —« Ich wirbelte herum. »Sagtest du ein Hochzeitskleid? Wer . . . wessen Hochzeit?«

Sein Gesicht schien mir gelassen und entschlossen. Er sprach die Worte ruhig aus. In den sonnengewöhnten Augen in seinem gebräunten Gesicht konnte ich kein bißchen leichter lesen als bisher. Er sprach die Worte aus, und ich hatte aus Adams Mund niemals etwas anderes als die Wahrheit gehört. Aber ich wußte nicht, was sich hinter den Worten verbarg.

»Von wessen Hochzeit denkst du denn, spreche ich? Von deiner eigenen! Deiner Hochzeit!«

So mußte ich schließlich die Worte für ihn aussprechen. »Heißt das«, begann ich vorsichtig, »daß du mich bittest, dich zu heiraten?«

»Was sonst? Du mußt doch wissen, daß ich dich heiraten möchte.«

»Nein«, schüttelte ich den Kopf. »Das wußte ich ganz und gar nicht! Wie hätte ich es denn wissen sollen? Ich dachte . . . ich dachte, es sei Rose.«

Ich beobachtete sein Gesicht sehr genau. Er zuckte nicht mit der Wimper, als ich ihren Namen aussprach. Seine Augen, wie auch sein Mund, verrieten nichts. Er wandte den Blick nicht ab. Doch wenn man einen Mann so sehr liebt, wie ich Adam liebte, entgehen einem nicht die schattenhaften Veränderungen; man ahnt mehr als man sieht, die Spannung, die über dies Gesicht gleitet, die Andeutung der tiefer einfallenden Wangen unter den

Backenknochen, so daß man Angst hat, auf seine Hände zu schauen, ob sie geballt sind.

»Emmy, du bist es! Ich frage dich, ob du meine Frau werden willst! Kann ich es deutlicher sagen? Gibt es eine andere Art, es zu sagen?« Ich wünschte es mir auf hundert andere Arten. Ich wünschte mir, daß er es nicht hier in Carl Heaths Laden sagte. Ich wünschte mir, daß er es mir sagte, wenn wir allein wären, die Arme um mich gelegt und seine Lippen auf meinen Lippen. Ich wünschte mir die tausend kleinen Zärtlichkeiten zwischen zwei verliebten Menschen. Doch sie sollten mir nicht zuteil werden.

Ich blickte Adam an und sah all das, was ich liebte. Ich sah den Körper, den ich versucht hatte, mit meinem eigenen zu schützen, seine Größe und seine Kraft und das gut geschnittene Gesicht über ihm. Ich wußte, wie ruhig und aufrichtig er war, und kannte die Wildheit seines einmal geweckten, berechtigten Zornes. Er war ein schlichter Mann, dieser Adam Langley, nicht sehr geschliffen, nicht duldsam und auch nicht sehr gewandt im Reden und Flirten, und doch wandten die Augen der Frauen sich ihm zu. Er hatte diese eigenartige Unschuld eines ehrlichen Mannes. Ich kannte ihn sehr gut, weil ich ihn liebte. Doch sein innerstes Herz kannte ich nicht; ich hatte nicht vermocht, es zu berühren und seine Leidenschaft zu wecken. Das war es, was ich mir wünschte, aber nicht erhielt.

Mein langes Zögern war qualvoll. Er schluckte mühsam. »Ich kann dir nicht viel bieten, Emmy. Wenn John Langley mir nicht die ›Enterprize‹ gibt, bin ich wieder auf der Suche nach Arbeit. Ich hab' kein Heim, in das ich dich bringen könnte. Kein Geld außer dem Lohn vom vorigen Monat. Und wenn ich die ›Enterprize‹ bekomme, werde ich oft fort sein — du wärst dann allein.

Mit einem Seemann verheiratet zu sein, ist eine einsame Sache, Emmy! Dies Leben verlangt eine besondere Art von Frau.«

»Eine besondere Art von Frau . . .« Langsam wiederholte ich seine Worte. »Ich bin nicht besonders, Adam. Ich bin nur Emmy Brown.«

»Du bist besonders! Du bist tüchtig . . . und klug und verständnisvoll.« Verlegen trat er von einem Fuß auf den andern. »Ich weiß nicht, wie ich diese Dinge ausdrücken soll, Emmy.«

Er sah demütig aus, dieser hochgewachsene, stattliche Mann. Ich wollte nicht, daß er so aussah. Ich wollte nicht daran erinnert werden, daß ich ihm das Leben gerettet hatte und er nun versuchte, diese Schuld zu bezahlen. Diese Art der Ehrlichkeit kann zu zerstörerisch, zu quälend sein. Etwas Verstellung wäre besser gewesen, doch Adam und ich konnten nicht gut heucheln.

Ich holte tief Atem. »Ja — ja, ich heirate dich. Je eher, je besser!« Die Würfel waren gefallen. Ich war entschlossen, nun alles aufs Spiel zu setzen, um zu Adams innerstem Herzen vorzudringen, um ihn so an mich zu binden, daß Roses Bild und der Gedanke an sie für immer verscheucht wurden. Er bat mich, seine Frau zu werden, weil er fühlte, daß er es mir schuldete. Er wollte mich aus einem Gefühl der Verpflichtung heraus zu seiner Frau machen, wußte jedoch nicht, daß auch ich ein leidenschaftliches Herz und einen starken Willen hatte. Ich konnte um ihn auf eine Art und Weise kämpfen, die Rose nicht verstand. Und ich würde um ihn kämpfen, ihn lieben und ihm schließlich eine solche innere Gewißheit von Liebe vermitteln, daß er sich niemals an diesen Augenblick zurückerinnern und ihn bereuen würde.

Ich streckte die Hand aus und legte sie in einem festen Griff auf seinen Arm, damit er meine Zuversicht und Kraft spürte.

»Ja — so bald wie möglich.« Er hob die Hand und ergriff meine, als besiegelten wir ein Abkommen. »Ich werde dir eine gute Frau sein, Adam!«

»Das weiß ich.« Und dann lächelte er mich zum erstenmal an. Wir waren beide befangen.

Ich deutete halb lachend auf das Kleid. »Und ich fange damit an, indem ich sage, daß wir keinen Grund haben, hier zu stehen und dies Kleid anzuschauen. Die Frau eines armen Mannes kauft sich keine Seidenkleider.«

»Arm oder nicht, wir fangen so an, wie wir eigentlich sollten. Du wirst nichts Schlechteres tragen als andere Frauen an ihrem Hochzeitstag. Seide ist für die Braut . . .«

Ich war stolz, als er das sagte. Ich fühlte mich verwöhnt und umsorgt, als er Carl Heath herbeiholte, um das Kleid von der Puppe zu nehmen. Wir kauften es so wie es war, ohne es anzuprobieren. Ich drängte Heath die ganze Zeit zur Eile, als könne alles — Kleid und Hochzeit — mir entschwinden, wenn wir nicht schnell machten. Es sei das allerschönste Kleid in ganz Ballarat, sagte ich zu Adam, und ich würde es ohne Schwierigkeiten für mich umändern. Es hatte lange Ärmel, und ich dachte im stillen, daß sie den Verband und später die Narbe verdecken würden. Es war noch ein Hut in etwas dunklerem Blau da, von dem Carl Heath beharrlich behauptete, er würde das Kleid noch mehr zur Geltung bringen, und das tat er auch. Heath hatte keine blauen Pantöffelchen, dafür aber ein Paar aus weißem Satin, nur eine Idee zu groß.

Heath kannte mich aus Ben Sampsons Laden. Neugierig blickte er von Adam zu mir, als ich die Schuhe anprobierte.

»Wenn Ihr es nicht eilig habt, Miss Emma, könnte ich Euch ein Paar in genau Eurer Größe aus Melbourne bestellen.«

»Wir haben es aber eilig«, erwiderte Adam. »Packt sie ein.«

Adam bezahlte und trug das Paket linkisch aus dem Geschäft, da sein Arm noch steif war. Ich ging mit hocherhobenem Kopf neben ihm und wartete darauf, Bekannte unter den Vorbeikommenden zu entdecken, wartete darauf, erzählen zu können, daß Adam und ich heiraten würden. Ich spürte, daß ich einen festen Anspruch in der Hand haben mußte, bevor wir Rose gegenübertreten und es ihr sagen würden.

»Wann werden wir heiraten, Adam?«

»Übermorgen. Larry müßte morgen von Melbourne wiederkommen. Wir könnten dann mit ihm zurückfahren.« Er wandte sich mir zu, sich an meinen Arm erinnernd. »Das heißt, wenn es dir für die Fahrt gut genug geht.«

»Das ist sehr schnell — ich meine, dann zu heiraten.«

»Du sagtest doch, je eher je besser.« Er runzelte die Stirn. »Brauchst du mehr Zeit?«

Er mußte sich, genauso wie ich, darüber klar sein, daß, je eher wir Ballarat und Rose hinter uns ließen, nachdem wir unsere Eröffnung gemacht hatten, es um so besser für uns alle war. »Nein«, antwortete ich hastig und eifrig. »Ich brauche nicht mehr Zeit.«

»Ich rede heute abend mit dem methodistischen Pfarrer. Bist du mit einem methodistischen Pfarrer einverstanden, Emmy?«

Ich nickte. Jeder Pfarrer wäre mir recht gewesen, solange er mich nur recht gründlich mit Adam traute. Daß ich nicht katholisch war, bildete den einzigen Vorteil, den ich im Vergleich zu Rose besaß. Ich wandte mich um, um ihm das Paket besser unter den Arm zu schieben und ihn zu warnen, den Hut nicht zusammenzudrücken. Es war eine Geste des Besitzerstolzes, für all die Fremden gedacht, die an uns vorbeikamen. Es war ein kurzes Innehalten in der Hoffnung, daß Adam endlich sagen würde, daß er mich liebe, bevor wir den Berg hinauf zu den Maguires gingen. Ich wußte, er war ein schlichter und aufrichtiger Mann. Er sagte es nicht. Vielleicht würde er es nie sagen. Das war das Risiko, das ich auf mich nehmen mußte.

Alle schauten auf, als wir uns dem Maguire-Zeltlager näherten. Einen Augenblick schien es, als wüßten sie es schon. Die herrschende Geschäftigkeit schien zu erstarren. Kate beendete gerade die Vorbereitungen für das Abendessen; sie hielt mit erhobenem Kochlöffel inne. Dan und Pat waren dabei, sich zu waschen, und ihre Gesichter und Arme glänzten voller Seifenschaum. Con kam uns entgegengerannt, um uns zu begrüßen, offensichtlich von Neugier über das Paket unter Adams Arm getrieben. Rose stand da und beobachtete uns, als ob sie auf unsere Rückkehr gewartet hätte. Ihr Körper war von einer Spannung erfaßt, die sich auf die andern zu übertragen schien.

Adam sah Rose nicht an, als er sprach. Er sagte es ganz unumwunden. »Emmy hat versprochen, mich zu heiraten. Wir werden morgen oder übermorgen getraut. Sie kommt dann mit mir nach Melbourne.«

Ich wollte Rose nicht ansehen und beobachtete deshalb Dan, der langsam sein Handtuch ergriff. Er schien darüber nachzugrübeln, was er sagen sollte. Er war der erste, der zu sprechen begann. »So so — eine Hochzeit! Das ist genau, was die Familie braucht. Hast du gehört,

Kate? — eine Hochzeit! Und es sind unsere Emmy und Adam — na, was könnte es Besseres geben?«

Seine Stimme enthielt eine drängende Aufforderung an sie. Er kam nun auf uns zu. Plötzlich waren sie alle da, küßten mich und schüttelten Adam die Hand. Ich vernahm Kates Stimme heiser an meinem Ohr. »Gott segne dich, mein Kind!« Erstaunlicherweise war auch Pat da, das Gesicht noch voller Seifenschaum und mit tropfend nassen Händen und Armen. Er küßte mich auf den Mund. »Gut für dich, Emmy!« Das war ein seltsamer Ausspruch. Con schlang die Arme um die Taille. »Ich will nicht, daß du weggehst, Emmy!« Zu Adam sagte er gar nichts.

Sie spielten ihre Rollen gut; doch ich spürte nichtsdestoweniger ihren Schock. Sie hatten nicht wie die andern, die nicht zur Familie gehörten, automatisch aus Adam und mir im stillen ein Paar gemacht, nachdem sie erfahren hatten, was in der Barrikade geschah.

Sie wußten besser Bescheid. Sie mochten sich vielleicht keinen Mann, der nicht katholisch war, für Rose gewünscht haben, doch kannten sie das Ausmaß von Roses Empfindungen für Adam und ihre leidenschaftlichen Ausbrüche, wenn ihr ein Strich durch die Rechnung gemacht wurde. Und sie hatten — wie ich — Adams Augen zu oft auf ihr ruhen sehen. Adams Worte änderten nichts daran, und sie wußten das. So drehten wir uns schließlich alle instinktiv zu Rose um.

Sie versuchte nicht einmal ihre Gefühle zu verbergen. Vielleicht vermochte sie es auch nicht. Mit den Jahren lernte sie das besser, doch jetzt war sie erst ein junges Mädchen, unerfahren und auf gewisse Weise noch naiv. Sie stand wie erstarrt. Jegliche Farbe war aus ihrem Gesicht gewichen; ihre Züge schienen sich zuverschärfen und ihre jugendliche Weichheit zu verlieren. Ihre Augen starrten ungläubig, weit aufgerissen und auf einmal viel dunkler. Es war überhaupt keine Farbe mehr in ihrem Gesicht, nur das Schwarz ihres Haares und die weiße Haut. Ihre Lippen öffneten sich; aber sie brachte keinen Laut heraus. Diese eine Bewegung brach jedoch die Starre ihres Körpers. Sie drehte sich um und rannte auf ihr Zelt zu.

»Rose . . .«

Ich glaube, ich starb ein wenig bei dem Klang der verzweifelten, flehenden Bitte in Adams Stimme. Wenn es nur nicht Adam gewesen wäre, der Rose zurückrief, dachte ich. Aber es war Adam gewesen; er hatte den Namen beinahe unbewußt ausgerufen, und ich wußte, daß ich ihn lange weiterhören würde, seinen Klang und die Sehnsucht in ihm.

Jemand bewegte sich in der Gruppe, und dann schien auch Adam zu begreifen, was er getan hatte. Er wandte sich mir zu mit einer Bewegung, die halb um Verzeihung bat und mich doch gleichzeitig anflehte, so zu tun, als wäre gar nichts geschehen.

Und so begann ich das Spiel, das lange Zeit dauern sollte. Ich hob den Kopf und lächelte die Gesichter um mich herum an.

»Adam hat mir ein seidenes Brautkleid gekauft!«

Rose blieb den ganzen Abend in ihrem Zelt. Sie war immer noch dort, als wir alle zu Bett gingen. Sie kauerte auf ihrem Lager, das Haar ein wirres Durcheinander auf den Schultern, und wartete auf mich. Im Zelt hatte Dunkelheit geherrscht, und so blinzelte sie im Licht der Kerze, die ich in der Hand hielt. Dunkle Ringe der Erschöpfung lagen um ihre Augen. Mir schien plötzlich, als hätte Rose längere Stunden durchlebt als die, welche tatsächlich verstrichen waren. Ihre Miene war nicht mehr ungläubig. Jetzt verriet sie ohnmächtige Wut.

Ihre Lippen waren ganz schmal, und die Worte sprangen schneidend zwischen ihnen hervor.

»Warum hast du es getan?«

»Was getan?«

»Adam gehört mir! Du weißt, daß ich Adam liebe!«

»Du liebst Adam. Liebt er aber dich?«

»Ja! Das weißt du genau!«

»Warum bat er dann mich, ihn zu heiraten?«

Ich merkte, daß ich zitterte, ließ meine Stimme jedoch fest klingen. Rose durfte jetzt keine Schwäche an mir entdecken, sonst würde sie sich diese zunutze machen. Dies mußte zwischen uns gesagt werden. Ein für allemal mußte es klargestellt werden. Rose machte Ansprüche geltend, deren Berechtigung ich leugnen würde.

Die Existenz jeder Stimme, die meinte — laut oder auch nur geflüstert —, daß Adam Rose liebte, würde ich leugnen. Ich würde das, was sich mir angeboten hatte, ergreifen, würde es festhalten und es behalten. Ich hatte gedacht, ich könnte Rose alles geben; Adam aber konnte ich ihr nicht geben.

»Warum?« wiederholte Rose. Obwohl ihre Stimme schneidend war, sprach sie leise. Sie schien in diesen wenigen Stunden eine gewisse Weisheit erlangt zu haben; sie war nicht mehr so jung wie das Mädchen, das dort draußen versteinert gestanden und uns seinen Schock so unverhüllt gezeigt hatte.

»Ich will dir sagen, warum«, fuhr sie fort. »Er glaubt, du habest ihm das Leben gerettet. Er glaubt, er sei dir das schuldig. Du hast ihm unter die Nase gerieben, daß du liebeskrank nach ihm bist, und er heiratet dich also, weil er eine Schuld bezahlen muß!«

»Das ist nicht wahr! Es gibt gar keine Schuld!«

»Er glaubt aber, es bestände eine Schuld, und er bezahlt sie. Was hat er denn sonst, das er dir geben könnte? Und was hast du ihm zu geben? ... du!! Was hast du denn für ihn?«

Die Worte waren grausam und auch grausam gemeint. Mir wurde ganz schlecht bei ihnen. Ich sah Rose an, und wie sehr ich es auch bestreiten wollte, so erklärten meine Augen mir doch den Sinn ihrer Worte. Der Unterschied zwischen uns war nicht zu leugnen, und klar und deutlich für jeden zu sehen. Rose hatte sich ihr Kleid vom Leibe gerissen und es auf den Boden geschleudert. Ihre Arme und Schultern waren nackt, und ihr Unterrock enthüllte die vollendete Rundung ihrer Brüste. Ihr Zorn verlieh ihrer Schönheit eine intensive, wilde Glut. Ihre Haut schimmerte rosig und etwas feucht von Schweiß. Es hatte wohl kaum je eine Frau gegeben, die mehr zur Liebe bereit war, und jeder Mann würde es spüren. Ich fühlte, wie ich innerlich beim Gedanken daran zurückzuckte, doch ich war entschlossen, den Blick nicht von Rose abzuwenden oder ins Wanken zu geraten.

»Ich habe Adam vieles zu geben — Treue und Liebe! Ja, ich liebe ihn! Ich liebe ihn auf eine Weise, von der du nichts weißt — nichts verstehst. Du siehst nur, daß ich nicht hübsch bin. Nichts anderes siehst du. Aber ich habe einen Verstand, und ich kann ihn benutzen, um Adam zu helfen. Du hast das nie getan und wirst es auch nie tun. Adam braucht mich! Vielleicht weiß er das jetzt noch nicht, aber er wird es wissen. Ich versichere dir, er wird es wissen!«

Sie verzog den Mund zu einer verächtlichen Grimasse. »Denkst du, das wird einen Mann halten? Glaubst du tatsächlich, ein bißchen Nähen und Kochen und Zusammenzählen deiner blöden Zahlen in einem Buch ist genug? Ein Mann will was in seinem Bett haben, das mehr als nur Haut und Knochen ist! Er will keine Buchhalterin oder Köchin — er will eine Frau!«

»Ja — er will eine Frau, und er hat mich gewählt! Hörst du, Rose? Er wählte mich!«

»Er wählte dich, aber er will dich in Wirklichkeit gar nicht! Er wählte dich, weil du ungefährlich bist — du bist eine Frau von der Sorte, wie er sie bisher gekannt hat. Du bist wie seine Mutter und seine Schwestern und all diese andern Mauerblümchen dort, wo er herkommt. Aber ich — ich gehe ihm unter die Haut! Du glaubst, du bist die einzige, die für Adam gut sein könnte? Es gibt noch andere Arten, ihm Gutes zu tun, als ihm die Hemden zu waschen. Ich wäre gut für Adam — aber er begreift es noch nicht. Der Verstand und die Gefühle eines Mannes gehen verschiedene Wege. Aber mich begehrt Adam im Bett! Zählt etwas anderes außer dem? Er mag dich heiraten, aber begehren tut er mich!«

Ich schlug in dies leidenschaftliche, gierige Gesicht mit der ganzen Kraft meines Zornes. Meine Hand hinterließ rote Flecken auf dem warmen, weichen Fleisch.

»Jetzt hab' ich aber genug von deinen schmutzigen Reden! Ich will nichts mehr davon hören! Du hast einen Fehler gemacht, Rose. Du bist zu weit gegangen.«

Ich sank auf mein Bett nieder. Ihre Wut und verzweifelte Enttäuschung schienen ihr nicht gestattet zu haben, den Schlag zu spüren. Ich glaube, sie war sogar froh, daß sie die Macht besessen hatte, mich zu solch einer Handlung anzustacheln.

»Ich hab' dich geliebt, Rose«, sagte ich. »Ich hab' dir — dir, der ganzen Familie, jedem von euch — soviel Liebe gegeben, wie ich habe. Es gibt jedoch eines, was ich dir nicht geben kann, und das ist Adam. Er gehört sich selbst. Er ist kein Gegenstand, den man an sich reißen kann, einfach nehmen kann — nicht etwas, um das sich zwei Frauen zanken können. Adam gehört sich selbst. Und bei einem Mann wie ihm zählt die Heirat. Vergiß das nie, Rose! Zum Schluß hat er mich gewählt!«

»Und er wird's bereuen! Heute in einem Jahr wird er wünschen, er hätt' dich nie gesehen! Und auf den Augenblick warte ich.«

Wir sahen uns eine Zeitlang schweigend an. Zuletzt erklärte ich sehr ruhig: »Rose, wenn Adam und ich jetzt von hier fortfahren, will ich dich nicht wieder sehen — niemals! Ich hab' dich geliebt — aber Adam liebe ich mehr. Und heute in einem Jahr wird er es nicht bereuen, denn wenn ich sein Kind in meinen Armen halte, wird er mich lieben!«

Ich löschte die Kerze aus, da ich die Dunkelheit dem Anblick ihres Gesichtes vorzog. Zum Glück erwiderte sie nichts und legte sich nur in ihrem Unterrock auf dem Bett zurück. Mein Arm war mir im Wege, und es war schwierig, mich auszuziehen; Rose hatte mir bisher immer dabei geholfen. Doch es verstand sich von selbst, daß das nun vorbei war. Von jetzt an waren wir allein und getrennt. Zum erstenmal legten wir uns in diesem Zelt nieder, und keine sprach mit der andern. Keine Hand streichelte die andere in der abschließenden, schon schlaftrunkenen Geste der Zärtlichkeit.

Als ich am nächsten Morgen aufwachte, war Roses Bett leer. Möge Gott mir mein Mißtrauen verzeihen; aber ich schaute sofort nach, ob Adam noch da war. Er saß beim Feuer, trank seinen Tee und unterhielt sich mit Kate.

Bevor wir fertig gefrühstückt hatten, kam Larry an. Seit dem ersten Morgendämmern sei er unterwegs gewesen, sagte er. In dem Wirbel seiner Ankunft, in den Gesprächen und dem Berichten der Neuigkeiten wurde Roses Abwesenheit kaum bemerkt. Und niemand wollte sie betonen. »Rose schmollt«, hörte ich Kate zu Dan sagen. »Laß sie in Ruh'!«

So bemühten sie sich, das übliche Aufheben über Larrys Ankunft zu machen und lauschten dem Klatsch aus der Hauptstadt. Kate holte den größten Schinken aus Larrys Vorrat für den Hochzeitsschmaus. Doch trotz allem war Larrys Ankunft eigenartig still. Pat beendete sein Frühstück und begab sich unverzüglich in den Schacht an die Arbeit. Sein Fortgehen schien auf die Veränderung hinzuweisen, die uns alle seit Seans Tod ergriffen hatte. Nichts war mehr so wie früher. Es herrschte ein Gefühl der Hetze und der Leere. Larry blieb nur lange genug, um die Vorräte für den Familienverbrauch abzuladen und fuhr dann weiter. Das Geschäft auf den Goldfeldern schien hart zu sein, und die Vorahnung einer weiteren Veränderung hing über uns. Der methodistische Pfarrer hatte sich bereit erklärt, Adam und mich am nächsten Tag gegen Mittag zu trauen. Am Nachmittag wollten wir dann mit Larry nach Melbourne fahren. Kate fing plötzlich an, Con grundlos auszuschelten. Sie schien eine Bestätigung zu brauchen, daß sie noch den Rest einer Familie um sich hatte.

Bevor Larry zu Sampson ging, hatte er mich leicht auf die Wange geküßt. »Du hast ja nicht gewartet, was?« meinte er. »Wenn du mir nur Zeit gelassen hättest – ich wollte dich selbst bitten, mich zu heiraten.«

Sie lächelten alle, als sie seine Worte hörten; es war eines der Komplimente, die man immer einer Braut machte. Und doch wußte ich, daß sie ein Körnchen Wahrheit enthielten. Larry würde eine Frau wie mich heiraten – vernünftig, fleißig, und vor allem tüchtig. Ehrgeizige

Männer, wie Larry, die noch einen weiten Weg vor sich sehen, heiraten keine untüchtigen Schönheiten. Diese Erkenntnis bedrückte mich.

Ich hatte jedoch kaum Zeit, mich selbst zu bemitleiden. Kate wurde von einer wahren Backwut gepackt — mehrere Schinken, Brote und einen Obstkuchen, für den sie am Eureka berühmt war — und das alles in dem winzigen Backofen. Sie schickte Con zu Sampson, um mehr Whisky und Butter zu holen. Ich protestierte gegen die viele Arbeit und die Ausgaben. »Besonders jetzt — euch kann doch gar nicht nach Feiern zumute sein — ohne Sean.«

Kate hielt in ihrer Arbeit inne — sie streute gerade Mehl in den Kuchenteig. »Sieh mal, in der Bibel steht irgendwo, daß es eine Zeit zum Heiraten und eine Zeit zum Trauern gibt. Sie sind miteinander vermischt, so wie es immer ist. Sean behandelte dich wie eine Schwester. Wir können ihm doch mit einer armseligen Hochzeitsfeier keine Schande machen.«

»Es sollte die Hochzeitsfeier seiner Schwester sein. Es sollte Rose sein, die sich verheiratet, nicht wahr — mit Adam?« Ich mußte es sagen.

Kate sah mich mit gesenktem Kopf an. »Für Rose ist der Augenblick gekommen, den ich ihr immer prophezeit habe, der Augenblick nämlich, wo sie nicht bekommt, was sie will. Nein —« Sie schwenkte die mehlige Hand, um einen Einwand abzuwehren. »Sie ist mein eigenes Kind; aber ich kann die Eigenschaften nicht leugnen, die in ihr stecken, und die Männer nicht wollen. Das sind die Eigenschaften, die Adam nicht will.«

»Wenn er sie nun aber liebt?«

»Liebe, sagtest du? — ah, nun, das ist was anderes. Sie kann einen Tag dauern oder ein Jahr oder ewig, sagt man. Nach dem, was ich so um mich herum sehe, dauert sie wohl eher ein Jahr als ewig. Hab Geduld, Emmy! Gib Adam Zeit, es herauszufinden.«

»Und wenn er es nicht tut?«

Sie zuckte die Achseln. »Wir nehmen alle unser Risiko auf uns.«

Wir sprachen nicht weiter über Adam oder Rose – es blieb keine Zeit. Und Kate hatte bereits das letzte Wort dazu gesagt.

Rose kam auch zum Mittagessen nicht zurück, und ich war dankbar dafür; denn es war leichter zu glauben, daß zwischen mir und Adam alles gut werden würde, solange Rose nicht da war und die Blicke auf sich zog und wo sie ging und stand eine Erregung unter den Männern hervorrief. Adam und Larry blieben den ganzen Tag unten im Geschäft, und unser Zeltlager war merkwürdig verlassen. Niemand wollte über Rose oder den Grund ihrer Abwesenheit reden.

»Oh – sie hat da eine neue Freundin drüben auf Black Hill – Kathleen Burke heißt sie, sagte sie. Dort wird sie sein«, antwortete Kate auf Dans Frage.

»Dann sollte sie aber hier sein und helfen.«

»Sie wär' mir ja doch nur im Wege.«

Damit ließen sie es auf sich beruhen. Nach dem Essen kam Sarah Foley, um mein Kleid zu ändern. Seit jenem Morgen, an dem ich sie und die Kinder aus der Barrikade getrieben hatte, schien sie eine gewisse Scheu vor mir zu haben. Matt Foley war unter den Männern gewesen, die gefangengenommen und zum Prozeß nach Melbourne gebracht wurden. Jeder am Eureka hatte Geld- und Essensammlungen durchgeführt, um die Foleys zu unterstützen. Sarah Foley ließ die blaue Seide meines Brautkleides durch die Finger gleiten mit einer leisen Sehnsucht, die jedoch nicht viel zu tun hatte mit dem Wunsch, es zu besitzen. Sie war noch in den Zwanzigern, aber schon eine alte Frau, und mit den vier Kindern an ihren Rockschößen hatten zarte Seidenkleider keinen Raum mehr in ihren Träumen. »Du wirst großartig in ihm aussehen«, meinte sie.

Es ging mir irgendwie gegen den Strich, mit anzusehen, wie eine andere Frau an meinem Hochzeitskleid nähte; aber mit meinem Arm, der noch in der Schlinge steckte, konnte ich ihr überhaupt nicht helfen. Ich beschäftigte die Foley-Kinder an jenem Nachmittag — es war nicht schwierig; denn sie erinnerten sich noch sehr gut an die Ohrfeigen und die Pistole, mit der ich herumgefuchtelt hatte. Geduldig stand ich da, als die Saumlänge abgemessen und die Taille gehoben und enger gemacht wurde. Mrs. Foley konnte fabelhaft nähen; doch ich hätte ihr trotzdem am liebsten das Kleid weggerissen und niemandem erlaubt, es anzurühren. Ich vermute, sie fühlte das. Als sie sich kurz vor Sonnenuntergang zum Fortgehen fertigmachte, packte sie aus einer Kattunrolle ein Nachthemd aus und legte es mir scheu in die Hände.

»Ich hab' nichts anderes, was ich dir geben könnte. Ich nähte es selbst vor meiner Hochzeit — das ist nun zehn Jahre her. Ich wollte *ein* schönes Stück haben — du weißt, wie das ist. Natürlich trug ich es nur das eine Mal. Ich hab's gewaschen und in der Sonne gebleicht. Es ist hübsch und ganz sauber.« Es war aus feinem Batist mit irischem Spitzenbesatz, ein völlig nutzloses Kleidungsstück im Gepäck einer Goldgräberfrau.

»Meine Großmutter klöppelte die Spitze«, fuhr Sarah Foley fort. Dann rief sie die Kinder zusammen, setzte sich das jüngste auf die Hüfte und verließ uns rasch, nachdem sie Kates Einladung, doch zum Abendbrot zu bleiben, abgelehnt hatte.

Kate blickte ihr sinnend nach. »Manchmal frage ich mich, warum wir alle überhaupt hierherkamen — wenn

218

es mit ein paar Zelten als Heim, hungrigen Kindern und einem Mann im Gefängnis in Melbourne endet.« Sie schob sich eine Haarsträhne aus der Stirn. »Oder einem Sohn vor seiner Zeit im Grab.«

Erst als wir alle soweit fertig waren und zu Abend essen wollten, der Duft des gebackenen Schinkens und des würzigen Kuchens verlockend in der Luft hing, fiel uns auf, daß Rose immer noch nicht da war.

»Jetzt ist's aber genug«, erklärte Kate. »Du gehst sofort nach dem Abendessen zu den Burkes, Pat, und holst sie nach Hause. Sie macht sich ja lächerlich, wahrhaftig!«

Pat ging also, kam aber ohne Rose zurück. »Sie war überhaupt nicht dort. Sie haben sie gar nicht gesehen.«

Dan stand unverzüglich auf. Nie zuvor hatte ich sein Gesicht so streng gesehen; die scharfen Linien, die sich seit Seans Tod eingegraben hatten, schienen sich noch zu vertiefen. Er zog heftig an seinem Bart. »Wir müssen sie finden — und wenn es die ganze Nacht dauert! Ich dulde nicht, daß sie noch mehr Kummer über ihre Mutter bringt. Jungen, wir teilen uns. Fragt jeden, den ihr trefft. Sie muß ja irgendwo in Ballarat stecken.«

Larry hatte schon die Lampe zum Mitnehmen angezündet. »Und am besten fangen wir in den Wirtshäusern an der Main Road an«, bestimmte er schroff. Er reichte Adam eine zweite Lampe. »Komm — jeder von uns übernimmt eine Seite der Straße. Und wenn ich sie in einer dieser Hurenhöhlen finde, drehe ich ihr den Hals um.«

Wir fanden Rose in jener Nacht nicht. Kate und ich saßen allein am Feuer; sie hatte Con verboten mitzusuchen. »Wir bleiben hier«, hatte sie angeordnet. »Jemand muß ja hier sein, wenn sie zurückkommt.«

Wir tranken Tee, unterhielten uns hin und wieder ein

wenig und hielten heißes Wasser für die Rückkehr der Männer bereit. Nur einmal machte ich einen Versuch, über Rose zu sprechen.

»Es ist meine Schuld. Ich hab' sie fortgetrieben. Wenn ich ihr Adam überlassen hätte . . .«

Kate vergaß ihre Sorge in plötzlich aufblitzender Verachtung. »Glaubst du etwa, Adam sei ein Paket, das zwischen euch beiden hin und her gereicht werden könnte? Heilige Muttergottes, er ist ein *Mann*, und er weiß, was er will!« Sie schüttelte den Kopf und fuhr dann wieder ernüchtert fort: »Nur das, was in Roses eigener Seele steckt, hat sie fortgetrieben. Und weiß der Himmel, was das ist; denn ich weiß das nicht mehr.«

Dan kam als letzter zurück. Es war beinahe vier Uhr morgens, und der erste rosige Schimmer des Sonnenaufgangs malte hinter den Bergen helle Streifen auf den Himmel. Dan schwankte leicht vor Müdigkeit und ließ seine mächtigen Schultern nach vorne hängen. Wie er so als Silhouette vor dem Feuer stand, sah er alt und müde aus. Ich hatte nie gedacht, daß ich ihn je so erschüttert sehen würde. »Ich werde es nun der Polizei melden müssen«, sagte er. »Ich glaube nicht, daß sie hier in Ballarat ist.« Darauf schwieg er, trank seinen Tee geräuschvoll und hielt den Becher zwischen beiden Händen, als brauche er dessen tröstende Wärme. Als er den Tee ausgetrunken hatte, erhob er sich. »Komm nun, Kate! Wir wollen noch ein bißchen schlafen.«

Seine Hand ruhte für einen kurzen Augenblick auf meinem Haar. »Du hättest längst im Bett sein sollen. Eine Braut braucht den Schlaf vor ihrem Hochzeitstag.«

»Ich konnte nicht . . .«, und plötzlich lag mein Kopf an seiner Brust. Ich ließ meinen Tränen keinen freien Lauf, weil sie in diesem Kummer nutzlos waren. Aber ich konnte nicht sprechen. Ich wollte nichts anderes, als mich an Dan klammern und seine urwüchsige Kraft und seine Güte spüren.

Er strich mir über das Haar. »Etwas Böses hat Rose dir da an deinem Hochzeitstag angetan. Aber wir werden eine Hochzeit feiern, ob Rose nun hier ist oder nicht!«

Wann immer ich auch an meinen Hochzeitstag in den darauffolgenden Jahren zurückdachte, ich sah mich niemals selbst im Mittelpunkt, sondern Rose – Rose, triumphierend, trotzig und ein wenig verzweifelt.

Er begann natürlich wie kein anderer Tag. Es war eine Hochzeit zu feiern, wenn auch dies Ereignis seiner Fröhlichkeit beraubt worden war. Dan hatte erklärt, daß die Hochzeit so wie geplant stattfinden würde, auch wenn Rose bis dahin nicht zurückgekommen wäre. Niemand erhob Einspruch gegen seinen Wunsch. Adam und ich, wir wußten beide, je eher wir Ballarat verließen, um so eher würde Rose wahrscheinlich zurückkehren. Wir trafen alle Vorbereitungen, um am Vormittag mit der Postkutsche nach Melbourne zu fahren, weil Larry ja nun hierbleiben mußte.

»Setz den Kuchen und Schinken heraus, Katie, und ruf die Nachbarn. Wir werden Emmy doch nicht ohne einen kleinen Festschmaus ziehen lassen.«

Aber es war eine geistesabwesende Gruppe, die Adam und mir in die Methodistenkapelle folgte. Zu jeder andern Zeit hätten sie dieser Zeremonie in einer nonkonformistischen Kirche unbehaglich entgegengesehen, hätten schuldige Gewissensbisse verspürt, daß sie dabei zugegen waren. Doch jetzt standen sie geschlossen hinter mir in ihren besten Kleidern – Dan und Kate, Larry, Pat und Con. Roses Gegenwart lastete spürbarer auf uns, als wenn sie ebenfalls dort gestanden hätte.

Adam ließ sich nichts anmerken, weder die Qual, die er durchgemacht haben mußte, noch das Verlangen, das Ganze möglichst schnell hinter sich zu bringen. Ich erinnere mich nur an seine außerordentliche Höflichkeit. Er hatte keinen geeigneten Anzug für eine Hochzeit mitgebracht; doch stand er aufrecht neben mir in solider Serge, und das Jackett, das er von Ben Sampson geliehen hatte, strammte über seinen Schultern. Er erschien mir beinahe wie ein Fremder, ohne die vertraute Seemannsmütze und die alte Jacke. Ich mochte den andern Adam lieber. Aber er lächelte mich an, und der Fremdling verschwand; darauf nahm er meine Hand, und ich fühlte mich geborgen.

Ben Sampson, im Wesleyschen Glauben* erzogen, war als einziger völlig unbefangen — oder tat zumindest so. Er trompetete die Amen am Schluß der Gebete mit großem Wohlbehagen, sah sehr fromm aus und roch nach Whisky. Er zwinkerte mir zu, während wir auf den Beginn der Trauzeremonie warteten, und ich mußte lachen. Adam lachte ebenfalls — hauptsächlich wohl aus Nervosität —, aber es brach die Spannung, und der Pfarrer, Mr. Scott, hatte schließlich doch ein lächelndes Paar zu trauen.

Sie warteten mit dem Reiswerfen, bis wir die Strenge der methodistischen Kapelle verlassen hatten. Einen Augenblick gelang es mir, Rose zu vergessen; Gelächter erschallte, und die Sonne schien. Adam hielt meinen Arm und gab mir einen liebevollen Kuß. Erregung und Freude stiegen in mir auf. Die Sonnenstrahlen fingen sich

---

* Nach John Wesley (gest. 1791) benannt; zur Freikirche gehörig, methodistisch.

bald in der blauen Seide; ich fühlte, daß meine Wangen gerötet waren und wußte, daß ich einen meiner flüchtigen Augenblicke der Schönheit erlebte. Ich trug die Armschlinge nicht mehr, und der Ärmel verbarg den Verband sehr gut. Ich wollte nicht, daß jemand an diese Wunde erinnert würde. Der blaue Hut war fröhlich, und das war auch ich. Adam hielt meine Hand den ganzen Weg zum Maguire-Zeltlager zurück, und ich trug den Kopf hoch erhoben und empfing selig die Glückwünsche der Nachbarn. Jimmy O'Rourke wartete vor der Kapelle, um uns während des Weges auf seiner Fiedel aufzuspielen. So folgte uns zuletzt eine richtige Hochzeitsprozession zum Lager.

Ich wurde von allen geküßt, das Kleid begutachtet und Adams Hand von allen geschüttelt. Er blieb immer in meiner Nähe. Niemand erwähnte Rose, und Adam sah vollkommen wie der glückliche Bräutigam aus. Dan begann die Schöpfkelle in die Kübel voll Whisky-Punsch zu tauchen, den er gemacht hatte. Schließlich streckten sich alle Hände aus und ergriffen die Zinnbecher, Teetassen oder was sie sonst finden konnten.

»Auf die Braut und den Bräutigam!« rief Dan. Sie tranken auf unser Wohl. Es wurden auch einige persönliche Toasts ausgebracht.

»Auf Emmy und Adam!« hörte ich mehrere sagen. Jemand rief – ich glaube, es war Mike Healy – »Auf die hübscheste Braut am Eureka!« was nicht stimmte; aber sie tranken höflich auch darauf.

Jimmy O'Rourkes Fiedel begann erneut in einem jähen Wirbel zu quietschen.

Adams Arm glitt um meine Taille. »Komm, Emmy!«

Wir machten ein paar Schritte, und die Menge teilte sich vor uns und klatschte den Takt. Wir stolperten auf dem unebenen Boden und erholten uns lachend davon.

Einige andere Paare gesellten sich zu uns. Ich hörte Pat rufen: »Dieser Tanz gehört jetzt mir, Grünauge!« Doch ich hielt mich an Adam fest und dachte, mein Herz müßte vor Glück und Stolz zerspringen. Wir tanzten in einem völlig würdelosen Galopp über die Gesteinshaufen.

Dann verstummte die Fiedel plötzlich mit einem klagenden, mißtönenden Krächzen. Unser Schwung ließ uns noch einen Augenblick weitertanzen; doch hatte ich inzwischen bemerkt, daß niemand mehr tanzte. Wir wandten uns zusammen um und schauten zum Lagerfeuer zurück. Die Menge schien ein wenig zurückzuweichen, und wir konnten ungehindert durch sie hindurchblicken. Ich hörte jedoch die Stimme, und das war alles, was ich brauchte.

»Trinkt denn niemand auch auf unser Wohl, Dada?« Rose stand barhäuptig da in ihrem einfachsten Baumwollkleid und klammerte sich an Tom Langleys Arm. Sie hielt den Kopf hoch und herausfordernd erhoben. Sie sah geradewegs zu Adam und mir herüber.

»Tom und ich haben gestern abend in Clunes geheiratet! Trinkt nicht jemand auch auf unser Wohl?«

Ich blickte sofort zu Adam auf, weil ich sein Gesicht sehen mußte. Es war totenbleich geworden und in einem Ausdruck unverhüllter Qual erstarrt, wie ich ihn niemals zuvor oder seitdem bei Adam sah.

Wir verließen Ballarat noch am selben Nachmittag auf Larrys Planwagen, da ja nun für keinen von uns mehr ein Grund bestand, noch dort zu bleiben. Wir blieben gerade lange genug, um an dem zweiten Gottesdienst, in dem Rose Tom Langleys Frau wurde, teilzunehmen. Dan hatte darauf bestanden.

»Ich will nichts mit dieser Angelegenheit zu tun haben«, sagte er zu Tom, »aber da du sie nun mal zu deiner Frau gemacht hast, laß sie es auch vor Gott werden!«

»Wir sind rechtmäßig getraut worden«, erwiderte Rose trotzig. »Von einem Geistlichen in Clunes. Es steht dort in den Akten.«

Dan sah sie mit harten Augen an. »Ist es so weit mit dir gekommen, meine Tochter, daß du Akten für eine Trauung hältst? Es ist keine Trauung, bis der Priester die heiligen Worte gesprochen hat!«

Rose erhob keinen weiteren Einspruch, dafür aber Tom. »Ich weigere mich«, erklärte er. »Ich hab' kein Bedürfnis nach diesen katholischen, abergläubischen Bräuchen.«

»Du hast Rose nun mal geheiratet und mußt das mit in Kauf nehmen, was zu ihr gehört! Ihr Glaube gehört auch zu ihr.« Er nickte Con zu. »Lauf hinüber und sieh nach, ob Pater Smythe in der Kirche ist, Con. Sag ihm, wir kämen in zehn Minuten zu ihm.«

Rose zog ein anderes Kleid an, setzte einen Hut auf, und wir alle gingen mit ihr und Tom zur Kirche. Unsere Nachbarn vom Eureka hatten sich schon längst zurückgezogen, wenn sie auch heimlich zu uns herüberblickten, als wir vorbeikamen. Einige von ihnen waren verärgert, weil Roses plötzliches Auftauchen sie um die Feier gebracht hatte; sie waren genügend im Bilde, um zu wissen, daß diese zweite Hochzeit des Tages nicht gefeiert werden würde.

Im Hinblick auf die Eheschließung am Tag zuvor in Clunes verzichtete Pater Smythe auf die Riten, die sonst die Zelebrierung einer Mischtrauung umrahmten.

»Es ist nun mal geschehen«, sagte er. »Wir müssen das Beste daraus machen.«

Es war ein trotziges, verdrossenes Paar, das vor dem Altar stand und darauf wartete, daß Pater Smythe bereit war. Rose zerrte nervös an ihren Handschuhen, und Tom räusperte sich befangen. Er hatte das Aussehen eines völlig betäubten und sprachlosen Mannes, der Angst hat, an sein Glück zu glauben, und sich vielleicht schon zu fragen beginnt, was ihm da eigentlich zuteil geworden ist. Er blickte sich in dieser für ihn ungewohnten Umgebung verständnislos um und starrte auf die grellbemalten Heiligenfiguren und das Kruzifix. Kate weinte leise neben mir.

»Wenn ich denke, daß meine einzige Tochter so Hals über Kopf getraut wird ... ohne die drei verlesenen Aufgebote ... und ohne Messe! Es ist, als müßten wir uns wegen etwas schämen! Ich hätte nie geglaubt, daß Tom Langley die Unschuld eines jungen Mädchens so ausnutzen würde ...«

Rose drehte sich wütend zu ihr um und sah weder jung noch unschuldig aus. »Wenn du es unbedingt wissen willst, *ich* habe ihn gefragt!«

Die schlichte Zeremonie nahm ihren Lauf. Um den Schein zu wahren, mußten Adam und ich ihr beiwohnen; doch ich wünschte, wir hätten es nicht gebraucht. Ich strafte mich selbst nicht weiter und hörte auf, in Adams Gesicht zu blicken; ich hatte genug gesehen. Ich wußte, ich hatte mit meiner Zustimmung, ihn zu heiraten, einen Fehler begangen; doch jetzt war es zu spät, ihn rückgängig zu machen. Trotz der beinahe sicheren Gewißheit, daß er Rose liebte, hatte ich mich darauf eingelassen. Ich hatte das Spiel gewagt und begann nun zu fürchten, daß ich von Anfang an verloren hatte. Die Würfel für die kommenden Jahre fielen damals, als wir dort zusammen den über Rose und Tom gesprochenen Worten lauschten; das Muster der Zukunft war vorgezeichnet. Ich glaube, wir beide litten in jenen Augenblicken genau gleich, und eine der Höllen unserer Ehe bestand darin, daß wir niemals versuchten, über diese Folter zu sprechen.

Es fand anschließend keinerlei Feier statt. Ich schlüpfte aus meinem Staat in ein zweckmäßigeres Baumwollkleid für die staubige Landstraße. Die Segeltuchtasche, die ich damals nach Ballarat mitgebracht hatte, war prall gefüllt von den Neuerwerbungen dieser Monate — meistens Geschenke von Rose. Ihr Anblick gab mir einen Stich. Sie waren die Symbole aufblühender Freundschaft und Liebe. Um Adams willen hatte ich beides verloren; ich hatte das Leben von uns dreien verwirrt und verknotet.

Rasch schloß ich die Tasche und ging zum letztenmal aus dem kleinen Zelt — zu meinem Mann.

Wir fuhren aus Ballarat hinaus; Larry, Adam und ich saßen auf dem Kutschbock des Wagens. Und Rose ging fort, um ihre zweite Hochzeitsnacht in der seidenen Pracht des Palace-Hotels an der Main Road zu verbringen. Wenigstens diesen brennenden Wunsch hatte sie verwirklichen können.

Wir spielten sehr gut Theater mit unserer Konversation, nachdem wir Ballarat hinter uns gelassen hatten. Es war die einzige Möglichkeit. Adam und ich wollten beide das Beste daraus machen, und wir begannen unverzüglich damit. Larry erwähnte Rose nur ein einziges Mal.

»Wir haben Rosie immer zu sehr verwöhnt — als einziges Mädchen. Tom wird es genauso machen.« Und ein wenig später meinte er: »Es wird heut' abend still sein zu Hause, wo nur Pat und Con noch dort sind.«

Es tat mir nicht leid, Ballarat zu verlassen. Ich war härter und stärker als damals, als ich vor vier Monaten in diese Straße zog. Ich war aber auch verwundbarer. Indem ich gelernt hatte, die Maguires und Adam zu lieben, hatte ich mich einer ganzen Welt neuer Freuden geöffnet, die mich jedoch auch verletzen konnten. Ich war mir nicht mehr selbst genug. Ich hatte entdeckt, daß ich gebraucht wurde, und nun brauchte auch ich andere. Ballarat würde jedoch für mich stets die Geschichte von Rose und Adam sein, und ich wollte Ruhe davor haben. So bedauerte ich es nicht und schaute auch nicht mehr zurück.

Wir fuhren bis in die Dämmerung nach Sonnenuntergang hinein. Adam hatte eher anhalten wollen; doch Larry bestand darauf, noch weiterzufahren, so daß es nun schon beinahe dunkel war, als wir schließlich hielten und Adam mich vom Wagen herunterhob.

»Ich weiß wirklich nicht, warum wir nicht bei ›The Digger's Arms‹ anhielten«, brummte Adam, als er sich in der hereinbrechenden Dunkelheit damit abmühte, die Zelte aufzuschlagen. »Es ist der beste Platz an diesem Abschnitt der Straße.«

Ich vergaß Larry nie, daß er mich nicht einmal kurz anblickte und es auch nicht getan hatte, als wir einige Kilometer zurück an der Schenke vorbeigekommen waren. »Ich hab' den Platz nie gemocht«, antwortete er. »Ich halte nie dort an, wenn ich es irgend vermeiden kann.«

Larry zog sich unverzüglich nach dem Essen in sein Zelt zurück. Ich kam allmählich aus dem Schock über das, was Rose uns angetan hatte, zu mir, und der Wille, zu kämpfen, erwachte wieder. Ich würde Adam nicht so ohne weiteres an diese schattenhafte Gestalt abtreten, die uns beide verspottete und an jenem Abend beinahe leibhaftig bei uns am Feuer zu sitzen schien.

Ich war daher weder schüchtern noch ängstlich vor Adam. Ich hatte die Berührung seiner Hände auf meinem Körper ersehnt, und als seine Hände sich nun nach mir ausstreckten, empfing ich sie freudig. Er verstand, eine Frau in den Armen zu halten — mit beherrschter Kraft und Entschlossenheit. Ich ließ Sarah Foleys spitzenverziertes Nachthemd auf dem nackten Boden des Zeltes, und Adams Wärme ließ mich es nicht vermissen. Wir schienen gut zueinander zu passen, und soweit ich es beurteilen konnte, war er glücklich. Mein Glück bestand darin, daß er Rose nicht hier zwischen uns kommen ließ. Und auch der erste Schmerz war gut, weil er von Adam kam, und danach kam der höchste Genuß und Friede. Unsere Verschmelzung war kurz, und ich glaube, Adam merkte nicht, daß ich keine Jungfrau mehr war. Er lag dicht neben mir, und sein Atem wurde tief und entspannt.

»Ich liebe dich, Adam«, flüsterte ich leise.

»Ich liebe dich, Emmy.« Endlich sagte er die Worte. Ich glaubte sie, und vielleicht er auch.

Aber als ich im ersten, dämmerigen Licht des Morgens erwachte, um einfach still dazuliegen und mich ein wenig in meinem Glück zu baden, vernahm ich den Namen, den er im Schlaf murmelte, und es war nicht mein Name.

Kapitel 1

John Langley, Toms Vater, sollte noch eine Zeitlang eine sagenumwobene Gestalt für mich bleiben. Ich erblickte häufig seinen Namen — es schien, als sollte ich ihm nie entkommen. Er stand auf den Brauereiwagen, die von den mächtigen Grauschimmelgespannen gezogen wurden, eine der Sehenswürdigkeiten von Melbourne, er stand auf dem Warenhaus und den Lagerhäusern, die einen ganzen Block im belebtesten Teil der Collins Street einnahmen, und er stand an den Speichern an der Hobson's Bay und an den Schiffbedarfsgeschäften dort unten. Sein Name war auf die Leichter gemalt, die zwischen der Stadt und der Hobson's Bay auf dem Yarra hin und her fuhren. Mir schien, ich nahm den »Argus« nicht einen einzigen Tag in die Hand, ohne nicht irgendeine von ihm abgegebene Erklärung zu lesen, entweder in seiner Funktion als Leiter des Auslandhandels oder als Mitglied des Legislaturrates. Ich hatte lange, bevor ich ihn zu Gesicht bekam, schon eine genaue Vorstellung von John Langley; sie war teilweise verkehrt, aber trotzdem eine beeindruckende Vorstellung. John Langley war es auch, der uns unser erstes Heim gab. Nicht, weil er ein großzügiger Mann war — ich hatte genug über seinen Charakter gehört, um zu wissen, daß er zu denen gehörte, die harte Arbeit, eigene Anstrengung, als das einzige Mittel priesen, durch das ein Mann erwarten sollte, vorwärtszukommen. Er verlangte die Tugend der Sparsamkeit und des Fleißes und machte denen, die für ihn arbeiteten, das Leben nicht leicht.

Meiner Ansicht nach fanden wir uns letzten Endes bei der Gründung eines Hausstandes in jenen drei kleinen Zimmern hinter dem Collins-Street-Lagerhaus, weil Adam ein Langley war.

Wir nahmen ein Zimmer im »Bull and Mouth« dicht am Ostmarkt an der Bourke Street, und Adam versuchte gleich am ersten Tag, John Langley zu sprechen. Ich entsinne mich, daß ich ihm zusah, als er sich in dem guten Anzug und mit einem Lächeln auf dem Gesicht zum Fortgehen anschickte, das mehr Aufmunterung als Zuversicht für die bevorstehende Unterredung war. Als er zurückkam, sah er sehr wütend aus und hielt seine Mütze in der Hand, als wollte er sie fortschleudern.

»Er wollte mich nicht sehen. Er ließ mir durch seinen Sekretär sagen, ich solle morgen wiederkommen.«

So ging es fast eine ganze Woche lang. Wir konnten nichts tun als warten. Das Land war immer noch erregt über die Geschehnisse am Eureka, und die Namen der meisten Männer, die an ihnen beteiligt gewesen waren, hatten sich herumgesprochen. Wir hegten keine Hoffnung, daß John Langley nicht wußte, welche Rolle Adam dabei gespielt hatte. Wir unternahmen eine Fahrt zur Hobson's Bay, um uns die »Enterprize« anzusehen. Wir gingen nicht an Bord, sondern sahen sie uns nur vom Dock aus an, ihre klaren Linien, den frischen Anstrich und die Aufbauten, die beinahe fertiggestellt waren; Adam starrte sie an wie ein liebender Mann. Kein Ausdruck wie dieser hatte je in seinem Gesicht für mich gelegen — und auch nicht für Rose.

»Eines Tages werde ich mein eigenes Schiff haben, Emmy!«

Ich nickte. »Ja.« Ich hatte zwar keine Ahnung, wie das je geschehen sollte; aber er sagte es wie ein Versprechen. Wir fuhren zum »Bull and Mouth« zurück, und Adam saß den ganzen Abend da und schnitzte ununterbrochen an seinen weichen Holzstücken, und ich sah an seiner Miene, daß er an die »Enterprize« dachte – oder vielleicht auch nicht an die »Enterprize«, sondern an sein eigenes Schiff. Ich hatte keinen Grund, ein Schiff so zu fürchten, wie ich Rose fürchtete; also war ich zufrieden über diese Wendung.

Endlich empfing John Langley ihn. Er wurde nicht in Langleys Büro im Lagerhaus beordert, sondern in sein Privathaus ein Stückchen weiter an der Collins Street. Ich wartete den ganzen Nachmittag auf ihn in der drückenden Sommerhitze, und die surrenden Fliegen und der Lärm des Verkehrs auf der Bourke Street leisteten mir Gesellschaft. Gegen Abend hörte ich dann seine Schritte auf der Treppe; sie hatten es sehr eilig.

Er packte mich an den Schultern und schrie fast vor Freude. »Es ist in Ordnung, Emmy! Hörst du? – es ist in Ordnung!«

»Du hast die ›Enterprize‹ noch?«

Er verschränkte die Hände auf dem Rücken und lief im Zimmer auf und ab, während er mir alles erzählte.

»Er wollte mich rausschmeißen. Ich vermute, das war es, worüber er sich die ganze Woche klar zu werden versuchte. Und doch kann er es nicht, weil er anfängt zu glauben, daß Tom für ihn verloren ist. Er ist ein eigensinniger, alter Mann, und er will nicht zugeben, wie gern er Tom zurückhaben möchte. Aber da Tom nicht hier ist, braucht er jemanden mit dem Langley-Namen um sich. Deshalb hab' ich die ›Enterprize‹ noch, obwohl Tom, wie ich annehme, sagen würde, daß ich sie ihm stehle.«

»Das ist doch töricht!«

Er nickte. »Ich weiß. Tom könnte ja gar nicht Kapitän der ›Enterprize‹ sein; also nehme ich nichts, zu dem ich nicht berechtigt bin.«

»Die Heirat?« fragte ich. »Sprach er über die Heirat?«

Adam zuckte die Achseln. »Was erwartest du denn. Ihm gefällt sie nicht – sie gefällt ihm ganz und gar nicht. Er hatte sehr genaue Vorstellungen von der Frau, die Tom hätte heiraten sollen. Toms Schwester, Elizabeth, hätte sich sehr gut verheiratet, erinnerte er mich . . . mit dem Sohn eines Adligen. Es sei Toms Pflicht, sagte er, dasselbe zu tun.«

»Ja – und sieh dir an, wo Elizabeth Townsend heute ist!« erwiderte ich erbittert. »Wieder hier bei ihrem Vater, ohne Mann und Kind! Das ist mir eine schöne Heirat! Man sagt, Elizabeth sei ein armes Wesen. Tom hat wenigstens eine *Frau* geheiratet!«

Ich brach jäh ab, erstaunt, mich Rose verteidigen zu hören. Aber dies war die unbedeutendste Wahrheit, die ich über sie sagen konnte. Es war das, was sie mir so grausam vor Augen geführt hatte. Doch jetzt wiederholte ich es und wußte sehr wohl, was ich damit aussprach.

»Hat . . . hat John Langley dich über sie gefragt?«

»Nein. Er hat seine eigene Vorstellung von ihr. Er mag die Irländer nicht, nicht die irischen Emigranten. Er denkt, Tom hat so ein kleines, ungebildetes Mädchen aus der Gosse geheiratet, und daß sie katholisch ist, macht die Sache noch schlimmer. Er redet von Annullierung. Aber er weiß, daß er das nur so sagt; denn das ist sehr schwierig bei einer zweifachen Trauzeremonie vor Zeugen . . .«

Es war das erstemal, daß wir über die Heirat sprachen. Ich spürte seine Niedergeschlagenheit, den mutlosen Ton der Endgültigkeit, als er die beiden Zeremonien erwähnte. Weiß der Himmel, wie oft er darüber nachdachte, wenn er schwieg. Ich war nun eifersüchtig auf die Augenblicke seines Schweigens, weil ich befürchtete, sie gehörten Rose.

»Aber er kennt doch Larry«, sagte ich. »Er vertraut ihm . . . er weiß, was für eine Art Mann er ist. Könnte Larrys Schwester dann so anders sein?«

»Wo es um Geschäfte geht, interessiert John Langley am meisten die Tüchtigkeit eines Mannes. Der Mensch an sich ist ihm gleich. Larry hatte schon halb damit gerechnet, daß nach dieser Heirat seine Geschäfte mit John Langley aufhören würden; aber sie gehen weiter. Die einzige Veränderung besteht in Langleys Anordnung, daß es Larry nie gestattet ist, ihn zu sprechen. Sie verkehren ausschließlich über Clay, den Chefsekretär, miteinander.«

»Was für ein verschrobener, alter Mann«, bemerkte ich langsam. »Nicht aufrichtig genug für einen sauberen Bruch mit den Maguires — hält sich Larry weiter wegen des Geldes, das er ihm einbringt. Kein Wunder, daß Tom ihm weglief . . . wie er seinen Vater hassen muß!«

Ich setzte mich wieder in den Schaukelstuhl am Fenster und blickte hinaus auf den Marktplatz, der sich nun vor der Abendbrotzeit leerte. John Langley beunruhigte mich. Ich fühlte seine besitzergreifende Hand sich auf Adam legen. Fast wünschte ich, daß er die »Enterprize« verloren hätte und wir jetzt von John Langley frei wären.

Nachdenklich sagte ich: »Ich fange an zu begreifen, warum Tom so gerne mit den Maguires zusammensein wollte. Ich wunderte mich früher immer, warum er auf den Goldfeldern blieb, wo er doch hier so vieles hatte . . . Armer Tom!«

»Armer Tom?« Adams Stimme war ganz rauh vor Verachtung. »Er rannte fort zu den Goldfeldern in einem Wutanfall, als sein Vater ein Dienstmädchen wegschickte, das ein Kind von ihm bekam! Jeder kennt die Geschichte.«

»Man sagt, John Langley habe sie ohne Toms Wissen auf ein Schiff nach England gesetzt. Vielleicht wollte Tom sie heiraten?«

»Sie heiraten! Ganz gewiß nicht! Tom ist nicht so einer.«

»Er heiratete doch Rose.«

»Rose ist kein Dienstmädchen!« Sein Tadel war hart und leidenschaftlich, und ich zuckte vor ihm zurück. Dies war Adam von seiner schlimmsten Seite. Das unerbittliche, puritanische Erbe seiner Familientradition kam zum Vorschein, hochmütig und unversöhnlich. In solchen Augenblicken fehlte ihm jegliches mitfühlende Verständnis. Er verletzte mich in zwei Punkten — daß er Tom für sein Verhalten verurteilte, ohne auch nur einen der Gründe dafür zu verstehen, und dann dadurch, daß er mich gewissermaßen maßregelte, daß ich so von Rose sprach. Ich wußte, er trug ein wirklichkeitsfernes Bild von Rose in seinem Herzen, ein romantisch verklärtes Ideal der Schönheit und Unschuld. Er ließ mich jetzt wissen, daß ich dieses Ideal nicht mit meiner scharfen, lieblosen Zunge besudeln dürfe.

Ich starrte ihn in einem langen Schweigen an. Es war das erstemal, daß zwischen uns seit unserer Heirat harte Worte gefallen waren. Mit der Zeit lernte ich, über Rose nur in lobenden Tönen zu reden. Doch damals stimmte ich ihm noch nicht so bereitwillig zu. Ich war böse auf ihn.

Er zog an seiner Pfeife, füllte sie erneut und blickte mich öfters flüchtig an, während er sie anzündete, und war, glaube ich, zerknirscht. Ich hatte nicht erwartet, daß er als erster sprechen würde, aber er tat es.

»John Langley ist gar nicht so ein unerbittlicher Mann«, begann er, gleichsam als Ouvertüre, als Friedensangebot. »Du wirst das sehen, wenn du mal mit ihm zu tun hast.«

»Vielen Dank — ich hoffe, ich werde nichts mit ihm zu tun haben!«

»Also — da ist die Sache mit dem Haus. Nicht viele würden sich darum kümmern, wo du wohnst, während ich mit der ›Enterprize‹ fort bin. Nicht, wo die Stadt so vollgestopft ist und die Mieten so irrsinnig hoch sind. Er überläßt es uns für 'n Apfel und ein Ei.«

Ich sprang aus dem Stuhl auf: »Worüber redest du eigentlich, Adam Langley? Was für ein Haus? Wo . . .?«

Triumphierend sah er mich an und enthielt mir seine Neuigkeit noch einen Augenblick länger vor, da er jetzt ja wußte, daß ich nett zu ihm sein mußte und keine Entschuldigung mehr hatte, ihn weiter finster anzublicken.

»Er sagt, es sei nur klein, Emmy. Drei kleine Zimmer, sagt er . . . und sie müßten sauber- und zurechtgemacht werden.«

Ich packte seine Jackenaufschläge und hätte ihn am liebsten geschüttelt. »Wo?«

»Hinter dem Langley-Warenhaus. Am Ende der kleinen Gasse zwischen dem Warenhaus und dem Lagerhaus. Wo die Pferdeställe sind. Natürlich ist es nicht viel, aber ich dachte, daß wir es, natürlich nur für die nächste Zeit, vielleicht hinbekommen könnten . . . nur so lange, bis wir genug Geld für ein eigenes Haus haben . . .«

Ich lächelte ihn weiter an und nickte zu seinen Worten; doch ergriff mich das Gefühl einer bösen Vorahnung. Ich wußte nicht genau, was es war; aber ich wollte nicht in einem Haus wohnen, das John Langley gehörte, nicht am Ende einer kleinen Gasse, die Langley Lane hieß.

»Er hat mir den Schlüssel gegeben«, fuhr Adam fort. »Setz also deinen Hut auf. Wir gehen jetzt mal hin und schauen es uns an.«

Während wir den Marktplatz überquerten und Adam meinen Arm in genau der richtigen Mischung aus Besitzerrecht und Selbstgefälligkeit hielt, die man von einem neugebackenen Ehemann erwartet — so als wäre Rose

Maguires Name niemals zwischen uns gefallen —, erzählte er mir weiter von dem Haus.

»Es ist selbstverständlich nur vorübergehend. Ich halte nichts von gemieteten Häusern. Das Haus, in dem ein Mann wohnt, sollte ihm gehören.«

Ja, das war Adam. Eine Mischung aus Leidenschaft und Vorsicht, sich selbst zu all den Tugenden anspornend, die seine kühne und sparsame Familie gezüchtet und erhalten hatte. Aber er besaß auch ihr Temperament, die unvermittelt aufflammende Verwegenheit, die alles auf eine Karte setzen oder sich gegen Ungerechtigkeit auflehnen konnte. Wer von denen, die ihn an jenem Abend so ehrbar, ja beinahe pompös sahen, hätte vermutet, daß er einer von denen war, die zur Verteidigung der Eureka-Barrikade herbeigeeilt waren. Aber das war eben Adam.

Tiefe Schatten fielen in die Gasse zwischen dem Langley-Warenhaus und dem Lagerhaus. Die mit Fensterläden verschlossene Ladenfront sah grimmig und abweisend aus, die Ladeluken des Lagerhauses waren ebenfalls geschlossen und finster. Pferdegeruch erfüllte die Luft; die Pferde standen hier den ganzen Tag vor den großen Langley-Planwagen. Der Boden lag voller Häcksel und Pferdemist. Wir gingen dort entlang zur Rückfront des Warenhauses, wo sich die Gasse ein wenig zu einer Art Hof verbreiterte. Genau mit der Front zur Öffnung der Gasse lagen die Ställe für die Pferde, welche die Langley-Wagen zogen.

»In dem Haus wohnte der Nachtwächter«, erzählte Adam. »Dann starb der alte Mann, und der neue hatte seine Familie draußen in Flemington und wollte nicht mit ihr umziehen. Langley sagt, der alte habe hier ungefähr zwölf Jahre allein gewohnt.«

Das Haus war aus Holz, sehr klein, nicht angestrichen und lehnte sich fest an die Warenhauswand. Die einzige

Tür ging auf den Hof hinaus, und um die beiden Fenster herum waren Kisten aufgetürmt. Auf der Gegenseite des Hofes ragte die kahle Wand des Warenhauses mit drei Stockwerken über ihm empor. Adam schob einige Kisten zur Seite und schloß die Tür auf; widerwillig gab sie nach und öffnete sich mit quietschenden Angeln, und Adam mußte kräftig gegen die Zeitungsstöße drücken, die hinter ihr aufgestapelt lagen. Wir mußten uns hindurchzwängen, um ins Haus zu gelangen.

Drei Räume gingen auf ein winziges Loch von Flur; sie waren mit dem Trödelkram des alten Mannes vollgestopft. Es stank nach alten Lumpen, und im Hintergrund hörten wir Ratten herumsausen. Im Vorderzimmer lag eine verrostete Bettstelle zusammengebrochen auf dem Fußboden; die Matratze hatten die Ratten gefressen. Ein Kamin war da, mit einem Backofen daneben in der Ziegelwand, und eine Wasserpumpe, unter der ein Eimer stand. Adam bahnte sich einen Weg durch den Kehricht und begann, die Pumpe in Tätigkeit zu setzen, indem er oben Wasser hineingoß. Nach einer Weile kam ein rostroter Wasserstrahl auf seine Hosen herausgeschossen.

»Na, sie geht«, meinte er und sah mich hoffnungsvoll an. Ich trat zu ihm, um ihm mit meinem Taschentuch das Wasser abzureiben, doch er ließ mich nicht. Er ergriff mein Handgelenk und zwang mich, ihn anzusehen.

»Emmy — wird es gehen? Kannst du in diesem Haus wohnen?«

»Hast du vergessen, daß ich gerade von den Goldfeldern komme?« erwiderte ich achselzuckend. »Dies hat ein Dach — der Feuchtigkeit nach zu urteilen, würde ich sagen, es leckt —, aber es ist ein Dach, und ich nehme an, man kann es ausbessern. Das ist alles, was ich für den Anfang brauche.«

Er wies plötzlich in einer verzweifelten Handbewegung

auf den unebenen, von Regenwasser aufgeweichten Fußboden, die sich senkenden Türpfosten, die rostige Pumpe
und die mit alten Zeitungen, Lumpen, verbeulten Eisen-
töpfen und zerbrochenen Auslageständern aus dem Warenhaus vollgestopften Zimmer.

»Es wird nicht gehen. Ich kann dich nicht an so einem
Ort lassen!«

»Ich werde gründlich saubermachen«, entgegnete ich.
»Der Kehricht wird verbrannt. Nach einem tüchtigen
Scheuern und mit zwei Katzen wirst du es nicht mehr
wiedererkennen.«

Er blickte mich halb zweifelnd und doch bittend an.
»Könntest du es hier aushalten, Emmy?«

»Ja«, versicherte ich.

Er schob sich die Mütze aus der Stirn. »Wenn du es
könntest«, begann er langsam, »wenn du es hier aushalten
könntest, würde es so viel ausmachen — du weißt, nur für
den Anfang. Wenn wir ein bißchen Geld sparen könnten . . .
Langley hat mir versprochen, daß ich mich in die Fracht der
›Enterprize‹ einkaufen darf. Der Gewinn ist hoch, Emmy,
wenn ich diesen ersten Schritt tun kann. Und dann . . . danach besteht mit etwas gespartem Geld die Möglichkeit,
daß ich genug leihen kann, um eine Schaluppe zu kaufen.
Nur Küstenhandel. Aber, verstehst du, meine eigene! Mein
eigenes Schiff, Emmy!« Er sah mich mit verzücktem Gesicht an. »Denk doch nur! Mein eigenes Schiff!«

Ich begriff, daß er seinen geheimen, laut ausgesproche-
nen Träumen lauschte, und daß er sie zum erstenmal mit
mir teilen wollte. Er war unterwegs auf einem weiten
Weg in die Zukunft; unendlich weit erschien er mir, und
seine Füße standen schon auf diesem Pfad. Doch diese
elende Hütte bedeutete den ersten Schritt.

Ich liebte ihn zu sehr, um einen Schatten auf seinen
strahlend hellen Traum zu werfen.

Wir schlossen die Tür wieder ab und gingen durch die Gasse zurück, in der die Dämmerung sich schon zur Dunkelheit verdichtete.

»Wir werden sie ›Emma‹ nennen«, erklärte Adam.

Ich war in Gedanken schon dabei, diese von Schmutz starrenden Zimmerchen bewohnbar zu machen und fragte zerstreut: »Was — das Haus?«

»Die Schaluppe. Wir werden die Schaluppe ›Emma‹ nennen.«

Ich glaube, das waren die schönsten Tage unserer Ehe, jene Wochen, in denen wir das kleine Haus in der Langley Lane instand setzten, jene Wochen, in denen die »Enterprize« endlich seeklar gemacht wurde — die schönsten, fand ich, weil unsere Träume damals mehr zählten als das, was wir schon erreicht hatten. Wir waren glücklicher in Gedanken an das, was noch vor uns lag, als an das, worauf wir zurückblickten.

Gleich am nächsten Morgen machten wir uns ans Werk.

Ich war geradezu froh, wieder zu den harten, vertrauten Tätigkeiten zurückzukehren, die wir auf den Goldfeldern verrichtet hatten; es tat gut, Adam wieder in den alten Breeches und dem Flanellhemd zu sehen, als er nun oben auf dem Dach herumkroch, um Schindeln in die Lücken zu setzen. Wir vergaßen beide das Unbehagen, das uns unsere Wunden noch verursachten. Ich krempelte mir die Ärmel auf und scheute mich nicht mehr, den Verband zu zeigen. Es war merkwürdig, wie schnell wir dort in der Langley Lane Freunde fanden. Die ersten waren die Katzen. Eine junge schwarz-weiße Katze brachte ihr Junges, ein pechschwarzes Katerchen, am Abend der ersten Nacht zu unserer Türschwelle, vermutlich angelockt von dem Essengeruch. Sie kam keck hereinspaziert, den Schwanz steil aufgerichtet und die Pfötchen zierlich anhebend. Sie unterzog das Haus einer genauen Prüfung, verschwand darauf und brachte ihr Junges mit, ein schwaches Kerlchen, das auf seinen wackeligen Beinchen unsicher einherstelzte.

»Na also«, meinte Adam, »da hast du deine Katzen! Wenn der Rest nun auch so von allein käme . . .«

Das junge Kätzchen nannten wir einfach Blackie und die Mutter Digger.

Die anderen Freunde waren die Fuhrmänner, welche die Planwagen für John Langley fuhren. Anfangs hatte ich sie dort nicht gern gesehen, wie sie in der Gasse und vor den Ställen wartend herumstanden, Tabak kauend und spuckend, mit den rauhen Stimmen und dem lauten Gelächter, das von den hohen Hauswänden widerhallte. Während Adam auf dem Dach herumrutschte, machte ich mich daran, die Schachteln und den ganzen Trödelkram auf den Hof hinauszuschleppen. Einige der Männer beobachteten mich neugierig, sagten jedoch nichts, zumindest nicht, bis Watkins, der Nachtwächter des Warenhauses, erschien und mich daran hindern wollte, ein Feuer anzuzünden, um den ganzen Plunder zu verbrennen.

Er wußte von der Bestimmung John Langleys, nach der uns das Haus zur Verfügung stand; aber er war ein Mann, den es ungeheuer befriedigte, daß jemand, der Langley hieß, in kaum mehr als einer Bretterbude in der Langley Lane wohnte. Er hatte uns bereits zu »armen Verwandten« gestempelt.

»Hör'n Sie, Mrs. Langley, das dürf'n Sie nicht! Könnte ja alles hier in Brand setz'n. Is' doch gefährlich!«

Adam hielt in seinem Klopfen auf dem Dach inne, und ein oder zwei der Fuhrleute gaben ihre lässig an die Wand gelehnte Haltung auf.

Ich richtete mich auf. »Und was soll ich Ihrer Meinung nach tun? Hier mit diesem Zeug wohnen?«

Er zuckte die Achseln. »Is' ja nich' meine Sache, was Sie damit machen, Mrs. Langley. Mieten Sie jemand, der 's abholt — machen Sie, was Sie wollen, aber verbrennen können Sie 's hier nich'. 's Feuer könnt' ja um sich greifen.«

Einer der Fahrer kam mit leisen Schritten und leise gesprochenen Worten näher. »Wer sagt, die Dame darf 's nich' verbrennen, Watkins? 's kann nichts passier'n.«

»Ich sag 's. Ich bin Mr. Langley verantwortlich . . .«

Damals wußte ich noch nichts von der erbitterten Fehde zwischen den Fuhrleuten und Watkins. Aber sie bestand, und ich war der Nutznießer.

»Wir passen aufs Feuer auf«, versicherte einer der anderen Männer. »Wassereimer daneben — 's wird nichts passieren.«

Das Feuer prasselte den ganzen Tag, während die Männer die Kübel mit Kehricht für mich schleppten und die Zeitungen verbrannten. Wenn ein Wagen vollgeladen war und der Fuhrmann aufgerufen wurde, nahm ein anderer seinen Platz ein.

Adam fühlte sich anfangs auf seinem Dachfirst ein wenig verletzt, weil es ihm so schien, als übernähme jemand anders das, was er für seine Pflicht hielt. Doch zuletzt sah auch er die Komik der Situation. Er grinste und winkte mir mit seinem Hammer zu. Dann schickte er hinüber zu »Crown« nach Bier und gab eine Runde aus. Zuletzt erschien der Aufseher des Warenhauses und sagte zu mir, er glaube nicht, daß Mr. Langley es gern sähe, wenn seine Leute hier Bier tränken.

Am Ende des ersten Tages hatten wir also in den Fuhrleuten Freunde gefunden und in den Vertretern der Autorität kühle Feinde. Und am Ende dieses Tages war ich für die meisten der Männer, die in der Langley Lane herumstanden, »Miss Emma«.

Als das Dach ausgebessert war, verbrachte Adam die

meiste Zeit auf dem Dock, in dem die »Enterprize« den letzten Schliff erhielt.

»Sie 's 'n gutes Schiff«, sagte er und arbeitete mit seinen eigenen Händen mit an ihr. »Meinem Großvater hätte es Spaß gemacht, an ihr zu arbeiten. Er liebte ein gutes Schiff.«

Ich war dadurch nun oft allein in dem kleinen Häuschen. Wir hatten einige Möbelstücke auf Auktionen ersteigert, genug für den Anfang. Die Pumpe funktionierte jetzt reibungslos, und der Schornstein war gefegt worden. Ich nähte Vorhänge und eine weiße Überdecke für das große Messingbett, das wir im Hinterzimmer aufgestellt hatten. Adam mochte es gern. Er steckte voller Erinnerungen an das Haus in Nantucket, in dem er geboren war.

»Meine Mutter nähte große Steppdecken, Emmy. Bunte Decken — sie sahen immer am hübschesten im Winter aus, wenn draußen alles durch den Schnee weiß war.«

Und dann betrachtete er prüfend und angewidert unseren alten, ausgetretenen Fußboden und erzählte mir von den gewachsten Kiefernböden seines Elternhauses. Ich begann zu fühlen, daß dieses Haus ebenfalls mein Rivale war und polierte also Lampen und Leuchter, das Eisengitter vor dem Kamin und überhaupt alles, was man putzen konnte. »Es braucht einen Anstrich«, erklärte Adam schließlich. »Bevor die ›Enterprize‹ ausläuft, streich' ich 's weiß an.« Und er strich es an mit vielen guten Ratschlägen und auch einiger Hilfe von den Fuhrleuten. Sie kamen jetzt regelmäßig an meine Tür, um jeden Fortschritt, jede bewältigte Arbeit zu begutachten. Einer von ihnen versorgte mich mit frischen Eiern und mit Milch vom Lande. Sie empfanden eine Art Besitzergefühl für das Häuschen, und Watkins kam nicht wieder in unsere Nähe.

»Du wirst nicht einsam sein, wenn ich fort bin«, meinte Adam lachend. »Du wirst mich kaum vermissen.«

Higgins, einer der Fuhrmänner, sagte zu mir: »Meine Frau sagt sie hab 's satt, immer von Miss Emmas Haus zu hör'n und 's sei Zeit, daß ich 'n paar Fenster für *sie* putze.«

Das Haus war gestrichen, die Eingangstür repariert, die zerbrochene Stufe durch eine neue ersetzt, und dann kam der Brief von John Langley. Er nahm die Reparaturen, die wir an seinem Haus in der Langley Lane vorgenommen hatten, zur Kenntnis:

»Wir möchten Sie daran erinnern, daß diese Reparaturen vollständig nach Ihrem eigenen Ermessen durchgeführt wurden und in keiner Weise einen Anspruch an den Besitzer auf Rückerstattung begründen.«

»So ein alter Geizkragen«, empörte ich mich. »Nicht anrühren würd' ich sein Geld!«

»So ist er nun mal«, erwiderte Adam. »Es ist 'Ne Art, uns zu sagen, daß wir keinerlei Ansprüche irgendwelcher Art an ihn haben.«

»Als ob wir das wollten! Er kann behalten, was er hat — und von mir aus liebend gern!«

Und da war noch ein Brief, von uns geschrieben an dem Abend, bevor die »Enterprize« auslief. Adam saß an unserem großen Tisch und schrieb ihn sorgfältig und adressierte ihn dann an seine Familie in Nantucket. Er erzählte von seiner Heirat, dem Haus und zum Schluß kamen dann die Zeilen, an die ich mich am besten erinnere: »Und morgen übernehme ich das Kommando über ein Schiff von Mr. Langley — die ›Langley Enterprize‹ —, die als Handelsschiff zwischen den Häfen an der australischen Küste verkehren wird.«

Das war der Brief, der sich auf den Weg zur Nantucket-Insel machte, um dort von Hand zu Hand zu gehen und ein wenig den Schandfleck des Verlustes der »Julia Jason« verblassen zu lassen.

Ich lag in jener Nacht in Adams Armen und wünschte,

der Brief hätte die Ankündigung eines Enkels mit auf den Weg genommen. Doch ich trug noch keinen, und Adam würde nun die kommenden beiden Monate — und sogar noch länger — fort sein.

Larry befand sich gerade in Melbourne, als die »Enterprize« auslief. Er kam an jenem Morgen mit uns zur Hobson's Bay und stand neben mir auf dem Dock, als die Schaluppe mit der Flut hinausglitt in Richtung Port Philipp. Die Segel gingen anmutig in die Höhe; die »Enterprize« hatte das Aussehen eines zierlichen, leichten Schiffes. »Schnell, aber launisch«, hatte Adam gesagt. Er grüßte vom Heck zu mir herüber; er lächelte nicht, um nicht die glückliche Erregung dieses Augenblicks vor der Besatzung zu zeigen. Sie war ein bunt zusammengewürfelter Haufen, aus allen Kneipen Melbournes zusammengesucht — die Männer würden eine feste Hand brauchen. Als ich ihn dort an jenem Morgen auf dem Deck der »Enterprize« stehen sah, war ich fest überzeugt, daß er jeder Situation gewachsen war.

»Verlaß dich nur auf Old John«, murmelte Larry neben mir. »Die ›Langley Enterprize‹ . . . Allem muß er seinen Namen aufdrücken.«

Ich steckte mein Taschentuch ein und wandte mich zum Gehen. Es war fürchterlich heiß auf dem Dock. »Eigentlich hab' ich damit gerechnet, ihn heute morgen hier zu sehen — sein erstes Schiff — und um Adam alles Gute zu wünschen.«

Larry zuckte die Achseln. »Er bezahlt Adam, und also rechnet er damit, daß er seine Sache gut macht.« Dann nickte er kurz. »Aber er ist hier. Hast du die Kutsche nicht gesehen? Dort drüben.«

Die Kutsche wurde von zwei wunderschönen Braunen gezogen und wendete gerade. Ich erhaschte nur einen kurzen Blick auf den Insassen tief in ihrem Schatten — einen hohen Hut und ein Paar weiße Handschuhe auf einen Stockknauf gestützt. Die frischgestrichenen Räder blinkten in der Sonne.

»Nicht einmal ausgestiegen ist er!« sagte ich. »Aber Adam wußte, daß er hier war.«

Ich haßte diesen alten Mann einen Augenblick. »Adam nicht mal die Hand zu geben . . .«, entgegnete ich voll wütender Empörung. »Er behandelt ihn ja wie einen Lakaien!«

»So behandelt er jeden.« Larry nahm meinen Arm. »Laß uns geh'n, Emmy. Old John hat mich hier gesehen, und gegen Mittag wird er jemanden zu mir schicken, warum der Wagen noch nicht vollgeladen sei.«

Kapitel 2

In den Wochen, in denen Adam fort war, wurde mir die Zeit recht lang. Die drei Zimmer waren schnell und leicht sauberzuhalten. Den Backofen hatte ich so dunkel geschwärzt, daß er glänzte; die restlichen Gardinen waren bald fertig genäht, und alles, was aus Messing war, putzte ich jeden zweiten Tag. Ich fühlte mich untätig und überflüssig. Im Langley-Warenhaus fand ein Ausverkauf statt, und ich verbrachte einen ganzen Vormittag damit, mir die Kleider anzusehen und zu versuchen, für möglichst wenig Geld das Beste zu bekommen. Schließlich kaufte ich einen geblümten Musselin und ein wenig Spitze für die Ärmel, und als das Kleid fertig war, verschenkte ich in einer extravaganten Anwandlung das alte, graue Kleid, das mich zu sehr an Elihu Pearson erinnerte. Ich hatte das Musselinkleid nach dem allerneuesten Schnitt genäht und erstand sogar einen Sonnenschirm mit einem gerüschten Rand. Ich spazierte nun nachmittags wie eine elegante Dame die Collins Street entlang, den aufgespannten Schirm schräg erhoben, um mich vor der Sonne zu schützen, und meine Handschuhe trotz der Hitze fest zugeknöpft. Die ersten zwei Nachmittage machte es mir Spaß — so die Bücher durchzublättern, die ich mir nicht leisten konnte, in den Schaufensterauslagen mit den Augen einzukaufen und so zu tun, als interessiere mich überhaupt nichts davon. Dann jedoch wurde es mir langweilig, und ich fragte mich, wie manche Frauen es fertigbrachten, ihr Leben auf diese Weise zu verbringen und außerdem noch andere zu bewegen vermochten, sie zu beneiden.

Die Fuhrleute in der Langley Lane blieben meine Freunde, und ich war einsam genug, um die paar Minuten der Unterhaltung mit ihnen freudig zu begrüßen. Die Katzen waren wohlgenährt und rund. Blackie war mächtig gewachsen und kaum noch ein Jungkätzchen; er hatte begonnen, seine Unabhängigkeit von Digger zu demonstrieren. Ich redete laut mit ihnen, um das Schweigen den langen Tag zu brechen. Es war sehr heiß. Wie es hieß, sollten Buschfeuer in der Nähe von Geelong brennen. Einer der Fuhrleute war beinahe von einem umzingelt worden, wenigstens erzählte er das in der Langley Lane.

Larry besuchte mich jedesmal, wenn er nach Melbourne kam; aber er blieb nie lange, weil Adam fort war und es leicht Gerede geben konnte. Das glich so gar nicht der alten Freiheit auf den Goldfeldern, die ich betrübt entschwinden sah. Wir waren fast formell miteinander; Larry saß auf einer Stuhlkante und hielt die Teetasse steif vor sich. Ich bestürmte ihn nach Neuigkeiten aus Ballarat, über jeden am Eureka. »Es ist alles beim alten«, antwortete er stets in der mich rasend machenden Angewohnheit von Männern, die nicht wissen, daß nichts auch nur von einem Tag auf den anderen gleich bleibt.

Und nach diesen kurzen Besuchen fühlte ich mich nur noch einsamer, vermißte die Maguires und vermißte die Gemeinschaft am Eureka. Ich kam mir auch so unnütz vor, wenn ich daran dachte, wie arbeitsreich die Tage dort gewesen waren. Ich sehnte mich danach, daß Ben Sampson in die Tür treten möge und einen Armvoll Kontobücher auf meinen gescheuerten Tisch fallen ließe. Ich wünschte mir, ein Mann möge Unordnung in diese fein säuberlich aufgeräumte Frauenwelt bringen. Ich wünschte mir Adam zurück.

Ich lag im Bett und döste vor mich hin in der Hitze, die nie aus dem Haus — eingeklemmt zwischen den hohen Gebäuden — zu weichen schien. Sonst war ich um diese Zeit bereits aufgestanden, doch es schien nichts zu geben, für das ich hätte aufzustehen brauchen. Die Katzen waren zu mir aufs Bett gesprungen, und ich brachte es nicht übers Herz, sie hinunterzujagen. Blackie stupste mich mit seinem Näschen, um mich daran zu erinnern, daß es längst Frühstückszeit war. Digger verhielt sich geduldiger und lag friedlich in dem warmen Sonnenkringel. Ich räkelte mich träge und lauschte den Stimmen der Fuhrleute auf der Gasse, dem Rumpeln der großen Planwagen.

Wieder ein Tag ohne Adam.

Dann vernahm ich plötzlich eine andere vertraute, geliebte Stimme. Ich schleuderte die Bettdecke zur Seite, daß die verblüfften Katzen auf den Boden purzelten, rannte mit bloßen Füßen zur Haustür und riß sie auf.

»Kate!« Ich warf mich in ihre Arme.

Sie roch nach Kölnisch Wasser und Brennscheren. Ihre volle, warme Stimme erklang dicht an meinem Ohr.

»Na, na, Emmy! Was gibt 's denn zu weinen! Freust du dich nicht, mich zu sehen?«

Sie zog mich von der offenen Tür fort und schloß sie vor meinen neugierigen Freunden dort draußen auf dem Hof.

»Ich seh', du hast da Freunde«, stellte sie fest. »Sind ja wie Wachhunde! Ich mußte mir fast meinen Weg durch sie hindurch erkämpfen. Das sind mir vielleicht welche! Fragten mich doch, was ich von dir wollte . . .«

Ich führte sie zu Adams Sessel und beeilte mich, das Feuer zu schüren und den Teekessel aufzusetzen. Staunend blickte ich mich dabei immer wieder nach ihr um und wagte kaum zu glauben, daß sie tatsächlich dort saß. Ihr Hut war verrutscht und ihr Kleid ganz verschwitzt. Die Katzen strichen um ihre Beine; doch sie schien zu glücklich, um sich daran zu stören. Kate mochte Katzen nämlich nicht. Dann ging ich zu ihr zurück, kauerte vor ihr nieder und legte wieder die Arme um sie. »Oh, Kate! Ich freu' mich ja so, dich zu sehen! Es ist schrecklich, wie ich euch alle vermißt habe. Doch wieso bist du hier? Habt ihr es am Eureka aufgegeben? Larry hat mir gar nichts gesagt . . .?«

Und nun sprudelte die aufregende Neuigkeit hervor.

»Gold, Emmy! Deshalb sind wir hier!«

Ich setzte mich auf meine Hacken zurück. »Das kann ich einfach nicht glauben!«

Sie lachte. »Glaub' es oder nicht — es ist aber da! Ein Goldklumpen — einer der größten, den sie je am Eureka fanden. Fünfzehnhundertundzwanzig Unzen! Sie bezahlten drei Guinees für eine Unze. Und dann kaufte uns ein Mann das Grundstück für fünfzehnhundert Pfund ab. Und nun sind wir reich!«

Doch plötzlich schlug sie die Hände vors Gesicht und brach in Tränen aus. Wir weinten einige Minuten zusammen, so wie es Frauen nun einmal tun; schnieften und versuchten zu sprechen. Sie brachte ein stark parfümiertes Taschentuch zum Vorschein und reichte es mir. Dann putzte sie sich energisch die Nase.

»Wir versuchten unser Glück an einer anderen Stelle — nachdem du fortgingst. Es war . . . nun, auf der anderen schien irgendwie ein Fluch zu liegen. All der Kummer mit Rose — und um Sean. Ich sagte, wir sollten es auf dem Grundstück probieren, das auf Seans Namen eingetragen war. Laß uns ihm 'ne Chance geben, sagte ich. Dan wollte nicht, aber Pat war dafür. Es erwies sich als gut, gleich von Anfang an. Wir legten dreihundert Pfund auf der Bank beiseite, bevor wir auf den Klumpen stießen. Und dann sagte ich: Das reicht. Und so verkaufte Dan das Grundstück. Und jetzt sind wir eben hier.«

Ihre Augen füllten sich erneut mit Tränen. »Aber ich hab' noch keine Zeit gehabt, mich an all das zu gewöhnen — ich bin 'n bißchen durcheinander — die Fahrt und die ganze Aufregung. Es kamen welche von der Zeitung, um alles darüber zu hören. Sie fragten, wie wir ihn nennen wollten — du weißt ja, die anderen haben den großen Klumpen auch Namen gegeben — entsinnst du dich an den ›Willkommen‹ und die andern? Also machte ich den Mund auf. Ich sagte, er hieße der ›Sean-Maguire-Klumpen‹! Und der Mann schrieb es auf, Emmy, und er bringt es in die Zeitung. Der ›Sean-Maguire-Klumpen‹! Es wird auch in den Melbourner Zeitungen stehen. Zwei Männer kamen gestern abend vorbei, gerade als wir im Hotel ankamen, und stellten uns 'ne Menge Fragen. Na, ich weiß aber gar nicht, was ich in dem ganzen Theater zu ihnen sagte.«

Meine Hände zitterten leicht, als ich den Tee aufgoß. Wir saßen uns in den beiden Stühlen gegenüber und sprachen darüber — wie es geschehen war und wie der Klumpen ausgesehen hatte, als er aus dem Boden kam. Wir hatten alle die kleinen Goldstückchen gesehen, den hellen Glanz des Metalls, der sich nicht völlig in dem ihn umgebenden Quarz verlor, aber dieser hier — »Wie eine Art

Ungeheuer sah er aus«, erzählte Kate. Ich glaubte es immer noch nicht ganz. Hätte es sich in der ersten Woche nach unserer Ankunft am Eureka ereignet, hätte ich es zu glauben vermocht; alles schien damals möglich. Aber nachdem man die Tretmühle der täglichen Schürferei kennengelernt hat, gerade genug, das Leben zu fristen, beginnt man beinahe die großen Klumpen zu vergessen, die Hoffnung auf ein über Nacht erworbenes Vermögen.

»Was werdet ihr jetzt machen?« fragte ich.

Sie sah beunruhigt und verwirrt aus. »Das, was wir immer gemacht haben. Wir kaufen ein Wirtshaus. Das ist das einzige, wovon wir was verstehen.« Sie stellte die Tasse hin, und ich bemerkte zum erstenmal, wieviel älter sie aussah als damals, als ich sie zum ersten Male auf der Landstraße nach Ballarat gesehen hatte. Ihr Gesicht hatte einen abgespannten Ausdruck; die Linien, die von ihren Mundwinkeln nach unten verliefen, waren scharf, und die Fältchen unter den Augen stammten nicht nur vom Lachen, wie ich früher einmal angenommen hatte. Es mischten sich auch schon recht viele graue Fäden in ihr Haar.

»Aber 's ist jetzt alles anders. Manchmal scheint es, als lohne sich 's nicht mehr. Nur noch Con ist jetzt bei uns.«

»Und Pat?« fragte ich. »Was ist mit Pat?«

Sie versuchte, ihrer zitternden Lippen Herr zu werden. »Er blieb dort. Er übernahm seinen Anteil und blieb.«

»Aber warum?«

Sie zuckte die Achseln. »Wie soll man das wissen? Wie soll man wissen, was er im Sinn hat?«

»Und Larry?«

»Larry bekommt auch seinen Anteil; das Geld liegt schon für ihn auf der Bank. Wir zahlten alles in der Bank in Ballarat ein, und wir heben es hier ab. Larry wollte es so. Er sagte, wir hätten nicht all diese Monate geschuftet, um unser Geld dann an ein paar Strauchdiebe loszuwerden.« Sie seufzte tief auf, und ihr Gesicht zeigte wieder den verwirrten und unsicheren Ausdruck, als wäre sie plötzlich zu alt, um mit den Ereignissen um sie herum Schritt halten zu können. »Ich dachte, Larry würde mit uns nach Melbourne kommen — du weißt, um ein bißchen mit uns zu feiern und mitzuhelfen, das Wirtshaus zu finden, das wir haben möchten. Aber keineswegs. Er sagte: ›Geht zu Duggan's Hotel in Melbourne und wartet dort auf mich. Redet noch mit niemandem und kauft auch noch nichts, bis ich komme!‹ Und damit machte er sich auf seine Rundfahrt nach Mount Alexander und Bendigo, als ob nichts geschehen wäre. All das Geld, und er tut so, als wär 's nur 'ne Fünf-Pfund-Note.«

Ich nahm einen Krug Wasser vom Feuer mit ins Schlafzimmer, um mich zu waschen und anzuziehen, damit ich mit Kate zu Duggan's Hotel gehen konnte. Mein Herz zog sich vor Sehnsucht zusammen, Con und Dan wiederzusehen, und ich war froh, daß das geblümte Musselinkleid mir so gut stand; denn sie sollten unbedingt sehen, daß diese Monate eine glückliche Zeit für Adam und mich gewesen waren. Kate brühte sich noch eine Tasse Tee auf, während sie auf mich wartete, trank den Tee und hielt sich die Katzen mit ihrem Sonnenschirm vom Leibe. Wir unterhielten uns dabei durch die offene Tür. Sie vermied es jedoch sorgfältig, Rose zu erwähnen, als wollte sie meine Gefühle nicht verletzen. Schließlich mußte ich also fragen.

»Und Rose — kommt sie auch nach Melbourne?«

»Meine großartige Rose sitzt noch schmollend im Palace-Hotel, weil der erhabene und allmächtige John Langley sie nicht hat zu sich rufen lassen. Er ignoriert sie einfach. — Oh — und sie ist guter Hoffnung.«

Die Maguires hatten sich verändert. Ich hatte erwartet, daß sie sich in überschwengliche Ausgaben und dem Stadtleben wieder freudig in die Arme stürzen würden. Sie versuchten es — versuchten sogar sich selbst zu überreden, daß sich nichts geändert hatte —, aber man spürte ihre Anstrengung. Dan trug wieder seine Dubliner Sachen und sah noch stattlicher aus, als ich ihn in Erinnerung gehabt hatte, doch sein Gesicht war für immer von der Sonne tief gebräunt, und seine Hände wiesen Schwielen auf fürs ganze Leben. Jedem, der es hören wollte oder nicht, erzählte er über Ballarat. Er redete wie ein heimwehkranker Mann. Kate versuchte auf ihre Art dasselbe. Sie ging einkaufen, wenn auch nie in das Langley-Warenhaus, aber es geschah mehr, um etwas zu tun zu haben als aus dem alten Vergnügen heraus. Con war in den Monaten in Ballarat aus all seinen Sachen hoffnungslos herausgewachsen, was ihr einen legitimen Grund gab, für ihn einzukaufen. Er haßte jedoch seine neuen Kleidungsstücke.

»Muß ich wirklich so aufgeputzt herumlaufen? Mir war es anders viel lieber!«

Er bewahrte all seine Erinnerungen an den Eureka in einer besonderen Kiste auf und nahm sie jeden Tag heraus, um sie sich anzusehen.

»Also, was soll das Zeug?« fragte Kate dann ungeduldig. »Hab’ ich dir nicht gerade viel schönere Sachen gekauft?«

Aber ich bemerkte wohl, daß sie alles sorgfältig wieder wegräumte, was Con im Zimmer herumliegen ließ — den verschmutzten alten Palmblätterhut, die zerbrochene Spitze einer Hacke, ja sogar die Patronenschachtel von der Barrikade.

»Es ist ja alles, was er hat, und der Junge hat Sehnsucht nach seinen Freunden dort.«

Wir alle hatten wohl Sehnsucht nach ihnen. Wie häufig, wenn wir beisammensaßen, hieß es nicht: »Weißt du noch, damals, als Mary Healy . . .« oder »Ich möchte wissen, ob Timmy Mulchay jemals heraus bekam, wer damals mit dem halben Schaf, das er gerade gekauft hatte, über den Deich ging.«

Wir verbrachten mehr Zeit in meinem Häuschen als in den stickigen, plüschüberladenen Zimmern in ihrem Hotel. Kate überwand sogar ihre Abneigung, zwischen den beiden Langley-Gebäuden durch die Gasse zu gehen.

»Es ist ein freies Land«, verkündete sie dann so laut, daß die Fuhrleute es bestimmt hörten, »auch wenn dies Stückchen dem erhabenen und allmächtigen Langley gehört.« Sie trug immer ihre besten Kleider, wenn sie zu mir kam, blumenverzierte Hüte, mit Fransen besetzte Umschlagtücher und verspielte Sonnenschirmchen. Ich glaube, sie hoffte, eines Tages John Langley dort selber zu begegnen. Sie neigte Kopf und Schirm mit der Geste einer Herzogin vor den Fuhrmännern, die alle die Hüte vor ihr zogen. Sie schritt die Gasse hinunter, als wäre sie mit einem roten Teppich für sie ausgelegt worden.

In solchen Augenblicken sah ich ihre alte Lebenslust wieder in ihr erwachen.

Larry kam schließlich nach Melbourne zurück und scheuchte uns alle wie Kinder herum, als wir die paar Wirtshäuser besichtigten, die zum Verkauf standen. Kate rümpfte über alle die Nase. Sie wollte, daß die Maguires ihr eigenes Wirtshaus bauten und konnte einfach nicht begreifen, daß sie mit dem Goldklumpen nicht einmal den Grund und Boden, auf dem diese Häuser standen, zu kaufen vermochten.

»Du hättest hier sein müssen, bevor die erste Straße fertig war, um die Preise bezahlen zu können, Mama«, erklärte Larry ihr. »Wenn mir heute hier nur eine einzige Parzelle Boden gehörte, brauchte ich mein ganzes Leben lang nicht mehr zu arbeiten. John Langley sicherte sich seine Grundstücke am Tag der ersten Auktion, heißt es, und er soll nur sechzig Pfund für die Ecke da drüben gezahlt haben.«

»Na, möge es ihm viel Glück bringen und Freude machen«, erwiderte Kate heftig. »Er braucht es wahrhaftig — der alte Griesgram!«

Zuletzt erwarben sie die Pacht für ein Gasthaus nahe am Pferdemarkt an der Bourke Street. Es war ein verlassenes und sehr verwahrlostes Haus; doch Larry nahm die Leute, die an der Tür vorbeikamen, näher in Augenschein und verkündete, es sei genau das richtige.

»Du wirst es schon machen, Mama«, sagte er. »Du wirst die Leute hereinholen.«

Und Kate fühlte sich genügend geschmeichelt, es zu versuchen, und er war vernünftig genug, sie gewähren zu lassen, als sie gravierte Spiegel, Mahagonimöbel und Messingsachen kaufte. Ja sogar kleine Alkoven ließ sie anfertigen und mit dem geliebten roten Samt drapieren.

»Der Landadel kommt doch bestimmt, um sich Pferde anzusehen? Und wollen die dann nicht was Nettes, Anständiges, wo sie ihre Geschäfte machen können? Das bekommen sie dann eben bei Maguires.«

»Mama, dies ist doch Australien! Weißt du denn nicht, daß es hier keinen Landadel gibt?«

Sie schnaubte ärgerlich. »Du redest wie Pat! Keinen Landadel? Wo doch jeder zweite kleine Paddy* aus der Gosse es nicht abwarten kann, für einen Landjunker gehalten zu werden, sobald sein Geldbeutel und sein modischer Seidenhut es zulassen?« Sie lachte. »Täusch dich nicht, mein Junge! Es wird immer Adel geben!«

Sie nannten das Wirtshaus schlicht »Maguires'«. Es kam ihnen nie in den Sinn, ihren Familienstolz unter einem anderen Namen zu verbergen.

»Ich will nichts von eurem ›Shamrock‹** oder ›Harp‹

---

* Paddy = Irische Koseform vom irischen Nationalnamen Patrick oder Padraig.
** Shamrock = Kleeblatt, irisches Nationalabzeichen.

wissen«, erklärte Dan. »Maguire ist ein stolzer Name. Kein Grund, es nicht alle wissen zu lassen.«

Und Larry freute sich, seinen Namen nun noch an einer anderen Stelle zu sehen; er hatte nämlich einen neuen, großen Planwagen gekauft, so gut wie nur einer von John Langley, und sein Name prangte in goldenen und grünen Lettern auf der Wagenseite, von dem besten Malermeister in Melbourne daraufgepinselt. Ich glaube, die Maguires waren bereits verschuldet, bevor die Schenke ihre Türen öffnete.

Was sie auch machten, es geschah in großem Stil. Sie legten die Eröffnung auf den Markttag, und gegen Mittag gaben sie freie Getränke aus. Die gesamte Vorderfront, die in ihrem neuen Anstrich glänzte, trug Fahnen und Flaggenschmuck — sogar der Union Jack hing dort. Larry hatte auf ihm bestanden, obwohl Dan versuchte, ihn möglichst zu verstecken.

»Ihr seid jetzt Australier«, mahnte Larry. »Vergeßt das nie!«

»Da ist aber mehr als 'ne Fahne nötig, um aus mir etwas andres als einen Irländer zu machen, mein Junge«, entgegnete Dan. »Du weißt 'ne ganze Menge für dein Alter, aber 's gibt gewisse Dinge, die du noch lernen mußt.«

Kate nahm am Eröffnungstag ihren Platz hinter der Theke ein, bestand jedoch darauf, daß ich oben in den Wohnräumen blieb. »Du mußt an Adam denken, Emmy. Er muß sich eine Stellung aufbauen, und es wäre nicht gut, wenn man seine Frau hier in der Schankstube sähe.« So endeten Geschäftigkeit und Spaß für mich an dem Tag der Eröffnung; nicht einmal in der Küche durfte ich helfen, wo sie die Würstchen und den Schinken zubereiteten und die großen Käse aufschnitten. Larry hatte dafür einen Mann eingestellt, einen andern zum Gläserabwaschen und einen dritten zum Saubermachen. »Es muß sich selbst tragen,

Emmy, oder es wird niemals gehen. Wenn der Betrieb sich nicht ein paar Arbeitskräfte leisten kann, lohnt sich das Ganze überhaupt nicht.«

Ich war enttäuscht; denn ich hatte mich gefreut, nun hier die Tage nutzbringend auszufüllen; aber ich sah ein, daß er recht hatte. Wir befanden uns nicht mehr am Eureka, und die Bereitschaft zu arbeiten war jetzt längst nicht so wichtig, wie einen richtigen und guten Eindruck zu machen. Ich saß also oben mit Con im Wohnzimmer, hatte einen Stoß von Kates Unterröcken zum Ausbessern vor mir und ließ Con laut aus seinen Büchern vorlesen. Er war genauso ruhelos wie ich – der Geruch und die Geräusche des Marktes drangen durch die geöffneten Fenster, und der Staub blieb an Kates neuen Gardinen haften. Unten klimperte das Klavier, und der Lärm des Mittagsansturmes auf die Theke klang wie ferner, anhaltender Donner. Alles in mir sträubte sich dagegen, hier so gelassen zu sitzen.

Und dann erschien der Langley-Fuhrmann Higgins. »Eine Botschaft von der Hobson's Bay, Miss Emma. Die ›Enterprize‹ ist ins Dock gekommen.«

Ich setzte meinen Hut auf und eilte mit ihm die Treppe hinunter; Con mußte ich aus Mitleid mitnehmen, obwohl ich in diesem Augenblick niemand dabei haben wollte. Kate wartete unten mit einem Krug Bier auf Higgins.

»Woher wißt Ihr, daß sie da ist?«

»Es kam 'ne Botschaft für Mr. Langley, und er schickte den Chefsekretär mit der Weisung, Euch sofort zu finden. Er sagt, ich soll Euch mit dem Wagen zur Hobson's Bay fahren.«

Ich starrte ihn an. »John Langley hat das gesagt?«

»Ja, Miss Emma.«

»Heut' nacht wird ein zweiter Mond am Himmel stehn!« erklärte Kate.

Und so geschah es, daß ich in einem der großen Langley-Planwagen hinter einem der berühmten Grauschimmelgespanne zur Hobson's Bay gefahren wurde. Con war völlig aus dem Häuschen vor Aufregung. Die Schimmel trugen einen großen, silbernen Kopfschmuck mit silbernen Glöckchen, und ich glaube, Adam hörte uns schon, bevor er uns sah. Der Wagen rumpelte zu dem Dock, und ich war auch schon draußen und rannte auf Adam zu. Er kam die Gangway herunter mir entgegen. Unsere Begrüßung war wegen der Besatzung, die neugierig zuschaute, so, wie es sich schickte, doch ein wenig später in der Kajüte fehlte ihr die Herzlichkeit nicht. Ich fühlte Adam die Arme mit echtem Verlangen um mich legen.

»Liebe Emmy«, sagte er und lehnte sich mit seiner ganzen Kraft einen Augenblick an mich. Und dann, »es ist so schön, wieder zu Hause zu sein!«

Zu Hause, hatte er gesagt, und ich flüsterte die Worte im stillen liebevoll und glücklich. Ich schmiegte mich enger an ihn und versuchte, ihn meine Freude spüren zu lassen, bis wir uns beim Gepolter von Cons Stiefeln auf dem Niedergang voneinander lösten.

Wir saßen darauf um den winzigen Tisch in der Messe, die von Adam und seinem Ersten Steuermann, Mr. Parker, benutzt wurde. Nachdem er mir vorgestellt worden war, zog Parker sich wieder zurück, um die Löscharbeiten zu beaufsichtigen, so daß Adam vorläufig Zeit hatte, mit uns an dem Tisch zu sitzen, sich zu unterhalten und ein Gläschen Wein zu trinken. Es gab so viel zu erzählen, besonders von den Maguires. Con durchstöberte inzwischen die engen, kleinen Schiffskajüten, untersuchte Adams Mahagonikoje, die winzige Kombüse und die Regale mit Ständern für Teller und Gläser. Doch die private Kapitänstoilette faszinierte ihn mehr als alles andere. Ehrfürchtig sah er Adam an, als hätte er gerade begriffen, was er hieß, Kapitän eines Schiffes zu sein, und sei es auch nur von einem so kleinen Schiff wie diesem.

»Als wärest du ein König«, erklärte er. Ich blickte rasch zu Adam hinüber und sah an seinem Gesicht, daß es zum Teil stimmte, daß, wenn man einmal eine Zeitlang in dieser kleinen, knarrenden Welt regiert hat, nichts mehr damit verglichen werden kann. Ich nahm die polierte Perfektion dieser Kajüte in mich auf – dieses Miniaturreich aus glänzendem Holz und Messing, und ich begann den Mann, den ich geheiratet hatte, besser zu verstehen. Dies war die Welt, von der er in seiner Kindheit und Jugend geträumt hatte. Als kleiner Junge muß er wie Con mit an Bord genommen worden sein, um seinen Vater nach einer Fahrt daheim zu begrüßen. Und genauso wie ich mich bemühte, unserem Haus ein wenig das Aussehen dieser Welt zu geben, muß Adams Mutter es getan haben. Diese Dinge formten einen Mann und gaben ihm Maßstäbe, vor denen man in einer anderen Umgebung nicht so leicht bestehen konnte. Ich verstand ein wenig besser seine gelegentliche Unerbittlichkeit und die starren Gedankengänge, in denen er manchmal dachte.

Er kam nicht mit uns im Langley-Wagen zurück, denn es mußte noch ein großer Teil der Ladung vor Einbruch der Dunkelheit gelöscht werden. Er sagte, er würde heute abend nach Hause kommen, fügte dann aber hinzu: »Vorher muß ich noch Mr. Langley Bericht erstatten – bei ihm zu Hause.«

Er sah mich über Cons Kopf hinweg an. »Er hat mich zum Abendbrot gebeten. Ich hab' aber bestellen lassen, ich hätte schon eine Verabredung.«

»Oh, Adam! Das hättest du nicht tun sollen! Es wäre eine gute Gelegenheit gewesen . . .«

»Wenn ich in meinem Heimathafen bin, nehme ich

keine Einladungen an, die sich nicht auch auf meine Frau erstrecken.«

Er war halsstarrig und dickköpfig, aber er hatte recht.

Ich ließ die Gardinen zurückgezogen, damit er das Licht sah, wenn er die Gasse entlangkam. Es war sehr still, als ich so auf ihn wartete. Die Maguires würden vor Feierabend keine Zeit haben; Kate harte mir mit liebevollem Verständnis sagen lassen, daß sie Adam erst morgen sehen wollten. Ich hatte Con nach Hause geschickt und war nun ganz allein, als ich Adams Pfiff in der Gasse vernahm.

Er brachte einige Flaschen Wein mit, ein paar Handschuhe aus Sydney für mich und einen Messingklopfer für unsere Haustüre. Wir lachten über den Türklopfer — ein schwerer, verzierter Klotz, der ein wenig lächerlich an diesem kleinen, wackeligen Häuschen aussah.

»Tja«, meinte Adam, als er ihn an der Türe anbrachte, »die Leute mögen sagen, wir hätten von unserem Landsitz nichts als den Türklopfer, aber wenigstens das haben wir nun.«

Er erzählte von John Langley. »Er war sehr anständig«, gestand er, als gäbe er es nicht gern zu. »Aber das sollte er wohl auch — die Fahrt hat sich mächtig gelohnt. Wir haben 'ne Menge Geld verdient. Er sprach davon, ein zweites Schiff zu kaufen — größer als dieses —, um seine Wolle selbst auf den englischen Markt zu bringen. Er habe keine Lust, einen Zwischenhändler zu bezahlen.«

Ich fuhr mir mit der Zunge über die Lippen, die auf einmal ganz trocken waren. »Würdest du — würde das dein Schiff werden, Adam?«

»Wir haben nicht darüber gesprochen. Er müßte es natürlich vorschlagen. Aber ich hätte es gern.«

Ich erhob keinen Einspruch. Dies gehörte zu dem

Übereinkommen unserer Ehe; ich mußte darauf gefaßt sein, Adam für lange Monate scheiden zu sehen.

Ich sagte mir in jener Nacht, daß ich bereit sein würde, ihn viele Male von mir gehen zu sehen, wenn das Nachhausekommen immer so wie jetzt sein würde. Wir waren uns sehr nahe und sowohl durch Leidenschaft wie Frieden miteinander verbunden. Ich glaubte in einem wohligen, ermatteten Halbschlaf der Liebe, Rose sei vergessen. Ich wußte, daß ich ihn zu halten vermochte und daß er mich lieben würde, solange uns Rose in Ruhe unserem eigenen, schlichten Leben überließ und solange ihre spaltende Macht nicht erneut in unser Leben eingriff, solange ihre Schönheit ihn nicht foltern konnte. Ich vermochte all die anderen Rivalen zu ertragen — seinen Ehrgeiz, seinen ruhelosen Drang nach Reisen und Bewegung; dagegen brauchte ich nicht zu kämpfen — ich bildete ja eine Ergänzung zu ihnen. Ich würde, wenn mir genug Zeit blieb, zum Anker seines Lebens werden, daß er mich in jeden seiner Gedanken mit einbeziehen würde. Dies sagte ich mir, bevor ich in jener Nacht einschlief.

Wir erwachten am nächsten Morgen in der Hitze und dem Sonnenschein, dem Lärm und dem Staub von der Gasse; mich störte nichts davon — mir waren diese Dinge vertraut geworden. Doch Adam lag da und blickte stirnrunzelnd zur fleckigen Zimmerdecke empor.

»Willst du nicht doch lieber von hier fort, Emmy? Ich habe hundertundfünfzig Pfund durch die Fahrt verdient; wir könnten damit in einem kleinen Häuschen beginnen, irgendwo ein bißchen weiter draußen vor der Stadt.«

Es war eine Versuchung. Es würde eine etwas größere Entfernung zwischen uns und die Maguires legen und damit auch zwischen uns und Rose, falls sie nach Melbourne käme. Adam paßte jedoch nicht in ein kleines

Häuschen »ein bißchen weiter draußen«. Er gehörte in das Herz allen Geschehens.

Ich beschloß, den Lärm und Staub der Langley Lane auf mich zu nehmen und dadurch jedesmal zur Stelle zu sein, wenn die »Enterprize« ankam. Ich wollte nicht die Frau in dem kleinen Häuschen »ein bißchen weiter draußen« sein.

Und so antwortete ich ihm: »Wir ziehen hier nur aus, wenn wir so viele Kinder haben, daß sie uns hinausdrängen.«

Adam half tagsüber auf der »Enterprize« beim Löschen der alten Ladung und dem Anbordnehmen der neuen. Und ich studierte das Schiffsverladungsverzeichnis und verfolgte den Bestimmungsort jedes Verschiffungsgutes auf der Landkarte, und vor mir entstand allmählich die Landschaft des Handels — das Seidenband, das von Hongkong nach Melbourne gebracht wurde und schließlich in einem Dorf einhundertzwanzig Kilometer von Sydney entfernt verkauft wurde, die Baumwollwaren von Kalkutta, die in Langleys Lagerhaus gesammelt und erneut verschifft wurden zur Swan-River-Siedlung in West-Australien, wo sie gegen eine Schiffsladung Weizen eingetauscht, die dann von den großen Getreidefrachtern nach Liverpool gebracht wurden; und von dort wiederum kamen Eisenwaren, Haushaltstöpfe, Feuereisen, Farmgeräte, Brutapparate, Nähmaschinen für Leinen und bedruckten Kattun, und ein Gutteil wanderte in die Langley-Lagerhäuser und von dort über den gesamten Kontinent. Wir befanden uns hier am Rande der Welt — neunzehntausendfünfhundert Kilometer von London entfernt —, aber wir brauchten einen Wasserkessel, und sie brauchten in England unsere Wolle. Und so vermochten wir hier zu leben, zahlten für uns selbst und schickten ihnen Gold, und solche Männer wie Adam waren die Triebkräfte, die nach und nach die Welt veränderten.

In diesen Tagen verrann die Zeit im Fluge. Abends besuchten wir die Maguires, hörten uns ein Konzert im Botanischen Garten am Yarra an oder gingen ins Theater. Wir — wie auch das gesamte übrige Australien — waren froh, als wir erfuhren, daß die wegen ihrer Beteiligung an der Eureka-Barrikade vor Gericht gestellten Männer alle freigesprochen worden waren und ihre Namen jetzt in die Geschichte der Kolonie eingingen. Es war eine schöne Zeit für die Erinnerung; aber kaum eine Woche, nachdem Adam angekommen war, befand ich mich schon wieder auf dem Dock, um ihn ausfahren zu sehen. Diesmal stand Kate neben mir — doch ich wußte, daß bald niemand sich mehr die Mühe machen würde, mit mir zur Hobson's Bay herunterzukommen, um der »Enterprize« und Adam zuzuwinken. Es würde lediglich eine von vielen Abfahrten sein, ein Teil des Schemas, nach dem Adams — und auch mein — Leben verlaufen würde; aber John Langley war dort. Ich erkannte die Kutsche, den hohen Hut, die behandschuhten Hände und den Spazierstock. Er stieg nicht aus, und die Kutsche war beinahe im selben Augenblick verschwunden, als die »Enterprize« die Leinen loswarf.

Kapitel 3

Ende März war für die Jahreszeit ungewöhnlich warmes Wetter, und als Kate eines Mittags, beinahe zwei Wochen nachdem Adam wieder fortgesegelt war, an meiner Tür erschien, sah sie erhitzt und verärgert aus. Ich war erstaunt, sie zu sehen, denn Dienstag war Markttag und dies die Stunde des größten Andrangs bei Maguires. Mit zornig gerötetem Gesicht und zusammengepreßten Lippen fegte sie mich nach einem flüchtigen Kuß beinahe zur Seite, steuerte geradeswegs auf Adams Sessel zu und ließ sich schwer in ihn fallen. Dann löste sie die Bänder ihres Hutes und öffnete die obersten Knöpfe ihres Kleides.

»Na, es ist ja heiß genug, um in der Sonne geröstet zu werden! Mußte ich nicht wahrhaftig den ganzen Weg von Hanson's Hotel hierher zu Fuß laufen ohne eine leere Droschke in Sicht!«

»Was ist denn los?«

»Was los ist? Ärger, das ist los! Und wo hat man Ärger, in dem Rose nicht mitten drin steckt!?«

»Rose?« Meine Stimme gefror. »Ist sie in Melbourne?«

»Und ob sie das ist! Ich wünschte fast, sie wär 's nicht. Sie kam gestern nachmittag mit Tom an, und ich hab' seitdem 'ne liebliche Zeit hinter mir! Die ganze Nacht war ich wegen ihrer Heulerei und dem ganzen Theater nicht zu Hause.«

»Ist etwas nicht in Ordnung mit ihr?«

»Nicht mehr, als bei den meisten Frauen ab und zu nicht in Ordnung ist. Ihr ist schlecht wegen des Babys; doch man könnte meinen, sie läge im Sterben, wenn man das Gestöhne hört! 's ist nichts als die normale Übelkeit, und ich hab' ihr immer wieder gesagt, das hört mit der Zeit auf; aber sie wälzt sich nur auf dem Bett herum, und davon wird ihr dann wieder schlecht, und der arme Tom bekommt beinah Zustände . . .« Sie hielt inne, um Atem zu schöpfen.

»Hast du einen Doktor holen lassen?«

»Natürlich. Er hat sie untersucht und gesagt, sie solle sich zusammennehmen und sich nicht gebärden wie ein kleines Kind — und Madame schickte ihn aus dem Zimmer. Nannte ihn einen blöden, alten Idioten! Ich kann dir sagen, diese Geschichte wird verflixt schnell die Runde machen! Madame wird nicht so schnell einen andern Doktor finden. Tom bat die Direktion, ein Mädchen zu Rose raufzuschicken. Das arme, kleine Ding war so verängstigt, daß es zitterte. Rose beschimpfte es und nannte es eine tölpelhafte Gans und warf es raus. Oh — sie war ganz groß in Form, das kann ich dir sagen!«

»Was wirst du tun?« Ich brauchte gar nicht zu fragen; ich sah es in ihrem Gesicht — die Bitte, den Blick besiegter Hilflosigkeit.

»Emmy, würdest du hingehen . . .?«

Ich wandte mich ab; ich ging zum Kamin und stocherte in der Glut, füllte den Wasserkessel und setzte ihn über das Feuer. »Du weißt, wie es am Markttag bei uns in der Wirtsstube zugeht. Und um es noch schlimmer zu machen, fehlt ausgerechnet heute ein Mann«, fuhr Kate fort. Ich fragte mich, ob das wohl stimmte, oder ob Kate nur einen Druck auf mich ausüben wollte — imstande wäre sie dazu. Schließlich blickte ich mich nach ihr um.

»Muß ich gehen? Ist sie krank genug?«

Ihr Gesicht zeigte nun mehr Besorgnis als Ärger. »Ich weiß nicht, wie krank sie ist — ich ängstige mich aber zu Tode, wenn sie mit all ihrem Theater dem Baby was zuleide tut. Ich hab' ihr gesagt, sie verdiene verprügelt zu werden, aber was kann man mit einer Frau in dem Zustand machen? Sie muß sich beruhigen. Sie braucht Schlaf. Es war eine anstrengende Reise — diese Straßen können einem geradezu die Eingeweide herausschütteln!«

»Was könnte ich tun?« meinte ich achselzuckend und versuchte, kalt und hart gegen Roses Bild zu bleiben.

»Sprich mit ihr . . . sie hat immer auf dich gehört, Emmy!«

Ich hob abwehrend die Hände. »Auf mich gehört! Du

266

lieber Gott — sie wäre über meine Leiche gegangen, um Adam zu bekommen.«

Kates Gesicht spannte sich. »Sie ist jetzt zur Vernunft gekommen.«

»Ich hoffe es«, erwiderte ich tonlos. Kate wollte nicht an diese Geschichte erinnert werden und nestelte an ihrem Sonnenschirm herum.

»Wirst du hingehen, Emmy? Nur für ein oder zwei Stunden? Vielleicht könntest du sie zur Besinnung bringen . . . es ist schließlich ihr erstes Kind. Sie hat einfach Angst, glaube ich.«

Ich seufzte und wußte, daß ich zu ihr gehen mußte. Was hätte ich sonst tun sollen? Ich schuldete Kate so viel mehr als diese Kleinigkeit. Zumindest schien ihr meine Zustimmung eine Kleinigkeit zu sein. Ich ging hinaus in die Gasse und bat einen der Männer, Thompson, eine Droschke für uns aufzutreiben. Als ich kurz darauf mit Kate in der prallen Mittagshitze zu Hanson's Hotel fuhr und die Sonne durch die Scheiben auf die heißen Polster drang, wußte ich nicht, daß diese Fahrt nur die erste vieler solcher Fahrten war. Wenn ich es damals gewußt hätte, wäre ich umgekehrt.

Hanson's war das beste Hotel in der ganzen Stadt und bedeutend größer als alles, was ich zuvor gesehen hatte. Während ich auf Tom wartete, saß ich sehr gerade in einem schweren Stuhl und bemühte mich, keinen eingeschüchterten Eindruck zu machen.

Tom sah zerzaust und gequält aus, als er auf mich zukam. »Emmy! Gott sei Dank bist du gekommen!« Und er beugte sich schnell zu mir herab und küßte mich auf die Wange. Danach hätte ich alles für ihn getan; in dem Augenblick waren wir plötzlich Mitglieder derselben Familie geworden. Er nahm meinen Arm und führte mich die breite Treppe zum ersten Stock hinauf. »Es kommt von der Reise«, begann er. »Sie ist überanstrengt davon, und das in ihrem Zustand . . .« Er sah beunruhigt, ja sogar schuldbewußt aus, und ich fühlte eine Welle des Zornes auf Rose in mir aufsteigen, daß sie ihn in diese Verfassung gebracht hatte, wo er einzig und allein hätte stolz sein sollen.

Ich schonte sie auch nicht vor ihm. »Einige Frauen«, erklärte ich, als er mir die Tür aufhielt, »verdienen einfach keine Kinder!«

Ihr Salon war ein Eckzimmer und schien mir nur ein wenig kleiner als das Foyer im Parterre und war genauso überladen mit den prunkvollen Sofas und drapierten Samtportieren.

Tom führte mich hindurch, öffnete die Tür zum Schlafzimmer und blieb stehen.

»Rose, Emmy ist hier«, rief er leise.

Das Zimmer lag fast im Dunkeln, der schmale Spalt zwischen den Vorhängen ließ nur einen dünnen Lichtstrahl, aber keine Luft herein. Es war unerträglich heiß und roch betäubend nach Kölnisch Wasser und Schweiß. Während ich blinzelnd in der Dunkelheit stand, bewegte sich etwas unruhig auf dem Bett; eine weißgekleidete Gestalt richtete sich auf und beugte sich mir entgegen.

»Emmy!«

Ich konnte ihr einen Augenblick lang nicht antworten. Das ganze Mißtrauen ihr gegenüber war wieder erwacht; ich fühlte die sanfte, betörende Macht dieser Stimme. Ich wollte umkehren, wollte meine Ohren und mein Herz vor dieser Stimme verschließen und vermochte es doch nicht. Die Monate der Trennung hatten nichts geändert. Ich war nicht von ihr los gekommen. Rose war einer der wenigen Menschen, denen ich meine Liebe geschenkt hatte, und ich konnte diese nun nicht zurücknehmen.

Ich ging mechanisch zum Fenster und riß die Vorhänge auf. Das Licht flutete herein und wurde mit einem Schrei des Protestes begrüßt.

»Nicht doch, Emmy — nicht doch! Es tut meinen Augen weh!«

Ich sah sie an, wie sie dort in dem großen, zerwühlten Bett lag; ihr Gesicht war vom Weinen ganz verschwollen und ihre Haut bleich und schweißglänzend; ihre Augen erschienen beinahe schwarz und waren rotgerändert. Sie war keineswegs schön, nur noch ein Mädchen, das Angst hat und nicht genau weiß, welchen Akt es als nächsten spielen soll.

Sie fuhr sich mit der Zunge über die Lippen und sagte gefügig: »Ich bin froh, daß du gekommen bist. Ich fühle mich gräßlich!«

»Du würdest dich nicht so schlecht fühlen, wenn du getan hättest, was deine Mutter sagte. Du mußt was essen — und dann schlafen.«

Sie rümpfte angewidert die Nase. »Ja, ich weiß — Muma sagte das alles. Aber du weißt ja, Muma und ich zanken uns immer. Ich war so froh, als sie endlich erklärte, sie ginge dich holen. Ich hoffte, du würdest kommen. Ich wußte, es würde gut, wenn du kämest . . .«

Mit keiner Silbe erwähnte sie die Worte, die wir uns in jener letzten, gemeinsamen Nacht in Ballarat an den Kopf geworfen hatten. Sie mußten beiseite geschoben, wenn nicht völlig vergessen werden. Es war besser so.

Ihre Sanftmut war entwaffnend. Ich fühlte, wie ich dafür — genau wie früher — empfänglich war. Sie sah erbärmlich aus, und ich wollte sie trösten. Ich streichelte ihre feuchte Stirn und ließ meine Hand über ihr zerzaustes, wirres Haar gleiten. »Es kommt von der Reise«, beruhigte ich sie. »Es wird dir besser gehen, wenn du dich hier erst mal eingelebt hast — wenn du etwas gegessen und geschlafen hast.«

»Ein Doktor war hier«, erzählte sie klagend. »Er sagte, es sei alles in Ordnung bei mir. Der alte Idiot!«

»Es ist auch alles in Ordnung bei dir«, entgegnete ich. »Komm jetzt, Rose! Setz dich hin. Ich will dir dies Nachthemd ausziehen.«

Sie gehorchte unter weiteren Klagen. »Ich werde jetzt die nächsten Monate scheußlich aussehen. Nie werd' ich meine alte Figur wiederbekommen. Ich wollte das Baby nicht . . .« Sie begann zu weinen, es war ein lautes Schluchzen, das Tom bestimmt im andern Zimmer hören konnte. Ich packte sie an den Schultern und schüttelte sie.

»Möge dir Gott verzeihen! Du hast da etwas Furchtbares gesagt!«

»Und wenn schon, es ist wahr! Ich wollte es nicht . . .« Und dann verstummte sie, als sie mein Gesicht beobachtete. Sie zuckte die Achseln. »Es ist ja gleich — es ist nun mal geschehen.«

Sie verhielt sich ruhig, während ich sie wusch, ihr ein frisches Nachthemd anzog und ihr Haar bürstete und in Zöpfe flocht. Vielleicht ließ der Zorn in meinem Gesicht sie verstummen. Ich weiß, daß meine Hände ungeschickt schienen, weil ich mich danach sehnte, sie zu ohrfeigen. Sie warf mir mehrere Male einen kurzen Blick durch ihre dichten Wimpern zu, jene sanften, betörenden Blicke, die bei Rose beinahe unwiderstehlich waren.

»Ich meine nicht all das, was ich sage, Emmy. Du weißt, wie ich nun mal bin. Ich sagte vieles gestern nacht nur zu Muma, um sie zu schockieren — und du sahst so streng aus, daß ich dachte, ich müßte es noch mal sagen. Manchmal scheint der Teufel in mich zu fahren. Ich weiß mir dann nicht zu helfen . . .«

Ich nickte und spürte mein Mitleid mit ihr erwachen. Es war zwecklos, mit Rose zu kämpfen. Als ich fertig war, sah sie schon besser aus. Sie erhob keinen Einspruch, als ich kaltes Hühnchen und Champagner für sie bestellte. Ich bestellte zwei Gläser; ich hatte nie Champagner getrunken. Dies schien mir eine märchenhafte Welt zu sein, in der ich nur eine Klingelschnur zu ziehen brauchte, damit diese Dinge erschienen; ich war entschlossen, so viel von dieser Welt zu genießen, wie ich vermochte.

Rose aß das Hühnchen mit großem Appetit. »Ich wußte nicht, daß ich hungrig war«, meinte sie. »Ich mußte mich mehrmals übergeben — es war einfach nichts mehr übrig in meinem Magen.«

Sie deutete mit einer Hühnerkeule auf mich. »Nicht nur wegen des Babys wurde mir schlecht. Da sind noch andere Gründe . . .«

Ich stellte mein Glas hin und war mir nach dem ersten vorsichtigen Schluck nicht sicher, ob ich Champagner mochte oder nicht. »Was für Gründe?«

Sie zuckte die Achseln. »Alle sagen, ich soll ruhig sein — und mich ausruhen. Wie kann ich das aber? — Wir haben einen Berg von Schulden hinter uns in Ballarat gelassen und ungefähr nur noch fünf Pfund übrig, um für all dies hier zu bezahlen, bis Tom das Geld für den nächsten Monat von seinem Vater kriegt. Wir mußten aus Ballarat fort. Man wollte uns verklagen . . . wir kamen nur weg, weil ich dem Direktor sagte, Toms Vater habe uns zu sich gerufen und werde alle Rechnungen begleichen.« Sie kicherte leise. »Der Name Langley ist wenigstens für *etwas* nütze!«

»Wie werdet ihr die Schulden bezahlen?«

Der Gedanke an sie entsetzte mich; ich blickte zum Champagner hinüber und begriff, daß ich mitschuldig geworden war.

Sie schüttelte den Kopf. »Ich weiß es nicht.« Sie sprach die Worte aus wie ein kleines Kind, voller Hoffnung, und sah mich an, als erwartete sie von mir eine Antwort auf das Problem.

Ich wurde wieder zornig beim Gedanken an diese mutwillige Heraufbeschwörung des Unglücks. Sie waren Narren, alle beide!

»Warum wohnt ihr denn hier? Dies Hotel kostet doch ein Vermögen!«

Sie riß die Augen weit auf. »Tom wollte ja nicht, daß wir woanders abstiegen. Er sagte, man könne nicht in den andern Hotels wohnen. Und in meinem Zustand . . .«

»Rose — du gehst mir auf die Nerven! Es hat wirklich keinen Zweck, vor mir Theater zu spielen — so zu tun, als hättest du nie in deinem Leben in einem bescheideneren Haus gewohnt.« Ich lachte sie aus. Ich konnte nicht anders. »Erinnere dich — ich bin's, Emmy! Ich habe mit dir in einem Zelt am Eureka gehaust!«

Sie schmollte einen Augenblick, lachte dann aber ebenfalls. »Was tut's? Außerdem . . .«, sie zuckte die Achseln, und diese Geste wies auf die gesamte prächtige Einrichtung um sie herum. »Ich mag nun mal Häuser wie dieses. Ich will keine andern.«

»Und was sagt Tom?«

»Er sagt überhaupt nichts. Er spielt und versucht, dabei etwas Geld zu gewinnen.« Sie schnitt eine kleine Grimasse, die auszudrücken schien, daß wir beide die Situation verstanden und sie entschuldigen mußten. »Der arme Tom — ich glaube nicht, daß er ein sehr kaltblütiger Spieler ist. Er verliert eine Menge Geld. Wenigstens nehme ich an, daß er es verliert. Er erzählt es mir nicht . . . aber wir können einfach nicht das ganze Geld ausgegeben haben, das wir, wie er sagt, den Leuten in Ballarat schulden.«

Ich erwiderte nichts, blickte jedoch auf ihr elegantes,

üppig mit Spitze besetztes Batistnachthemd, auf die silberne Bürste, auf die Kölnisch-Wasser-Flasche aus Kristall mit silbernem Stöpsel. Das Zimmer wies noch viele andere Anzeichen eines kostspieligen Einkaufsbummels durch die Läden von Ballarat auf, die sich dem Handel mit Luxusgütern widmeten. Rose folgte meinen Blicken. »Na ja... Tom kaufte mir eine Menge Sachen. Es war einsam, nachdem Dada und Muma fortgingen. Man hatte überhaupt nichts zu tun... wir gingen jeden Nachmittag nur um des Vergnügens willen einkaufen. Ich wußte nicht, daß Tom nicht genug Geld für all diese Sachen hatte.«

Sie mag es damals nicht gewußt haben, doch wußte sie es jetzt und war trotzdem entschlossen, ihren Tribut, den Geld ihr zu kaufen vermochte, weiter zu fordern — eine kleine Erlösung von ihrer Einsamkeit, von der Langeweile — ein flüchtiges Glück des Augenblicks. Sie würde so weitermachen, wenn ich Rose richtig kannte, und falls John Langley es nicht bezahlte, würden es Dan und Larry tun. Ich wollte versuchen, das zu verhindern.

»Rose«, begann ich langsam, »wie nötig brauchst du all dies?« Ich deutete auf den Raum und die Ansammlung ihrer Besitztümer. »Wenn Tom eine Arbeit fände, würdest du dann versuchen, mit dem auszukommen, was er verdient?«

»Tom — arbeiten?« meinte sie achselzuckend. »Da kennst du ihn aber schlecht! Er ist ein Gentleman, Emmy! Er ist nicht erzogen worden, etwas andres zu tun, als die Besitzungen der Familie zu verwalten... und Pferde zu kaufen.« Sie stieß ein kurzes, krampfhaftes Lachen aus. »Was erwartest du denn, soll er machen? Ein Kaufmann werden?«

»Sein Vater ist ein Kaufmann. Der beste in ganz Australien. Es würde Tom nichts schaden, sich hinter einen von John Langleys Ladentische zu stellen oder zu lernen, seines Vaters Buchführung zu übernehmen.«

»Du erwartest zu viel von Tom. Er ist nun mal so wie er ist — und das ist zur Hälfte die Schuld seines Vaters. Versuch nicht, ihn zu bessern, Emmy! Das ist reine Zeitverschwendung.« Ihre Stimme war scharf geworden.

»Dann also du? — Was willst du tun, um aus dieser Patsche herauszukommen?«

»Ich? Was könnte ich denn tun? Ich bin nicht in der Lage, irgend etwas zu tun.«

»O ja, das bist du doch! Du könntest zu John Langley gehen. Du könntest ihm erzählen, daß du ein Kind erwartest und daß John Langleys Enkel nicht in einem Hotel zur Welt kommen sollte, während sein Vater von halb Victoria wegen seiner Schulden bedrängt wird.«

Sie schnappte nach Luft. »Ich würde es nicht wagen! Ich will es nicht! Warum sollte ich zu dem alten Kerl gehen und ihn günstig stimmen?«

»Ein Abkommen ist keine Auslieferung«, erwiderte ich und blickte ihr fest in die Augen. »Was kannst du sonst machen? Dies wird nicht dein letztes Kind sein, Rose — außer, wenn du Tom nicht mehr in dein Bett läßt, und das wirst du wohl nicht tun. Du wirst viele Kinder bekommen, Rose. Du hast das Aussehen einer Frau, die leicht gebärt. Willst du in einer kleinen Hütte hausen mit sechs Kindern am Schürzenband? Willst du arm sein, weil Tom zu stolz und zu gut erzogen ist, um sich seinen Lebensunterhalt zu verdienen? Willst du mit fünfundzwanzig eine alte Frau sein, Rose? Willst du, daß die Männer auf der Straße an dir vorbeigehen, ohne dich zu beachten?«

Sie krümmte sich unter meinen Worten. Ich stand auf und ging zu ihr, um ihr das Tablett abzunehmen. »Denk darüber nach«, mahnte ich. Ich kehrte nicht zu meinem

Champagnerglas zurück; der Geschmack daran war mir vergangen.

Lange Zeit herrschte Schweigen, während ich Wäsche zusammenlegte und in die Schubladen räumte, Kleider in den Schrank hängte und die Handkoffer auspackte. Schließlich ertönte ihre Stimme undeutlich und unsicher: »Wieso denkst du, daß er uns aufnehmen würde? Bisher hat er noch mit nichts zu verstehen gegeben, daß er uns bei sich haben möchte.«

»Ich vermute, er weiß noch nicht, daß du ein Kind erwartest — es sei denn, der Doktor hat es in der ganzen Stadt herumerzählt. Du besitzt das einzige, was John Langley nicht kaufen kann. Er hat nur einen Sohn und durch diesen nur eine Hoffnung auf Erben. Ein Mann baut nicht das auf, was er in diesem Land aufgebaut hat, und läßt es in fremde Hände wandern.«

»Du scheinst deiner Sache ziemlich sicher zu sein. Woher weißt du das alles?« Ich schüttelte den Kopf. »Nein, ich vermute es nur. Keiner läßt seinen Namen mit so großen Buchstaben schreiben wie Langley. Keiner läßt ihn an mehreren Stellen anbringen. Er hat ihn zu einem großen Namen in diesem Land gemacht. Und Tom ist seine einzige Hoffnung.«

Sie zitterte. »Ich mag es aber nicht! Angenommen, er weigert sich, uns zu helfen? Angenommen, er wirft mich hinaus?«

»Bist du dann schlechter dran als jetzt?«

Sie legte sich in die Kissen zurück, und ihre Finger trommelten einen kurzen Wirbel auf der Decke. Jetzt, wo sie etwas hatte, mit dem sich ihre Gedanken beschäftigen konnten, sah sie besser aus und nicht mehr so wie ein verdrossenes Kind. »Er würde Bedingungen stellen«, sagte sie. »Er würde gewisse Dinge verlangen. Wahrscheinlich müßten wir bei ihm wohnen . . .«

»Vielleicht auch nicht«, erwiderte ich. »Da ist Langley Downs und Hope Bay. Womöglich sucht er euch ein Haus hier in Melbourne, da ja Toms Schwester schon bei ihm wohnt.«

»Er wird mehr als das fordern. Er würde die Kinder haben wollen, nicht mich.«

»Und einen Skandal heraufbeschwören? Das glaube ich nicht. Du vergißt, daß er dich nie gesehen hat. Er denkt, du bist ein kleines Mädchen von irgendeinem Bauernhof . . .«

Ihr Interesse verschärfte sich. »Ja, das ist wahr. Er kennt mich nicht.« Und ich sah das triumphierende Lächeln um ihre Lippen spielen, das mir jetzt — genau wie früher — verriet, wie sie sich bereits ihren Sieg ausmalte.

Dann warf sie den Kopf abrupt auf dem Kissen zu mir herum. »Emmy!«

»Ja?«

»Was ist mit Tom? Würde er zulassen, daß ich zu seinem Vater gehe? Er ist sehr stolz!« Ihre Miene drückte einen Augenblick Mitgefühl aus. »Er ist sehr schwach, ich weiß . . . aber es ist nicht allein seine Schuld. *Ich* hab' das Geld mit ausgegeben.«

»Sag es Tom nicht. Sag ihm nichts, bevor alles geregelt ist. Kann er sich dann weigern? Es ist ebenso sein Kind wie deines.«

Sie schüttelte den Kopf. »Du bist so hart, Emmy! Ich wußte nicht, daß du so hart sein kannst. Es ist, als sollte ich anbieten, mein Kind fortzugeben.«

Wütend drehte ich mich zu ihr um. »Du scherst dich keinen Heller um dein Kind, und das weißt du genau! Und Tom ebensowenig! Das mindeste, was du ihm geben kannst, ist ein Name und eine Erziehung. Wenn du ihm keine Liebe zu geben vermagst, kannst du ihm wenigstens das geben!«

»Du hast kein Recht, das zu sagen! Ich könnte lernen, für mein Kind zu sorgen . . . Es würde mich lieben, Emmy! Ich weiß, daß es mich lieben würde!«

»Du für es sorgen? Du kannst ja nicht mal für dich selbst sorgen! Du meinst vielmehr, deine Mutter würde für es sorgen. Sie würde es versuchen, weil es ihr eigenes Fleisch und Blut ist. Sie würde Platz für es und all die andern schaffen und ihnen Liebe geben. Doch sie ist zu alt, um noch einmal damit anzufangen, Rose. Sie ist zu alt geworden.«

»Dann könntest du mir helfen. Du verstehst gut mit Kindern umzugehen, Emmy. Vielleicht könnte es bei euch leben . . .«

Ich legte beide Hände an meinen schmerzenden Kopf. Es war drückend heiß im Zimmer, und der Kampf mit Rose hatte mich erschöpft. Ich drückte die Hände gegen die Schläfen und versuchte, mich zu beruhigen, bevor ich sprach, so aufgebracht war ich über ihren Hochmut und ihre Dummheit!

»Vielleicht wäre ich sogar bereit gewesen, dein Kind zu nehmen, Rose — ich wäre vielleicht sogar so töricht gewesen. Aber es ist nicht möglich!«

»Warum ist es nicht möglich?« fragte sie gereizt.

Ich ließ die Hände von den Schläfen sinken. »Weil Adam und ich ein Kind haben werden.«

Die Hitzewelle endete in der Abenddämmerung mit einer kühlen Brise, die das Häcksel und die Papierfetzen in der Langley Lane emporwirbelte und an den wackeligen Fenstern rüttelte. Am anderen Morgen war es frisch, und die Ahnung des Herbstes lag in der Luft. Ich öffnete die Haustür weit und zerrte meinen Schaukelstuhl in den breiten Sonnenfleck. Ich schaukelte ein bißchen bei meiner

Näharbeit und genoß die Wärme der Sonne in jeder Pore. Von Zeit zu Zeit legte ich meine Hand staunend auf meinen Leib, obwohl dort natürlich noch nichts zu fühlen war. Das Baby war erst einige Wochen bei mir. Ich hatte nur geringe Anzeichen für die Erklärung gehabt, die ich gestern Rose gemacht hatte — aber ich hatte es in einer Geste des Trotz es gesagt, um mein Recht auf Adam zu beweisen, meinen Anspruch auf ihn, und um mein Frauentum vor ihrem schwellenden Überfluß zu beweisen.

Sie war durch die Nachricht ernüchtert und ein wenig blaß geworden, und ein scharfer Zug hatte um ihren Mund gelegen. Doch war sie überraschend sanft zu mir gewesen.

»Geh nach Hause, Emmy! Ich hab' dich schon zu lange hierbehalten.«

Darauf legte sie sich zurück und drehte den Kopf zur Seite. Es war kein lautes Schluchzen zu hören, aber ihr Körper schien von Weinen zu beben. Ich verließ sie und kehrte zu der Stille und dem Frieden dieses kleinen Häuschens zurück. Hier, in diesem Haus, gehörte Adam mir. Nichts von Rose hatte hier unser Leben berührt. Ich fühlte mich gestärkt. Und als ich am Morgen aufwachte, war mir eine Zeitlang entsetzlich übel, und ich hätte vor Freude laut lachen mögen. Ich sang bei meiner Hausarbeit und kümmerte mich nicht um die Zuhörer draußen in der Langley Lane.

Con kam ein paar Stunden zu mir — offiziell, um Mathematikstunden zu bekommen, hauptsächlich jedoch, um mit mir zu plaudern und nicht zu beantwortende Jungenfragen zu stellen. In der folgenden Woche sollte er in eine Privatschule in der Swanston Street kommen.

»Es muß 'ne Privatschule sein«, hatte Larry bestimmt. »Die Gemeindeschulen sind nicht viel besser als die in Irland. In die guten kann er nicht gehen — Scotch College würde ihn nicht aufnehmen, weil er katholisch ist und sein

Vater ein Gastwirt. Wir müssen das Beste aus dem machen, was für ihn zu erreichen ist. Und du hast ein Auge auf ihn, Emmy, nicht wahr?«

Ich hatte es versprochen, wie ich alles tat, um das Larry mich bat. Ich hatte meine Zweifel über Mr. Woods' Schule in der Swanston Street. Ich erfuhr, daß er trank und seinen Stock grausam niedersausen ließ, wenn seine Schüler nicht brav waren. Doch galt er als ein ausgezeichneter Lehrer für Latein und Griechisch. Was er nicht über Mathematik und Buchführung wußte, würde ich Con beibringen.

»Manchmal bist du so nett, Emmy, aber dann wieder bist du so streng wie Rose.«

»Sei nicht frech! Und löse mir all diese Aufgaben in zwanzig Minuten!« Der Griffel kratzte schauerlich über die Schiefertafel, und Con murmelte etwas über drei Männer und einen vierzehn Meter langen Graben. Mitfühlend legte ich ein Stück frisch gebackenen Kuchens neben seinen Ellbogen, damit es ihm leichter würde, mir für jenen vierzehn Meter langen Graben zu verzeihen.

Fünf Minuten später erklärte er: »Larry kam heut' morgen an. Er läßt dir Grüße von Ben Sampson bestellen.« Ich nickte und freute mich über die Botschaft. »Und er läßt fragen, ob es dir was ausmachen würde, heut' abend rüberzukommen und ihm zu helfen, die Bestellungen auszusortieren und für die Langley-Leute aufzuschreiben. Der Mann, den Larry jetzt hat, kann nicht schreiben. Er will sich einen neuen suchen.«

»Würde Pat es tun?«

»Larry sagt nein. Er sagt Pat will nicht für ihn arbeiten, und sie würden sich sowieso gleich in der ersten Woche zanken. Pat hat ein neues Grundstück gekauft, gräbt aber nicht darauf.«

»Was macht er denn?«

»Er verbringt seine ganze Zeit unten an der Main Road, sagt Larry — trinkt und spielt. Er hat etwas Geld dabei gewonnen. Er hat mehr Glück als Tom — Larry sagt, ganz Ballarat redet über ihre Schulden.«

»Con ... du solltest diesen Reden nicht zuhören! Du bist zu jung dafür.«

Er sah mich kühl an. »Warum fragst du mich dann, wenn ich nicht zuhören soll, um die Antworten zu wissen?«

Ich gab mich geschlagen, und er verspeiste triumphierend seinen Kuchen.

Es war spät am Nachmittag, Con war gegangen, und die Sonne schien nicht mehr in den Hof, als ich die Bewegung draußen in der Gasse vernahm. Ich hörte die in Protest erhobenen Stimmen der Fuhrleute und dann, nach einigem Hin und Her, die anfeuernden Zurufe an die Pferde, das Gerumpel der riesigen Räder auf den Pflastersteinen und das Stampfen der großen Hufe. Einer der Planwagen fuhr rückwärts in den Hof vor den Stallungen zurück, um ein anderes Fahrzeug durchzulassen, und sein Fahrer, Higgins, knurrte zornig vor sich hin.

»Wenn Ihr nich' zu Miss Emma wolltet, hätt' ich's nich' getan«, rief er zu dem anderen Wagen hinüber.

Und Rose, die darauf wartete, daß der Kutscher kam und ihr beim Aussteigen half, lehnte sich heraus und erwiderte mit der gleichen Vehemenz: »Und hütet Ihr lieber Eure lose Zunge, mein guter Mann!«

Sie stieg aus der Kutsche, eine unvergeßliche Erscheinung in jenem schäbigen Hof in ihrem oben eng anliegenden Schottenkleid mit dem unwahrscheinlich weiten Rock, der von mindestens sechs gestärkten Unterröcken aufgebauscht wurde. Ich glaube, es gab an jenem Nachmittag in ganz Melbourne keinen weiteren Rock. Sie trug dazu einen winzigen Hut schief über der Stirn, und ihr volles Haar war in glänzenden, ordentlichen Locken auf dem Hinterkopf aufgetürmt. Sie bewegte sich anmutig mit wogendem Rock auf mich zu.

»Die dachten, ich würde durch diese dreckige Gasse zu Fuß gehen«, sagte sie, um Higgins' ärgerliche Rufe zu erklären.

Ich wandte meinen Blick von ihr ab und betrachtete die Kutsche. »Das ist ja John Langleys Kutsche!«

Sie ergriff meinen Arm und beugte sich dicht zu mir herüber; ihre Augen schienen vor heimlicher Belustigung zu bersten. »Komm mit herein. Ich erzähl' dir alles.«

»Ich hab's getan«, verkündete sie, sobald ich die Tür hinter uns geschlossen hatte. »Ich hab' mit ihm gesprochen, und es ist alles arrangiert. Wir werden bei ihm in der Collins Street wohnen — oh, nur, bis das Baby geboren ist —, und er zahlt die Schulden.«

Sie schaute mich nicht an, sondern ging unruhig im Zimmer herum, warf einen Blick in den Spiegel über dem Kamin, glitt mit der Hand über den Nähkorb, ja, hob sogar den Deckel vom Kochtopf, um zu sehen, was drin war.

»Setz dich hin, Rose, und erzähl es mir richtig. Wie kannst du dich konzentrieren, wenn du hier wie ein Vogel herumflatterst.«

Unwillig setzte sie sich. »Ich brauch' mich nicht zu konzentrieren. Ich sagte dir doch — es ist alles geregelt!« Und ihr Gesicht lief dunkel an vor Ärger.

»Wie empfing er dich?«

»Ganz gut«, antwortete sie und zuckte dann ungeduldig die Achseln. »Oh, ist das so wichtig? Du kannst ebensogut die Wahrheit erfahren. Er war höflich, aber ich kam mir vor wie jemand, den er zufällig auf der Straße gestreift hatte und nicht wiederzusehen erwartete. Es wurde besser, nachdem wir ein paar Minuten miteinander gesprochen hatten. Ich erzählte ihm unumwunden von den Schulden. Ich sagte, es sei an der Zeit, daß er und Tom sich versöhnten — daß Tom ihm bei der Verwaltung der Besitzungen helfen sollte. Er sagte nichts — gar nichts, Emmy! —, bis ich ihm von dem Baby erzählte. Danach ging es sehr schnell, als wäre es ein Handel. Ich vermute, es war auch ein Handel. Er hat das Recht, über das Kind zu bestimmen — Erziehung, Gouvernanten, alles. Und wir«, ihre Stimme bebte leicht, »uns wird alles gestellt, ein Haus, eine Rente, eine Kutsche. Sogar eine Reise nach London, sagte er — nach der Geburt des zweiten Kindes.«

»Des zweiten . . .?«

»Des zweiten Kindes, Emmy! Das sagte er. Und ich — ich stimmte zu. Ich stimmte allem zu!« Plötzlich verzog sich ihr Gesicht jämmerlich, und sie vermochte nicht, ihre Lippen ruhig zu halten. »Oh, mein Gott, Emmy! Wie sag' ich es nur meinem Vater? Was kann ich ihm sagen?«

»Nichts! Sag ihm nichts davon! Warum willst du ihm deine Sorgen aufhalsen? Hat er nicht bereits selber genug? Du wirst ihm einfach sagen, daß ihr — du und Tom — zukünftig bei John Langley wohnt. Was braucht er sonst zu wissen? Genügt es nicht, daß du ihn quälst und er sich schämen muß wegen der Schulden, die du und Tom in Ballarat hinterlassen habt? Mußt du es noch schlimmer für ihn machen, indem du bekannt werden läßt, daß ihr nicht fähig seid, eurem Kind Eltern zu sein? Du hast ein Abkommen mit John Langley geschlossen, und wegen deiner Kinder brauchst du dir nie darüber Sorgen zu machen, wie du das Dach über deinem Kopf bezahlen sollst oder die nächste Mahlzeit oder sogar das neue Kleid, das du dir kaufst, ohne es wirklich zu brauchen. Steh jetzt zu deinem Wort — dies eine Mal, steh zu etwas, ohne zu jammern! Wenn es auf deinem Gewissen lastet, laß es dort! Gib es nicht an deinen Vater weiter, oder an Larry — oder an mich!«

Sie saß mit gesenktem Kopf vor mir und verkrampfte

die Hände in ihrem Schoß. Sie schien jetzt gefaßter, obwohl ihr Gesicht blaß geworden war. Sie sah nicht mehr wie das kleine Mädchen von gestern aus, und ihre Augen waren nicht mehr rotgerändert. Sie war jetzt drei Monate schwanger, und die neuen Rundungen standen ihr gut, ohne ihre Figur zu entstellen. Sie war reif und erwachsen und schöner, glaube ich, als vor ihrer Heirat. Ich wunderte mich nicht, daß John Langley so offen mit ihr über ein zweites Kind gesprochen hatte. Sie schien dafür geschaffen, Kinder zu bekommen. Und als ich an diese Kinder dachte, die sie gebären würde, bereute ich nicht, was ich hier eingefädelt hatte. Andere Hände würden sie ernähren und für sie sorgen, und Rose würde trotzdem da sein, ihnen die Liebe zu geben, die sie aufzubringen vermochte. Oder sie würde — wie sie es formulierte — da sein, damit ihre Kinder sie lieben konnten.

Sie hob den Kopf und sah sich um und unterzog das Zimmer einer sorgfältigen Prüfung. »Weißt du, Emmy, du hast wirklich Glück!«

Ich dachte, sie verspotte die beinahe an Armut grenzende Einfachheit unseres Wohnzimmers und fühlte, wie ich errötete. »Wie meinst du das — Glück?«

»Ich meine all dies.« Und sie sah mich voll an. »Dies genügt dir völlig, nicht wahr? Du willst doch gar nicht mehr als so eine Hütte am Ende einer verdreckten Gasse? Du bist damit glücklich. Du hast genug Kochtöpfe und Bratpfannen und ein oder zwei gute Kleider, und das reicht ja. Du hast es gut! Du wirst dein Kind bekommen, und das wird dir genügen. Du leidest nicht unter dem Fluch, immer mehr haben zu wollen.«

Sie erhob sich gelassen, und ihre Stimme war ruhig und sachlich. »Und du hast Adam. Wir dürfen nicht vergessen, daß du deinen Adam hast.«

Ich beobachtete, wie sie zur Tür ging und machte keinerlei Anstalten, sie zu begleiten. Sie war gehässig und boshaft, fand ich — ein richtiges Scheusal.

Ich wünschte sie fort. Sogar in den Frieden dieses Hauses war sie eingedrungen und hatte ihn mir genommen.

»Ich muß zurück zu Tom«, meinte sie dann, immer noch ganz beherrscht. »Er weiß nicht, was ich verabredet habe, der arme Tom.« Und mit der Hand auf der Türklinke hielt sie noch einmal inne. »Es ist komisch, nicht wahr, Emmy, daß manche Leute ›arm‹ genannt werden, ganz gleich, wie reich sie sind. Ich meine — Tom. Er ist der ›arme‹ Tom — und wird es immer sein. Merkwürdig, daran hab' ich vor drei Monaten nie gedacht.«

Kapitel 4

Es ergab sich, daß ich John Langleys Haus an der Collins Street zum erstenmal als Rose Langleys Freundin, nicht aber als Adams Frau betrat. Sogar nachdem sie an jenem Tag nach ihren bösen Worten fortgegangen war, wußte ich, wir würden weiter Freundinnen bleiben. Etwas in mir sträubte sich gegen die Gewißheit, daß sie »komm« sagen konnte und ich daraufhin kam; doch Rose war ein Teil der Maguire-Familie, und von der würde ich mich nie freiwillig trennen lassen. Ich fand mich also damit ab, daß Rose empörende Dinge sagen würde, und ich mich zwingen mußte, diese zu vergessen. Denn ich begann zu erkennen, daß ich einen gewissen Einfluß auf sie hatte — mehr als ihre Familie, mehr auch als Tom — und ich diesen geltend machen mußte, damit sie Dinge tat, die sie nicht tun wollte, und sich der Haltung anpaßte, die von Tom Langleys Frau erwartet wurde. Weshalb sie mich in dieser Rolle als Beraterin und Vertraute hinnahm, weiß ich nicht — vielleicht trieb ihre Einsamkeit sie dazu, vielleicht war es auch die Angst, die Verbindung mit Adam zu verlieren. Es blieb gleich, aus welchem Grunde auch, das Schema unserer Beziehungen war entworfen und wurde bald von unserer Umwelt anerkannt. Weiß Gott, ich wollte es nicht! Ich wäre froh gewesen, Rose los zu sein, denn der Gedanke, sie könnte mir Adam wegnehmen, verfolgte mich geradezu. Ich tat, was ich tun mußte, um Kates und Dans willen und im Hinblick auf all das, was ich ihnen schuldete.

Kaum eine Stunde, nachdem Rose an jenem Tag mein Haus verlassen hatte, kam ein reizendes, reuiges Briefchen von ihr. Sie hatte immer verstanden, mich zu besänftigen. Das Briefchen war unbestimmt gehalten, und ich glaube, wenn ich sie gefragt hätte, warum sie Reue empfand, hätte sie es nicht gewußt. Es stand noch eine Nachschrift darunter. »Komm doch bitte und hilf mir, zu den Langleys umzuziehen. Morgen ist es soweit.«

Ich ging hin; vielleicht war es dumm von mir; aber ich gewöhnte mich bereits daran, meinen Verstand außer acht zu lassen, wenn es um Rose ging.

Ich war hauptsächlich da, um ihr bei ihrem ersten Zusammentreffen mit dem Langley-Haushalt den Rücken zu stärken; denn niemand konnte Tom und Rose mit ihrem chaotischen Umzug viel helfen. Sie hatten zur Hälfte gepackt, als ich im Hotel ankam. Zwei große Koffer und eine Reisetasche standen dort, um ihre Habe aufzunehmen, die nicht einmal in fünf Reisekoffer hineingegangen wäre. Sogar während der zwei Tage in Melbourne hatte Rose noch mehr Sachen erstanden, die sich nun in einem wüsten Durcheinander von Schachteln, Einwickelpapier und Paketen über das ganze Zimmer ergossen. Eines mußte man Rose lassen: sie machte keine Halbheiten. Die Langley-Kutsche kam zum Hotel, um sie abzuholen, doch Tom mußte noch eine Droschke holen, um die Flut ihres Ge-

päcks zu befördern, und als dann der Diener den Wagenschlag öffnete, quollen ihm die Schachteln und Pakete
wie der Plunder einer Zigeunerkarawane entgegen. Rose
schien sie jedoch nicht zu bemerken. Sie wartete kaum,
daß Tom sie am Arm die Treppe hinaufführte. In der
Haustür stand eine Frau, die ich sofort als Elizabeth
Langley erkannte. Sie hieß zwar Mrs. Townsend, doch
redete und dachte jeder in Melbourne von ihr als Elizabeth Langley. Später erfuhr ich, daß es ihr so lieber war.
Sie war genau wie Tom sehr groß und sah gut aus, wenn
ihr feingeschnittenes Gesicht auch eher apart als hübsch
war. Sie trug ein sehr schlichtes Kleid mit knappen Ärmeln, einem engen Rock und einem strengen Halsausschnitt ohne jede Verzierung. Ich fand, sie sah eher wie
eine Gouvernante aus als wie die Herrin dieses phantasti-
schen Hauses.

Es war mitten am Nachmittag, also die Stunde, in der
man auf der Collins Street auf und ab flanierte, und ich
glaube, Elizabeth beugte sich nur wegen der etwaigen
Zuschauer vor und küßte Rose flüchtig auf die Wange.
Ihre Augen blickten jedoch nicht freundlich. Sie gab Tom
ebenfalls einen Kuß, der sogar noch flüchtiger war.

»Na, Tom.«

»Na, Elizabeth . . .«

Das war die ganze Begrüßung zwischen den beiden
nach der monatelangen Trennung. Darauf wandte sie sich
mir zu und betrachtete mich prüfend-fragend.

»Das ist meine Freundin, Emma Langley.«

Beinahe widerstrebend reichte sie mir die Hand. Ihr
Kopfnicken fiel sehr kühl aus. »Ich glaube, mein Mann
hatte das Vergnügen, Sie kennenzulernen«, sagte ich, um
das Schweigen zu brechen. Ihr Blick gab jedoch zu verstehen, daß es kein Vergnügen gewesen war.

»Ja, Kapitän Langley war geschäftlich hier bei meinem

286

Vater.« Sie wandte sich abrupt Rose zu. »Du willst sicher dein Zimmer sehen.«

Rose war immer sehr mutig, wenn sie ihr Ziel klar vor Augen hatte. In Anwesenheit des Dieners und der beiden Hausmädchen erwiderte sie laut: »Oh — ich verstand, daß ich hier leben soll, Elizabeth, und nicht nur ein paar Zimmer habe. Ich möchte deshalb zuerst das übrige Haus sehen. Tom — zeig du es mir! Komm mit, Emmy!«

Für eine Sekunde sah ich Dankbarkeit in Toms Gesicht aufleuchten und Empörung in Elizabeths. Rose ergriff Toms Hand, und er wurde durch diese Geste plötzlich ihr Ehemann und der Erbe dieses Hauses und war nicht mehr irgendein Fremdling, dessen Gegenwart man hier kaum duldete. Eifrig führte er sie ins Haus, nicht länger der verstoßene Sohn. Und in diesem einen kurzen Augenblick hatte sich Rose ihre Stellung in diesem Haus erobert.

Ich wußte, es würde lange Zeit vergehen, bevor John Langley sein Haus an der Collins Street verließ, um dem in Mode gekommenen Zug in die Vororte nach St. Kilda und Toorak zu folgen. Er würde hierbleiben, während der Verkehr und Lärm um ihn herum zunahmen, während die Gebäude ihn einschlossen, weil er dieses hübsche Haus aus blaugrauem Stein für die Dauer gebaut hatte, und weil er die Leute daran erinnern wollte, daß John Langley mitten im Geschehen blieb. Er hatte sein Arbeitszimmer im Parterre, nur wenige Meter von dem Eisengitter entfernt, welches das Haus von der Straße trennte. Der Staub der Stadt und die Stimmen der Vorübergehenden drangen zu ihm herein, und ich verstand, sogar bevor ich ihn kennenlernte, daß er genau das wollte. Sein Haus erschien mir wie eine kleinere Ausgabe der großen Gebäude, an denen ich täglich auf dem Berkeley Square, gerade um die Ecke von Elihu Pearsons Laden in London, vorbeigekommen war —

mit dem eisernen Gitter, dem von Säulen flankierten Eingang, der Marmortreppe und der anmutig geschwungenen, einen Kreis bildenden Treppe in der Halle. Die Möbel waren zierlich und nicht im heutigen Stil. Ich erfuhr später von John Langley die Namen der Männer, die diese Gegenstände hergestellt hatten — die Hepplewhite-Stühle, die Adam-Kamineinfassungen und das Porzellan von Josiah Wedgwood. Damals kannte ich ihre Namen nicht, doch empfand ich wohl ihren unaufdringlichen Charme, die gewisse intime Atmosphäre, die nicht zu meiner Vorstellung von John Langley paßte.

Elizabeth folgte uns bei unserem Rundgang durch das Haus — wir besichtigten das Eßzimmer im Parterre gegenüber von John Langleys Arbeitszimmer, den aus zwei Räumen bestehenden Salon im ersten Stock, die Schlafzimmer im zweiten und zuletzt die Dienstbotenzimmer im dritten Stock.

»Das Kinderzimmer und der Unterrichtsraum sind dort oben«, erklärte Tom und deutete die letzte, steile Treppe hinauf.

»Nun, über die wollen wir uns nicht eher den Kopf zerbrechen, als es nötig ist, nicht wahr?« meinte Rose. »Komm, Emmy, und hilf mir auspacken. Ich bin ja so froh, daß wir ein Zimmer nach vorn haben, du nicht auch, Tom? Ich mag gern Leben um mich hören.«

Sie schob schwungvoll eines der Fenster hoch, legte die Hände auf das Fensterbrett und lehnte sich hinaus. Ich sah, wie sich Elizabeths Mund in Protest öffnete, und mir kam der Gedanke, daß wahrscheinlich seit Erbauung dieses Hauses niemand sich aus einem der Fenster gebeugt und so auf die Collins Street hinuntergeblickt hatte. Rose sah in jenem Augenblick aus, als gehörte ihr die ganze Welt.

Elizabeth nestelte indes einige Schlüssel von ihrem Bund. »Ich laß dir diese hier. Sie sind für die Kommode und die Kleiderschränke. Und jetzt muß ich mich um verschiedene Sachen kümmern . . .«

Rose wandte sich rasch vom Fenster ab. »Oh, aber du darfst noch nicht gehen. Da sind . . . ich muß dir etwas zeigen. Schnell, Tom — die Reisetasche! Nein — nein, es war im Korb.« Sie legte die Hand an die Stirn. »Wo hab' ich es nur hingetan?«

Elizabeth bewegte sich auf die Tür zu. »Was hingetan?« erkundigte sich Tom.

»Die Brosche — die Brosche natürlich, die wir in Ballarat für Elizabeth gekauft haben.« Rose riß inzwischen hastig den Inhalt eines Weidenkorbes heraus, während Elizabeth wie erstarrt mitansah, was innerhalb von fünf Minuten aus diesem makellosen Zimmer wurde. Sie sah nicht Toms Gesicht, seine emporgezogenen Augenbrauen und den erstaunt fragenden Blick. Rose kippte schließlich den ganzen Inhalt der Reisetasche auf das Bett.

»Hier ist sie!« rief sie und ging mit dem kleinen Schmuckkästchen, dessen Deckel nur noch an der einen Seite festhing, auf Elizabeth zu. »Es ist auf der Reise kaputtgegangen — diese Fuhrmänner sind so unachtsam —, doch der Brosche ist nichts passiert. Sieh mal — sie stammt ursprünglich von Simons hier in Melbourne.« Sie zögerte nur ganz kurz, als Elizabeth zwei Schritte zurückwich; ich fragte mich, ob sich Rose wohl eine glatte Abfuhr holen würde. Das Gesicht ihrer Schwägerin war verkniffen und mißtrauisch. Da nahm Rose plötzlich selbst die Brosche aus dem Kästchen und griff nach Elizabeths Kragen. »Schau! — Wie hübsch sie auf diesem Kleid aussieht!« Sie steckte sie schnell an den engen, hohen Kragen. Es war eine runde, goldene Brosche mit einem dunkelblauen Opal in der Mitte.

Elizabeth befühlte sie und sah beinahe aus, als wäre

sie von Roses Berührung gestochen worden. Sie wich weiter zurück.

»Ich laß die Schlüssel hier«, war alles, was sie sagte. Sie gab die Brosche jedoch nicht zurück, wie ich erwartet hatte.

»Mach dir keine Mühe wegen der Schlüssel«, meinte Rose leichthin. »Ich schließe nie irgend etwas ab.«

Doch Elizabeth war schon fort. Rose zuckte die Achseln und spreizte die Hände in einer hilflosen Gebärde.

»Nun — ich versuchte jedenfalls, nett zu sein.«

Tom fragte leise: »Warum hast du sie ihr gegeben, Rose? Sie war nicht für Elizabeth bestimmt. Ich habe sie dir gekauft!«

»Oh, stell dich nicht so an! Es ist doch nur eine Kleinigkeit. Dies entsetzliche Kleid! — Sie braucht doch etwas dafür.«

»Du hattest kein Recht, sie ohne meine Erlaubnis zu verschenken!«

Rose zuckte erneut die Achseln. Sie hatte sich bereits daran gewöhnt, Tom nicht allzusehr zu beachten und begann nun heute, Elizabeth Langley zu bemitleiden und zu beschützen. Sie drehte sich um und zupfte gleichgültig an dem Berg ihrer Sachen auf dem Bett herum.

»Komm, Emmy! Laß uns sehen, wo wir dies alles hintun. Ich bin müde — und möchte mich ausruhen. Ich will heut abend frisch sein, wenn Mr. Langley nach Hause kommt.«

Rose hatte schon entschieden, daß es in diesem Haushalt nur auf eine einzige Person ankam. Sie blickte zu ihrem Mann hinüber, der noch genauso dastand wie vorhin, verletzt und gedemütigt. »Steh doch nicht da herum, Tom! Klingle lieber und sag, ich möchte Tee haben.« Sie schien unmöglich die gleiche Frau zu sein, die ihm einige Minuten zuvor so vertrauensvoll die Hand gereicht hatte, damit er sie über die Schwelle führte. Aber sie fesselte Tom mit kleinen Brosamen an sich.

So lächelte sie ihm jetzt zu. »Reg dich doch nicht über die Brosche auf! Denk lieber daran, was es uns für Spaß machen wird, eine neue zu kaufen . . . und klingle nach dem Tee, mein Liebling.«

Den Rest des Nachmittags war sie leutselig und gutgelaunt, so daß wir es ihr nicht richtig übelnahmen, daß sie auf dem Bett lag, während Tom und ich ihre ganzen Sachen wegordneten. Sie lachte häufig über Kleinigkeiten, die sie zu amüsieren schienen; die Zeit verging schnell, und Tom war glücklich.

Schließlich ging Tom hinunter, mir schien, nur ungern, und ich schickte mich an, zu gehen. Als ich meinen Hut aufsetzte, richtete Rose sich plötzlich auf. »Geh noch nicht, Emmy! Bleib doch zum Essen!«

Ich schüttelte den Kopf. »Ich kann nicht dein Leben für dich leben, Rose. Du mußt Toms Vater selbst gegenübertreten — jetzt oder ein andermal.«

Sie nickte langsam und verstehend. Doch dann erklärte sie, als bereue sie das Zugeständnis: »Vergiß nicht, daß ich keine Angst vor ihm habe!«

»Nein.« Ich band die Schleifen meines Hutes zusammen.

»Aber warum willst du eigentlich nicht hier bleiben? Ich meine — du fändest es sicher nett. Es wäre eine Abwechslung von dieser . . .«

»Ich bleibe nirgends, ohne eingeladen zu sein«, erwiderte ich.

»Aber *ich* hab' dich doch eingeladen! Dies ist mein Haus. Ich werde nicht unter dem Pantoffel dieser Frau stehen — und auch nicht unter seinem!«

Ich nickte. »Du brauchst es aber nicht gleich am ersten Abend zu beweisen. Sachte, Rose . . . sachte!«

Sie schleuderte die Bettdecke zur Seite. »Dann bleib wenigstens, bis ich angezogen bin.«

Ich setzte mich wieder hin und nahm meinen Hut ab. »Also gut.« Ich betrachtete sie, als sie nach heißem Wasser klingelte, und begann, ihr die Unterröcke auszuziehen, während ich mich fragte, weshalb sie mich weiter brauchte. Sie war sich ihrer selbst sicher und war stark genug gewesen, diesen Haushalt sofort an diesem Nachmittag an sich zu reißen und nach ihren Wünschen einzuteilen. Sie fürchtete weder Tom noch Elizabeth. Übrig blieb John Langley. Während sie sich wusch, hatte ihr Summen einen nervösen, angestrengten Klang, sowie bei jemandem, der pfeift, um sich Mut zu machen. Sie brauchte zehn Minuten, um ihr Haar zu bürsten, was ich niemals vorher erlebt hatte. »Nein — nicht so, Rose. Trag es in einem niedrigen Knoten im Nacken.«

Sie probierte es. »Ich seh' damit aus wie ein Küchenmädchen.«

»Nein! Es ist genau richtig.« Ich hatte nie mit John Langley gesprochen, hatte ihn nie von Angesicht zu Angesicht gesehen, wußte jedoch vom Stil dieses Hauses, daß er das Einfache und Schlichte bewundern würde. Mir wurde plötzlich klar, daß Rose genauso mich wie ihre Familie vertrat, und ich wollte, daß sie Ehre für uns einlegte.

»Ein bißchen mehr über die Ohren — ja, so!«

Sie schien mit dem Ergebnis nicht zufrieden, beugte sich jedoch meiner Entscheidung, genauso wie bei der Wahl des Kleides. Ich sah zu, wie sie vor ihrem Schrank stand und zwischen einem pfauenblauen Kleid, das ich nicht kannte, und einem grünen Seidenkleid, das sie einmal am Eureka getragen hatte, schwankte. Keines eignete sich für diesen Anlaß. Ich ging zum Schrank und zog ein Kleid von dunklem Weinrot heraus.

»Dies hier! Dies mußt du anziehen!«

»Das!« Sie rümpfte die Nase. »Tom hat es ausgesucht — ich mag es nicht. Es macht mich alt.«

»Älter«, berichtigte ich. »Vielleicht wäre das sehr gut — heute abend!«

Sie nickte langsam und nahm mir das Kleid ab. Als sie es angezogen hatte, drehte sie sich zu mir um und fragte — sehr demütig für Rose: »Was für Schmuck soll ich tragen?«

Das Kleid war von auffallender Schlichtheit, und ich verstand, warum Tom es so gern mochte. Es verlangte eine Schönheit wie Roses, den Glanz ihres schwarzen Haares und den Kontrast ihrer weißen Haut. Rose war sich ihrer Wirkung jedoch nicht bewußt. Ich gewahrte, wie sich ihre Mundwinkel nach unten zogen, als sie ihr Spiegelbild musterte.

Ich durchstöberte ihren Schmuckkasten. Er enthielt nichts von sehr großem Wert. Eine Halskette aus Türkisen, ein Armband und eine Brosche aus Korallen und ein Paar winzige Perlohrringe. Die Opalbrosche, die sie Elizabeth geschenkt hatte, war das beste Stück ihrer kleinen Sammlung gewesen.

»Trag die Perlen in den Ohren — das genügt.«

»Nichts mehr? Nicht die Kette? — Wenigstens die Kette, Emmy!« Und sie deutete auf den tiefen Ausschnitt ihres Kleides. »Ich seh' so — so arm aus!«

»Eines Tages«, erwiderte ich und glaubte fast an meine Prophezeiung, »wird John Langley dir Diamanten schenken.«

Ich war stolz auf sie, als sie vor mir die Treppe hinunterschritt. Sie sah nicht mehr wie ein junges Mädchen aus. Vielleicht war sie nervös, doch zeigte sie es nicht. Sie sah auch nicht so aus, als hätte sie jemals etwas mit den Zelten am Eureka oder der Maguire-Schenke an der Bourke Street zu tun gehabt. Es schien vielmehr, als wäre sie ihr ganzes Leben lang eine runde Freitreppe hinuntergeschwebt. Die neue Haarfrisur ließ ihre wundervolle Kopfhaltung sichtbar werden. Rose hatte schon immer unfehlbar anmutige Bewegungen gehabt; jetzt jedoch schien sie auf ihre neue Umgebung zu reagieren, um dieser gerecht zu werden. In dem weindunklen Kleid ohne allen Schmuck wirkte sie beinahe königlich. Ich spürte die Befriedigung, den Geist dieses Augenblicks mitgeschaffen zu haben, und erhielt meine Belohnung durch den Ausdruck, der plötzlich über John Langleys Gesicht glitt, als er am Fuß der Treppe stand und Rose auf sich zukommen sah.

»Willkommen . . . Rose!«

Sie neigte den Kopf, als stände ihr dieser Willkommensgruß zu. »Danke. Emmy, das ist Toms Vater. Meine Freundin . . . Emma Langley.« John Langley beugte sich über meine Hand, höflich, jedoch nicht mehr. »Adams Frau ist stets willkommen in diesem Haus.« Rose schwenkte lässig die Hand. »Emmy war lange, bevor sie Adams Frau wurde, meine Freundin.«

Ich betrachtete den alten Mann, das Gesicht, von dem ich einen flüchtigen Blick in der Kutsche erhascht hatte. Er war groß und dünn und sah noch gut aus; sein Haar war weiß und sein Backenbart eisgrau, genau wie seine Augen, die ich mir braun vorgestellt hatte, so wie Toms, sie waren jedoch grau, lichtlos, streng und diszipliniert. In seinem untadelig geschneiderten Rock mit den seidenen Aufschlägen und dem makellos weißen Hemd hätte er irgendein Gentleman auf einer der vornehmen Londoner Straßen sein können. Ich fühlte jedoch die vor langer Zeit entstandenen Schwielen an der schmalen Hand, die er mir reichte, und sein von Sonne und Wind für immer gebräuntes Gesicht erinnerte mich an die Geschichten, die über ihn umgingen – wie er selbst in den ersten Jahren in diesem Kontinent mit seinen Leuten sein Land gerodet, wie er Zaunpfähle zugeschnitten, Schafe gemustert und mit seinen eigenen Händen die Ziegelsteine für den ersten Kamin seines ersten Hauses an der Hope Bay gebrannt hatte. Und am Abend hatte er vorm Einschlafen dann beim Schein des Feuers Virgil gelesen. In den ersten Jahren hatte er seine Frau mit Elizabeth und dem kleinen Tom in Van-Diemens-Land jenseits der Bass-Straße gelassen, bis ein Haus und Besitz, würdig der Frau, die er geheiratet hatte, bereitstanden. Ich fand, es war ein unendlich einsames Gesicht, in das ich jetzt blickte.

»Elizabeth sagte mir, daß Sie bei Rose seien. Ich habe Anweisung gegeben, ein weiteres Gedeck für Sie aufzulegen.«

»Vielen Dank«, erwiderte ich steif, »aber ich muß gehen. Ich habe noch zu tun . . .«

»Es wäre mir ein Vergnügen, wenn Sie blieben.«

Die Worte waren eine reine Höflichkeitsfloskel. Er suchte kein Vergnügen in meiner Gesellschaft; einen Augenblick schien mir, er war ebenfalls nervös. Ich mußte mich daran erinnern, daß er auch nur ein Mensch war. Für ihn wie für Rose war dies ein seltsamer Augenblick, und der Abend schien lang. Dann kam Tom, der bei der Tür zum Frühstückszimmer gestanden hatte, auf mich zu.

»Bleib doch, Emmy!« Wenn seines Vaters Gesicht keine Bitte ausdrückte, so stand sie deutlich in Toms Gesicht, und ich nickte zustimmend. Da erdröhnte ein Gong neben uns in der Halle, und ich fuhr zusammen, ebenso Rose. Es war das erstemal, daß ich auf diese Weise zu einer Mahlzeit gerufen wurde.

»Wollen Sie nicht Ihren Hut und Schal ablegen, Mrs. Langley?« fragte John Langley. »Ich verlange von meinem Personal Pünktlichkeit und also auch von meiner Familie.«

Er bot Rose seinen Arm und wandte sich mit ihr dem Eßzimmer zu. Ich ergriff Toms Arm und ließ so Elizabeth, die gerade an der Tür zum Küchentrakt erschienen war, hinter uns. Wir schritten in einer beinahe feierlichen Prozession zu unseren Plätzen, gefangen in einem Schweigen, das darauf wartete, von John Langley gebrochen zu werden. Ich blickte hinüber zu Tom und sah seine gefrorene Miene, und ich dachte daran, wie begeistert er von unseren Zinntellern unser Eintopfgericht am Lagerfeuer am Eureka mit uns geteilt hatte.

Elizabeth hatte ihren Platz am Ende des Tisches ihrem Vater gegenüber, doch er gab dem Diener das Zeichen, mit Servieren zu beginnen. Sie hatte sich umgezogen, aber das neue Kleid war keine Verbesserung. Es war dunkelblau, ebenfalls hochgeschlossen und mit langen Ärmeln. Anstelle des einfachen Leinenkragens trug sie nun einen aus Spitzen. Und dann entdeckte ich die kleine Opalbrosche. Ihre Hand glitt mehrmals unwillkürlich zu ihr, und ihr Blick ruhte oft auf Rose. Ich begriff, daß Rose, ohne sich eigentlich darum zu bemühen, etwas in dieser Frau berührt hatte, das den meisten verschlossen blieb. Bei dieser ersten Mahlzeit im Langley-Haus lernte ich, daß die Reichen eine einsame Welt bewohnen, daß ihr Geld ihnen nicht den zwanglosen Umgang mit Fremden und weniger Begünstigten zu kaufen vermag. Das war vielleicht der Grund, warum John Langley Rose gelten ließ. Er wurde alt in seiner aus Stolz und Reichtum errichteten Burg, einem kalten Ort, und spürte es wohl selber. Und als ich nun von Tom zu Elizabeth blickte, die beinahe von ihres Vaters Gegenwart gelähmt zu sein schien, dämmerte mir, was für ein Gewinn Rose vielleicht für ihn bedeutete, der unerwartete Segen durch die Heirat seines Sohnes. Sie besaß eine unglaubliche Vitalität, die Tom und Elizabeth zu farblosen Puppen verblassen ließ. Sie war nicht das ungehobelte, unwissende Mädchen, wie er befürchtet hatte, und er wußte, wie rasch die Kniffe und Allüren der Reichen erlernt werden können — wie Rose und ich sie gleich an jenem Abend lernten. Das Essen wurde auf zierlichen Tellern serviert, und unsere Gläser wurden mit Wein gefüllt. Wir beide lernten von den Langleys, welches Messer und welche Gabel man als nächste nehmen mußte; wir ließen den Wein unberührt stehen, und er wurde mit dem nächsten Gang gewechselt.

»Ich habe mir meinen Koch aus London mitgebracht, Miss Emma«, erzählte John Langley.

Ich verstand, er wartete darauf, daß ich die Vorzüglichkeit der Saucen und den zarten Geschmack des Fleisches lobte, entsinne mich jedoch daran, daß ich hungrig von jenem Tisch aufstand. John Langley hielt entgegen der Auffassung seiner Zeit viel von Mäßigung im Essen und oktroyierte seine Ansichten seinem Haushalt auf. Der Diener hatte Anweisung, wie ich später hörte, nicht zum zweiten Mal anzubieten. Natürlich bestimmte er auch Tempo und Art der Unterhaltung — oder was sich davon überhaupt entwickelte. Sie bestand hauptsächlich aus Anordnungen.

»Du wirst im Zimmer von Lawrence Clay im Geschäft sitzen«, eröffnete er Tom. »Ich habe schon einen zweiten Tisch hineinstellen lassen.«

»Clay wird davon nicht begeistert sein«, erwiderte Tom. »Es ist die größte Befriedigung seines Lebens, daß er das Zimmer für sich allein hat.«

»Dann wird er sich eben daran gewöhnen müssen«, lautete die Entgegnung seines Vaters, der gleich zum nächsten Punkt seines Programms überging. »Wir fahren übermorgen nach Langley Downs. Ich habe sie nicht von unserer Ankunft in Kenntnis gesetzt. Es hält sie besser auf dem Trab, wenn wir unangemeldet kommen.«

»Ist es gut, wenn ich schon so bald wieder vom Büro weg bin?« fragte Tom. »Der alte Clay wird nervös, wenn die Routine gestört wird.« Seine Gedanken galten jedoch nicht Clay; ich sah, wie er Rose sehnsüchtig anblickte, die ihn aber nicht einmal anschaute. Er wollte nicht nach Langley Downs.

»Was Clay denkt, interessiert mich nicht. Worauf es ankommt, ist, daß du . . .«

Rose unterbrach ihn, und sein Stirnrunzeln verriet, daß ihm das nicht sehr oft geschah. Sie wandte sich ihm zu, und ihr Gesicht leuchtete vor Interesse. »O ja! Laß uns nach Langley Downs fahren! Ich möchte es so gern sehen . . .«

»In deinem Zustand, liebe Rose, ist es unklug, überhaupt irgendwohin zu fahren. Du darfst keine Reisen machen, bis das Kind geboren ist. Wir können sein Wohl nicht aufs Spiel setzen.«

Er wußte, was er sich bei diesem Handel erkaufte. Wenn er auch liebenswürdig zu Rose war, so galt sein Interesse doch dem Kind. Er würde beinahe alles übersehen — daß sie Irländerin war, katholisch und die Tochter eines Gastwirtes —, solange sie ihm die gesunden Kinder schenkte, die ihr Körper verhieß. John Langley hatte diese Generation bereits in Gedanken abgeschrieben. Seine Kinder hatten ihn enttäuscht, und er war entschlossen, das bei seinen Enkeln zu verhindern. Sicherlich hatte er Roses Herkunft gegen den Zustrom neuen kraftvollen Blutes, den sie in die Langley-Familie brachte, abgewogen und sich zugunsten des letzteren entschieden.

»Ich habe eine Zofe für dich eingestellt, Rose, die auch einige Erfahrung in der Kinderpflege hat. Sie kommt morgen.«

»Ich ziehe es vor, selbst mein Mädchen auszusuchen.«

»Sie kommt mit untadeligen Referenzen«, antwortete er und beendete damit dieses Thema. Er blickte darauf den Tisch zu Elizabeth hinunter. Und ich täuschte mich nicht, sie wurde blaß, als er zu reden begann: »Du wirst Rose über die Führung des Haushaltes informieren, Elizabeth, und in angemessener Zeit kann sie dann die Verwaltung der Schlüssel übernehmen. Es ist nur angebracht, daß eine verheiratete Frau den Hausstand führt.«

Die Farbe stürzte wieder in ihr bleiches Gesicht. »Verheiratet, Papa! Hast du vergessen, daß ich verheiratet bin?«

Er vergewisserte sich erst, daß der Diener sich entfernt hatte, bevor er seinen Hohn über sie ergoß. Er streckte den Kopf vor und äugte den langen Tisch hinunter wie eine alte Schildkröte. »Verheiratet! — Ich nenne keine Frau ohne Mann oder Kind verheiratet.«

»Du bist ungerecht . . . ungerecht!« stieß sie hervor. Sie hatte sich halb erhoben, und ihre Lippen zuckten aufgeregt. »Es war nicht meine Schuld! Du hast es arrangiert . . .«

Rose unterbrach sie rasch. »Vielleicht wäre es besser, vorläufig alles zu lassen, wie es ist.« Sie blickte mit jenem Zartgefühl in ihren Schoß, das bei ihr, wie ich wußte, reine Heuchelei war, doch hatte es seine Wirkung auf John Langley. »Dies ist so ein großer Haushalt . . .« Sie ließ ihre Hände hilflos flattern. »Es würde in meinem Zustand eine große, neue Aufgabe bedeuten. Vielleicht nach dem Baby . . .«

»Aber gewiß«, beeilte er sich zu versichern. »Aber gewiß . . . ganz wie du möchtest.«

Darauf entschied er, daß wir genug gegessen hatten und stand auf. Als wir langsam aus dem Eßzimmer gingen, fing ich den Blick auf, den Rose und Elizabeth wechselten. Elizabeth würde weiter dem Haushalt vorstehen. So wollte es Rose; Elizabeth jedoch dachte, es sei eine besondere Gunst. Ein Bündnis war zwischen den beiden geschlossen worden, eine Verschwörung mit dem Ziel, sich gegenseitig vor John Langley zu retten. Elizabeth machte ein beinahe triumphierendes Gesicht. Wenn sie auch in ihres Vaters Augen dadurch geschwächt war, daß eine andere Frau ihm den ersten Enkel gebären würde, so war sie doch durch die Verbündete, die sie in Rose gewonnen hatte, stärker geworden.

Mr. Langley ergriff Roses Arm auf der Treppe zum Salon hinauf. Wir drei bildeten das Gefolge und lauschten ihrer Unterhaltung oder vielmehr dem Monolog des alten Mannes.

»Selbstverständlich sollst du Langley Downs sehen, wenn du dazu in der Lage bist – und auch Hope Bay. Sie sind mein größter Stolz. Wenn ich sonst nichts hätte, würden sie mir schon allein genügen. Beide sind durch Pionierarbeit entstanden. Ich war der erste Mann, der sich an jenem Teil der Küste, an dem Hope Bay liegt, niederließ – der erste, der etwas Bleibendes auf den Niederlassungen errichtete, die bis dahin nur zu gewissen Jahreszeiten von Walfängern benutzt wurden. Ich brachte das erste Merino-Schaf in die Kolonie. Andere Männer bestreiten das, doch sie sind Lügner!«

Rose mußte sich neben ihn auf das Sofa setzen, und er fuhr mit seinen Erzählungen fort. »Ich habe Hope Bay mit meinen eigenen Händen bauen geholfen und habe das Land für meine Schafe gerodet. Ich verstand natürlich was davon – ich hatte eine prächtige Farm auf den Sussex Downs; aber die landwirtschaftliche Reform und die Forderungen der Landarbeiter nach höheren Löhnen überzeugten mich, daß ich besser dran wäre, wenn ich hier noch einmal ganz von vorn beginnen würde. Ich verkaufte also alles und kam nach Van-Diemens-Land — Tom wurde dort geboren. Der gesamte gute Boden war beschlagnahmt, also ignorierte ich die Bestimmungen des Gouverneurs, daß niemand sich in diesem Teil des Landes niederlassen dürfe, kam hierher und brachte meine Herden mit. Zehn Jahre mußte ich mit dem Kolonialminister kämpfen, damit meine Ansprüche anerkannt wurden. Ich erschloß dieses Land ... ich half mit, es den Leuten zu ermöglichen, hierherzukommen! Und diese Schurken versuchten mir weiszumachen, ich hätte kein Anrecht auf mein Land! Als ob ich es mir nicht mit meiner Hände Arbeit verdient hätte ...«

Tom und Elizabeth hatten sich Stühle außerhalb des Blickfeldes ihres Vaters ausgesucht. Für mich war John Langleys Geschichte neu und faszinierend, sie dagegen hatten sie schon viele Male gehört und immer als gegen sich gerichtet empfunden. Toms Gesicht zeigte, wie qualvoll es für ihn war, seinem Vater zuzuhören, der von Arbeit und Anstrengung erzählte und von Erfolgen, die inzwischen in der Kolonie zu Legenden geworden waren. Jedes Wort war ein Vorwurf, der ihn körperlich zu treffen schien. Ich wußte, warum er von zu Hause fortgelaufen war. Und war es eigentlich seine Schuld, daß er nur so viel Kraft aufgebracht hatte fortzulaufen, nicht aber, um selbst etwas zu leisten? Ich begann zu bereuen, daß Rose und ich ihn hierher zurückgebracht hatten und wußte doch gleichzeitig, daß er — mit oder ohne mich — sowieso zurückgekommen wäre. Rose war sein Verderben hier; sie war seine Liebe und sein Kreuz. Um ihretwillen würde er bleiben und es ertragen, und solange sie nur freundlich zu ihm war, würde er den Verlust seiner Freiheit nicht bedauern. Er tat mir leid; aber ich wußte, daß dieses Mitleid vergeudet war. John Langley hatte seinem einzigen Sohn schon vor langer Zeit mit genau diesen Reden, denen wir jetzt lauschten, das Rückgrat gebrochen. Tom war nicht mehr zu helfen.

Rose war klug genug, ihrem Schwiegervater eine gute Zuhörerin zu sein. Und er genoß es, ein neues Publikum zu haben.

»Jedes Stück, das du in diesem Hause siehst, habe ich selber auf meinen Reisen nach London ausgesucht. Die Möbel, die ich zuerst mitbrachte, stehen noch in Langley Downs. Hauptsächlich Eiche — wenn auch ein paar so gute Stücke wie diese dabei sind. Der Flügel draußen ist dagegen nicht so gut — dieser ist ein Pleyel.«

Ich vermutete, daß sowohl Rose wie ich diesen Namen zum erstenmal hörten; aber wie ich schon sagte, lernten wir beide schnell. Sie klatschte in die Hände.

»Wie herrlich! Darf ich ihn ausprobieren?«

Und sie erhob sich, ohne seine Zustimmung abzuwarten, und ging zum Flügel; ich war gespannt, welches irische Lied sie wählen und wie der alte Mann es aufnehmen würde. Doch sie war viel klüger. Sie schlug einige Akkorde an und sang dann:

> *Trink mir nur zu mit deinen Augen,*
> *Und ich verpfänd mich dir mit meinen . . .*

Und da sah ich zum erstenmal John Langley lächeln. Nur ein einziges Mal hörte ich Rose danach ein irisches Lied singen, und das Lied galt Adam und nicht John Langley.

Kapitel 5

Der Herbst kam sehr rasch mit kühlem Wind und Regen, der sich in großen Pfützen auf der Langley Lane sammelte. In unserem Häuschen, im Windschutz der hohen Gebäude ringsum, war es warm und gemütlich. Ich hielt fast immer heißes Wasser bereit, um den Fuhrmännern Tee aufzugießen. Sie wärmten sich die Hände an den großen Teebechern, bis die Packer ihnen zuriefen, daß ein Wagen vollgeladen war. Und als der Herbst dem Winter wich, und sie merkten, daß ich ein Baby erwartete, begannen sie, mir kleine Geschenke mitzubringen — kleine Mützchen und Jäckchen, ja, sogar einen Schal, von den Frauen gestrickt, die ich nie gesehen hatte. Adam pflegte sich darüber lustig zu machen.

»Was machst du nur bei der Taufe? Das Baby wird ja mehr Paten bekommen, als es Finger an seinen Händen hat!«

Adam war nie lange da — der Handel für die Langley-Lagerhäuser zwischen den Küstenhäfen ließ ihm nicht viel Zeit. Sobald die »Enterprize« bei Williamstown gesichtet wurde, benachrichtigte man unverzüglich John Langley oder Lawrence Clay, seinen Prokuristen. Darauf erhielt ich dann die Botschaft und die Einladung, in irgendeinem der Langley-Fahrzeuge, das gerade frei war, zur Hobsons's Bay hinunterfahren. Als John Langley erfuhr, daß auch ich ein Kind erwartete, durfte ich sogar seinen Wagen benutzen, wann immer ich einen brauchte. Ich war dankbar, täuschte mich jedoch nicht über seine Motive. Ich war John Langley auf eine gewisse Weise nützlich, und das wußte er.

Meine Nützlichkeit erstreckte sich auf Rose und dadurch indirekt auf ihn. Sie wurde in diesen Monaten, in denen sie auf das Baby wartete, eine wahre Plage für jeden. Sie war ungeduldig und reizbar, und es machte ihr trotz ihrer blühenden Gesundheit manchmal Spaß, krank zu spielen. Es bereitete ihr ein gewisses Vergnügen, diesen wohlgeordneten Haushalt auf den Kopf zu stellen, um irgendeine unmögliche Laune zu befriedigen. Sie quälte

Tom mit Klagen über ihr langweiliges Leben und beschwerte sich bei Elizabeth über die Faulheit der Dienstboten — und es verlangte Elizabeths ganzes Geschick, sie trotz Roses ewigen Forderungen und Beleidigungen im Hause zu halten. John Langley blieben ihre schlechten Launen und Tränen nicht verborgen, obwohl Rose das Schlimmste vor ihm verbarg und Elizabeth sich nie über Schwierigkeiten in der Haushaltsführung beklagte. Er sagte jedoch nichts, nicht einmal, wenn Rose zu spät zu den Mahlzeiten kam oder überhaupt nicht erschien. Seine Stimme klang manchmal etwas scharf, doch waren seine härtesten Worte zu ihr noch sehr milde.

»Ruhe, Rose, ist für eine Frau in deinem Zustand äußerst wichtig. Du mußt an das Kind denken!«

»An das Kind denken«, tobte Rose, wenn wir beide allein waren. »Das ist alles, was er tut! Denk an das Kind! Manchmal frage ich mich, wessen Kind es eigentlich ist! Und wo bleibe ich? Ich darf mich überhaupt nicht vom Fleck rühren! Er läßt mich nicht mal eine Spazierfahrt nach Brighton machen, um etwas Seeluft zu schnappen, weil es dann zu weit von zu Hause entfernt ›kommen‹ könnte. Er hat ja keinen Schimmer — es ist doch erst in drei Monaten fällig!«

John Langley wußte, daß ich Roses Vertraute war und keine Angst vor ihr hatte, ja, daß Rose sogar manchmal einen Rat von mir annahm. Sie hatte keine Freundinnen in Melbourne, und in einer für ihn uncharakteristischen Weise gab er zu, daß sie eine andere Frau als Elizabeth brauchte, mit der sie reden konnte. Wir gingen zusammen einkaufen — John Langley erlaubte Rose, all ihre Einkäufe auf seinen Namen anschreiben zu lassen, und sie nutzte dieses Privileg rücksichtslos aus. Ich hielt sie, soweit ich konnte, davor zurück, zu viele reichverzierte Hüte und elegante Sonnenschirme zu kaufen und zog sie vom Juweliergeschäft fort, wenn sie davor stehenbleiben wollte. Nie jedoch betrat sie das Langley-Warenhaus.

»Ich kann es nicht aushalten, daß Tom mich ständig umkreist, sobald ich auftauche. Außerdem ist es nicht gut für seine Stellung vor den Angestellten.«

In Wirklichkeit jedoch zerbrach sie sich nicht den Kopf über den wahren Charakter von Toms Stellung im Geschäft. Es interessierte sie nicht. Er war tagsüber dort, wenn er nicht seinen Vater nach Langley Downs oder Hope Bay oder zu den Lagerhäusern begleiten mußte. Er hatte eine Position; er war »der junge Mr. Langley«, doch das war auch alles. Es verband sich keinerlei Autorität mit seinem Rollpult in Clays Bürozimmer. Er verstand nichts von Buchführung und wollte es auch gar nicht. Er unternahm keinen sichtbaren Versuch, etwas zu lernen. Stets hatte er Zeit, für ein Viertelstündchen zur »Crown« herauszukommen, wenn die Verkäufer anderer Firmen da waren. Doch Lawrence Clay gab ihnen die Aufträge. Das einzige Mal, als Tom eine Bestellung aufgab, ließ er sich viel zu viel aufschwatzen, und noch dazu lauter Dinge, die Langley nicht verkaufen konnte und schließlich zum Selbstkostenpreis abgeben mußte.

Ich wußte darüber Bescheid, weil Tom die Gewohnheit angenommen hatte, auf dem Rückweg von der »Crown« die Langley Lane hinunterzuschlendern und bei mir hereinzuschauen. Er saß dann in Adams Stuhl — eine der Katzen im Schoß und die Füße gegen den Kamin gestemmt — und erzählte mir. Meistens sprach er über Rose; er hatte ja sonst auch kaum etwas, über das er hätte reden können. Nach ungefähr einer halben Stunde blickte er dann auf die Uhr, seufzte auf, setzte die Katze behutsam auf den Boden und ging ins Geschäft zurück. Nach dem, was er mir von seiner Arbeit erzählte, vermute ich, daß er ein paar Zahlen in ein Buch schrieb und mit einem Federhalter bis zu der Sekunde spielte, in der er frühestens weggehen konnte.

Wenn Tom nicht da war und Clay ihn brauchte oder man John Langley im Geschäft erwartete, schickte Clay einen Angestellten mit den Worten: »Er wird in der ›Crown‹ sein oder in Miss Emmas Haus.«

So wurde das alte Nachtwächterhäuschen am Ende der Langley Lane für die Angestellten des Warenhauses wie für die Langley-Fuhrleute »Miss Emmas Haus«.

Eines Tages schritt John Langley persönlich die Gasse hinunter und klopfte an meine Tür. Ganz verstand ich nie, was ihn dazu veranlaßte; Neugier war eine viel zu normale Regung für einen Mann wie ihn. Ich schenkte ihm Tee ein, und er saß in dem Stuhl, den Tom so oft benutzte, blickte sich aufmerksam um und betrachtete prüfend die neuen Borde, die Adam angebracht hatte, und die eingebauten Schränkchen.

»Ich hoffe, Sie erwarten nicht von mir, daß ich Sie für das hier investierte Geld entschädige«, erklärte er dabei. »Dieses Grundstück ist zu wertvoll für dieses Haus hier, wenn es soweit ist, muß es einer Erweiterung des Warenhauses weichen.«

»Wir erwarten gar nichts«, entgegnete ich steif. »Adam wollte es uns für die Zeit, die wir hier wohnen, so gemütlich wie möglich machen.« Er nickte. »Sie machen auch ein gutes Geschäft dabei. Im Umkreis von zwanzig Meilen ist nirgends ein Haus für diese Miete zu bekommen.« Bevor er ging, besichtigte er wie jeder andere Hausbesitzer prüfend die drei Zimmer – sah sich den neuen Anstrich an, die Schränke und die ausgebesserten Dielenbretter. Er befühlte sogar die Bettüberdecke und die Gardinen.

»Haben Sie die selbst genäht?« Er schien erfreut, als ich es bejahte. Mein zunehmendes Wissen über John Langley ließ mich erkennen, daß gesparte Pfennige den Reichen ein ungeheures Vergnügen bereiten können. Beim Hinausgehen blieb er am Küchentisch stehen, an dem ich in Larrys Kontobüchern gearbeitet hatte. Er glitt mit seinem alten, mageren Zeigefinger die Zahlenreihe hinunter und addierte rasch. Es war typisch für ihn, daß er es nicht für nötig gehalten hatte, mich zu fragen, bevor er sich die Abrechnung ansah. Er war immer der Ansicht, daß alles, was irgendwie entfernt mit ihm in Verbindung stand, seine Angelegenheit war.

»Sie sind ein guter Buchhalter, Miss Emma! Aber es ist keine Frauenarbeit.«

»Warum nicht? Ich mache keine Fehler und schreibe deutlich.«

»Frauen gehören nicht ins Geschäft«, erklärte er in seinem üblichen Ton der Endgültigkeit. Diesmal widersprach ich ihm.

»Ich glaube, Sie irren sich. Nehmen Sie zum Beispiel Ihr Warenhaus. Sie könnten dort eine Frau gebrauchen.«

»Wir haben einige weibliche Angestellte — die in den meisten Fällen unbrauchbar sind und zu den unpassendsten Zeiten krank werden. Wenn wir genügend Männer bekommen könnten, würde ich sie entlassen.«

»Männer würden aber nicht für die Löhne arbeiten, die Sie Frauen zahlen. — Sie bekommen nur das, wofür Sie bezahlen, Mr. Langley. Und ich versichere Ihnen, das Warenhaus braucht eine Frau.«

»Eine Frau, Miss Emma?«

»Wer gibt die Bestellungen für die Stoffabteilung und die Modewaren auf? — Lawrence Clay, der sich seit seinem Eintritt in die Firma keine Bilder über die neueste Mode mehr angeguckt hat. Wahrhaftig, er bestellt immer noch die Hüte, wie sie die Königin vor vier Jahren auf der Ausstellung trug, weil er damals zum letztenmal vor der der weiblichen Mode Notiz genommen hat. Der Stoff, den er auf Lager führt, verstaubt in den Regalen, weil es dieses Jahr nicht die Modefarbe ist — und er bietet den Frauen schwarze Sonnenschirme an, wenn sie grüne haben wollen . . .«

»Lawrence Clay hat mir beinahe zwanzig Jahre lang treu gedient. Ich habe keinen Grund, seine Tüchtigkeit anzuzweifeln.«

»Mr. Clay ist in jeder Hinsicht zu bewundern; nur ist er zufällig keine Frau, wo eine Frau nötig ist.«

Er verzog den Mund zu einem kühlen Lächeln und schien sich über mich lustig zu machen. »Trotzdem, Miss Emma, ist der Platz einer Frau nicht in der Geschäftswelt.«

Und damit wandte er seine Aufmerksamkeit wieder den Kontobüchern zu und überging mein Argument. Er tippte mit dem Zeigefinger auf die aufgeschlagene Seite. »Dieser junge Mann — dieser Maguire — wird es weit bringen. Er möchte ein zweiter Langley werden, wird aber nicht so viel erreichen. Dafür ist er zu spät gekommen. Aber er wird es weit bringen.«

Ich blickte ihn fragend an. »Ja«, fuhr er fort, »er hat das gewisse Etwas. Man kann es bei manchen Männern fast riechen.«

»Aber warum . . .?« Ich brach ab. »Bitte verzeihen Sie. Es geht mich ja nichts an.«

»Warum ich ihn nicht sehen will? Warum ich es ablehne, die Maguires zu empfangen? Weil ihre Art nicht meine Art ist, Miss Emma. Sie sind die Eindringlinge — die Neuankömmlinge, die lernen müssen, daß sie nicht alles haben können, nur weil sie etwas Geld gemacht haben. Ich sagte, er wird es weit bringen. Doch sagte ich nicht, daß er ein Gentleman wird. Dazu ist mehr als Geld nötig, und ich werde die Front für meine Art gegen ihresgleichen solange halten, wie ich kann — wie ich nur kann! Laßt sie kämpfen! Das ist gut für sie!«

308

»Und was ist mit Rose — einer Maguire?«

»Frauen sind etwas anderes. Sie sind Geschöpfe ihrer Umgebung, Miss Emma. Ihre Söhne können geformt werden, können für bessere Dinge geformt werden.«

Darauf verließ er mich. Ich saß da und dachte über die Langleys und die Maguires nach und fragte mich, ob John Langley eigens hergekommen war, um mir zu sagen, was er von Roses Familie hielt. Vielleicht wollte er sie durch mich wissen lassen, daß er mit Rose nicht auch ihre Familie anerkannte. Er war ein scharfsinniger Mann und hatte deutlich die Umrisse der Zukunft erkannt — daß dies Australien war und nicht England, und daß seine Art nicht für immer ihre Front gegen die Maguires und ihres gleichen halten würde, wie er es ausdrückte. Nur in einem irrte er sich: die Maguires legten gar keinen Wert darauf. Ich dachte an Kate in ihrem Paradies aus Nottingham-Spitzengardinen über dem stolzen grün-goldenen Schild der Maguire-Taverne und wußte, es würde ihr nicht das geringste ausmachen, nie die schöne Einfachheit von John Langleys Salon zu betreten. Und in den Enkeln dieser beiden würden sich die beiden Welten glücklich vereinen. Diejenigen, die zwischen ihnen standen — Tom, Rose, Larry, Con, Pat —, waren die Unsicheren, die Verwirrten. Ich saß und schaukelte eine Zeitlang mit Digger im Schoß und dachte darüber nach, während meine Hände sanft mit Diggers Ohr spielten. Ich fragte mich auch, welchen Platz wohl mein Kind in dieser neuen Welt einnehmen würde, die von dem Kampf zwischen der Art der Langleys und der Maguires geformt wurde.

Ein sichtbares Ergebnis von John Langleys Besuch war, daß Watkins, der Aufseher, Anweisung erhielt, die Gasse zwischen den Gebäuden jeden Abend von Pferdemist und Häcksel sauberzufegen. Das war eine Quelle großer Genugtuung für die Fahrer, die Watkins bei seiner Aufgabe zusahen und ihn spöttisch anspornten. Er zog auch jedesmal den Hut, wenn er mich sah, und kam jeden Tag an meine Haustür, um den Abfall wegzubringen. Das gefiel den Fuhrmännern jedoch weniger, und sie brachten den Abfall meistens weg, bevor Watkins sich einstellen konnte.

Die Maguires lachten, als ich es ihnen erzählte, doch dann verzog Kate das Gesicht. »Sei auf der Hut vor dem Langley! Der ist vom Stamme ›Nimm‹! Er will alles besitzen, was er nur berührt.«

Ich lächelte, wurde jedoch an meine Gefühle erinnert, als Adam zuerst davon gesprochen hatte, in John Langleys Haus zu wohnen. Ich hatte seine Besitzgier nicht mehr so empfunden, als ich ihn kennengelernt hatte, doch jetzt erkannte ich, die Bedrohung war nicht etwa geringer geworden; ich hatte mich nur an sie gewöhnt.

Ich war nicht die einzige, die zu den Maguires flüchtete, um John Langley für kurze Zeit zu entkommen. Beinahe jeden Tag, wenn ich in der Nähe des Pferdemarktes vorbeikam, erspähte ich den eleganten und – was in Melbourne eine Seltenheit war – geschlossenen Landauer, den John Langley für Rose bestellt hatte, vor Maguire's. Rose kam instinktiv zurück, wenn das geordnete, ruhige Haus an der Collins Street zuviel für sie war, wenn die Passivität, in der Tom und Elizabeth dahinlebten, ihr unerträglich wurde. Sie kam zurück, um sich mit ihrer Mutter zu streiten, mit ihrem Vater Schach zu spielen, Con zu necken und ihn bei seinen Schulaufgaben zu stören und sich laut Gedanken darüber zu machen, was Pat wohl in Ballarat machte.

»Ich möchte wissen, ob es da oben schon geschneit hat«, sagte sie dann wohl. »Larry meinte, es würde in den höheren Lagen bald Schnee geben.«

Rose lief meist ruhelos im Zimmer umher, sogar jetzt

unfähig stillzusitzen, wo sie hochschwanger war. Seit jenem ersten Abend bei den Langleys trug sie ihr Haar im tiefen Knoten und erschien mir schöner denn je. Als sie mit Dan Schach spielte, bemerkte ich, daß ihre Hände weiß und glatt waren, wie sie es uns vorausgesagt hatte, und sie trug jetzt ihren ersten Diamanten.

»Muma«, pflegte sie dann wohl zu sagen, »wenn das Baby da ist, machen wir in Brighton Ferien. Du und ich, Muma – wo wir ein bißchen Seeluft atmen können.« Und anschließend: »Wenn das Baby da ist, Emmy, werde ich mir sechs neue Kleider auf einmal machen lassen, und du mußt mir helfen, den Stoff für sie auszusuchen.«

Sie fand nichts dabei, vor Con von dem Baby zu sprechen, und einmal, als sie ihn in einem verspielten Augenblick an sich drückte, spürte er, wie das Baby sich bewegte. Der Schock darüber spiegelte sich in seinem Gesicht, das sich dann jedoch zu einem breiten, erstaunten Grinsen verzog. Kate riß ihn fort.

»Rose! Hast du denn gar kein Schamgefühl!«

»Aber Muma! Con ist alt genug, um es zu wissen.«

Es muß eigenartig für Con gewesen sein, in jenen Tagen zu erkennen, daß bald zwei Babys seinen Platz als Jüngsten einnehmen würden. Vielleicht war er froh, diesen Platz abzutreten. Er wuchs mächtig und verlor die kindlichen Rundungen; vielleicht war er aber auch froh, daß Kates Aufmerksamkeit sich dann auf jemand anderes konzentrieren würde.

»Wenn Roses Zeit kommt, gehe ich zu ihr«, erklärte Kate energisch, »und John Langley ist mir dann schnuppe!«

Adams und meine Vorbereitungen für unser Baby waren natürlich bescheidener als die im Langley-Haus; dort standen zwei Zimmer für Roses Kind bereit, war die Nurse schon eingestellt, stapelten sich Handtücher, Bettlaken und Babywäsche.

»Am Eureka brauchten wir nicht all dieses Zeug«, schnaubte Kate.

Adam zimmerte selbst eine Wiege für unser Kind. Unzählige Stunden verbrachte er an den Abenden damit, und seine Hände waren von Liebe erfüllt. Sie war glänzend poliert und schön, eine altmodische Wiege auf Kufen — ziemlich hoch, damit ich mich nicht hinunterzubeugen brauchte.

»Wir hatten seit hundert Jahren so eine Wiege in unserer Familie«, erzählte Adam. Er schnitzte auch eine hölzerne Puppe und malte ihr eine dunkelgrüne Soldatenuniform auf. »Ich will hier keine roten Engländer.«

Er war sehr glücklich über das Kind und liebte mich, glaube ich, in jenen Monaten. Wir sprachen nie über Rose, es sei denn ganz beiläufig, und obwohl ich sein Gesicht genau beobachtete, zeigte es jetzt nicht mehr die Spannung wie früher, wenn ihr Name fiel. Zufällig sah er Rose auch nie in dieser Zeit. Er ging nie zum Langley-Haus, und sobald er im Hafen war, hielt Rose sich von den Maguires fern. Ich begann zu spüren, daß ich ihn ihr abgewann. Vielleicht sah sie das auch ein. Als sie mich zum letztenmal vor ihrer Niederkunft besuchte, ließ sie die Hand langsam über das seidige Holz von Adams Wiege gleiten.

»Du hast es sehr gut, Emmy!« Und diesmal war es kein Hohn.

Es war Frühling, und die Luft erwärmte sich spürbar. Ich war nun im sechsten Monat, und Roses Zeit rückte heran. Ich entsinne mich, daß es der erste Tag war, an dem ich die Haustür der Sonne und dem weichen Wind öffnete. Ich saß und nähte, und die Katzen lagen zu meinen Füßen, als John Langleys Schatten plötzlich auf die Dielenbretter fiel.

»Miss Emma — würden Sie sofort mitkommen? Rose liegt seit heute morgen in den Wehen.«

Ich ließ meine Näharbeit sinken. »Geht es ihr schlecht? Besteht irgendeine Gefahr?« Er schüttelte den Kopf; es war beinahe eine Geste der Hilflosigkeit.

»Der Doktor sagt nein. Die Nurse ist natürlich bei ihr . . . sie hat Schmerzen.«

»Mit Schmerzen muß sie rechnen. Was kann ich für sie tun?«

»Ich weiß es nicht. Sie verlangt nach Ihnen — sie fragt dauernd nach Ihnen.«

Ich machte mich hart. »Nein, ich gehe lieber nicht. Ich muß an mein eigenes Kind denken. Adam würde es sicher nicht wollen.«

»Miss Emma — ich wäre Ihnen sehr dankbar!« Und er meinte es wirklich. »Nur ein paar Minuten. Es würde sie vielleicht beruhigen. Sie schreit — und zwischen den Wehen wälzt sie sich herum.«

Ich wußte, wie er es haßte, sich mit einer Frauenangelegenheit zu befassen. Aber das Kind war ihm wichtiger. Ich erriet seine Gedanken — wir Frauen waren eine alberne, gefühlsgetriebene Schar, nicht würdig der kostbaren Kinder, die wir gebären. Vielleicht hatte er recht. »Sie wissen, wie es mit Rose ist«, sagte er.

Ja, ich wußte, wie es mit Rose war; sie würde sich nie ändern. In keiner Weise.

»Nur für eine kurze Zeit«, drängte er wieder demütig.

Ich kannte Rose jedoch besser als er; also fütterte ich die Katzen, schloß das Haus ab und fand mich damit ab, daß ich fort sein würde, bis ihr Baby geboren war.

Kate war bereits dort, hatte sich ein Bettlaken umgebunden und stritt sich mit der Nurse, und Rose stritt sich mit beiden. Sie packte meine Hand, als ich an ihr Bett trat.

»Vielen Dank, Emmy, daß du gekommen bist!« Es war eines der wenigen Male, daß sie mir jemals dankte, und das ließ mich vermuten, daß sie wirklich Angst hatte. Sie schien fiebrig, und ich glaube, die Wehen waren heftig, wenn Rose auch zuzutrauen war, daß sie lauter schrie, weil sie wußte, John Langley hörte zu. Kate schnalzte mißbilligend mit der Zunge. »Du solltest wahrhaftig nicht hier sein, Emmy! In deinem Zustand! Es ist ja nicht so, als hätte dies große Mädchen nicht genügend Hilfe . . .«

Was sie aber auch hatte, sie brauchte anscheinend mich. Ich mußte am Bett sitzen, und sie ließ meine Hand nicht los. Uns beiden schienen die Wehen sehr lange zu dauern; ich hatte gedacht, Rose würde ihr Kind spielend zur Welt bringen, doch war das nicht der Fall. Ich saß den ganzen Nachmittag bei ihr und beinahe die ganze Nacht. Als Kate versuchte, mich fortzuziehen, protestierte Rose schmerzerfüllt, und ihre Fingernägel gruben sich in meine Hand.

»Verstehst du denn nicht!« schrie sie ihre Mutter an. »Ich will weder dich noch sonst jemand, sondern nur Emmy!«

Mein Rücken brannte wie Feuer von dem langen Sitzen, und meine Hand war taub. Der Doktor döste in dem Schlafzimmer gegenüber, und Tom hockte bei ihm. John Langley wartete unten im Arbeitszimmer.

»Ich habe nie so ein Theater wegen eines Babys erlebt«, sagte die Nurse und rümpfte mißbilligend die Nase über Rose. »Und dabei ist sie gesund wie ein Pferd . . .«

Die Wehen folgten nun rasch aufeinander, und das Kind wurde schließlich in den frühen Morgenstunden geboren — ein gesundes, kräftiges Kind, ein Mädchen, dessen Schreie das ganze Haus zu erfüllen schienen. John Langley hörte sie in seinem Arbeitszimmer und stand wartend mit Tom vor der Tür, als die Nurse mit dem in Tücher eingewickelten Baby zu ihnen kam. Ich weiß nicht, was er zu seiner Enkelin sagte, doch wußte ich, daß sein ganzes Sinnen und Trachten auf einen Jungen gerichtet war. Als Rose es erfuhr, meinte sie niedergeschlagen: »Jetzt wird er wollen, daß ich sofort ein zweites Kind bekomme – einen Jungen!«

Ich saß zusammengesunken in meinem Stuhl und trank den heißen Tee, den Kate entgegen allen Regeln dieses Haushaltes selbst in der Küche aufgebrüht hatte. Auf seinem Weg zur Tür blieb der Doktor vor mir stehen. »Gehen Sie nach Hause ins Bett!«

Rose war gewaschen und schlief unverzüglich ein. Das Haus lag jetzt ganz still. Ich ging an John Langleys Arm hinunter. Tom schritt neben mir und half mir in den Wagen.

»Ich werde Roses Mutter bitten, auf ihrem Rückweg nach dir zu schauen, Emmy. Du siehst so müde aus . . .«

»Mir fehlt nichts!« versicherte ich. »Schick sie nicht zu mir. Sie ist ja auch die ganze Nacht aufgewesen.«

Die Katzen begrüßten mich mit hungrigem Mauzen, als ich den Schlüssel in die Tür steckte. Während sie fraßen, zündete ich das Feuer wieder an. Die Fuhrleute waren noch nicht zur Arbeit gekommen, und es war sehr still draußen in der Gasse. Die frühe Morgenluft war wohltuend frisch. Ich stieß die Fenster weit auf und ließ die Tür halb offen. Während das Wasser heiß wurde, zog ich mich aus, streifte mein Nachthemd über und deckte das Bett auf.

Ich hob gerade den Kessel hoch, um das kochende Wasser in die Teekanne zu gießen, als mich der Schmerz durchfuhr. Ich war noch imstande, den Kessel hinzustellen, ohne das Wasser zu verschütten. Das war das letzte, an das ich mich erinnere, bevor Higgins mich später an der offenen Tür liegen fand.

Als die Nachricht kam, daß die »Langley-Enterprize« im Begriff war, in der Hobson's Bay anzulegen, schickte ich zu Rose, um ihren Landauer zu leihen, und fuhr selbst hinunter.

Ich war noch ziemlich geschwächt von der Fehlgeburt, aber nicht das ließ meine Knie zittern, ja meinen ganzen Körper beben, als ich mich der Gangway der »Enterprize« näherte.

Parker, der Steuermann, beaufsichtigte das Löschen der Ladung. Er sagte mir, daß Adam an Land im Büro des Langley-Lagerhauses sei. Ich wartete in der Kajüte und fürchtete den Augenblick, in dem ich seine Schritte auf dem Niedergang hören würde. Mit dem Kind war ich sicher unersetzlich für ihn gewesen, wurde vielleicht sogar geliebt. Ohne es war ich angsterfüllt und vereinsamt.

Er stand und sah mich an, und sein Blick glitt sofort zu meinem flachen Leib. Schützend legte ich die Hand darüber.

»Ich hab' das Baby verloren, Adam.«

Er kam sogleich zu mir und legte die Arme um mich, und ich fühlte mein Versagen in der Sanftheit seines Kusses auf meiner Wange, eines Kusses des Mitleids und der Teilnahme, nicht aber der Liebe. Ich fühlte, wie mein Herz kalt wurde, weil er den Verlust nicht mit mir teilte und trug, weil er mich nicht liebte.

Ich tat ihm leid; doch ich wollte ihm nicht leid tun. »Arme Emmy . . .«, sagte er.

»Es werden andere Kinder kommen, Adam!«

»Meine arme Emmy«, lautete seine Antwort.

Ich riß mich von ihm los, aus seinen Armen, fort von der Qual in seinem Gesicht.

»Es werden andere kommen«, wiederholte ich, hatte jedoch das Gefühl, als wäre mir nicht nur das Kind, sondern auch Adam geraubt worden.

Kapitel 6

Ich merkte, daß es mich zu Rose und dem Baby trieb. Jeden Tag ging ich unter diesem oder jenem Vorwand die Collins Street entlang und zog die Türglocke am Langley-Haus. Manchmal war Rose zu Hause, manchmal auch nicht; ich stieg die Treppe zum Kinderzimmer hinauf, hielt das kleine Wesen auf dem Arm, spielte mit ihm und sagte all das zu ihm, was ich sicherlich meinem eigenen Kind zugeflüstert hätte. Dies stillte aber nur teilweise meine Sehnsucht; nach einiger Zeit mußte ich es wieder in die Wiege legen und fortgehen. Vielleicht quälte ich mich nur selbst mit diesen täglichen Besuchen und verlängerte den Schmerz; doch immer wieder zog es mich dorthin.

In den dunklen Augenblicken, wenn mein ganzes Elend mich überkam, gab ich Rose die Schuld für den Verlust meines Kindes, weil sie von mir verlangt hatte, die ganze Nacht bei ihr zu bleiben, als ihr Baby geboren wurde. Dann machte ich mir selbst Vorwürfe, daß ich so töricht gewesen war, ihren Forderungen nachzugeben, daß ich so wenig an mich gedacht hatte. Aber solche Gedanken waren ein schwacher Trost, und ich verweilte nie lange bei ihnen. Ganz allein, ohne Adam und ohne den Gedanken an das Kind, mit dem ich meine Tage erfüllt hatte, begann ich jetzt Rose ebenso zu brauchen wie sie mich. Ich brauchte ihre Gesellschaft, ja sogar das frivole, langweilige Geschwätz, in dem sie sich erging. Am meisten jedoch brauchte ich das Kind.

Sie war großzügig hierin, wie in den meisten Dingen — aber ich wußte, das Kind bedeutete ihr nicht sehr viel — sondern nur die Macht, die es ihr über John Langley verlieh. Für Rose war das Baby nur ein Spielzeug, da sie nie für es sorgen mußte. Sie kam ins Kinderzimmer, um sich die Zeit zu vertreiben, wiegte das Kleine ein wenig auf dem Arm und gab es darauf wieder erleichtert der Nurse. Und doch besaß Rose, so widersinnig, wie das manchmal ist, einen sicheren Instinkt für Kinder, eine angeborene Gabe, ihnen zu gefallen. Bei ihr schrie das Baby nie, und es spürte seine Mutter und ihre Arme, wie sein zufriedenes Lächeln und Glucksen deutlich zeigten. Rose pflegte ihm ein Wiegenlied zu singen, eine goldene Uhr vor seinen Augen hin und her pendeln zu lassen und zu lachen, wenn die winzigen Händchen sich danach ausstreckten. Sie drückte das Kind an sich und legte ihr Gesicht an das ihrer Tochter. Ich vermutete damals, daß Roses Parfüm und die Berührung mit ihren Seidenkleidern die ersten Dinge waren, die das Baby wahrnahm.

Sie wurde Anne getauft. Rose unterlag, was Namen und Taufe betraf, John Langley – oder vielleicht war ihr beides auch nicht wichtig genug, um darum zu kämpfen. Das Kind bekam den englischen Namen Anne und wurde in der anglikanischen Kirche getauft. Ich wußte, daß auch dies ein Teil des Kampfes von John Langley gegen die Maguires war.

Rose verteidigte sich achselzuckend. »Wie hat sie sonst eine Chance? Ich will, daß sie zu der richtigen Schicht gehört und will nicht, daß ihr die Tür vor der Nase zugeschlagen wird . . .«

Niemand der Maguires war bei der Taufe zugegen, und Kate sah das Baby nie in dem langen Spitzenkleid, in dem auch Tom und Elizabeth getauft worden waren. »Glaubst du etwa, ich steh' dabei und seh' zu, wie das arme kleine Würmchen dem Teufel verschrieben wird? Nie werd' ich das Langley-Haus wieder betreten!« stieß sie hervor.

Doch Rose kam weiter zu ihnen, und niemand verwehrte es ihr. Kate hieß sie nicht willkommen, verbot es ihr aber auch nicht, und Dan stand jedesmal nach einem raschen Blick auf Kate auf und schloß sie in die Arme.

»Na, wie geht es dir denn, mein Liebling? Und wann bringst du uns nun die Kleine mit?«

Nach einiger Zeit nahm sie das Baby mit in das Wirtshaus, und John Langley konnte sie durch nichts daran hindern. Sie kam ohne die Nurse und hielt stets an der Langley Lane an, um mich abzuholen, für den Fall, daß Anne widerspenstig wurde. Kate konnte ihrem ersten Enkelkind nicht widerstehen, und so wurde Rose durch ihr Kind wieder in Gnaden aufgenommen. Sie machten viel Aufhebens von der Kleinen; sie wurde hoch in die Luft gehalten, abgeküßt, gewiegt und bekam etwas vorgesungen. Die ganze Disziplin des Kinderzimmers wurde zerstört. Anne lernte nach Dans Bart greifen, und Con ließ sie recht ungestüm an seinem Haar zerren. Sie war eine kleine Königin in diesen vollgepfropften Zimmern über der Maguire-Taverne und begriff das sehr bald.

Einige Monate nach ihrer Geburt hörte ich, wie Kate, die gerade Anne auf dem Schoß hielt, sagte: »Ist es nun nicht Zeit für ein eigenes Haus, Rose? Du sagtest doch, er hat es dir versprochen, wenn das Baby da sei.«

Rose zuckte die Achseln. »Ich will es jetzt gar nicht.«

»Du willst es nicht? Bist du verrückt? Wenn du eine Möglichkeit hast, dem Kerl zu entkommen . . . Dies kleine unschuldige Ding aus seiner Reichweite zu bringen?«

Rose schwenkte trotzig ihr Röcke, als sie an Kate vorbei zum Fenster rauschte. Sie schob die Spitzenvorhänge auseinander und starrte hinunter auf die Bourke Street.

»Ich könnte nicht so ein Haus wie jenes haben — und so eins möchte ich nun mal! Er würde mir nicht genug Geld dafür geben. Ich könnte nicht so viele Dienstboten haben und auch keine Kutsche. Außerdem paßt es mir sehr gut, Elizabeth für den Haushalt zu haben. Ich würde eine heillose Unordnung anrichten — das wissen wir doch alle!«

»Ich hab' nie von einer Frau gehört, die nicht ihr eigenes Haus haben, ihre eigene Herrin sein wollte.«

»Ich bin meine eigene Herrin!« Ihre Stimme hatte sich laut erhoben, doch die folgenden Worte wurden in die Spitzengardine gemurmelt. Wir sollten sie hören, aber keine Fragen stellen. »Außerdem, wer würde schon allein mit Tom in einem Haus leben wollen?«

Ich senkte den Kopf über meine Näharbeit, und Kate tat, als wäre sie völlig mit dem Baby beschäftigt. Aber niemand vermochte das ruhelose Rascheln von Roses Röcken zu übertönen, als sie ihre Wanderung im Zimmer wieder aufnahm.

Es war eine unglückliche und ruhelose Zeit für mich. Die Tage waren zu lang und zu leer. Mein Häuschen war zu sauber, da niemand seine unnatürliche Ordnung störte. Ich strickte Socken für Adam, bis er zu viele hatte, und nähte feine Leinenhemden. Ja, sogar für die Männer in der Langley Lane strickte ich Mützen; sie brauchten sie nicht — und ich wußte, sie nahmen sie nur verlegen an, weil sie spürten, daß ich etwas zu tun haben mußte. Ich führte weiter für Larry die Bücher, war jedoch zu rasch mit ihnen fertig, und es kam sogar ein Zeitpunkt, an dem es nichts mehr zu flicken und zu stopfen gab für Kate und Dan und Con. Rose hatte ihre eigene Zofe und brauchte meine Dienste deshalb nicht mehr. Meine Hände waren genauso leer wie meine Tage. Und was Adam betraf, so erschien er mir wie ein fremder Mann. Er war ein freundlicher, rücksichtsvoller Fremdling. Ich wußte nicht, was er dachte — er sprach nie von dem Baby; ich wußte nur, daß er unaufhörlich arbeitete. Wenn die »Enterprize« im Hafen lag, überwachte er selbst alle Arbeiten mit der Ladung, und wenn es nichts mehr zu tun gab, kam er nach Hause und schaffte sich Arbeit. Er tat Dinge für das Häuschen, die viel zu gut für es waren — es bekam einen dreifachen Anstrich und Blumenkästen vor jedes Fenster. Wir waren wie zwei Marionetten in einem Puppenhaus. Ich sah Adam jetzt fast mit Erleichtung wieder ausfahren; doch stand ich jedesmal am Kai der Hobson's Bay, um ihm nachzuwinken, und um die »Enterprize« zu begrüßen, wenn sie anlegte. Es war ein Ritus, den wir erfüllten. Wir umkreisten uns gegenseitig und beachteten Formen unseres früheren Zusammenlebens; doch war das Leben selbst aus ihnen gewichen. Ich hatte nie geglaubt, daß das Kind so einen Unterschied hätte machen können. Wir waren auch Liebende, aber nur in der Leidenschaft und nicht im Herzen. Ich betete um ein Kind, und jeden Monat hoffte ich und stürzte dann wieder in die Enttäuschung, und jeden Monat schien sich Adam weiter von mir zu entfernen.

Wir sparten Geld. Die »Enterprize« bekam immer volle Ladung, und Adams Provision war recht ansehnlich. Er gab mir einfach das Geld, schien sich jedoch nicht über es zu freuen, und ich brachte es zur Bank. Nie erkundigte er sich über die Höhe unserer Ersparnisse; er überließ es vollkommen mir — ich hätte damit machen können, was ich wollte. Er arbeitete schwer, doch tat er es nicht um des Geldes willen.

Und dann verkündete John Langley, daß er den Kiel seines zweiten Schiffes legen ließe. Es sollte größer als die »Enterprize« werden — dreihundertvierzehn Tonnen, und eine Besatzung von vierunddreißig Mann haben — und Adam sollte der Kapitän werden, der Kapitän der »Rose Langley«.

Die Namensgebung des neuen Schiffes veranschaulichte das Verhältnis von Rose und John Langley. Es gab der gesamten Gesellschaft der Kolonie zu verstehen, daß zwischen Langley und seiner Schwiegertochter Eintracht herrschte; es bedeutete, daß sie nicht nur geduldet, sondern anerkannt wurde. Ich hatte das bereits längst gefühlt, sogar schon bevor Anne zur Welt kam, doch jetzt war es eine offen verkündete Tatsache.

Roses Instinkt mit Männern war nie sicherer oder erfolgreicher gewesen als John Langley gegenüber. Sie beachtete seine Reserviertheit nicht und entwaffnete ihn dadurch. Sie drang instinktiv in seine innerste Einsamkeit vor und fand dort ihren Platz. Sie war jetzt durch die Reife, die sie mit dem Kind bekommen hatte, wahrhaftig eine sehr schöne Frau. Es hätte ein eigenartiger Mann sein müssen, der ihrem liebenswürdigen Entgegenkommen lange hätte widerstehen können, ihrem scheinbar ungetrübten Vergnügen an seiner Gesellschaft, dem hellen Glanz von Charme und Geist, den sie in dies bis dahin halbtote Haus brachte. Er muß ihre Fehler gekannt haben — nur einem Dummkopf wären sie entgangen —, doch wie viele von uns übersah er sie. Sie verursachte Aufregungen in seinem geordneten Leben, sie war eitel und habgierig und manchmal recht laut. Aber sie zog sich jeden Abend, bevor er nach Hause kam, sorgfältig um, kaufte nur noch seine Lieblingsfarben und trug den Schmuck, den er ihr schenkte, voller Stolz und sichtbar mit großer Freude. Sie erwartete ihn in der Halle, wenn seine Kutsche abends vorfuhr; sie goß ihm seinen Madeira ein und weigerte sich, ihn seinen Portwein nach dem Dinner allein mit Tom im Eßzimmer trinken zu lassen. Sie ergriff seinen Arm auf dem Weg in den Salon und schlug es ihm nie ab, ihm etwas vorzusingen. Sie lernte die Lieder, die er gern hatte, und dies waren auch die einzigen, die wir zu hören bekamen. Abend für

Abend saß ich in jenem Salon mit ihnen und beobachtete sie, wie sie sich sein Vertrauen erschmeichelte, seine Bewunderung und schließlich eine Art Liebe. Ich hatte Rose nie zuvor sich um etwas bemühen sehen; sie hatte ihre Eroberungen immer mühelos und beinah unbewußt gemacht. Sie hatte eine gewisse Art Weisheit erlangt.

Sie war der Mittelpunkt des Haushaltes, weil sie gleichsam den Puffer gegen die Tyrannei John Langleys bildete. Mehrmals hatte ich erlebt, wie sie seine Aufmerksamkeit von einem angeblichen Fehler Elizabeths ablenkte oder von einem Irrtum oder einer Nachlässigkeit Toms. Sogar die Dienstboten stellten sich widerstrebend hinter sie, obwohl ihre Launen und ihre heillose Unordnung ihnen viel Arbeit machten. Sie vermochte John Langleys Ärger zu verscheuchen und ihn heiter zu stimmen. Er schien es nicht für ein Anzeichen der Schwäche zu halten, sie anzulächeln, ihr Komplimente zu machen und ihrem Geplauder zu lauschen. Sie war ihm die Tochter, die diese arme Schattenfigur Elizabeth ihm nie gewesen war. Er stieß bei ihr auf einen Charakter, den er nicht brechen oder einschüchtern konnte und war davon entzückt. Die Leute begannen von einem milderen John Langley zu reden, was jedoch nur für die Gebiete, in denen Rose sein Leben berührte, zutraf.

Ich erlebte einen großen Teil hiervon mit, da Rose in dem ersten Jahr, in dem sie im Langley-Haus wohnte, nicht in der Gesellschaft verkehrte und ich ihre einzige Gefährtin war. Elizabeth hätte ihre Vertraute sein können, wenn Rose es zugelassen hätte. Elizabeth war fasziniert und gefesselt von dem Studium eines Menschen, der keine Angst vor ihrem Vater hatte und brachte Rose uneingeschränkte Bewunderung entgegen. Rose hingegen war höflich zu ihr und sogar freundlich, wenn sie daran dachte, im übrigen aber langweilte Elizabeth sie.

»Spießige alte Jungfer!« nannte sie Elizabeth. »Die Arme, sie hat jede Minute, die ihr Vater überhaupt im Haus ist, Angst. Sie würde ihn hassen, wenn sie es wagte.«

Elizabeth war eifersüchtig auf jeden Gegenstand und jede Person, die in Roses Nähe kamen — sie war eifersüchtig auf Tom, auf Anne und am allermeisten auf mich. Sie wäre auch auf ihren Vater eifersüchtig gewesen, wenn ihr der Gedanke an diese Möglichkeit aufgegangen wäre. Sie lebte ein merkwürdiges Leben, versteckte sich hinter Rose, suchte Schutz unter der Kraft ihrer Persönlichkeit und bot ihr die Liebe und Dienste an, um die sie keiner je gebeten hatte. Rose nahm davon nur das an, was sie brauchte.

»Sie ist anscheinend überall«, beklagte sie sich bei mir. »Manchmal muß ich ihr die Tür vor der Nase zumachen, damit sie nicht hinter mir herkommt. Sie ist wie ein Hund — klebt mir dauernd auf den Fersen!«

Die Türen zu den Orten, an die Elizabeth ihr folgen wollte, wurden sehr energisch geschlossen — jene Orte, die Roses Freiheit außerhalb des Hauses verkörperten. Man sah sie sehr selten mit Rose in dem Landauer. Sie kam nie mit zur Langley Lane oder zu Maguire's. Rose tat Elizabeths Befremden über die Behandlung mit einem Achselzucken ab.

»Alles, was ich tun kann, ist, ihrer Vorstellung von einer Dame zu entsprechen, wenn Papa Langley da ist. Ich kann es aber nicht auch noch für Elizabeth tun.«

Einmal, als sie die luxuriöse Eleganz ihres Schlafzimmers betrachtete, gestand sie mir mit leiser Stimme, die beinahe ein Flüstern war: »Manchmal kommt es mir vor, Emmy, als ob mich diese Wände erdrücken wollten — als ob die Tür abgeschlossen sei und ich sie nicht öffnen könnte. Manchmal sage ich mir, daß ich hier heraus muß oder sonst noch sterbe.«

Und wir wußten die ganze Zeit, daß John Langley jeden Tag darauf wartete, daß sie ihm ihre zweite Schwangerschaft mitteilte. Er wünschte sich um alles in der Welt einen Enkel, und Rose wußte, was für eine Macht ihr das über ihn gab.

Als Adam und ich am Langley-Haus anlangten, hatte sich eine große Menschenmenge auf der Collins Street versammelt und musterte neugierig die vorfahrenden Kutschen. Jedes Fenster war erleuchtet, und wir vernahmen die Klänge der Musik, als wir auf das Haus zuschritten.

»Old John macht es in ganz großem Stil«, meinte Adam und bewegte die Finger, damit die neuen weißen Handschuhe etwas geschmeidiger würden und ihn nicht so störten.

»Es nicht in großem Stil zu machen, würde die ganze Wirkung verderben«, erwiderte ich. »Er will Rose in die Melbourner Gesellschaft einführen, und wenn er nicht das Beste bietet, werden die Leute Rose dementsprechend einschätzen. Er kommt damit sowieso über ein Jahr zu spät und kann nur das Baby als Entschuldigung anführen ... Man kann ihm also nur raten, sein Bestes zu tun.«

Wir bahnten uns einen Weg durch die Menge vor dem Eingang. Die Leute ließen uns widerstrebend durch und waren von Verachtung erfüllt für so ärmliche Leute wie uns, die zu Fuß zu einer Langley-Gesellschaft kamen. Wir trennten uns in der Halle, Adam, um in Elizabeths Haushaltsraum nach hinten zu gehen, der in einen Garderoberaum für die Herren umgewandelt worden war, und ich, um mich nach oben in Roses Schlafzimmer zu begeben, in dem die Frauen ihre Umschlagtücher ablegten. Ich blickte Adam nach, als er sich seinen Weg durch die durcheinanderquirlenden Gäste suchte — er sah so gut aus, so aufrecht und groß, und hatte breitere Schultern als alle anderen Männer in Sicht. Ich sah, wie sich die Blicke von mehr als einer Frau auf ihn richteten. Sein Frack war neu; doch trug er ihn mit Eleganz und viel lässiger als die Handschuhe. Ich wußte jedoch, daß er sehr ungern gekommen war.

Die Einladungen waren schon vor langer Zeit hinausgegangen. Adam hatte sich unsere auf dem Kamin angesehen und gemeint: »Es lohnt sich nicht, dafür neue Sachen zu kaufen. Wahrscheinlich werde ich sowieso gerade in Sydney oder Hobart sein.« Er hatte nicht hingehen wollen: er vermied das Wiedersehen mit Rose immer noch.

Mit Leichtigkeit hätte er die Abfahrt von Sydney so lange verzögern können, bis er sicher ging, zu spät für die Gesellschaft zu kommen. John Langley hätte nichts erfahren. Doch Adam war ein typischer Neu-Engländer, der wohl viel verlangte, aber auch viel dafür leistete, und so war er zurückgesegelt, sobald die Ladung an Bord war, und als er an der Hobson's Bay anlegte, hatten wir in aller Eile einen Schneider suchen müssen, der ihm den Frack nähte, und ich hatte verspätet für uns zugesagt. Ich selbst hatte auch nicht hingehen wollen; doch wenn ich es nun einmal mußte, beschloß ich, auch im entsprechenden Stil zu erscheinen. Ich ließ also den Ausschnitt meines Hochzeitskleides so tief ausschneiden, wie es schicklich war, die Ärmel blieben jedoch lang, um die Narbe zu kaschieren. Mein Haar trug ich hoch aufgesteckt, mit einem hohen Kamm darin, und ich war einigermaßen befriedigt mit dem Ergebnis, als ich mich vom Spiegel abwandte. Als ich meine Handschuhe anzog, hatte Adam gesagt »Du siehst hübsch aus, Emma!«

Er meinte damit, daß ich schick aussah — ich sah nicht mehr aus wie Emmy Brown, die hinter dem Maguire-Planwagen hergetorkelt war, und auch nicht mehr wie das kleine Mädchen, das hier in Melbourne mit dem Emigrantenschiff angekommen war. Ich hatte inzwischen einen

Mann gefunden und ein Kind verloren — und ja —, ich hatte zweimal auf Männer geschossen und sie sterben sehen. Ich sah vielleicht älter aus als ich war; aber das war kein Nachteil; denn einige Mädchen und Frauen sind linkisch in ihrer Jugend und lassen sie deshalb lieber hinter sich. Ich gehörte zu diesen. Als ich nun an jenem Abend die Treppe im Langley-Haus emporstieg, sah ich besser aus als je zuvor in meinem Leben und begegnete den kalten, abschätzenden Blicken der anderen Frauen mit ruhiger Gelassenheit. Ich kannte niemanden hier, und niemand kannte mich; doch wäre ich eher gestorben, als daß ich bei jemandem den Verdacht aufkommen ließ, daß es mir etwas ausmachte.

Adam erwartete mich am Fuße der Treppe vor dem Salon. Er zupfte ein letztes Mal an den Handschuhen und der schneeweißen Pracht seiner Krawatte, reichte mir den Arm, und dann schlossen wir uns der Empfangsreihe an. Diese schob sich nur langsam vorwärts, da beinahe niemand Rose vorher formell vorgestellt worden war — und mir blieb genügend Zeit, sie eingehend zu betrachten. Sie trug das Kleid, das ich für sie ausgesucht hatte; es war von einem ganz blassen Grün, das nur sie mit ihrem Teint und ihren Farben tragen konnte, und es enthüllte bestimmt den schönsten Rücken und die vollendetsten Schultern, die Melbourne seit vielen Jahren gesehen hatte. Um den Hals trug sie das Diamantkollier, das John Langley ihr zu dieser Gelegenheit geschenkt hatte. Sonst trug sie weder Blumen noch Bänder — ich harte ihr nicht erlaubt, die Schlichtheit des Kleides mit unnötigem Zierat zu verderben. Manchmal war ich eifersüchtig auf Rose, aber sogar Eifersucht ließ mich nicht Schönheit zerstören, wo sich mir eine Gelegenheit bot, diese zu schaffen oder neu zu steigern. So war Rose an jenem Abend ebensosehr meine Schöpfung wie die von John Langleys Geld.

Sie stand zwischen ihrem Schwiegervater und Tom; doch beinahe niemand bemerkte Tom. Ich sah Adams Hand neben mir sich öffnen und schließen und fragte mich, ob es wohl nur wegen der neuen Handschuhe geschah.

Endlich standen wir vor ihnen und tauschten die formellen Begrüßungen aus. Ich erinnere mich nicht mehr an das, was gesagt wurde. Ich weiß nur noch, daß Rose, als unser Name aus gerufen wurde, sich rasch von dem Gast vor uns abwandte und ihre Miene sich jäh veränderte, als ihr Blick auf Adam fiel. Das Lachen und die Freude erloschen. Sie reichte ihm sehr kühl und angemessen die Hand; doch hatte ich diesen Ausdruck zu oft bei ihr gesehen, um nicht zu wissen, was er bedeutete. So sah Rose aus, wenn sie etwas haben wollte. Und es erinnerte mich daran, daß sie in ihrem kurzen Leben alles bekommen hatte, was sie jemals begehrt hatte, außer Adam.

»Na, Adam . . .«, sagte sie.

»Na, Rose . . .«, erwiderte er. Sie betrachteten sich beide abschätzend und bewundernd und bemühten sich, unbeeindruckt zu erscheinen; aber ich wußte, daß Tom — genau wie ich — jeden auch noch so flüchtigen Ausdruck in ihren Gesichtern belauerte.

Wir gingen weiter in den Salon, unter den Klängen der Musik, die das laute Schwirren der Stimmen untermalte. Als wir uns mit übertriebener Höflichkeit durch die Menge drängten, bot sich mir endlich eine Gelegenheit, in Adams Gesicht zu blicken. Er sah aus wie ein Mann, der von einer Erscheinung geblendet worden war und dem der Schock noch anzusehen ist. Und als ich nun das automatische Lächeln auf meine Lippen zwang, das man lächelt, wenn man mitten hinein in eine Gesellschaft tritt, erkannte ich, daß die Jahre und Monate, seit Adam und Rose sich zuletzt gesehen hatten, nicht ins Gewicht fielen. Ich hatte

Adam Rose nicht abgewonnen. Durch einen einzigen Blick und ein einziges Wort zog es sie wieder unwiderstehlich zueinander.

Es wurde an jenem Abend mehr geredet als getanzt, und die Menschen dort präsentierten die Vermischung zweier Gesellschaftskreise, die zu jener Zeit in Melbourne nicht oft zusammentrafen. John Langley war einer der »Alten Garde« — einer von denen, die hierhergekommen waren und das Land in Besitz genommen und bebaut hatten. Sie waren die Aristokraten dieser Welt, die Männer mit selbstgeschaffenen Privilegien und Positionen. Einige von ihnen stammten, wie John Langley, aus dem niederen Landadel in England, und andere kamen aus bescheideneren Verhältnissen; doch die Tatsache, daß sie unter den ersten gewesen waren, hatte ihnen eine hohe gesellschaftliche Stellung sowie Reichtum verschafft. Dann waren dort die anderen, die in den Vierzigern gekommen und durch die Hochkonjunktur, durch Spekulation mit Grund und Boden reich geworden waren. Nur sehr wenige waren gleichzeitig Großzüchter, Farmer und Kaufmann wie John Langley. Er gehörte in beide Welten, er hatte beide Welten geladen, alle Mächtigen und alle Reichen Melbournes, um seine Schwiegertochter kennenzulernen. Einige der alten Großzüchterfamilien hatten es gewagt, nicht zu erscheinen, weil Rose, wenn sie auch jetzt Langley hieß, die Tochter eines Goldgräbers war, eine irische Emigrantin. Doch die Mehrzahl war gekommen — bereitwillig oder widerstrebend.

Wir mengten uns unter sie, und ich war erstaunt, wie viele Adam kannten und von mir dem Namen nach wußten. Sie redeten über das neue Schiff. »Ich höre, Sie werden der Kapitän der ›Rose Langley‹, Adam — sie wird ein feines Schiff!« — und mit einer Kopfbewegung zu Rose hinüber — »Es hat einen guten Namen bekommen.« Es war grausam, Adams Namen so oft und unabsichtlich in Verbindung mit Roses zu hören. Ich entdeckte jedoch, daß ich eine bescheidene eigene Individualität besaß. Manche der Frauen, deren Männer Adam durch die Schiffsladungen kannten, nickten mir anerkennend zu.

Melbourne war in der Tat ein kleines Nest, in dem niemand anonym blieb. Adam unterhielt sich eine Zeitlang mit einem Mann, der Eisenwaren transportierte, einem einfachen Mann, der hinter der steifen Unnahbarkeit seines Kragens zu ersticken schien; seine Frau streckte mir die Hand entgegen — eine Hand, die in einem so engen Handschuh steckte, daß es aussah, als wollte sie wie eine Wurst aus dieser Haut herausplatzen. Sie hatte keinen Sinn für taktvolle Feinheiten.

»Ich hörte, Sie verloren Ihr Baby, Sie Ärmste!« Sie wollte nett zu mir sein.

Wir schoben uns weiter durch die Menge und stießen auf Larry. Er sah in seinem Frack außerordentlich gut aus — sehr gut und ein wenig wie ein Zigeuner, mit seinem schwarzen Haar und der tiefgebräunten Haut.

»Sind Kate und Dan hier?«

»Sie wollten nicht kommen. Nur bei Geburten und Todesfällen machen sie eine Ausnahme und setzen einen Fuß über diese Schwelle.«

»Und du?« fragte ich.

Er zuckte die Achseln. »Ich geh' überall hin, wo man Geschäfte machen kann.« Er deutete auf die Gäste um uns herum. »Und kann ich zulassen, daß sie sagen, Rose hätte von ihrer Familie keine Unterstützung bekommen?« Er wies erneut auf den strahlend erleuchteten Raum, das Gedränge der Menschen, das Geschwader der Lohndiener, die mit den Tabletts zirkulierten, die seidenen Vorhänge und Wandbespannungen, die zauberhaften, ovalen Spiegel und das Funkein der kristallenen Wandleuchten.

»Dies ist es, nicht wahr, Adam? Hierfür lohnte sich 's, es zu versuchen, nicht?« Er zwinkerte uns zu und lachte wieder. »Ich tausche jederzeit meinen Platz auf dem Planwagen hierfür.«

»Läuft alles gut?« erkundigte sich Adam. Larry nickte. »John Langley wird mit einer Konkurrenz zu tun bekommen, bevor er es weiß. Ich hab' ein kleines Grundstück hier in der Nähe im Auge.« Er spreizte die Hände. »Wie würde es aussehen, Emmy? — Lawrence Maguire, Allgemeine Handelsgeschäfte.«

»Wunderbar — wir wären alle stolz . . .«

»Tja, ich seh' lieber zu und such' mir eine reiche Witwe, damit es schneller geht . . . Und wo bessere —«

Elizabeth wollte gerade an uns vorbeigehen; doch ich war entschlossen, es zu verhindern. Sie sah müde und beinahe ungepflegt aus; sie hatte die ganze Arbeit mit der Einladung gehabt. Als eine Geste an diese Gelegenheit trug sie ein stumpfblaues Kleid, das ihr gar nicht stand, mit einem ovalen Ausschnitt, an den sie Roses Brosche gesteckt hatte.

»Elizabeth, ich möchte dir Roses Bruder Larry vorstellen. Larry — Mrs. Townsend.«

Sie blickte ihn feindlich an, während er sich in der elegantesten Verbeugung, die in dieser Enge möglich war, vor ihr verneigte.

»Darf ich Ihnen, Madame, mein Kompliment aussprechen für den brillanten Erfolg dieses Abends?« Er lächelte sie mit beinahe unverschämtem Charme an. »Ich weiß die Planung zu würdigen, die er verlangte.«

Schlauer Hund, dachte ich; er wußte genau über diesen Haushalt Bescheid. Und Elizabeth, die gewöhnlich so kühl zu Männern war, errötete wahrhaftig wie ein Schulmädchen.

»Rose ist der große Erfolg«, erwiderte sie ohne eine Spur von Wehmut und schenkte mir beinahe so etwas wie einen freundlichen Blick.

»Hast du Rose jemals so schön gesehen? — oder Sie, Kapitän Langley?«

»Nein — nein, das habe ich nicht«, stammelte er.

»Natürlich«, fuhr sie fort, »schwirren alle um sie herum — all diese Männer. Ich meine, sie überanstrengen sie. Sie hat sich noch nicht ganz erholt ... von dem Baby. Sie glaubt nie, daß sie nicht sehr kräftig ist. Aber sie ist es nicht — sie müßte sich ausruhen.« Sie sah aus, als würde sie am liebsten all die Leute von Rose fortjagen.

Als Elizabeth weitergegangen war, blickte Larry ihr ganz verblüfft nach. »Ich wußte gar nicht, daß Rose so eine Verbündete gefunden hat! Es ist ungewöhnlich. Du, Emmy, bist die einzige Frau, die sie je als Freundin behalten hat.«

»Sie braucht keine Frauen — sie hat genügend Männer«, entgegnete ich schroff, legte meine Hand fest auf Adams Arm und machte meine Rechte geltend. »Komm, Adam — ich sehe, man geht zu Tisch. Ich bin hungrig.«

»Und ich«, sagte Larry, »muß mich aufmachen, um jene Witwe zu finden.«

Es war jedoch keine Witwe, mit der wir ihn später zu Tisch gehen sahen, sondern die Tochter eines reichen Getreidekaufmannes. Ich hätte Larry gewünscht, sie wäre hübsch gewesen, doch Eunice Jackson war ein dickes, kräftiges und gesundes Mädchen und hatte ein Kleid an, auf dem keine einzige Stelle mehr frei war für ein weiteres Stückchen Litze oder Schleifchen oder noch eine Stickerei. In ihrem Haar trug sie eine Unmenge Blumen, doch die Perlen um ihren Hals waren echt. Der Melbourner Klatsch behauptete, Sam Jackson suche einen Mann für Eunice, der auf der gesellschaftlichen Rangleiter ein oder zwei Stufen höher stand. Seine Tochter schaute jetzt Larry wie hypnotisiert an und lachte über alles, was er sagte. Und Larry sah ebensosehr wie ein Gentleman aus wie all die anderen hier. Ich beobachtete ihn, wie er einen Stuhl für Eunice holte und dafür sorgte, daß sie bequem saß, ihr Champagner und einen Teller vom Büfett brachte und ihr Taschentuch aufhob, das sie mehrmals fallen ließ. Es war schwer, sich vorzustellen, daß seine Hände in jenen makellosen Handschuhen voller Schwielen waren.

Im Verlaufe des Abends schien Adam ein wenig aus seiner Trance zu erwachen und wurde fröhlich er. Vielleicht war es der Champagner. Er verbeugte sich vor vielen Leuten und stellte mich ihnen vor, und ich hörte Herzlichkeit in seiner Stimme. Eine alte Frau in einem dunkelroten Kleid mit gefärbtem Haar und einem schweren Diamantkollier schlug ihm mit ihrem Fächer leicht auf den Arm. »Da sind Sie ja, Kapitän Langley!« Und zu mir gewandt fuhr sie fort: »Er nahm mich neulich von Sydney auf der ›Enterprize‹ mit und versuchte mir zu erzählen, er sei nicht mit John Langley verwandt.« Adam stellte mich ihr vor, und ich erkannte an ihrem Namen, daß sie zu einer der großen Landbesitzerfamilien von Neu-Süd-Wales gehörte. Sie schlug ihm erneut mit dem Fächer auf den Arm.

»Eine süße Frau haben Sie, Kapitän Langley!« Und dann beugte sie sich zu mir herüber und flüsterte laut, damit Adam es hörte: »Und Sie sind ein Glückspilz! Bestaussehender Mann, den ich je gesehen habe!«

Nach einer Weile tanzten wir. Ich hatte zuvor nur am Eureka getanzt, und das war keine genügende Vorbereitung für John Langleys glänzendes Parkett. Doch Adam führte mich sicher, und ich folgte ohne Schwierigkeiten. Wir tanzten gut zusammen, fand ich.

»Du tanzt so leicht, Emmy! Leicht wie eine Feder.«

Er lächelte mich an, und ich lächelte zurück, und wir

333

bewegten uns zu den Klängen der Musik, wie es sich für ein Ehepaar gehörte. Ich begann zu hoffen, daß jener Blick zwischen Rose und Adam nur ein Zufall gewesen war, ein Produkt meiner Einbildung vielleicht.

Doch ich irrte mich. Sie wollte ihn nicht in Frieden lassen; er sollte sie nicht vergessen. Als John Langley Rose später am Abend zum Flügel führte, stolz darauf, ihre Talente vorführen zu können, sagte sie unverblümt, wie es in ihrem Herzen aussah.

Höflich hatte sich eine Gruppe versammelt, um sie singen zu hören. Die Herren standen hinter den Stühlen der Damen. Ich erinnere mich, daß Adams Hände auf der Lehne meines Stuhles lagen, während Rose das Repertoire der Lieder zum besten gab, die ihr Schwiegervater am liebsten mochte. Ihre Stimme war, ebenso wie sie selbst, gereift; sie klang immer noch rein und glockenhell, doch war sie jetzt voller in den tieferen Lagen. Der Beifall am Schluß der Lieder war mehr als bloße Höflichkeit.

Und dann brach sie mit dem letzten Lied aus dem Programm aus. Das Lied war eine spöttische Ohrfeige für die Langleys, eine Mahnung an das, was sie selbst war und woher sie kam. Es war das einzige Mal, daß ich Rose in jenem Hause ein irisches Lied singen hörte.

Sie schaute nur zu Adam hin, eine lockende, verführerische Frau, die sich ihrer Macht bewußt war.

Ich erkenn' meinen Liebsten an der Art, wie er geht,
Ich erkenn' meinen Liebsten an der Art, wie er red't,
Ich erkenn' meinen Liebsten an seiner Jacke aus
*   blauem Kattun.*
Doch wenn mein Liebster mich verläßt, was soll ich
*   tun?*
. . . was soll ich dann tun?

Kapitel 7

Ich kam zum erstenmal nach Langley Downs an einem jener goldblauen Tage des australischen Frühlings, an denen die Luft einem in der Nase zu prickeln scheint und man sich so voller Leben fühlt wie nie zuvor. Über sechs Monate waren seit der Gesellschaft verstrichen, die John Langley für Rose gegeben hatte, und zwei Jahre, seit ich an jenem Morgen an dem Fenster von »The Digger's Arms« gestanden und die Maguires erblickt hatte. Das Land besaß für mich jetzt mehr Schönheit als damals; meine Augen hatten sich an die braunen und grauen Farbtöne und das dunstige Blau gewöhnt, und ich hatte aufgehört, Ausschau nach üppigem Grün zu halten. Die wilden Blumen blühten hier im Verborgenen, nicht grell und prächtig. Man roch sie mehr, als daß man sie sah. Sie erfüllten die Luft mit einem durchdringenden, herben Duft, der vom Wind herübergeweht wurde und der mich vergessen ließ, daß man Blumen überhaupt auf eine andere Weise riechen konnte. Ich sah, wie sich die zarten, roten, neuen Eukalyptusblätter entfalteten. Rose und ich fuhren in dem Dogcart hinter dem Landauer her, in dem Anne mit ihrer Nurse und Roses Zofe saß. An der Spitze der kleinen Prozession ritt John Langley immer noch sehr aufrecht im Sattel, obwohl wir den ganzen Tag unterwegs gewesen waren. Rose blieb absichtlich hinter dem Landauer zurück, wenn wir dadurch auch in der von ihm angewirbelten Staubwolke dahinfuhren.

»Es gibt mir das Gefühl, eine gewisse Ruhe zu haben. Man ist für sich – als letzter.«

Gelegentlich wendete John Langley sein Pferd zu uns zurück, um uns irgendeine Sehenswürdigkeit in den kleinen Dörfern zu zeigen oder um uns die Namen der Männer zu nennen, denen einige der Farmen und Schafweiden gehörten. Es war offenes, leicht hügeliges Grasland, das nur an den Flüßchen von Bäumen durchzogen wurde.

»Das beste Schafzuchtgebiet der Welt«, erklärte John Langley. Vielleicht übertrieb er ein wenig; doch in dem lauen Wind und mit dem Schmelz des Frühlings auf dem Lande ringsum vor Augen war ich bereit, es ihm zu glauben.

Rose fuhr den Dogcart mit Stil — ja, mit Eleganz. Auch er war ein Geschenk ihres Schwiegervaters, und es hatte John Langley, dem Liebhaber schöner Pferde, großes Vergnügen bereitet, zu sehen, wie gut sie lernte, mit der braunen Stute — Rose hatte sie Taffy getauft — umzugehen. Zuerst hatte ein Reitknecht neben ihr gesessen, wenn sie durch Melbourne fuhr, einkaufte oder Besuche machte. Nach einiger Zeit jedoch ließ sie den Reitknecht, trotz John Langleys Verbot, zu Hause. Dies gab ihr die Freiheit, die sie in ihrem ganzen Leben nicht gekannt hatte, und sie begann, sie rücksichtslos auszunutzen.

Anfangs wurde nicht ernsthaft über sie geklatscht — es schien undenkbar, daß jemand es wagen würde, sich in einer so kleinen Stadt wie Melbourne so zu benehmen, wie sie es tat. Der Klatsch verstärkte sich jedoch und befaßte sich mit ihr und Charles Greenley — einem Mann in den Dreißigern, der gerade mit etwas Geld von England gekommen war. Er »schaute sich um«, wie er sagte. Er hatte sich ein Haus für sechs Monate in St. Kilda gemietet, und es war unvermeidlich, daß er John Langley kennenlernte, und da es jetzt oft Gesellschaften im Langley-Haus gab, ebenso unvermeidlich, daß er Rose vorgestellt wurde. Bald darauf sah man die beiden hin und wieder im Botanischen Garten spazierengehen. Aber wo gingen sie in Melbourne hin? Rose hatte sich in ihrem Dogcart auffallend benommen, und es war deshalb nicht erstaunlich, daß ihr Wagen eines Tages in der Einfahrt von Charles Greenleys Haus gesehen wurde. Ich weiß nicht, wer den Mut hatte, es John Langley zu sagen, oder ob Tom das mitfühlende Lächeln und wissende Kopfnicken hinter seinem Rücken einfach nicht länger zu ertragen vermochte.

Es fand eine kurze, scharfe Unterredung zwischen Rose und ihrem Schwiegervater statt, und dann erhielt ich eine Botschaft, in der ich gebeten wurde, mit Rose für einen Aufenthalt von unbestimmter Dauer nach Langley Downs zu gehen. Zu meiner Verblüffung war John Langley sehr milde mit Rose, oder geschah es nur, weil er es nicht ertragen konnte zuzugeben, daß er sie falsch eingeschätzt hatte?

»Rose hat sich zuviel zugemutet — zu viele Gesellschaften, zu wenig Ruhe. Sie muß eine Zeitlang ausspannen, Miss Emma.«

Also willigte ich ein mitzugehen. Warum sollte ich auch nein sagen. Adam war fort, und selbst wenn er während meiner Abwesenheit nach Hause käme, würde es auch nicht viel ausmachen. Es erschien mir fast als willkommene Gelegenheit, der Anstrengung unserer erzwungenen Vertrautheit während der wenigen Tage, die er im Hafen war, zu entgehen. Zwar spielten wir unsere Rollen ganz gut, nahmen Rücksicht aufeinander und waren nachsichtig gegenüber unseren Schwächen; aber wenn man Liebe ersehnt, ist Freundlichkeit das Allerschlimmste.

Gelegentlich, wenn wir ins Langley-Haus eingeladen wurden, sah Adam Rose, und ich hatte stets den Eindruck, daß es nur eines einzigen Wortes von Adam bedurft hätte, und Rose hätte alles für ihn aufgegeben, sogar ihr Kind. Die anderen müssen das nicht bemerkt haben, denn Adam war John Langley immer willkommen, und sogar Tom begann nach einiger Zeit, seine mißtrauische und argwöhnische Haltung Adam gegenüber fallenzulassen. So war ich die einzige, die das feste Band zwischen den beiden sah oder mir einbildete, es zu sehen. Ich wußte nicht, welche Qualen Adam innerlich litt; doch war ich überzeugt daß allein die unerschütterliche Vorstellung von dem, was ein Mann wie Adam für das Rechte hält, ihn von Rose zurückhielt. Und was Rose betraf, so glaube ich, wartete sie, daß Adam eines Tages weich werden würde, wie alle anderen Männer.

Ich glaube, sie wechselten in jenen Monaten nach der großen Gesellschaft nie ein einziges Wort unter vier Augen miteinander; sie waren ganz auf die Verständigung durch ihre Sinne angewiesen. Wenn sie sich beide in einem Zimmer befanden, war diese so stark, daß ich sie spürte. Es mag die Enttäuschung über Adam gewesen sein, die Rose in Charles Greenleys Arme getrieben hatte.

Und deswegen befand ich mich nun auf dem Wege nach Langley Downs als eine Art Aufseherin für Rose, um ihre Langeweile zu mindern und um sie zu mäßigen, falls das möglich war. Was sie auch sagen würde, bei mir war es gut aufgehoben. In einer Weise war ich dankbar für dieses Vertrauen.

»Wenn ich denke, daß ich hierhergeschickt werde wie ein ungezogenes Kind«, beklagte sich Rose erbittert bei mir. Ihre Augen waren schmal und böse, als sie John Langley vor uns musterte.

»Du kannst deinem Schöpfer danken, daß du Langley Downs hast, um dorthin zu flüchten«, entgegnete ich kurz angebunden. »Und John Langley, um dich zu beschützen. Wenn er dich dem Klatsch überließe, würde man dich in Stücke reißen.« Und dann fügte ich hinzu: »Ich nehme an, du weißt, daß Charles Greenley fortgeht? Er zieht nach Sydney.«

Sie nickte. »Der arme Charlie — ich habe ihm alles verdorben, nicht wahr? Ich wollte es nicht. Es geschah einfach.« Dann wandte sie sich zu mir, um mich anzusehen.

»Woher weißt du so viel, Emmy? Du verkehrst nicht in der Gesellschaft — du lernst keine Leute kennen. Woher weißt du, was vorgeht?«

»Ich habe Ohren — und Augen. Worüber, meinst du, reden die Fuhrmänner in der Langley Lane? Und die Männer in der Schenke . . . und die Ladenbesitzer, mit denen ich zu tun habe? Ich weiß fast alles, was in Melbourne passiert.«

»Warum hast du mir dann nicht gesagt, daß die Leute redeten?«

»Ich habe es dir gesagt — du hast nur nicht zugehört. Du wußtest, daß sie redeten, aber es war dir gleich.«

»Du hast recht«, gab sie zu, und ihre Miene verhärtete sich. »Und es ist mir auch jetzt gleich!«

John Langley schien mir in Langley Downs in mancher Hinsicht verändert. Er war zugänglicher oder zumindest weniger streng. Vielleicht kam es daher, daß Tom und Elizabeth nicht um ihn waren und ihn mit ihrer Lebensuntüchtigkeit reizten. Hier stieß er wieder auf sein früheres Ich von vor zwanzig Jahren; er wurde ein jüngerer Mann. Dies war die Stätte seiner größten Anstrengungen und Triumphe. »Alles in Melbourne«, sagte er einmal zu mir, als wir zusammen durch den Garten gingen, »alles, was dort ist, konnte man allein mit Geld kaufen. Dieses — Langley Downs und Hope Bay —, dieses verlangte Arbeit und Glauben.«

Unsere gemeinsamen Spaziergänge machten mir nach einiger Zeit Freude. Manchmal gingen wir abends auf der breiten Veranda, die um das ganze Haus lief, auf und ab und atmeten den Duft der englischen Blumen ein, die hier mit viel Mühe und Stolz gezogen wurden. Ich erfuhr einiges von der Geschichte dieses Hauses, und ich glaubte in gewisser Hinsicht den jungen Mann zu kennen, der hier gelebt, der dieses Haus für seine Frau gebaut, der sie im unteren Teil des Gartens begraben und einen Rosengarten um ihr Grab angelegt hatte.

»Es gab damals noch keine Friedhöfe und auch keine Kirchen; aber sie wurde mit Ehrerbietung begraben.« Er sagte nicht, sie sei in Liebe beerdigt worden, doch ich wußte, daß er sie geachtet hatte, was er bei seinen Kindern nicht vermochte.

Ich fühlte mich hier zu Hause. Nach den Begriffen dieses Landes war das Haus alt, und ich spürte seine Lebensströme.

Wenn John Langleys Ehrgeiz hier haltgemacht hätte, wären er und seine Kinder glücklicher gewesen. Er muß gefühlt haben, was ich für dieses Haus empfand; denn wir wurden Freunde auf unseren Spaziergängen. Ich besichtigte mit ihm seine neuesten, eingeführten Schafböcke und hörte zu, wie er mir ihre Vorzüge erklärte; ich ging mit ihm zu den Musterungsausläufen, den Schurschuppen und den Wannen, in denen die Schafe vor der Schur gewaschen wurden. Mein Hals und meine Hände waren wieder wie am Eureka sonnengebräunt.

Der Unterschied zwischen unserer Herkunft und Stellung war groß oder wäre es vielmehr gewesen, wenn es die Schranken der englischen Gesellschaft hier gegeben hätte. Doch daß John Langley mich brauchte, glich vieles aus. Ich wußte, daß er mich brauchte — nicht nur um Roses willen, sondern ebensosehr um seiner selbst willen. Es waren glückliche Wochen, jene ersten Wochen in Langley Downs. Rose und ich ergänzten uns gegenseitig in unserer Fürsorge für John Langley. Ich war ihm die Gefährtin auf seinen Spaziergängen, die seinen Plänen für die Zukunft und seine Enkel lauschte; Rose dagegen war die Gefährtin des Salons, die ihm die Lieder vorsang, die er gern hatte, und deren Geplauder ihm zeitweilig Spaß machte. Ich war zum Reden da und Rose zum Anschauen.

John Langley verließ uns während dieser Zeit in Langley Downs dreimal, um auswärtige Besuche zu machen — das eine Mal unternahm er die lange Reise entlang der Küste von Hope Bay, und die anderen Male fuhr er für einige Tage nach Melbourne. Rose war dann, wie immer, wenn kein Mann in der Nähe war, mit dem sie spielen konnte, teilnahmslos und gelangweilt. Das Wetter war für die frühe Jahreszeit recht heiß, und wir verbrachten die Nachmittage im Schatten der Veranda. Anne schlief oben in ihrer Wiege, und sogar die Dienstboten hinten im Haus verhielten sich ruhig. Tiefe Stille lag über dem Land; die Schafe, die sich kaum zu bewegen schienen, grasten auf der Weide nahe am Haus, und in jener Nachmittagsflaute bewegte sich kein Lüftchen in den Bäumen. Ich hatte meine Näharbeit vor mir, weil mir das längst zur Gewohnheit geworden war; Rose dagegen hatte nichts, um ihre müßigen Hände zu beschäftigen.

Einmal beugte sie sich zu mir. »Mein Gott, Emmy! Ich glaube, ich werde noch wahnsinnig! Ich sterbe hier — ich ersticke! Ich ersticke in lauter Schafen und lauter Tugend. Ich vermisse ... ich vermisse Charlie!« Und sie warf den Kopf in den Nacken. »Charlie ist mein Liebling — mein Liebling ...«, sang sie spöttisch.

»Psst, Rose! Du mußt damit Schluß machen, du mußt es einfach!«

»Oh, ich liebe ihn ja gar nicht«, erwiderte sie. »Er brachte mich nur zum Lachen. Er ließ mich vergessen ... all die Dinge, die ich vergessen will.«

»Du mußt aber mit ihnen leben«, entgegnete ich. Ich wollte nicht grausam sein, doch gab es keine andere Möglichkeit für sie. »Du mußt sie ertragen. Mit der Zeit wird es leichter werden.« Ich vermute, wir redeten beide über dasselbe, aber keine von uns sprach es offen aus.

Jene Nachmittage auf der Veranda waren für sie wie für mich lang und zermürbend. Roses einziger Trost war das neue Pferd, das John Langley ihr schenkte. Es war ein dreijähriger Grauschimmel, ein Vollblüter, den Rose beinahe anbetete. Es stellte eine Art Dankesgeschenk von John Langley an sie dar, daß sie eingewilligt hatte, Melbourne und Charles Greenley zu verlassen, und war eine Bestechung, damit Rose hierblieb, bis Melbourne etwas anderes zum Klatschen gefunden hatte. Die lange Tradition der irischen Liebe zu Pferden lag ihr im Blut, und sie war die geborene Reiterin. Der Kutscher und die Reitknechte staunten über sie.

»Nie eine verkehrte Hilfe«, erklärte mir der Stallmeister. »Sie gibt nie eine verkehrte Hilfe. Es ist, als kenne sie diesen Kerl schon seit ihrer Geburt.«

Sie ritt jeden Morgen, während es noch kühl war. Ein Reitknecht sollte sie stets begleiten, doch Dancer, wie sie das Pferd nannte, lief dessen Stute mit Leichtigkeit davon. Nachdem sie einigen Unterricht bekommen hatte, begann sie zu springen. In dem unbequemen Damensattel nahm sie Hindernisse, an die sich sogar Männer nicht so leicht heranwagten. Und bald hielten die Weiden um das Haus herum sie nicht mehr.

»Ich verbiete es dir, Rose«, erklärte John Langley. »Es ist gefährlich — es treibt sich hier allerlei Gelichter herum — Strauchdiebe, Pferdediebe —, all diese Kerle, welche die Goldfelder verlassen haben.« Er schien sich der beleidigenden Bedeutung dieser Bemerkung nicht bewußt zu sein.

»Strauchdiebe, tatsächlich?« erwiderte sie. »Ich möchte sehen, wie einer von ihnen Dancer einfängt! Aber ich kann mit einer Pistole umgehen, wie du weißt. Man hat es mir einmal gezeigt.«

Und sie schnallte sich eine Pistole um, und als diese Neuigkeit die Runde machte, gab es einen neuen kleinen Skandal. Rose meinte achselzuckend dazu: »Anscheinend schockiere ich sie mit allem, was ich tue — also kann ich genauso gut das tun, was mir gefällt.«

John Langley versuchte, auf seinem Verbot zu bestehen; doch war er zu stolz über den Anblick, den sie auf jenem Pferd bot. »Wenn doch bloß Elizabeth so geritten hätte!« sagte er einmal zu mir.

Ich nahm ebenfalls Reitstunden in Langley Downs; doch war das Ergebnis sehr anderer Art. Ich fürchtete mich ein wenig vor Pferden, begriff jedoch, daß es für eine Frau in diesem Land sehr nachteilig ist, wenn sie nicht einige Stunden im Sattel sitzen kann. Man suchte also die langsamste, friedlichste alte Stute aus dem Stall für mich aus, und es genügte uns beiden, auf der Wiese am Haus herumzuzuckeln, mit dem Reitburschen wenige Meter hinter uns, der sich wahrscheinlich furchtbar langweilte und neiderfüllt seinen Kameraden beobachtete, der mehr Glück hatte und Rose begleiten durfte, der mit ihr davonritt, bis sie Dancer den Kopf frei gab und den Reitburschen hinter sich ließ. Manchmal ritt John Langley mit Rose aus, und sie war gezwungen, an seiner Seite zu bleiben. Sie war jedoch am glücklichsten, wenn sie allein ausreiten konnte und die Freiheit wiederfand, die sie verloren zu haben schien.

»O Emmy, es ist so wundervoll! Ich gehöre niemand anders, wenn ich da draußen allein reite. Es sind die einzigen Augenblicke, in denen ich etwas für dieses Land empfinde — ich möchte reiten und weiterreiten bis zum Horizont, und wenn ein neuer Horizont vor mir auftaucht, möchte ich auch bis zu ihm reiten. Aber ich muß immer umkehren . . .«

Die Krinolinen werden größer und die Hüte kleiner«, meinte Rose gähnend und blätterte die Seiten einer Zeitschrift um. »Ich muß mir ein neues Kleid machen lassen, wenn ich wieder in Melbourne bin . . .«

Wir waren wieder einmal allein in Langley Downs, saßen im Salon und warteten darauf, daß es Zeit wäre, zu Bett zu gehen. Rose schaute dauernd auf die Uhr. Alle Türen und Fensterläden im Haus waren für die Nacht geschlossen worden, außer der einen Tür zur Veranda, die wir offengelassen hatten, um den Nachtwind hereinzulassen. Die Dienstboten waren schlafen gegangen; draußen in der Halle standen die Kerzen für uns bereit, um uns den Weg nach oben zu leuchten. Um uns herrschte die unwirkliche ländliche Stille der Nacht. Rose haßte die Stille, sie bedrückte sie; ich blickte von meinem Buch auf und sah, daß die Zeitschrift ihr aus den Händen geglitten war und sie nur dasaß und auf die offene Tür und die hinter ihr gähnende Dunkelheit starrte. Ihr Gesicht war ernst, ja beinahe traurig; sie hatte jetzt oft diesen Ausdruck, wenn ihr Gesicht entspannt war. Er rührte mich und beunruhigte mich, da ich wußte, daß Rose nach diesen wenigen Jahren längst nicht mehr mit einer Reitgarnitur oder einem Hut oder sogar mit einem Diamanten zufrieden war. Eine gewisse Zeit vermochte Dancer sie glücklich zu machen; doch blieben noch viele leere Stunden in ihrem Leben übrig, die nicht von ihrem Kind oder ihrem Mann oder von irgend etwas anderem ausgefüllt werden konnten. Vielleicht dachte sie, Adam hätte all ihre Sehnsüchte stillen können; doch falls sie das wirklich glaubte, irrte sie sich. Sie kannte nicht den Mann, den ich kannte — wie hart und unnachgiebig er manchmal war; sie kannte nicht seine Veranlagungen, wußte nicht, wie er Einfachheit, Ordnung und Anständigkeit liebte. Nach einer kurzen gemeinsamen Zeit hätten sie sich gegenseitig wahnsinnig gemacht. Vielleicht sagte Adams Vernunft ihm das auch, und nur sein Herz bestritt es. Rose besaß jedoch keine Vernunft; sie wurde von Instinkten und Verlangen getrieben, die sie betrogen und sie zu dem machten, was sie in jenen Augenblicken war, eine Frau, deren Gesicht von Schmerz beschattet war und die sich selbst nicht verstand. Ihr erschreckter Ausruf riß mich aus meinen Betrachtungen, und ich sah, daß sie mit weit offenem Mund dasaß. Dann sprang sie auf, und die Zeitschrift rutschte zu Boden.

»Pat! – oh, Pat!«

Leise wie ein Schatten war er in die Türöffnung getreten. Wir umarmten und küßten ihn, und er lachte leise, während er die Arme um uns legte. Dann schob er uns ein wenig zurück und sah uns an.

»Rosie . . .! Grünauge . . .!« Er legte den Kopf auf die Seite. »Also wirklich! Als ich durch die Tür schaute und diese beiden vornehmen Damen sah, dachte ich, ich sei hier verkehrt. Ich hätte euch bestimmt nie erkannt, so vornehm, wie ihr ausschaut!«

Rose zog ihn ins Zimmer. Sie strahlte. »Pat, du machst ja nur Spaß Du hast dich nicht ein bißchen verändert! Wieso bist du hier . . .? Larry sagte, er habe gehört, du zögest nach Neu-Süd-Wales.«

»Bruder Larry weiß nicht alles. Ich bin dabei, ungefähr acht Meilen von hier ein Nachbar des großen John L. zu werden. Ich habe einen kleinen Besitz gekauft, der einem gewissen Sweeney gehört – Matt Sweeney. Es sind nur ein paar tausend Morgen. Nichts Besonderes nach Langley-Begriffen. Matt begann hier, als die ersten Siedler kamen. Er ist John L. und seinen andern Nachbarn ein Dorn im Auge. Er hat ein hübsches Stückchen Land neben dem Langley-Besitz, und Old John würde es sich viel kosten lassen.«

»Du Satan!« lachte Rose bewundernd. »Ich vermute, du hast es absichtlich gekauft.«

Er schüttelte den Kopf, lachte jedoch gleichzeitig. »Ich schwöre dir, der Gedanke ist mir nie gekommen.«

Ich zupfte ihn am Ärmel und lachte zu meinem Erstaunen ebenfalls. »Kein Wort glaube ich davon! Aber es ist herrlich, daß du endlich eigenen Grund und Boden hast — was du doch immer haben wolltest, nicht wahr, Pat?«

»Ja«, bestätigte er, »da hast du recht.« Es klang jedoch nicht sehr überzeugt, und ich fühlte, wie Kälte in mein Herz kroch bei der Frage, ob er unter derselben Krankheit litt wie Rose, unter ewiger Ruhelosigkeit und Unzufriedenheit.

»Warum hast du dich dann nicht früher sehen lassen?« forschte Rose. »Warum mußt du zu dieser nächtlichen Stunde hier angeschlichen kommen?«

»Ich kam doch erst heute von einer Reise nach Adelaide zurück. Erst heute. Ich brachte mit zwei andern einige Pferde auf den Markt. Ich war auch ein bißchen in Neu-Süd-Wales ... da gibt 's genug Arbeit, wenn man über Land zieht. Man braucht nirgends länger zu bleiben, als man Lust hat.«

»Dann bleibst du also nicht hier auf deiner Farm?« Roses Fröhlichkeit verschwand ein wenig.

Er zuckte die Achseln. »Du weißt, wie es mit mir ist, Rosie. Ich wollte nur einen kleinen Anteil an diesem Land haben. Nur einen Ort, an den ich dann und wann zurückkehren kann. Einen festen Platz für mich. Die Farm ist nicht groß genug, um zwei Partner dauernd zu ernähren ... sie bringt nicht genug ein.«

»Aber du kommst oft rüber, wenn du hier bist, nicht wahr, Pat?« drängte Rose. »Wir haben dich sehr vermißt. Du bist nie in Melbourne gewesen, um dir ›Maguire's Tavern‹ anzusehen ... oder irgend etwas. Du hast mein Kind nie gesehen.«

»Aber ich kann lesen, oder etwa nicht? Weiß ich etwa

nicht alles über Miss Anne Maria Langley, die in der protestantischen Kirche getauft wurde? Und ich weiß alles über ihre Mutter — und die schicken neuen Kleider und die Diamanten und die Kutsche. Die Zeitung sorgt dafür, daß ich meine kleine Schwester nicht vergesse, Rosie!«

»Komm mit, ich hole dir etwas zu essen«, unterbrach ich hastig; denn ich sah, daß sie auf dem besten Wege waren, sich zu zanken. So zerrte ich an Pats Hand, um ihn abzulenken. »Erzähl mir nicht, du seiest nicht am Verhungern — ich hab' versucht, reiten zu lernen, und weiß, daß achtzig Meilen im Sattel einem ganz schön die Eingeweide durcheinanderrütteln.«

Als ich mich jedoch zur Tür wandte, ergriff er meine Schultern und drehte mich zu sich um. Beinahe eine Minute lang schien er mein Gesicht zu betrachten.

»Du siehst wundervoll aus, Grünauge!« Er musterte mein Kleid und mein Haar. »Du bist eine hübsche Frau geworden, kleine Emmy!« Und ohne Zögern und irgendeine Schüchternheit streckte er die Hand aus und berührte sanft meine Wange. »Kleines Grünauge . . .«

Wir trugen den Imbiß ins Eßzimmer — kaltes Lamm, Brot, Käse und Apfelkuchen. John Langley hatte mir den Schlüssel zum Weinschrank gegeben; so suchte ich nun eine Flasche seines besten Whiskys aus und beschwor ihn in Gedanken, keinen Einspruch dagegen zu erheben. Es wurde die fröhlichste Mahlzeit, an die ich mich seit jenen Wochen am Eureka erinnere. Wir lachten und erzählten uns die Neuigkeiten, und die Brotkrumen fielen auf das polierte Eichenholz. Lange Zeit hatte ich Rose nicht so herzhaft zu greifen sehen.

Plötzlich erschien Mary Anderson, die Haushälterin von Langley Downs, mit einer Kerze in der Hand und ihre Nachthaube fein säuberlich auf den festgerollten Löckchen. Der Lärm hatte sie aufgeweckt und mit Mißbilligung erfüllt.

»Miss Elizabeth pflegte nicht so spät abends Besuch zu empfangen.«

Roses Augen verdunkelten sich vor Ärger. »Dies ist mein Haus, Andy! Und das ist mein Bruder.«

Sie wagte als einzige, die Haushälterin Andy zu nennen. Die Frau stand beinahe im selben Verhältnis zu ihr wie Elizabeth und war bereit, ihr fast alles zu verzeihen, wenn Rose ihr nur ein wenig Beachtung schenkte. Sie gab auch jetzt nach.

»Aber gewiß, ich bin überzeugt, Miss Rose, daß es vollkommen in Ordnung ist. Es ist nur — Mr. Langley . . .« Sie musterte Pat. »Ich hörte Sie nur nicht ankommen. Ich habe die Hunde nicht gehört . . . und auch nicht Ihr Pferd.«

Er machte eine leichte Verbeugung über seinen Whisky zu ihr hinüber. »Ich bin jetzt ein Mann des Busches, Miss Anderson. Und eines der Dinge, die ich gelernt habe, ist, keinen Lärm zu machen.«

Wir blieben bis spät in die Nacht auf; Pat erzählte uns von den Rindermusterungen und den großen Besitzungen, die er im westlichen Neu-Süd-Wales gesehen hatte, wo der Boden unergiebig war und mehrere tausend Morgen Weideland erforderlich waren, um einige hundert Rinder zu halten. Er hatte den Murrumbidgee überquert und war den Darling hinaufgezogen. Er erzählte uns von dem fruchtbaren Land, das er in den Bergen von Neu-Süd-Wales gesehen hatte, von den tiefen Schluchten, in die sich die Rinder manchmal verliefen und wo ein Pferd geschickter als ein Mensch sein mußte, um nicht Kopf und Hals zu verlieren. Pat war härter und zäher als damals am Eureka; das Lagerfeuer war seine ständige Heimat geworden. Er hatte Fertigkeiten erlernt, von denen wir keine Ahnung hatten. Sein gestählter Körper hatte etwas Gewalttätiges und Kraftvolles. Er ging genau so leise, wie er gekommen war und küßte uns beide zum Abschied. »Der Mond wird herauskommen«, meinte er. »Ich werde nicht lange zu Sweeney brauchen.«

»Wir kommen morgen rüber«, verkündete Rose, »und zwar frühmorgens.«

Er zog die Brauen zusammen. »Ich weiß nicht, ob ihr das tun solltet, Rosie. Matt — na ja, seine Frau ist ihm weggelaufen, und es ist eigentlich kein Ort für Frauen. Ich bezweifle, daß dort irgendwas Vernünftiges zum Essen ist.«

»Wir bringen was mit«, versprach ich, und die Angelegenheit war damit geregelt. Ich wußte, Kate würde mir niemals verzeihen, wenn ich es unterließe, ihr eine Schilderung der Sweeney-Farm mitzubringen. Und ich las aus Roses Miene, daß sie allein hinüberreiten würde, wenn ich nicht mitginge.

»Es gefällt mir nicht recht, Miss Rose«, erklärte Mary Anderson. »Matt ist ein entlassener Sträfling. Er kam vor zwanzig Jahren hierher. Von Van-Diemens-Land. Niemand geht zu ihm . . . Ich weiß nicht, was Mr. Langley dazu sagen würde.«

»Es ist nicht seine Angelegenheit«, erwiderte Rose. Sie bestand darauf, Dancer zu reiten, weil sie ihn Pat zeigen wollte, und ich mußte daher den Dogcart nehmen. Rose war den ganzen Weg zur Sweeney-Farm hinüber ungehalten über meine Langsamkeit. Sie ritt dauernd voraus und kam dann wieder zurück.

»Kannst du nicht schneller fahren, Emmy? Wir wollen doch dort sein, bevor es zu heiß wird.«

»Ich mach' es besser als ich dachte, gedulde dich also nur.«

Schließlich langten wir an unserem Ziel an, nachdem

wir einen von tiefen Wagenspuren zerfurchten Weg zwischen zerbrochenen Zäunen hinter uns gebracht hatten.

»Heißt es nicht, man erkenne einen Farmer an seinen Zäunen? Nach diesen hier würde ich nicht allzuviel von Mr. Matt Sweeney halten.«

»Oh, sei still, Emmy!«

Wir erblickten nun das Haus — eine traurige Angelegenheit, ein kleines, quadratisches Holzhaus ohne Anstrich, mit der üblichen Veranda um die drei Seiten. An jedem Verandapfosten rankten Geißblatt und Glyzinien empor und milderten die etwas häßlichen Linien des Hauses, drohten jedoch durch ihren üppig wuchernden Wuchs die Veranda herunterzureißen. Ich bemerkte die mit verrosteten Eimern und Werkzeugen besäten Überreste eines Gartens. Auch einige Apfelbäume standen dort, und um den einen Stamm war irgendwann einmal eine Bank gebaut worden.

»Hier war einmal eine Frau — das kann man sehen«, bemerkte ich.

Rose schwieg, bis Pat, der die Pferde gehört hatte, in der offenen Tür erschien. Er winkte uns lachend zu. »Willkommen auf dem Sweeney-Landsitz!«

Ich sah plötzlich Tränen des Zorns in Roses Augen aufsteigen. »Pat — wie konntest du das tun? Wie konntest du dein Geld für so etwas zum Fenster rauswerfen?«

Er hob sie aus dem Sattel und pflockte die Pferde im Schatten eines der Bäume an. Sein Gesicht war ruhig und geduldig und seine Stimme beinahe sanft.

»Du verstehst das nicht, Rose. Ich lernte Sweeney kennen, als er von hier wegging, um Ausschau nach einem Stückchen Land bei Bendigo zu halten. Er sagte, es bliebe ihm nichts anderes übrig; denn wenn er kein Geld auftriebe, würde die Bank seine Farm übernehmen. Er erzählte mir davon — ein Stück mitten im besten Schafland, das der

Herrgott je auf der Erde schuf. Er sagte, es würde wohl an die Großzüchter gehen — an Langley und seinesgleichen. Da dachte ich, sie sollten dieses Mal nicht bekommen, was sie wollten. Ich gab ihm das Geld, und er bezahlte die Zinsen für die Darlehen. Jetzt ist die Farm wieder frei, und Matt hat noch eine Chance.«

»Noch eine Chance wofür?« fragte Rose. Sie schien keine Antwort zu erwarten, denn sie stürmte erregt an ihm vorbei auf die Veranda.

Wir sahen uns die wenigen Zimmer an, deren Einrichtung hauptsächlich aus leeren Flaschen und zerlesenen Büchern bestand. »Matt ist eine Leseratte«, erklärte Pat überflüssigerweise. Darauf lernten wir Matt persönlich kennen, einen kleinen, verschrumpelten Mann, braun und hart wie eine Nuß; er grinste uns fröhlich entgegen und betrachtete uns beide wohlgefällig.

»Das ist aber eine Ehre — eine richtige Ehre«, meinte er und verbeugte sich. »Meine Frau ist mir weggelaufen — kann's ihr nicht übelnehmen; ich kann's manchmal selbst nicht mit mir aushalten. Aber seitdem ist keine Frau mehr hier gewesen, wie Ihr sehen könnt.«

Rose rümpfte mißbilligend die Nase über die muffige Luft im Haus, ohne Rücksicht auf Matts Gefühle zu nehmen.

»Wir haben einen Picknickkorb mitgebracht«, sagte sie. »Wir essen draußen.«

Er war ein linkischer, kleiner Mann, der zuviel trank und nicht das geringste von Arbeit verstand, aber er hatte eine nette Art. Er erzählte uns Geschichten, in denen er stets die Zielscheibe des Spottes war, und es wurde ein sehr vergnügtes Picknick dort draußen unter dem Apfelbaum. Rose erwärmte sich genau wie ich für ihn und wie jeder es mußte. Er war hilflos und liebenswert und freute sich so sehr über unsere Anwesenheit, daß es herzlos gewesen wäre, ihm nicht seine Freude zu lassen. Er streckte sich nach dem Essen zu unseren Füßen im Gras aus, rauchte seine Pfeife und blickte verträumt in den Baum hinauf.

»Was macht es doch aus, Frauen um sich zu haben«, seufzte er. »Es gibt nichts, was eine Frau ersetzen könnte, Pat, alter Junge . . .«

»Warum heiratest du nicht, Pat?« fragte Rose plötzlich. »Es wäre gut für dich. Übrigens, Larry macht seit sechs Monaten Miss Eunice Jackson den Hof. Ihrem Vater paßt das nicht — weil Larry ein Katholik ist —, aber Eunice wird ihren Willen schon durchsetzen. Sie ist reich, weißt du. Sie erbt all das Geld ihres Vaters; sie ist sein einziges Kind.«

»Was gehen mich Larry und seine verfluchten Geschäfte an! Frauen sind für mich kein Geschäft. Ich werde mir eine Frau suchen und keine Mitgift! Er kann sich binden, wenn er Lust hat, aber für mich ist das nichts.«

»Es ist nichts Verkehrtes an dem, was Larry tut! Miss Jackson ist ein nettes Mädchen, und sie hat Larry sehr gern. Er fährt sehr gut mit ihr — und wird ihr ein guter Mann sein.«

»Versteh mich nicht falsch, Rosie. Ich habe nicht gesagt, es sei verkehrt für Larry — nur verkehrt für mich!«

Sie wurde nun ärgerlich. »Du weißt ja gar nicht, was gut für dich ist!«

Er lachte. »Ich möchte nicht behaupten, du könntest beurteilen, was gut für irgend jemand ist, Rose. Gib mir keine guten Ratschläge — kümmere dich lieber um dich selbst! Ich weiß, was mein Leben ist, und es ist kein Leben, das ich mit einer Frau teilen kann. Ich muß frei sein. Ich muß wissen, daß ich morgen fortgehen kann, falls ich das möchte . . .«

Rose erhob sich langsam. »Es ist Zeit für uns zurückzukehren, Emmy... wenn wir vor Sonnenuntergang zu Hause sein wollen.«

Darauf blickte sie auf Matt hinunter, der sich noch im Gras rekelte — und auf Pat neben ihm.

»Die Männer wissen nicht, wie gut sie es haben. Alles, was mir übrigbleibt, ist, ein zweites Baby zu bekommen — und dann ein drittes — bis sogar John Langley zufrieden ist.«

Es war eine Äußerung, die eine Frau nur einer anderen Frau gegenüber tut; doch Rose hatte sich nie um solche Anstandsregeln gekümmert. Auf dem Nachhauseweg war sie die ganze Zeit schweigsam und schien mit ihren Gedanken allein sein zu wollen; sie ritt geduldig neben dem Dogcart her.

Rose besuchte Pat fast jeden Tag, sogar als John Langley zurückkehrte. Sie machte kein Geheimnis daraus, wohin sie ritt — vielmehr schien ihr das Unbehagen ihres Schwiegervaters Vergnügen zu bereiten.

»Sweeney ist seit Jahren jedem verantwortungsbewußten Züchter in der Umgebung ein Dorn im Auge. Seine Farmmethoden sind eine Schande! Er repariert seine Zäune nie, und seine schlechten Tiere vermischen sich dauernd mit meiner Zucht...«

»Aber Pat ist dort«, entgegnete Rose dann mit spöttischer Unschuld. »Ich besuche ja nicht Sweeney.«

Er vermochte sie nicht daran zu hindern; er konnte nichts tun, als darauf zu bestehen, daß sie einen Reitknecht mitnahm. Rose bestach diesen jedoch, damit er in dem kleinen Dorf Forbes Corner blieb. Und ich unternahm nichts dagegen. Es schien sich ein gefährlicher Druck in Rose zu stauen, und mein Instinkt sagte mir, daß diese kleine Rebellion ihn verringern könne. Offensichtlich machte ihr das Zusammensein mit Pat große Freude. Sie debattierten die Hälfte der Zeit miteinander und hatten einige heftige Auseinandersetzungen, wie sie mir erzählte. Doch ritt sie am nächsten Tag immer wieder hinüber, und wenn sie dann abends im letzten Augenblick vor dem Dinner zurückkam, schien sie gelöst und beinahe glücklich. Sie sang vor sich hin, wenn sie sich für das Essen umzog, und plauderte mit mir über das, was Pat gesagt hatte. Es gab keine Picknicks mehr für mich unter jenem Apfelbaum. Ich sah ein, daß eine von uns zu Hause bleiben mußte, um John Langley Gesellschaft zu leisten und seinen Ärger über diese Besuche zu zerstreuen. Doch blickte ich Rose an jenen strahlenden Sommermorgen ein wenig neiderfüllt nach, wenn sie auf Dancer davonritt. John Langley war gereizt und empfindlich, bis sie zurückkehrte.

Er hatte Neuigkeiten für mich gehabt, als er aus Melbourne zurückkam.

»Ich habe Anweisung gegeben, daß, falls die ›Enterprize‹ einläuft, während wir noch hier sind, Adam sich hierher begibt. Ich habe eine Menge mit ihm zu bereden. Seine nächste Fahrt wird sehr lange dauern. Ich schicke die ›Enterprize‹ nach Kalkutta mit einer Getreideladung, die Adam in Sydney an Bord nimmt. Von dort fährt er nach Singapore. Dort kauft er eine gemischte Ladung für das Warenhaus ein — alles, was er günstig bekommen kann. Das ist billiger, als ihn ganz nach England zu schicken . . .«

Er erging sich darauf in einer Erörterung über den Wert der Handelsplätze des Ostens, der ich nach den vielen Monaten, in denen ich ihn und Adam über dieses Thema hatte sprechen hören, ohne Schwierigkeit zu folgen vermochte. Viele Male hatte ich im Langley-Salon gehört, wie er versucht hatte, dieselbe Unterhaltung mit Tom zu beginnen, eine Unterhaltung, die jedoch stets nach den ersten paar Minuten erstarb. Elizabeth hatte nur, den Kopf über eine Stickerei gebeugt, zustimmend genickt. Ich glaube, es geschah zuerst aus reiner Verzweiflung, daß er sich an mich als Zuhörerin wandte. Bei dieser Gelegenheit hatte ich, als er nach fast zwei Stunden das Thema abschloß, das Gefühl, ich könne nun losfahren und die Ladung für ihn einkaufen.

Er hatte, beinahe als einen ihm nachträglich einfallenden Gedanken zu den Nachrichten über Adam, hinzugefügt, daß Tom mit ihm kommen würde.

»Das galt mir«, bemerkte Rose später mir gegenüber. »Das soll mich daran erinnern, daß es Zeit ist, Tom wieder eine pflichtbewußte Frau zu sein — und daß Charlie Greenley verziehen und vergessen ist.«

Sie kamen eines Tages gegen Mittag in Langley Downs an, Adam und Tom, als der Hitzeschleier begann, die Horizontlinie zu verwischen. Ich stand mit John Langley auf der Veranda an der schattigen Seite des Hauses, als Roses Stimme zu uns drang.

»Adam ist da! . . . Adam!«

Es war genauso wie damals am Eureka, wenn sie seine Ankunft mit Larry verkündete. Derselbe glückliche Ausruf, der Klang des Besitzstolzes, der kundzutun schien, daß er einzig und allein ihretwegen gekommen war.

Als wir um die Ecke der Veranda bogen, stürzte sie hinaus in die glühende Sonne, um ihn zu begrüßen. Ich sah, wie sie in einer unwillkürlichen Gebärde Adam die Arme entgegenstreckte. John Langleys Stimme ließ sie innehalten.

»Willkommen, Adam . . . Tom. Habt ihr eine gute Reise gehabt?«

Rose schien zu erstarren, die Arme noch erhoben. Sie konnte nicht wie ich gehört haben, wie John Langley vor seinen Worten scharf die Luft einzog; doch vernahm sie seine Stimme, die beinahe einem Befehl gleichkam. Ich vermute, er erkannte zum erstenmal, daß uns allen Gefahr drohte. Rose schien schließlich zur Besinnung zu kommen; langsam ließ sie die Arme sinken und trat zu Toms Pferd. Sie hob sich auf die Zehenspitzen, um Toms Kuß zu empfangen; aber sie hatte kein Wort des Willkommens für ihn, nur ein verlorenes, verkrampftes Lächeln.

Ich verbrachte den Nachmittag mit Anne im Garten; sie krabbelte bereits und versuchte, sich aufzurichten. Ihre langen, lästigen Röcke wurden staubig, als sie im Gras herumkroch. Ich trug sie zum Rosengarten hinunter und beobachtete das Entzücken in ihrem Gesichtchen, als ich mich hinunterbeugte und sie einen Augenblick nahe an eine Blüte hielt und sie den vollen, warmen Duft einatmete. »Emm . . . Emm . . .« Sie legte die Ärmchen lachend um meinen Hals. Meinen Namen hatte sie als ersten gelernt. Als ich mit ihr auf der Veranda spielte, konnte ich das ununterbrochene Murmeln hören, das Steigen und Fallen von John Langleys und Adams Stimmen, die über die bevorstehende Fahrt sprachen. Ich wäre gern dabeigewesen; aber es schickte sich natürlich nicht, sich mit einer Frau zusammenzusetzen und Geschäfte zu besprechen. Anne wurde schläfrig, und ich trug sie hinauf und legte sie in ihre Wiege. Als ich sie küßte, roch sie immer noch nach dem vollen, herb duftenden Saft der Blume, die sie mit den Händchen zerdrückt hatte. Sie schlief augenblicklich friedlich ein. Anne war ein liebes Baby, ein viel sanfteres, ruhigeres Kind, als man es von Rose erwartet hätte.

Ich blieb noch etwas bei ihr. Der Nachmittag war so still, ohne einen Luftzug draußen, daß ich vor dem offenen Fenster, an dem ich stand, den zarten Rhythmus ihres Atems hören konnte. Die Stille hielt das Land gefangen, so wie Rose es haßte und ich es lieben gelernt hatte. Der gepflegte, englische Garten war nur eine schmale Oase, die das weite Land zurückdrängte, in dem nicht ein einziges Haus stand, das einem anzeigte, wo der Langley-Besitz aufhörte.

Die Stimmen ertönten jetzt unter mir. John Langley und Adam schritten den Weg entlang zum Rosengarten — ein breitrandiger Hut schützte den alten Mann gegen die Sonne, während Adam barhäuptig neben ihm ging. Ihre Schritte paßten gut zueinander; sie waren beide große Männer. Mit in der Unterredung gesenkten Köpfen und auf dem Rücken gefalteten Händen glichen sie sich beinahe vollkommen, obwohl mir das nie vorher aufgefallen war. Mein Blick verweilte auf Adam, und ich sagte mir, daß jetzt hier, in der neuen Atmosphäre, fern vom Häuschen in der Langley Lane, alles zwischen uns anders sein würde. Nach den leeren Monaten der Trauer um das Kind hatte ich gespürt, wie sich in den vergangenen Wochen neue Kräfte in mir geregt hatten. In Pats Augen hatte ich sofort die Bestätigung gelesen und es auch deutlich in den Gesprächen mit John Langley gefühlt. Die Trauer lag nun hinter mir, und ich war bereit, das Leben wieder in die Hand zu nehmen. Ich hatte aufgehört, durch das Kind einer anderen Frau zu leben. Ich wollte Adam und mein eigenes Kind; ich versicherte mir, daß mir Adam hier in Langley Downs wieder mit Haut und Haar gehören würde. Trotz Rose würde er mir gehören. Niemals fühlte ich mich meiner selbst sicherer als damals.

Die laue Nachmittagsluft schien um mich herum in lauter Licht zu explodieren, als ich Adam mit den Blicken folgte. Ich mußte zu viel Energie in mir stauen.

»Ich liebe dich, Adam«, bekannte ich laut. Die plötzlich in mir aufsteigende Freude und Gewißheit war so übermächtig, daß ich glaubte, er müsse es spüren und zu mir aufblicken. Aber er tat es nicht; sie schritten weiter auf und ab, und das leise, ernste Gemurmel drang zu mir empor so gleichmäßig und ruhig wie der Atem des Kindes hinter mir.

Ich vernahm die Stimme in jener Nacht, als ich im Bett lag und darauf wartete, daß Adam seine geschäftliche Unterredung unten im Arbeitszimmer mit John Langley beendete und zu mir heraufkam. Geduldig lag ich da, jedoch erfüllt von der Hoffnung und Verheißung, die mich am Nachmittag erfaßt hatte. Ich war ganz in meine Gedanken versunken und überhörte die ersten Geräusche; doch sie nahmen an Lautstärke zu und hämmerten mit ihrer Häßlichkeit an meine Ohren. Wie alle Schlafzimmer in Langley Downs, lag meines an der Veranda, die das erste Stockwerk umgab; Roses Zimmer befand sich neben meinem. Es war eine warme Nacht, und ihre Tür stand genau wie meine weit offen, um den lauen Nachtwind hereinzulassen. Rose und Tom zankten sich, und ihre scharf erhobenen Stimmen drangen nur zu deutlich zu mir.

». . . warum kannst du nicht wie andere Frauen sein?«

»Andere Frauen? Was habe ich mit anderen Frauen zu tun?«

»Vermutlich nichts. Das ist es ja gerade! Andere Frauen wären glücklich mit dem, was du hast . . . mit einem Kind, einem Heim. Warum bist du es nicht? Warum mußt du immer so weglaufen . . . weglaufen und sie zurücklassen? Diese dauernden Besuche bei Pat auf Matt Sweeneys Farm. Es klingt genau wie die Vorwände, die du immer in Melbourne hattest, um zu diesem Schwein Charlie Greenley zu kommen.«

»O mein Gott! Wirst du es nie begreifen, Tom? Ich kann einfach nicht den ganzen Tag dasitzen und nähen oder lesen. Ich bin eben nicht so. Ich bin . . .«

»Ich weiß nur allzu gut, wie du bist!« Eine Schublade

wurde heftig zugeknallt. »Männer, dafür bist du, nicht wahr, Rose? Das interessiert dich! Immer Männer . . . ein Ehemann genügt nicht!«

»Ein Mann wie du!« Ich vernahm das grausame, Tom quälende Lachen. Tief vergrub ich den Kopf in die Kissen und zog die Decke über die Ohren, nicht aus einem Schuldgefühl heraus, das mitangehört zu haben, sondern weil ich die Verbitterung und Anklage in ihren Stimmen nicht zu ertragen vermochte. Doch ertönten sie weiter und waren nicht zu überhören.

»Ich bin aber der einzige Mann, den du hast! Und das merkst du dir besser, Rose! Früher oder später wirst du es dir merken müssen! Du kannst nicht immer haben, was du möchtest. Der Augenblick wird kommen, wo du dich entscheiden mußt, ob du dich mit dem, was du hast, zufriedengibst.«

»Ich weiß überhaupt nicht, wovon du sprichst!« Ihre Stimme klang gereizt.

»Du weißt genau, wen ich meine! Nämlich Adam.«

Beim Klang dieses Namens setzte ich mich kerzengerade im Bett auf und versuchte jetzt, jedes Wort zu erhaschen.

»Adam . . .?«

»Ja, Adam. Wen sonst? Weiß Gott, ich war töricht genug, beinah froh zu sein, als du hinter Charlie Greenley her warst, weil ich dachte, du hättest nun Adam vergessen. Aber ich hätte es besser wissen sollen . . . von Anfang an am Eureka wolltest du Adam haben und willst ihn auch jetzt noch genauso.«

»Du irrst dich, Tom! Du irrst dich!« Sie schien erschüttert zu sein.

»Ich irre mich nicht — aber ich bin dumm! Doch nicht so dumm, daß ich nicht begreife, was meine Augen sehen. Weißt du, wie du dich heute benommen hast, als Adam kam? Glaubst du etwa, das sei einem von uns entgangen? Wir sind nicht blind, sind keine Kinder!«

»Aber es stimmt nicht! Ich habe Adam seit Monaten nicht gesehen . . . ja, ich hab' ihn sogar nie allein gesehen! Weißt du das denn nicht, Tom? Wir sind niemals allein zusammengewesen . . .«

»Seit wann hinderte dich das aber, im Herzen mit ihm zusammenzusein? Und wenn Adam nicht so ein sauertöpfischer Puritaner wäre, würde er es ebenfalls zugeben. Adam zwingt sich immer, das Rechte zu tun; aber er ist trotzdem auch nur ein Mann! Glaubst du etwa, es ist nicht ebenso auffällig, wie er dich meidet, als wenn er deine Gegenwart suchen würde? Adam hat Angst. Das weißt du genau — und du denkst, du wirst noch gewinnen. Du glaubst, du kannst seinen Widerstand eines Tages brechen.«

Ich saß von kaltem Entsetzen gepackt und hörte, wie Tom all das aussprach, was ich mir nie selber einzugestehen gewagt hatte. Ich verbarg mein Gesicht in den Händen und wußte, daß meine ganze Freude und Hoffnung zerstört waren.

Sie schwiegen nun eine Weile. Ich hatte erwartet, daß Rose es abstreiten würde; doch sie tat es nicht. Ich hoffte, sie würde es leugnen, und sei es nur um des kleinen Fetzen Trostes willen. Dann hätte ich mir einreden können, daß Tom und ich uns getäuscht hätten, daß wir ein Opfer unserer Eifersucht geworden wären. Aber es sollte nicht sein. Ich hatte den Zorn und die Verzweiflung in Toms Stimme gehört; nun hörte ich sein Flehen, seinen qualerfüllten Aufschrei.

»Es brauchte ja nicht so zu sein, Rosie . . .«

Er sprach nun leiser, und nicht alle Worte drangen zu mir herüber. »Wenn du begreifen würdest, daß ich dich liebe . . . obwohl ich dich kenne, liebe ich dich . . . wenn du dich nur lieben ließest . . .«

Die darauffolgenden Worte waren so leise, daß ich sie nicht verstand. Der Tonfall war sanft und bittend, so wie die Stimme eines Mannes klingt der bettelt. Ich haßte Rose für die Schmach, die sie über uns alle brachte, wenn Tom so betteln mußte. Als sie ihm antwortete, verstand ich deutlich jedes Wort, ich glaube deshalb, weil meine Ohren zu oft gehört hatten, wenn Rose diesen Ton anschlug. Ich wußte schon im voraus, was sie sagen würde.

»Sei lieb zu mir, Tom — ich kann es nicht ändern, daß ich so bin. Nur du kannst mir helfen!« Jetzt klang die Bitte aus ihrer Stimme. Ich kannte den Klang — gefährlich überredend und unwiderstehlich für einen Mann, ja für fast jeden, der Rose liebte.

»O mein Gott, Rosie! Wenn du . . .«

»Komm — komm ganz nah zu mir, Tom!«

Ich verstand keine einzelnen Worte mehr, nur noch das Ansteigen und Fallen ihrer Stimmen und die Pausen, die viel beredter waren und viel lauter sprachen. Ich hörte auch so zuviel — die Bewegungen ihrer Leidenschaft, die sogar das alte, schwere Eichenbett knarren ließen, den leisen Schrei von Rose, der beinahe ein Lachen des Triumphes und Entzückens war, die tiefen Laute von Toms Stimme und sein ungestümes Drängen.

Ich konnte es nicht mehr aushalten, ich sprang aus dem Bett und lief hinaus auf den Flur, wo ich mich auf die Treppe setzte. Ich stützte den Kopf in die Hände und wartete auf Adam, dachte über Rose nach und beneidete sie glühend um die Art, mit der sie jeden Mann, der ihr gefiel, erobern konnte. Sie würde Toms Befürchtungen zerstreuen und ihn in Schlaf lullen, und er würde sich der Täuschung hingeben, daß er sie besessen hatte. Sie war rücksichtslos und triebhaft, besaß jedoch stets in den entscheidenden Augenblicken einen Instinkt zur Selbsterhaltung. Ich haßte sie dafür, daß sie uns alle zu täuschen vermochte und uns doch hielt.

Ich gewahrte den Schein von Adams Kerze an der Biegung der Treppe, stand auf und ging hinüber an das Fenster im Treppenhaus. Er sollte mich nicht unglücklich sehen. Ich würde Rose nicht mehr Bedeutung in seinen Augen zumessen, als sie bereits besaß.

»Emmy! Was machst du denn hier draußen?«

Ich wandte mich lächelnd zu ihm um und streckte ihm die Hand entgegen. Ich trug das Nachthemd aus dem feinen Batist mit der echten Spitze, das Sarah Foley mir am Eureka geschenkt hatte. Mein Haar hatte ich gut eine halbe Stunde gebürstet, und ich wußte, daß es im Kerzenlicht rot schimmerte. Und ich hatte auch ein wenig Parfüm auf Handgelenk und Hals getupft.

»Ich konnte nicht schlafen. Da dachte ich, ich warte hier auf dich.«

Er lächelte ein wenig. »Du bist eine merkwürdige Frau, Emmy! Manchmal denke ich, daß ich dich überhaupt nicht kenne . . .«

»Vielleicht tust du das auch nicht. Vielleicht siehst du mich immer noch so, wie du mich damals am Eureka sahst. Es gibt eine ganze Menge verschiedener Emmys . . . wenn du sie dir von mir zeigen ließest. Wenn du sie selbst sehen wolltest, Adam.«

Ich trat dicht an ihn heran, reckte mich zu ihm empor und küßte ihn voll auf den Mund, und die Freude erwachte wieder in mir, als ich seine Erwiderung spürte. Er legte den freien Arm um mich und zog mich fest an sich, und seine Lippen lagen suchend auf meinem Mund.

»Emmy . . . meine kleine Em . . . komm zu Bett. Ich bin lange fort gewesen. Zu lange, kleine Emmy!«

Als er jedoch die Tür zu unserem Schlafzimmer öffnete, vernahm ich erneut die Laute, die mich hinaus getrieben hatten. Ich fühlte, wie Adams ganzer Körper sich spannte. In heftiger Erregung eilte er zu der Balkontür und schloß sie. Dann nahm er mich in einer Art, die beinahe Raserei glich, und seine Liebe hatte wenig mit Zärtlichkeit zu tun, mag aber viel geheime Erbitterung enthalten haben. Ich fühlte nicht zum erstenmal, daß er mich anstelle von Rose in den Armen hielt. Ich nahm seine Liebe als das hin, was sie war und erwiderte sie mit einer eigenen Art Raserei, die sich zusammensetzte aus dem Wunsch, ihn zu befriedigen, ihn zu halten und zu behalten — aus dem Verlangen, ihn von Rose fernzuhalten und sein Kind zu gebären. Wir schliefen darauf den erschöpften Schlaf unserer Leidenschaft.

Ich schrieb den letzten Satz zu Ende, den John Langley mir diktiert hatte, las den Brief durch und reichte ihn dann zur Unterzeichnung John Langley hinüber. Er war an seinen Agenten in Singapore gerichtet und war der letzte Brief, den ich nach vielen Listen, Notizen, Einkaufsanweisungen und Briefen in den vergangenen drei Tagen nach John Langleys Diktat geschrieben hatte, weil alle diese Schriftstücke mit Adam auf die nächste Reise mit der »Enterprize« gehen sollten. Es war noch nicht halb acht, und wir hatten vor mehr als einer Stunde bei Kerzenlicht gefrühstückt. Adam hatte die abschließende Besprechung mit John Langley beendet und war jetzt im Pferdestall, wo er seine Satteltaschen für den Ritt zurück nach Melbourne packte.

John Langley reichte mir den Brief zurück. »Vielen Dank, Miss Emma! Das wäre also der letzte.« Er gestattete sich den Luxus, erleichtert auszusehen. »Wenn Sie nicht hiergewesen wären, hätte ich mit Adam nach Melbourne zurückkehren müssen ... meine Augen und Schreibkünste sind nicht mehr, was sie früher waren.« Er runzelte die Stirn, als bereue er diese Äußerung, als wäre es eine Schwäche, die nachlassende Sehkraft zuzugeben. Um seine Gefühle zu schonen, tat ich, als hätte ich es überhört und erhob mich rasch. »Ich werde ihn jetzt Adam bringen. Er braucht dann nicht die Satteltaschen noch mal abzuschnallen, wenn er herkommt, um sich zu verabschieden.« Ich wollte auch Gelegenheit haben, ihm allein auf Wiedersehen zu sagen.

Es lag schon die Ahnung der kommenden Hitze in der Morgenluft; der Himmel wölbte sich noch wolkenlos; doch bald würde der Dunst am Horizont aufsteigen. Adam würde einen langen Ritt in heißer Sonne vor sich haben. Langsam ging ich den Weg zu den Ställen entlang, da ich überlegte, wie ich ihm auf Wiedersehen sagen sollte. Viele Monate würden verstreichen, bevor ich Adam wiedersah, und dieser Abschied erfüllte mich mit leiser Unruhe. Er hatte mir in diesen letzten drei Tagen scheinbar rückhaltloser gehört als zu irgendeiner Zeit seit der Periode, in der wir auf die Geburt des Babys gewartet hatten. Aber ich fragte mich, ob unsere körperliche Liebe mehr bedeutet hatte als das Verlangen, die Panik zu verbergen, die wir beide in Roses Nähe empfanden. Sie war teuflisch in diesen Tagen gewesen, herausfordernd und aufreizend, hatte die Rolle des ergebenen Weibes gespielt, hatte Tom gestreichelt, sobald er in ihre Nähe kam, vor uns allen geküßt und hatte abends eigens für ihn gesungen. — Und die ganze Zeit hatte sie beobachtet, wie es auf Adam wirkte. Es war eine nervenzerreißende Anstrengung gewesen, wurde jedoch noch schlimmer, als Rose klar wurde, daß man die Geräusche ihres nächtlichen Liebesspieles in unserem Schlafzimmer hören konnte. Ich weiß nicht, was für eine Erleichterung ihrer eigenen Pein es ihr verschaffte, Adam so zu quälen, sie tat es jedoch, wie ich glaube, mit grausamer Absicht. Sie schien damit sagen zu wollen, daß, wenn sie litt, er ebenfalls leiden solle. Ich war daher froh, ihn an jenem Morgen von Langley Downs aufbrechen zu sehen.

Der Reitknecht, der gewöhnlich Adams Pferd versorgte, kam mir auf dem Weg entgegen. Wie mir schien, war er bestürzt, mich zu sehen.

»Guten Morgen, Miss Emma. Kapitän Langley ist fertig mit Satteln. Er muß jeden Augenblick kommen. Ich bring' nur diese Feldflaschen zum Füllen . . . 's wird 'n heißer Tag heut', denk' ich.«

»Ja, James . . .« Ich wollte an ihm vorbeigehen, doch er hielt mich an.

»Miss Emma —«, er wand sich nervös. »Ich wollt' mal gern mit Ihnen sprechen, was Sie dazu meinen, wenn ich meine kleine Betsy runter nach Melbourne in 'ne Schule schickte. Miss Anderson sagte, daß Sie mir da vielleicht helfen könnten.«

»Ich red' später mit dir darüber, James. Jetzt muß ich dies Kapitän Langley bringen.«

»Ja, Miss Emma . . . aber . . .«

»Später . . .«

Als ich auf die Ställe zuging, begriff ich, weshalb er versucht hatte, mich aufzuhalten. Rasender Zorn stieg in mir auf, als ich plötzlich Rose im Rahmen der Stalltür sah; das Haar hing ihr auf die Schultern, und der gerüschte Saum ihres weiten Morgenrockes schleifte auf der Erde. Sie verschwand im Halbdunkel, als ich um die Ecke bog. Ich begann zu rennen. Adams Hand lag noch auf der Schnalle des Sattelgurts, als hätte Rose ihn überrascht. Ich betete, daß es sich so verhalten möge — daß kein Stelldichein zwischen ihnen verabredet worden war. Rose stand sehr dicht vor ihm und hatte das Gesicht zu ihm erhoben.

»Rose — du bist ja wahnsinnig, so hierherzukommen!«

»Ich konnte nicht anders! Ich kann dich diesmal nicht fortgehen lassen, Adam. Ich kann es einfach nicht!«

»Wovon sprichst du eigentlich?«

Sie legte die Hand auf seine Schulter. »Du mußt mich mitnehmen, Adam! Ich habe versucht, dies nicht zu dir zu sagen, aber jetzt muß ich es sagen. Ich kann hier nicht länger bleiben. Ich muß mit dir fortgehen!«

»Jetzt weiß ich, daß du wahnsinnig bist. Du bist ja von Sinnen! Es ist doch völlig unmöglich!« Langsam glitt seine Hand vom Sattelgurt.

»Ich könnte dich unterwegs einholen«, drängte sie. »Wir könnten zusammen nach — San Francisco gehen, Adam. Wir hätten genug Geld — ich würde meinen Schmuck verkaufen.« Sie schüttelte seinen Arm mit wilder Entschlossenheit. »Begreifst du denn nicht, es ist keineswegs unmöglich!«

Er blickte auf sie herunter, und sein Gesicht war hart und gespannt. »Das würdest du mir antun, Rose? Sogar bis zuletzt mußt du dein Spiel treiben. Du willst beweisen, daß jeder Mann in Sicht dir gehört, nicht wahr?«

Sie wich ein wenig vor ihm zurück. »Was soll das? Verstehst du denn nicht, daß du der einzige bist! Vom ersten Augenblick an.«

Jetzt hob Adam die Hände und legte sie auf ihre Schultern. Er schüttelte den Kopf. »Du weißt nicht, was du tust.«

»O doch, ich weiß es!« entgegnete sie triumphierend. »Ich weiß genau, was ich tue!« Sie stand nun auf Zehenspitzen vor ihm. »Küß mich! Küß mich, Adam!«

Er schien eine oder zwei Sekunden zu zögern; doch dann beugte er sich zu ihr herunter, und seine Lippen senkten sich auf ihre. Ihre Körper schienen miteinander zu verschmelzen. Da fand ich meine Sprache wieder. »Nun, Adam? Wirst du tun, was sie sagt? Wirst du sie mitnehmen?«

Sie fuhren auseinander, doch mir schien, ihre Arme ließen sich nur widerstrebend los. Nach der ersten Überra-
schung zeigte Adams Gesicht keine Verwirrung. Er antwortete mir sofort.

»Nein, Emmy, das werde ich nicht tun. Ob du es glaubst
oder nicht, sogar wenn du in diesem Augenblick nicht gekommen wärest, hätte ich sie nicht mitgenommen.«

Damit drängte er sich an Rose vorbei und zog das Pferd
am Zügel hinterher. Als er die Stalltür erreichte, blieb er
stehen und fuhr fort: »Es gibt keine Entschuldigung, die
ich dir anbieten könnte, Emmy. Worte würden jetzt nichts
bedeuten. Alles, was ich sagen kann, ist, daß ich dich nicht
wissentlich habe verletzen wollen.«

Dann stieg er rasch auf und ritt, ohne sich umzuschau-
en, zum Haus. Ich stand und blickte ihm nach und dachte
über seine Worte nach; schließlich wandte ich mich von
dem sonnenerfüllten Hof zu Rose um, die noch immer im
Halbdunkel des Stalles stand.

»Ich kann nicht sagen, daß es mir leid tut, Emmy. Es
wäre nicht wahr. Wenn du nicht gekommen wärest, hätte
ich ihn gehabt . . . ja, ich glaube, ich hätte ihn gehabt.«

»Du verstehst Adam nicht«, erwiderte ich so ruhig, wie
ich es vermochte. »Du wirst ihn nie verstehen. Er ist dir
wieder entglitten. Du hast ihn verloren, Rose.«

Sie schüttelte den Kopf. »Nein — nicht verloren. Solange wir beide leben, habe ich ihn nicht verloren. Denn ein
Teil von mir ist Adam, und das kann nicht verlorengehen.«

Ich verließ sie und folgte Adam auf dem Weg, auf dem
er davongeritten war. Pflichtschuldig verabschiedete ich
mich von ihm vor John Langley, und meine Lippen trafen
seine, ohne merkbar zu beben. Er lüftete in einem letzten
Gruß den Hut, und ich stand auf der Veranda und sah ihm
nach, bis ich ihn aus den Augen verlor. Der letzte Rest von
Emmy Brown schien mit ihm zu verschwinden, der letzte

Rest des törichten, von Hoffnung erfüllten, naiven Mädchens, das ihn in jener fernen Zeit am Eureka kennengelernt und geliebt hatte. Ich war jetzt völlig Frau, völlig verändert und mir völlig im klaren darüber, was die kommenden Jahre mir zu bieten hatten, als ich mich zu John Langley umdrehte und sagte:

»Ich möchte gern mit Ihnen reden. Ich habe Ihnen einen Vorschlag zu machen.«

Kapitel 1

Jeden Nachmittag schien ich gegen die Uhr zu arbeiten, um mit den Papieren auf meinem Schreibtisch fertig zu werden, bevor die Kinder kamen. Während ich dann meinen Tee trank, hielten sie sich an die Kekse und die Milch und berichteten mir ihre täglichen Erlebnisse. Wenn niemand auf mich wartete, ging ich mit ihnen nach Hause, und wir stiegen dann die Treppe zum Unterrichtszimmer hinauf. Ich half sie baden und las ihnen vor dem Schlafengehen noch ein wenig vor. Manchmal wurde dieser Teil unseres gemeinsamen Tagesprogrammes unmöglich. Wenn zu viel unerledigt auf meinem Schreibtisch lag, oder wenn Ben Sampson oder Lawrence Clay etwas mit mir zu besprechen hatten, mußte ich dort bleiben. Manchmal wurde ich auch durch eine Aufforderung, zu John Langley zu kommen, festgehalten, obwohl er selten mein Zusammensein mit den Kindern störte. Die Stunden mit ihnen waren der Teil des Tages, für den ich lebte, und das wußte er.

Ben Sampson steckte den Kopf zu mir herein. »Miss Emma — Mrs. George Hathaway hat gerade bestellen lassen, daß sie morgen früh kommt, um Stoff für ihr Kleid für den Gouverneursball auszusuchen, und daß sie sich gern dabei von Euch beraten lassen würde.« Er hatte die struppigen Augenbrauen emporgezogen und wartete auf meine Antwort.

Ich tauchte die Feder erneut in das Tintenfaß und schrieb die Zahlenreihe zu Ende, bevor ich ihm antwortete. »Das heißt also, daß wir beide, Ben, uns darauf gefaßt machen müssen, zwei Stunden damit zu verbringen, jeden Ballen Stoff im gesamten Laden herunterzuholen, bevor sie überzeugt ist, daß sie den Gegenwert für ihr Geld bekommt. Manchmal frage ich mich, ob wir den Gegenwert für unser Geld bekommen – ich meine hinsichtlich der Zeit und Mühe.«

Er wollte gern ein bißchen plaudern und kam deshalb ganz herein. »Na, Ihr wißt es doch genau, Miss Emma! Sie will nur sichergehen, daß sie die beste Beratung in ganz Melbourne bekommt und erfährt, was in diesem Jahr die modischste Farbe ist und wie sie ihr Kleid nähen lassen soll. Und vier Dutzend andere Damen werden sehen, wie Mrs. George Hathaway sich von Miss Emma beraten läßt und werden es zwölf Dutzend anderen Damen erzählen, und am Ende werden wir jeden Meter von der peau de soie verkaufen, von der ich dachte, daß wir sie nie loswerden würden, weil sie meiner Ansicht nach zu teuer war.«

Ich rieb meine steifen Finger, als ich versicherte: »Und doch macht es mir Spaß, Ben. Es macht mir in Wirklichkeit nichts aus, den ganzen Ladenvorrat für sie von den Regalen herunterzuholen – wir kommen letzten Endes zu unserem Recht. Ich mag es lieber, als hier oben zu sitzen und Pfennige zusammenzuzählen.«

»Tja, wenn es eine Befriedigung für Euch ist, könnt Ihr sicher sein, daß Ihr die Hälfte der Damen auf dem Gouverneursball eingekleidet, ihnen alle die Stoffe verkauft habt und die Spitzen und Fächer, und ihnen geraten habt, in welchem Stil sie es machen lassen sollen; außerdem habt Ihr ihnen die Schneider empfohlen.«

»Allerdings, es ist eine Befriedigung für mich. Aber es gefiel mir besser in den alten Tagen, als Ihr und ich jeden Meter Schleifenband verkauften, der den Laden verließ, und die Bestellungen und die Buchführung mit einem Auge auf der Tür erledigten zwischen dem Bedienen der Kunden. Ich hatte den Kampf lieber als den Erfolg . . .«

Er unterbrach mich: »Ihr seid die klügste Frau in ganz Melbourne, Emmy«, und er nannte mich ausnahmsweise einmal nicht »Miss«. »Und es ist jammerschade, daß Ihr nicht auf den Gouverneursball geht und mit all den andern dort tanzt. Ihr könntet es, wenn Ihr wolltet. Ihr brauchtet nur John Langley einen Wink zu geben . . .«

Ich schüttelte den Kopf. »Meine Kundinnen wollen nicht ihre Verkäuferin im Toorak treffen. Außerdem will ich gar nicht hingehen – das müßt Ihr doch allmählich wissen.«

Er blickte mich ein wenig finster an und zupfte an dem Ende seines Schnurrbartes. »Ihr verzettelt Euch zwischen diesem Laden, der Buchführung, den Langley-Kindern und der Fürsorge für die Maguires.«

»Was, möchtet Ihr, sollte ich sonst tun? Zu Hause sitzen und stricken, Ben? Ihr wißt, ich bin dafür genauso ungeeignet wie Rose, wenn ich es auch besser verberge.« Ich deutete mit der Feder auf den Stuhl vor meinem Schreibtisch. »Setzt Euch doch, Ben. Ich glaube, Ihr seid ein wenig verdrossen, weil der Frühling dieses Jahr zu früh kommt.«

Er sah jedoch eher müde als verdrossen aus; doch hütete ich mich, ihm das zu sagen, da Ben sehr stolz auf seine Männlichkeit war und jeden Hinweis auf sein Alter haßte. Er färbte sich das Haar und den flotten Schnurrbart, um die grauen Fäden zu verbergen, und ich konnte nichts Unrechtes darin sehen. Ben hatte großen Erfolg bei unseren Kundinnen.

Ich läutete die Glocke auf meinem Tisch, und Susan Higgins erschien, die Tochter des Mannes, der mein erster Freund unter den Fuhrleuten in der Langley Lane gewesen war. Sie war knapp siebzehn Jahre alt, und ich sollte sie ausbilden, das heißt also, daß sie mir auf Schritt und Tritt folgte und soviel sie konnte zu lernen versuchte.

»Ich hätte gern etwas Tee, Susan — du kannst frischen aufgießen, wenn die Kinder kommen. Und bring den Whisky für Mr. Sampson.« Ich konnte es mir leisten, Whisky für einen Herrn in meinem Büro zu bestellen, ohne daß ein Skandal entstand, denn Melbourne wußte inzwischen, wer Emma Langley war. Beinahe sechs Jahre war es her, seit der Laden seine Türen geöffnet hatte, und in dieser Zeit hatte ich mir eine Stellung und ein gewisses Vertrauen erworben. Zugegeben, der Laden war noch ein Teil des Langley-Warenhauses — er war nur ein zweigeschossiger Anbau des größeren Gebäudes nebenan, der verkommene Schusterladen, den John Langley auf mein Drängen hin gekauft und als neue Modewaren- und Stoffabteilung finanziert hatte. Doch hatten wir einen eigenen Eingang und dekorierten das Fenster mit Seidenvorhängen, ließen alles hell grau streichen und stellten gepolsterte, hohe Stühle vor die Ladentische, damit eine Kundin in aller Ruhe eine Stunde mit dem Anprobieren von Hüten oder Handschuhen verbringen konnte. Ich hatte lediglich die Spitze und das Schleifenband von den Regalen mit den Flinten und Moleskinhosen des großen Ladens getrennt, hatte damit jedoch eine feminine Welt in diesem kleinen Anbau geschaffen, in der die Frauen ihr Geld in dem Gefühl aus gaben, das Neueste in der Mode sowie sachkundige Bedienung zu bekommen. Weiß der Himmel, ich hatte nur die gleichen Zeitschriften aus London und Paris wie sie, doch studierte niemand in Melbourne sie sorgfältiger als ich. Und niemand hatte einen Ben Sampson, der in seinem Frack mit den Seidenaufschlägen elegant dastand und den Kundinnen versicherte, wenn irgendein Zweifel aufkam, daß genau dieser Ton von Violett der letzte Schrei in New York sei. Der gute Ben, als ob er einen Deut mehr als ich wußte, was der letzte Schrei in New York war.

Ben war als Antwort auf einen Brief vor sechs Jahren aus Ballarat gekommen, in dem ich ihn gebeten hatte, mir bei dem Aufbau dieses Ladens in dem Anbau von dem Langley-Warenhaus zu helfen. Es war damals ein zweifelhaftes Wagnis gewesen; nur ein voller Erfolg hätte Langley zufriedengestellt, doch er hatte mir vertraut und das ganze Unternehmen finanziert. Ja, er hatte sogar noch mehr getan und war gegen das Zeitgefühl gegangen, wonach es Frauen niemals gestattet war, als Partner in die Geschäftswelt einzudringen. Vielleicht hatte er meine Verzweiflung erkannt, die mich ihm diesen Vorschlag nach Adams Besuch in Langley Downs machen ließ. Er gab die Wahrheit über Rose, die er gewußt haben muß, nicht zu; doch glaubte ich, begriff er, daß ich ihn aus dringender Not fragte, weil ich einen Inhalt für meine leeren Tage brauchte. Es war mir auch letzten Endes gleich gewesen, wie er es betrachtete, ob als Ausgleich, als Bestechung oder als Bezahlung für das, was Rose getan hatte; es kam mir vielmehr darauf an, daß er mir das Geld und die Unterstützung seines Namens gab und ich meinem Leben einen Sinn verlieh und ein Betätigungsgebiet für meine überschüssige Energie erhielt.

Ohne sich die Mühe zu machen, auf meinen Brief zu antworten, war Ben in eigener Person von Ballarat gekommen. Er hatte mit mir in jenem wackeligen Schusterladen gestanden, dessen Verpachtung John Langley unterstanden hatte, und hatten den vorbeiflutenden Verkehr auf der Collins Street genau beobachtet, als wenn er die einzelnen Leute zählte.

»Ich kann nicht sagen, ich wüßte, wie Ihr den alten Langley überredet habt, Euch in diese Sache einsteigen zu lassen, Miss Emma; aber es ist eine bessere Goldgrube als die, auf die Dan Maguire stieß. Ich mache mit, wenn Ihr mich haben wollt.«

»Und wie steht es mit Ballarat?«

»Ach, zum Teufel damit! Ballarat ist so langweilig wie Sonntag, seit der Bergbau von den großen Gesellschaften übernommen worden ist — und ich hab' dort nichts als ein paar zusammengenagelte Bretter und einige Waren, die ich in drei Tagen verkaufen kann. Ich hab' ein bißchen Geld, das ich hier mit hineinstecken kann, wenn dafür noch Platz ist.«

»Es ist Platz dafür! Je weniger John Langley investiert, um so weniger wird ihm gehören. Und er ist ein Geschäftsmann, vergeßt das nie, Ben! Wenn er einen Partner nimmt, verlangt er, daß jener jeden Pfennig, den er hat, für die gemeinsame Sache aufbringt — es ist gleichsam eine Art Versicherung, daß das Risiko des Partners stets größer ist als das Langleysche Risiko. Das ist seine Art sicherzugehen, daß man das Unternehmen nicht auf die leichte Schulter nimmt. Ich stecke unsere gesamten Ersparnisse hinein.«

»Ist Adam einverstanden?«

»Adam fragt nicht danach, was mit seinem Geld geschieht. Ich glaube, er hat sogar vergessen, daß etwas vorhanden ist. Macht Euch keine Gedanken — ich habe seine Zustimmung, sobald die ›Enterprize‹ zurück ist.«

Ich wollte die Notizen und Maße noch einmal durchgehen, die ich aufgeschrieben hatte, bevor Ben angekommen war. Doch er ergriff meinen Arm und drehte mich wieder zu sich herum.

»Mir gefällt der Ton nicht, Miss Emma! Stimmt etwas nicht zwischen Euch und Adam?« Als ich nicht antwortete, drang er weiter in mich. »Ich hab' schon gedacht, daß dies nicht das Rechte ist für eine jungverheiratete Frau, die an ihren Mann und ihre Familie denken sollte . . . Ich hätte Euren Brief gar nicht so ernst genommen, wenn Ihr nicht geschrieben hättet, daß John Langley hinter Euch stehe, und ich außerdem nie einen Grund hatte, Euch für töricht zu halten.«

»Und ich bin auch nicht töricht geworden! Ich weiß, daß Adam zustimmen wird.«

Er schüttelte den Kopf. »Das wollte ich nicht wissen. Stimmt etwas nicht, Emmy?«

Ich befreite meinen Arm aus seinem Griff, merkte jedoch, daß ich es einfach nicht vermochte, ihn glatt anzulügen. Er hatte mich zu gut gekannt, um sich täuschen zu lassen.

»Fragt mich das nie wieder, Ben Sampson, denn es ist nicht Eure Angelegenheit!«

Er legte mir die Hand auf den Kopf, als wäre ich ein kleines Kind. »Ich werde es nicht wieder fragen. Ihr habt ganz recht, Emmy! Es ist nicht meine Angelegenheit!«

Innerhalb von einer Woche hatte er seinen Warenvorrat in Ballarat ausverkauft und war wieder bei mir. Der Vertrag wurde mit John Langley geschlossen, und wir bestellten die Maler, welche die Ladenfront neu anstreichen sollten. Es war ein altes Holzhaus neben dem blauen Ziegelbau des Warenhauses; so konnten wir es nach unserem Geschmack streichen lassen. Wir wählten ein zartes Hellgrau und setzten Fenster und Türen mit einem weißen Rand ab. »Unpraktisch«, meinte John Langley, »Ihr werdet es oft neu streichen lassen müssen . . .«

»Aber schick!« fügte Ben hinzu. »Der schickste Laden in der Collins Street.«

Ben und ich malten das Innere des Hauses selbst und ließen die Büroräume im ersten Stock so unansehnlich und häßlich, wie wir sie vorgefunden hatten, bis wir es uns leisten konnten, sie neu herzurichten. Wir kleideten jedoch die beiden Fenster zur Collins Street mit grauen Seidenvorhängen mit einer weißen Fransenborte aus, stellten einen Hut und einen einzigen lässig drapierten Handschuh aus und eröffneten den Laden. Die Hauptinschrift auf den Scheiben lautete »Langley-Warenhaus«, und in der Ecke darunter war in zierlichen Goldbuchstaben »Damenabteilung« zu lesen. Unser Vorrat sah jetzt, wo er von dem beengten Nebeneinander aller möglichen Waren im Hauptgeschäft getrennt war, kläglich dürftig angesichts all der leeren Regale aus; aber wir schufen irgendwie die Illusion, daß viel leerer Raum elegant war und hielten daran fest, bis die ersten Schiffsladungen von England einzutreffen begannen. Zu jener Zeit bildeten Ben und ich das gesamte Personal außer einem kleinen Jungen, der Botengänge verrichtete, und hoffnungsvoll darauf wartete, den Wagenschlag einer Kutsche aufzureißen. Die ersten sechs Monate waren recht mager. Ben und ich fragten uns oft, ob wir unseren Markt falsch beurteilt hatten und ob die schicke Kahlheit unseres Ladens zu nüchtern war für den tonangebenden Geschmack dieser Stadt. Doch unsere Regale und Ladentische begannen sich zu füllen, und es kam schließlich der Tag, an dem wir unsere erste Verkäuferin einstellen mußten und nach einem Monat dann zwei weitere. Ben schritt, die Hände auf dem Rücken gefaltet, die Gänge zwischen den Ladentischen auf und ab und leistete bei weitem mehr Arbeit hinter den Kulissen, als es den Anschein hatte. Ich nähte mir zwei schwarze Seidenkleider, sehr diskret, dafür aber unglaublich stilvoll, und frisierte mein Haar nach der neuesten Mode. Ich wetteiferte nicht mit den Kundinnen, hoffte jedoch durch meine Erscheinung zu beweisen, daß man meinem Rat vertrauen konnte. Ich selbst mochte mich in der Aufmachung für den

Laden gar nicht besonders gern leiden, aber es war gut für das Geschäft.

Ein Jahr, nachdem wir eröffnet hatten, drängten sich die Kundinnen jeden Tag von mittags bis gut nach vier Uhr in den Gängen, in denen Ben auf und ab paradierte. Es war Brauch geworden, auf dem Nachmittagsbummel durch die Collins Street bei Langley's hereinzuschauen. Häufig diente es nur dazu, eine Stunde hinzubringen, und es wurde nichts gekauft. Aber ich erzog die Verkäuferinnen, Geduld zu haben, und nach und nach wurden aus den Damen, die sich bisher nur alles angeschaut hatten, Kundinnen. Ich lernte die einflußreichsten Frauen Melbournes kennen und bediente sie persönlich; jedesmal, wenn eine neue Kundin den Laden betrat, holte eines der Mädchen Ben oder mich, damit wir uns persönlich um sie kümmern konnten. Durch diese schmeichelhafte Aufmerksamkeit und Geduld bauten wir uns unsere Kundschaft auf und begannen Gewinne zu machen.

Und nach sechs Jahren hatten Ben und ich ein kleines Vermögen verdient, und John Langley war reicher geworden. Melbourne wußte immer noch nicht, ob ich als Partner an dem Laden beteiligt oder nur eine Angestellte John Langleys war; es nahm zur Kenntnis, daß ich Langley hieß, brachte mich jedoch nicht in Verbindung mit den Ladenbesitzungen, die mein »Im-Geschäftsleben-Stehen« in den höchsten Kreisen gesellschaftsfähig gemacht hätten. Und da war die unleugbare Tatsache, daß ich immer noch in einem Häuschen wohnte, das kaum mehr als eine angestrichene Hütte am Ende der Langley Lane war, und in meinen freien Stunden bereit schien, eine Art unbezahlte Kinderpflegerin und Gouvernante für die Langley-Kinder zu spielen. Die Gesellschaft notierte das neben der allgemein bekannten Tatsache, daß ich eine der wenigen Personen war, die John Langley nahestanden, und daß ich in seinem Haus stets willkommen war. Sie wußten nicht, wo sie mich einordnen sollten und kümmerten sich deshalb nicht weiter um mich.

Ich war zufrieden, obwohl ich bezweifelte, daß Ben es glaubte. Er verzog immer skeptisch das Gesicht, wenn ich bestritt, daß ich gern den Kundinnen auf die Gesellschaften gefolgt wäre, für die sie bei uns Kleiderstoffe und Handschuhe kauften. Ben umgab mich mit übertriebener Fürsorge, was mir jedoch gefiel. Uns verband eine seltene Kameradschaft voll Verständnis für den anderen und gegenseitige Zuneigung, natürlich und ungezwungen. John Langley hatte sich nie für Ben erwärmt; er duldete ihn, das war aber auch alles. Manchmal hielt ich die schmeichelhafte Vermutung für möglich, daß er eifersüchtig auf Ben war; denn die Tatsache, daß jener mit über fünfzig Jahren seine Anziehungskraft auf die Frauen, die zu uns in den Laden kamen, nicht verloren hatte, erfüllte ihn mit Mißtrauen. Bens gefärbter Schnurrbart und seine Angewohnheit, seine Abende bei einem guten Tropfen in den besser renommierten Schenken der Stadt zu verbringen, stimmten ihn ebenfalls mißtrauisch. Doch Ben hatte Stil. Seine hohe Gestalt in dem schwarzen Frack, die Art, wie er seine Krawatten trug, sich verbeugte oder mit den Fingern schnickte, um dem Jungen ein Zeichen zu geben, die Tür für eine Kundin zu öffnen, dies alles war von einer gewissen dandyhaften Eleganz — von einer zwar leicht vulgären, jedoch sehr wirksamen. Nur selten hielt man inne, um zu bemerken, daß sein kantiges Gesicht beinahe häßlich war. Ben war ebenso wie meine stilvollen schwarzen Seidenkleider sehr bekömmlich für das Geschäft.

Susan Higgins kam mit dem Whisky für Ben und meinem Tee zurück, den ich aus dem Crown-Derby-Service trank, das John Langley mir im Jahr zuvor zum fünfjährigen Bestehen des Ladens geschenkt hatte. Er hatte es ebensosehr um seinet- wie um meinetwillen getan; denn er kam manchmal, um eine Tasse Tee mit mir zu trinken, wobei wir geschäftliche Dinge besprachen. Er verabscheute dickes Steingut.

Ben goß sich einen zweiten Whisky ein, während ich meinen Tee trank und meine Augen zu den vor mir aufgeschlagenen Büchern zurückwandern ließ.

»Emmy — ich spüre mein Alter. Das ist los mit mir.«

Es war so ungewöhnlich für ihn, sein Alter zu erwähnen, daß meine Aufmerksamkeit sich ihm sofort wieder zuwandte. »Was heißt das, Ben?« Er seufzte und stellte sein Glas hin. »Ich fühle mich alt, wenn ich denke, daß, falls ich tatsächlich nach Amerika zurückkehrte, ich von keinem großen Nutzen für sie sein würde — außer vielleicht, um in einem Büro Formulare auszufüllen. Ich war früher ein verdammt guter Schütze! Sie hätten drüben bei Bull Run so einen brauchen können!«

Als der Krieg zwischen den Nord- und Südstaaten ausgebrochen war, hatte Ben ein Bild Abraham Lincolns über seinem Rollpult im Erdgeschoß, wo die Kunden es sehen konnten, aufgehängt. Da John Langley auf seiten des Südens stand, hatte ihn das mächtig geärgert. Aber er war bisher noch nie so weit gegangen, von Ben zu verlangen, es abzunehmen. Und Ben selbst schien eine Art Schuldgefühl darüber zu empfinden, daß er dem Kampf fernblieb. Ich vermutete, er wollte im Grunde genau dort bleiben, wo er war; doch verbrachte er die Tage mit seinen Seufzern über die Sache der Union und mit seinen Träumen über den Ruhm, den er sich womöglich erworben hätte. Hauptsächlich dachte ich jedoch, wenn Ben über den Krieg sprach, an die Tatsache, daß die Blockade der Küste der Konföderierten durch den Norden weniger Baumwolle für Manchester bedeutete und allmählich weniger Baumwollwaren für uns zum Verkaufen. Ich sagte das jedoch nicht, um

Bens Gefühle nicht zu verletzen; doch muß er John Langleys Murren darüber gehört haben. Ich sah ihn fest an. »Ich brauche Euch aber auch, Ben!«

Er zupfte an seinem Schnurrbart, wie immer, wenn er erregt oder erfreut war.

»Ich bin froh, daß Ihr das noch immer sagen könnt, Miss Emma. Ich bin natürlich ein alter Dummkopf und höre es gern, wenn eine Frau sagt, daß sie mich braucht. Aber manchmal frage ich mich, wie lange Ihr einen Mann brauchen werdet — überhaupt einen Mann, wenn ich sehe, wie Ihr diesen Laden schmeißt und wie Ihr mit dem alten Langley zurechtkommt.«

»Ich werde Euch immer brauchen«, erwiderte ich und meinte es auch. »Ihr kennt genauso wie ich die Dinge, die eine Frau nicht selbst für sich tun kann. Das Geschäft braucht Euch — ich brauche Euch hier.« Er nickte. Wir kannten unsere Rollen sehr gut und hatten sie verstanden. Es fiel zwischen uns beiden nicht ins Gewicht, daß ich und nicht er in diesem schäbigen, unordentlichen Zimmer über dem Laden die Entscheidungen über Menge, Farbe und Preis der Waren traf. Das galt als Männerarbeit. Solange die Kundinnen aber Ben unten im Laden sahen, konnten sie einigermaßen sichergehen, daß ich meine mir als Frau zustehenden Funktionen nicht überschritten hatte. Diejenigen, die für uns arbeiteten, wußten Bescheid, doch herrschte eine Art Verschwörung unter uns, den wahren Sachverhalt nicht zu weit bekannt werden zu lassen. Eine Frau konnte sich nur verstohlen in die kaufmännische Welt der Männer vorwagen; denn die Frauen wurden nun, als Melbourne immer mehr das Gepräge einer Pionierstadt verlor, jedes Jahr unerbittlicher auf den Platz zurückverwiesen, auf den sie nach Ansicht der Männer gehörten, und ich mußte behutsamer vorgehen.

»Es bestände keine Notwendigkeit, sich auf mich zu

verlassen, wenn Adam klug genug wäre, eine Stellung an Land anzunehmen«, stellte Ben verdrossen fest. »Es ist nicht gut für Euch, so lange allein zu sein.«

»Ich habe einen Seemann geheiratet, Ben«, erinnerte ich ihn kurz. »Und ich habe nie erwartet, daß er ein Farmer wird. Wenn ich Kinder hätte, würde es niemandem auffallen, daß ich allein bin.«

Ich gab ihm mit einem warnenden Blick zu verstehen, daß ich nichts mehr über dieses Thema zu hören wünschte und wandte mich wieder den Büchern zu. Ben war der einzige, zu dem ich über diesen Kummer sprach; aber es gab schließlich nur sehr wenig, was Ben nicht sowieso von mir wußte oder vermutete. Er wußte sogar, daß ich noch einmal schwanger gewesen war und dann das Kind nach einem Monat verloren hatte; er war der einzige, außer Adam, der hiervon wußte. Manchmal wurden der Schmerz und die Sehnsucht nach meinen eigenen Kindern und Adams Kindern unerträglich, und ich mußte darüber sprechen. Ben hörte mir dann zu, vernahm meine Worte und bestritt sie nicht und war verschwiegen. Ich brauchte keine Angst zu haben, daß er sie jemals für die Ohren eines anderen wiederholen würde, auch dann nicht, wenn er gelegentlich zuviel trank. Ben war mein Helfer, mein Freund und mein Vertrauter, und jede der Frauen in dem Laden wäre zutiefst empört gewesen, wenn sie gewußt hätte, in welchem Ausmaß er das war. Wir sahen uns niemals außerhalb des Ladens, doch umgab mich seine Fürsorge stets wie ein schützender Mantel.

Er murmelte etwas in sein Glas. ». . . und es würde Adam nichts schaden zu wissen, daß Harry Seymour da draußen sitzt und sich jedesmal die Augen nach Euch verdreht, wenn Ihr am Lagerhaus vorbeikommt. Ich begreif' nicht, wie er überhaupt zum Arbeiten kommt, so wie er immer aus dem Fenster guckt, um zu sehen, wann Ihr hier fortgeht, und dann aus der Tür geschossen kommt, um Euch guten Tag zu sagen. Ich schwöre Euch, eines Tages werden sie ihn mit einem Gespann anfahren und es nicht mal merken — er gehört ja schon bald zum lebenden Inventar in der Gasse . . .«

Gegen meinen Willen mußte ich lachen. »Haltet lieber Eure skandalöse Zunge im Zaum, Ben Sampson! An Harry Seymour ist gar nichts verkehrt, außer, daß er erst vor kurzem hier angekommen ist, sich allein fühlt und niemand außerhalb des Lagerhauses kennt. Er hat mir erzählt, der Arme, daß er seine Frau verlor, bevor er hierherkam. Sie war erst vierundzwanzig . . .«

»Nicht viel jünger als Ihr, Miss Emma! Ich an Eurer Stelle würde mich vor Mister Harry Seymour in acht nehmen — vor ihm und seinen melancholischen braunen Augen!«

»Ich mag aber Harry Seymours Augen«, erwiderte ich, um ihn zu necken.

»Verstehe einer den Geschmack einer Frau«, entgegnete er gekränkt. »Er sieht genau wie eine Kuh aus, die vor Sehnsucht nach Euch den Mond anblökt.«

Ich lächelte ein wenig, als ich mich wieder über die Bücher beugte, verbarg das jedoch sehr sorgfältig vor Ben. Mich störte weder Harry Seymours Bewunderung noch Bens Ärger darüber. Wenn ich manchmal das Gefühl hatte, zu lange mit meinen raschelnden schwarzen Kleidern und Kontobüchern gelebt zu haben, waren das leise bittende Lächeln auf Harry Seymours Gesicht oder Bens rührende Eifersucht nötig, mich daran zu erinnern, daß Männer mich anziehend finden konnten. Als ich älter wurde, hatte ich die merkwürdige Entdeckung gemacht, daß es nicht immer Schönheit ist, die einen Mann zu einer Frau hinzieht. Ich war meiner selbst mit den Jahren sicherer geworden.

Die folgenden zehn Minuten saßen wir uns schweigend gegenüber, vielmehr hielt Ben den Mund, weil er die Spannung in mir bemerkte, die mich stets ergriff, wenn ich wußte, daß die Kinder jeden Augenblick kommen mußten und ich mein Tagespensum noch nicht geschafft hatte. Meine Augen jagten die Zahlenreihen entlang, und die Feder kratzte in der Stille hastig und geräuschvoll über das Papier. Doch trotz aller Eile war ich mit den Tageseintragungen noch nicht fertig, als ich ihr Getrappel auf der Treppe hörte und ihre hellen, dünnen Stimmchen zu mir heraufdrangen.

Da sie in John Langleys Haus aufwuchsen, waren sie wohlerzogene Kinder. Anne vergaß fast nie anzuklopfen und abzuwarten, bis ich »Herein!« rief. Heute jedoch flog die Tür auf; alle beide stürmten herein.

James, Roses ältester Sohn, kam als erster zu Wort.

»Miss Emma — Großpapa hat gesagt, Anne soll ein eigenes Pony kriegen; aber ich müßte noch ein Jahr warten. Er hat gesagt, ich soll Annes reiten lernen, und dann werden wir sehen . . . das hat er gesagt — wir werden sehen!«

Annes Gesicht war zornig gerötet; gewöhnlich war sie ein sauberes und manierliches Kind, doch heute nachmittag sah ich getrocknete Tränenspuren auf ihren Bäckchen.

»Und James ist zu Mama gerannt, und sie hat natürlich gesagt, daß er ein eigenes Pony kriegt — daß Papa ihm eins kaufen wird. Das ist ungerecht, Miss Emma!«

Sie stürzte auf mich zu, und meine Arme streckten sich ihr beinahe automatisch entgegen. Doch James war schon neben ihr, zog an meinem Ärmel und verlangte meine Aufmerksamkeit.

»Ich müßte ein Pony haben, Miss Emma, weil ich ein Junge bin! Sie sagen doch nichts, damit Mama sich nicht anders entschließt, nicht? Miss Emma, es ist wichtig . . .«
Sein Zerren an meinem Ärmel wurde drängender. Beruhi-

gend legte ich ihm die Hand auf die Schulter. »Wir werden sehen, James . . .«

So hielt ich sie beide im Arm; doch meine Augen wanderten zur Tür, wo die beiden jüngeren Brüder stehengeblieben waren. Sie standen genügend unter James' Herrschaft, um zu wissen, daß sie warten mußten, bis er bereit war, sie zu Wort kommen zu lassen. Sie waren drei und vier Jahre alt und klammerten sich in einem gegenseitigen Verteidigungspakt gegen ihren älteren Bruder aneinander.

»Henry . . . William . . . habt ihr heute denn kein Küßchen für mich?« Sofort schossen sie auf mich zu und stießen James beinahe zur Seite. Sie küßten mich noch ganz nach Kleinkinderart, recht feucht und mit den Ärmchen fest um meinen Hals geschlungen.

Während sie sich so um meinen Stuhl drängten, glitt mein Blick über die vertrauten, geliebten Köpfe. Jeden Tag durchforschte ich jene jungen Gesichter, eifersüchtig allein bei dem Gedanken, daß mir ihre Veränderung im Laufe eines einzigen Tages entgehen könnte und ich nicht jede kleinste Phase ihrer Entwicklung miterleben würde. Sie waren meine hübschen, entzückenden Lieblinge. In ihnen hatte sich das Beste von Rose und Tom vereinigt, doch ich fühlte, daß ich sowohl Mutter wie Vater für sie war.

»Anne«, begann ich, »kleine Mädchen sollten nicht mit schmutzigem Gesicht auf der Straße gesehen werden. So — jetzt wischen wir erst mal diese Tränchen ab.« Und ich tupfte mit meinem Taschentuch die verräterischen Spuren fort. Sie wußte, daß ich nicht mir ihr schalt und schien sich ein wenig unter meinen Händen zu entspannen. Für Anne lebte ein ganz besonderes Gefühl in mir. Sie wußte nicht, daß sie das Kind war, das an demselben Tag zur Welt gekommen war, an dem ich mein eigenes verloren hatte; noch wußte sie, daß sie die Liebe erhielt, die ich Rose nicht mehr zu geben vermochte. Doch wußte sie, daß meine

Hände besonders zärtlich mit ihr waren und ich sie in gewissem Sinne vor ihrer Mutter beschützte.

»Aber Miss Emma . . . Was ist nun mit dem Pony?« begehrte James auf. »Werden Sie Großpapa sagen, daß ich es haben sollte?«

Mit seinen fünf Jahren hatte James ein kühnes, überraschend hübsches Gesicht, und im Augenblick sah er aus wie ein zorniger kleiner Engel — selbstsicher, ja beinahe selbstgerecht —, der seine Ansprüche gen Himmel trompetete. Er war John Langleys erster Enkel und hatte alle Vorrechte dieser Position in seinem fünfjährigen Leben bereits weidlich ausgekostet. Er war arrogant, intelligent und sehr lebhaft. Er war das Kind aus den Nächten von Roses leidenschaftlicher Hingabe an Tom, nachdem Adam sie bei jenem Besuch vor sechs Jahren verschmäht und in Langley Downs zurückgelassen hatte. Mir kam manchmal der Gedanke, daß Rose diesen Sohn vielleicht schon, ohne es zu wissen, unter dem Herzen getragen hatte, als sie Adam bestürmte, sie mitzunehmen.

So wurde ebenfalls jedesmal, wenn ich James ansah, eine Erinnerung in mir wachgerufen. Ich liebte ihn auch, doch auf andere Weise als Anne.

Ben wandte sich von dem Schrank um, in dem er die Whiskyflasche verstaut hatte.

»Guten Tag, Miss Anne«, sagte er und verbeugte sich förmlich vor ihr. Sie erwiderte die Begrüßung mit einem kleinem, anmutigen Knicks. Ihr Benehmen war — außer in Augenblicken großer Belastung — stets untadelig, eine Tatsache, auf die ihr Großvater sehr stolz war. Als Anne das merkte, verdoppelte sie ihre Anstrengungen; denn sie mußte im Wettstreit mit ihren drei Brüdern und der, wenn auch nicht offen zugegebenen, Rivalität mit ihrer Mutter jeden Vorteil ausnutzen, der sich ihr bot. Angesichts seiner drei hübschen, gesunden Enkel hatte John Langley längst die anfängliche Enttäuschung darüber vergessen, daß Anne kein Junge gewesen war. Er war stolz auf ihre Schönheit und ihre Verständigkeit. Sie war eine zartere, verkleinerte Ausgabe von Rose, ein weibliches Wesen, das er lieben und bewundern konnte, ohne die Verwirrung und Hemmungen zu empfinden, die seine Beziehung zu ihrer Mutter kennzeichneten. Anne war wie ihre drei Brüder dunkelhaarig und sehr hellhäutig — dem Aussehen nach mehr eine Maguire als eine Langley.

»Guten Tag, James . . . Henry . . . William.« Ben gab jedem von ihnen die Hand. Er legte in Anwesenheit der Kinder immer besonders elegante Manieren an den Tag, stellte seinen Whisky fort und trank aufopferungsvoll Tee mit uns. Er setzte sich jetzt hin und nahm William auf den Schoß, während der Kleine seinen Strumpf herunterrollte, um Ben eine kleine Schramme auf dem Knie zu zeigen.

»James hat mich hingeschubst . . .«, verkündete er mit zu Ben emporgewandtem Gesichtchen und wartete auf das mitfühlende Kopfschütteln, das ihm auch zuteil wurde.

Ich hob den Finger an die Lippen. »Psst, William . . . man soll nicht petzen . . .«

»Och, er ist eine Heulsuse«, erklärte James verächtlich. »Sogar Mutter sagt das!«

Sie erzählten mir weiter die kleinen Neuigkeiten ihrer Welt, bis Susan mit dem frischen Tee erschien. Die Nurse, die sie stets auf dem Nachmittagsspaziergang begleitete, hatte Anweisung, unten zu warten; das verschaffte den Kindern bei mir hier oben ein Gefühl der Freiheit, das ein bißchen fehlte, wenn wir gemeinsam zum Schulzimmer im Langley-Haus zurückkehrten. Als jedes von ihnen aus den Säuglingswindeln herauswuchs, hatte es kleine Besitztümer mit in mein Bürozimmer gebracht — ein Lieblingsspielzeug, Bücher oder die Holztiere, die sie nach den Vorbildern zu schnitzen versucht hatten, die Adam immer noch für sie machte. Wir waren hier umgeben von der Anhäufung dieser Sachen, und die Kinder steuerten selbstverständlich jeden Tag auf ihre kleinen Schätze zu.

»Ich hab' die nächste Seite gelernt, Miss Emma«, verkündete James. »Ich lese sie Ihnen vor.«

Er zog einen Stuhl dicht neben meinen, ging zum Bücherbord und holte die großgedruckte Bibel herunter. Er schlug sie auf dem Tisch zwischen uns auf, kletterte auf den Stuhl und räusperte sich: »Die Erde ist des Herren, und die Fülle davon . . .«

Ich beobachtete amüsiert, wie sein kleiner Finger die Zeilen entlangglitt.

»James, du liest ja gar nicht — du sagst es nur auswendig auf!«

»Das ist genausogut«, meinte er. »Ich kann es schon *fast* lesen. Ich hab' es mir gestern abend siebenmal von Annie vorsagen lassen, bis ich jedes Wort auswendig wußte. Siebenmal ist nicht schlecht, was, Miss Emma?«

Er hatte an diesem Tisch lesen gelernt — oder es schon fast gelernt, wie er sagte. Ich blickte zu Anne hinüber, die friedlich die Bänder am Hut der Puppe zusammenband, deren Kleiderchen sie hier nachmittags genäht hatte. William war von Bens Schoß heruntergerutscht und hatte ihn zu dem Tisch in der Ecke gezogen, wo Henry mit dem einfachen Zusammensetzspiel hantierte, das dauernd dort für sie lag. Unter jenem Tisch hatten Henry und William früher Blockhäuser gebaut und Festungen aus den schweren Kontobüchern errichtet. Susan Higgins hatte ihnen geholfen, Soldatenhelme aus den Abfällen des Papierkorbes zu basteln. Sie lernten die theoretische Kriegskunst von der Karte der Vereinigten Staaten, die an der Wand hing, und an die Ben die kleinen Fähnchen gesteckt hatte, welche die Truppen der Union und der Konföderierten darstellten. Es gefiel John Langley keineswegs, daß seine Enkel mit der Union sympathisierten, weil sie bei Ben in die Schule gingen, doch unternahm er keinen Versuch, sich einzumischen. Er wußte vielleicht, wie wir alle inzwischen, daß die Kinder so etwas wie eine Erziehung in diesem vollgestopften Zimmerchen erhielten; inmitten des Durcheinanders der Kontobücher und Teetassen lernten sie die Welt auf eine Weise kennen, wie sie sie nicht von der farblosen Frau, die ihre Gouvernante war, kennenlernen konnten. John Langleys Erfolg beruhte auf der Tatsache, daß er ein Mann verschiedener Welten war. Seine Enkel sollten es ebenfalls werden. Ich glaube, er verbot allein aus diesem Grunde nicht ihre allwöchentlichen Besuche bei den Maguire-Großeltern. Nachdem er erlebt hatte, was für ein Mißerfolg seine Erziehung bei Tom und Elizabeth geworden war, war er jetzt vielleicht klug genug einzusehen, welchen Nutzen die Kinder aus den Stunden, in denen sie Ben und mir lauschten, zogen, aus der Atmosphäre des Ladens und aus den Stunden, die sie in der guten Stube über der Maguire-Schenke am Pferdemarkt verbrachten. Es wurden keine Pläne gefaßt, sie nach England in ein Internat zu schicken, so wie es mit ihrem Vater und ihrer Tante Elizabeth geschehen war. John Langley hatte vor, sie für die Welt tauglich zu machen, die sie erben würden.

Neben mir blätterte James die Seiten um. Er stieß auf eine andere vertraute Stelle, und seine schrille junge Stimme ertönte erneut klar und gebieterisch:

»›Wir setzten uns nieder, dort, an den Flüssen Babylons‹, wo ist Babylon, Miss Emma?«

»Genau da — in der Bibel!« gab Anne ihm verächtlich zur Antwort.

»Das weiß ich aber besser — die Bibel ist kein Ort!«

Doch Anne hörte ihm nicht mehr zu. Sie hatte den Klang der Stimme erhascht, welche die Treppe empordrang — und ohne in Wirklichkeit darüber hinaus etwas hören oder riechen zu können, brachte der Klang von Roses Stimme beinahe auch das Knistern der raschelnden Seide und den Duft ihres Parfüms zu uns herauf.

»Mama ist da!« rief sie aus, und ein Teil der früheren Spannung erfaßte sie wieder; hastig wischte sie sich noch einmal das Gesicht am Unterröckchen ihrer Puppe ab. Dann öffnete sich die Tür, und Rose stand da.

»Na — wie geht's denn all meinen Lieblingen!« Sie breitete die Arme aus, und sie rannten alle zu ihr — Anne, James, Henry und William — und kämpften um den Kuß, den sie jedem von ihnen auf die Wange drückte. Darauf blickte sie mich über ihre Köpfe hinweg spöttisch und triumphierend an, um mich daran zu erinnern, daß *sie* ihre Mutter war und nur die Arme auszubreiten brauchte. Sie hatte nie ihr Geschick, die Kinder für sich zu gewinnen, verloren. Und wenn sie ihnen jeden Tag auch nur zehn Minuten Beachtung schenkte, so waren das für die Kinder märchenhafte zehn Minuten. Wenn Rose bei ihnen war, gab es nie Tränen oder Streit; sie wetteiferten miteinander, ihr über gute Leistungen berichten zu können und ihr ihre neuesten kleinen Werke zu zeigen. Benahmen sie sich schlecht, so verließ Rose sie; benahmen sie sich gut, so war sie reizend zu ihnen und sang ihnen manchmal auch etwas vor. Rose war in ihren Augen — wie auch in denen anderer Leute — sehr schön. Ihre seidenen Kleider, der Schmuck und die fremdartigen, exotischen Düfte ihrer Parfüms hatten alle etwas Unwirkliches für sie. Die Kinder hatten irgendwie das Gefühl, sie könne ihnen entschwinden, sowie die wundervollen Bilder ihnen entschwanden, wenn die Bücher zu geklappt wurden.

Nachdem Rose sie geküßt und ihre Huldigungen entgegengenommen hatte, war sie wieder ganz geschäftig.

»Zu ärgerlich — Emmy —, ich habe anscheinend von

jedem Paar Handschuhe, das ich besitze, einen verloren. Nicht ein einziges Paar hab' ich für heute abend . . .«

»Ich bin überzeugt, du findest genügend unten, Rose«, entgegnete ich trocken.

Sie zuckte die Achseln. »Natürlich, wenn du lieber möchtest, daß mich eines der dummen Mädchen bedient, die keine Ahnung haben, wo irgend etwas ist . . .«

Ich erhob mich. »Ich komme gleich«, und zu den Kindern gewandt, fuhr ich fort: »Trinkt eure Milch — und futtert nicht zu viele Kekse! Anne, ich überlasse es dir, dafür zu sorgen, daß jeder sich gut benimmt. Du kannst Mr. Sampson noch eine Tasse Tee einschenken . . .«

Rose erwiderte Bens Verbeugungen im Hinausgehen nur mit der flüchtigsten Andeutung eines Kopfnickens. Sie behandelte ihn immer sehr kühl, und es bereitete ihm ein boshaftes Vergnügen, sooft wie möglich in ihrer Gegenwart das Leben am Eureka zu erwähnen. Es gab heutzutage in Melbourne nur sehr wenige Leute, die die junge Mrs. Langley daran erinnerten, daß sie ihre erste Zeit in diesem Land am Eureka verbracht hatte.

Unten im Laden ließ Rose sich auf einen der mit Plüsch bezogenen Stühle sinken und inspizierte gelangweilt die Auswahl langer weißer Handschuhe, die ich vor ihr ausbreitete. Ich brauchte nicht nach ihrer Größe zu fragen. Ich wußte alles auswendig über Rose.

»Ich brauche sie für das wasserblaue Seidenkleid«, sagte sie.

»Ja«, nickte ich. Ich hatte ihr geholfen, die blaue Seide auszusuchen oder hatte sie vielmehr für sie ausgewählt. Rose kaufte alles, was sie trug, bei uns und nahm nichts ohne meine Zustimmung. Vielleicht brauchte sie in Wirklichkeit meine Hilfe gar nicht — doch wir beide brauchten diese Gelegenheiten, um denen, die es interessierte, zu zeigen, daß wir noch Freundinnen waren. Es gibt viele Dinge, die man in der Öffentlichkeit tun kann, um Freundschaft zu demonstrieren, sogar dann, wenn keine vorhanden ist. Nach jenem Tag vor sechs Jahren im Pferdestall von Langley Downs blieb uns nur noch wenig, was nicht reine Form war. Was noch in mir für Rose fortlebte, war die Erinnerung an das Mädchen, das auf der Landstraße nach Ballarat freundlich zu mir gewesen war, und was ich jetzt empfand, war nicht Liebe zu Rose, sondern zu Kate und Dan Maguire. Und sie klammerte sich weiter an mich, weil ich für sie ein dünner Schild war gegen die skandalöse Vorstellung von einer Frau, die keine Freundinnen hat, und weil ich noch das einzige schwache Verbindungsglied zu Adam bildete.

»Es sind feinste Glacehandschuhe«, versicherte ich. »Und es sind die besten, die wir je hatten.«

Sie drehte sie um. »Ja«, meinte sie; doch langweilten weiße Glacéhandschuhe sie, genauso wie fast all ihre Besitztümer. »Ich brauch' sie für die Crestwell-Gesellschaft heute abend.«

»Dann wirst du also nicht zu Eunices und Larrys Dinner kommen?«

Sie zuckte die Achseln. »Du weißt, wie Papa Langley ist. Er sagt immer, gesellschaftliche Verpflichtungen müssen vor denen in der Familie kommen.«

Das war zwar nicht, was John Langley meinte, doch sagte sie es so, als käme es tatsächlich von ihm. »Ich werde die kleine Miss ... Miss ...«

»Margaret Curran«, half ich ihrem Gedächtnis nach.

». . . Miss Curran mal zum Tee einladen.«

»Ich glaube, das wird nicht das gleiche sein, Rose. Eunice und Larry haben sich große Mühe mit diesem Dinner gegeben. Es ist schließlich Cons Verlobungsfeier ... Und er geht doch schon so bald nach Sydney.«

»Ja«, gab sie zu. »Das stimmt. Es ist immer schwer, sich

vorzustellen, daß Klein Con alt genug zum Heiraten ist.« Ihre Stimme klang jetzt weicher. »Ich vermute, es kommt daher, daß er der einzige war, der jünger war als ich.« Achselzuckend zog sie die Augenbrauen hoch. »Es ist schwer zu glauben, daß ich selbst älter werde ... Ich denke nie darüber nach.«

Und dann warf sie alle Handschuhe auf einen Haufen, als wolle sie dieses Thema beenden. »Schick mir sechs Paar. — Vielleicht gelingt es mir ja, von den sechsen einmal einen linken Handschuh anstatt immer einen rechten zu verlieren. Du läßt sie mir bis heute abend schicken, nicht wahr, Emmy?«

Ich nickte. Ich wußte, ihr Landauer wartete draußen; doch war es eine von Roses Manieriertheiten, niemals ein Päckchen zu tragen, wenn sie es vermeiden konnte. Es war eine der Arten zu demonstrieren, daß sie eine Langley war. Als sie aufstand und sich zum Gehen anschickte, betrachtete ich sie sorgfältig von oben bis unten und nahm alle Einzelheiten ihres Gesichtes, ihres Haares und ihrer Kleidung in mich auf. Wie immer war sie sehr gut angezogen — die Kleider waren von mir ausgesucht, und die Pflege oblag zwei Zofen, die einzig und allein für Roses Bedürfnisse zu sorgen hatten. Wie immer hatte ihre Erscheinung jedoch die individuelle, unordentliche Note, die eigenartig anziehend wirkte, als wäre der Geist dieser Frau stärker als die Kleider, die wir ihr anzogen. Als ich sie so betrachtete, tröstete ich mich mit dem Gedanken, daß sie mit den Jahren schwerfällig, daß die Reife ihrer Schönheit überreif werden würde. Doch das war noch keineswegs so. Sie sah jetzt Mitte Zwanzig schöner aus denn je.

Sie fühlte meinen prüfenden Blick, und ihre Augen glitzerten ein wenig, als hätte sie meine Gedanken erraten. Mit hinterhältiger, belustigter Stimme sprach sie ihre Frage aus.

»Hast du von Adam gehört?«

Sie war mit der Zeit weniger naiv geworden und vermochte ihre Fragen nun offen zu stellen, ohne den verräterischen Blick, der sie früher begleitet hatte. Wir spielten oft dieses Spiel, Rose und ich — sie vielleicht, um mich ein wenig zu verletzen, und ich vielleicht, um mein Besitzrecht an ihm zu unterstreichen.

»Vielen Dank für die Nachfrage — ich bekam gestern einen Brief aus Kapstadt. Sie hatten eine Woche lang heftige Stürme auf der Fahrt von Westaustralien. Aber es ging alles gut — sie hatten nur ein paar geringfügige Reparaturen in Kapstadt.«

Sie nickte lächelnd. »Die ›Rose Langley‹ ist ein gutes Schiff — sie haben sie solide gebaut.«

»Adam ist ein guter Kapitän!«

»Ein Kapitän ist meistens nicht besser als sein Schiff«, entgegnete sie mit einem scharfen Unterton in der Stimme. Es bereitete ihr manchmal Freude, Adam zu kritisieren; denn sie hatte ihm jenen Morgen in Langley Downs nie verziehen.

»Adam kann es mit den besten aufnehmen — Schiff oder Kapitän!«

»Du bist rührend loyal, Emmy.«

»Ich habe allen Grund, es zu sein!«

Ihre Augen verschleierten sich und schienen vor Ärger dunkler zu werden, vor Ärger über mich wie Adam. Seit jenem Morgen vor sechs Jahren war es ihr nie gelungen, die einheitliche Front zu durchbrechen, die Adam und ich der Welt gegenüber bildeten; wenn Risse unter der Oberfläche vorhanden waren, konnte Rose diese nur vermuten, doch wußte sie nichts Genaues.

Zornige Röte stieg in ihre Wangen. Sie suchte nach einem — anderen Weg, mir wehzutun und blickte zur Treppe hinüber. »Die Kinder müssen jetzt mit mir nach Hause

393

kommen — es ist schon spät genug. Sie verbringen zuviel Zeit hier. Es ist zweifellos nicht der richtige Ort für Kinder . . .« Sie ergriff ihren Sonnenschirm und wandte sich um. »Ich muß mit Papa Langley darüber sprechen.«

In dieser Drohung, mir die Kinder wegzunehmen, besaß sie ihre größte Waffe, und das wußte sie. Das war letzten Endes, vermute ich, auch der Grund, weshalb ich einwilligte, ihre Handschuhe für sie auszusuchen, wie auch ihre Kleider und Hüte, und weshalb ich als ihre Freundin figurierte, wenn sie glaubte, eine Freundin zu brauchen, weshalb ich überhaupt mich weiter von ihr ausnützen ließ.

»Ich lasse sie holen.«

»Ja, tu das«, antwortete sie und rauschte zur Tür.

Die Kinder wurden rasch heruntergerufen, und wir verabschiedeten uns auf der Türschwelle voneinander.

»Kommen Sie nicht mit, Miss Emma?« fragte Anne. »Ich hab' die Landkarte fertig, ich hab' sie angemalt für Sie . . .«

»Morgen, mein Liebling«, versicherte ich. »Heute abend ist Onkel Cons Verlobungsfeier, und da muß ich nach Hause gehen und mich umziehen . . .«

Roses Stimme unterbrach uns aus der Kutsche. »Habt ihr mich verstanden, Kinder? Kommt jetzt sofort!«

Sie wußten vom Ton ihrer Stimme, daß sie ungehalten war und beeilten sich, ihr zu gehorchen. Dies war eine der Gelegenheiten, wo die Märchenprinzessin ein ganz gewöhnliches menschliches Wesen wurde, gereizt oder böse auf sie und ebenso rasch bereit, sie auszuschelten oder zu ohrfeigen, wie sonst zu lächeln. Ich ging nicht an den Wagen, sondern blieb in der Tür stehen, schaute zu, wie sie hineinkletterten und hörte Roses schrillen Anweisungen zu. Sie gab dem Kutscher das Zeichen abzufahren, ohne sich noch einmal nach mir umzudrehen. Die Nurse mußte allein zu Fuß zurückgehen.

Ich hatte mir eine Mietkutsche genommen, die mich zu Larrys Haus in St. Kilda bringen und dort bis zum Schluß der Gesellschaft auf mich warten sollte. Wohl wußte ich, daß ich einen der Langley-Wagen hätte haben können, wenn ich es John Langley gegenüber erwähnt hätte, doch tat ich es nicht. Es gab einige Dinge, mit denen ich meine Unabhängigkeit von der Familie demonstrieren mußte, wenn es auch nur eine kleine Show blieb.

Larry hatte sich in St. Kilda ein Haus gebaut, das einem Herrenhaus gefährlich ähnlich sah, und es mit großen Rasenflächen umgeben. Er hatte sich schwer dafür in Schulden gestürzt, trotz der Hilfe von Eunice Jacksons Aussteuer; doch wußte ich genau, daß Larry jeden Pfennig, den es kostete, für wohl ausgegeben ansah, da dieses Haus der Welt seinen Erfolg verkündete. Ich hatte ihn sagen hören, nur ein armer Mann stecke nie in Schulden, und obwohl Larry noch kein reicher Mann war, würde er es bald sein. Durch seine Heirat mit Eunice war er der Partner ihres Vaters geworden, und die Firma Jackson & Maguire war jetzt in drei Kolonien bekannt und würde sich noch viel weiter ausbreiten. Er hatte drei Kinder mit seiner ihn anbetenden, selbstzufriedenen Eunice gezeugt, die jetzt ihr viertes Kind erwartete. Er war ebenso tatkräftig, seine Dynastie zu gründen, wie John Langley es gewesen war. Wie hatte er doch über ihn gesagt? »Jene Unruhe, unter der Rose leidet, ist bei ihm in die richtigen Bahnen gelenkt. Ich bete, daß meine Enkel sie ebenfalls besitzen.«

Ja, Larry war kühn und erfolgreich. »Wenn er lang genug lebt — und kein Stutzer wird —, wird er mächtiger als Langley«, hieß es schon jetzt von ihm.

Der Wagen bog in die Auffahrt des überreich verzierten Hauses ein. Alle Veranden hatten ein schmiedeeisernes Geländer, und jede Ecke des Hauses krönte ein runder Turm mit einem Kupferdach.

395

Larry kam selbst an die Kutsche, um mir den Wagenschlag zu öffnen; ich spürte seinen Kuß auf meiner Wange — es war der Kuß des Vertrauens und Willkommens, den ich nun schon seit einigen Jahren erhielt, eine Begrüßung, die mich als ein Mitglied seiner Familie anerkannte.

»Emmy — du siehst hinreißend aus! Ich habe dich nie so . . . so elegant gesehen!«

Und das mochte wohl stimmen — noch nie hatte ich ein Kleid wie dieses besessen. Es war aus matter, aprikosenfarbener Seide, betonte meine schlanke Taille und hatte eine so weite Krinoline, daß ich mich in einem Zimmer vorsichtig bewegen mußte. Ich genoß die schwingende Rockfülle, als ich durch die Halle auf Eunice zuging.

»Emmy . . . meine Liebe . . .«, sagte sie leise und bot mir ihre Wange zum Kuß. Sie sah fast noch genauso aus wie das Mädchen, an das ich mich von jener ersten Gesellschaft erinnere, die John Langley für Rose gegeben hatte. Ihr Haar war noch ebenso rot und ihr Kleid ebenso bespickt mit Schleifen und Blumen. Das Kind sollte in drei Monaten zur Welt kommen, und um die Rundungen zu verhüllen, hatte sie einen langen, auf dem Boden nachschleppenden Spitzenschal um sich drapiert. Sie war eine ruhige, recht langweilige Frau; doch Larry hatte seit ihrer Heirat keine andere Frau angeschaut. Er hatte Verläßlichkeit gesucht und diese gefunden; für Energie und einen Anflug von Leidenschaft sorgte er. In seinem Heim wollte er Frieden und keinen Wettstreit — nur sein Wort sollte gelten. Er herrschte über Frau und Kinder mit der gleichen ungezwungenen Autorität.

»Schau dir nur unsere Emmy an, Dan!« Kates Arme schlossen sich fest um mich. »Na, das ist aber eine Feier, dich mal ohne das alte, schwarze Ding zu sehen!«

Sie war schwerfälliger als zur Zeit am Eureka, aber immer noch hübsch und trug weiter ihr geliebtes Weinrot.

Die Kleider waren noch genauso prächtig und machten keinerlei Konzession an ihr Alter; doch wenn Kate lächelte und sprach, konnte man ihr Alter vergessen. Sie war eine der bekanntesten Frauen Melbournes, wenn auch ihr Name nie auf der Einladungsliste des Gouverneurs stehen würde.

Nachdem auch Dan mir einen Kuß gegeben hatte, frage er: »Na, Emmy — was gibt 's Neues von Adam?«

Er nickte, als ich ihm die Neuigkeiten erzählte. Er hielt sich ein klein wenig gebeugt; doch seine breiten Schultern waren noch fest und muskulös; sein Bart war jedoch ergraut, wie auch sein Haar.

»Bald wird Adam ein Dampfschiff haben, und dann werden die Reisen viel kürzer. Es wäre gut, wenn er öfter zu Hause sein könnte.«

Dans Herz spürte wohl meine Einsamkeit, und er streckte die Hand aus, um mich ohne Worte zu trösten. Er war der gütigste Mann, den ich je gekannt hatte, und so kannte auch Melbourne ihn.

Das Geschäft ging immer gut in der Maguire-Schenke, doch hatte Dan Maguire nie Geld auf der Bank. Es rann ihm durch die Finger, ohne daß er es merkte — in Form von Darlehen, Geschenken, freien Mahlzeiten, Kleidern für Kate, Möbeln, Büchern für Con und einem Pony für Larrys Kinder. Eine Zeitlang hatte Larry versucht, dieses Loch zu stopfen, doch war es, als hielte er einen Finger in einen gebrochenen Deich. Schließlich war er sogar im stillen stolz auf das, was er nicht zu verhindern vermochte — daß sein Vater als der großzügigste Mann Melbournes galt.

Ich ging weiter in Larrys rotgepolsterten Salon mit dem großen, rot-goldenen Perserteppich, den Adam für Larry aus Singapore mitgebracht hatte. Der edle, weiße Kamin war in die gar nicht zu ihm passende, dunkle Mahagonieinrichtung wegen der beiden ähnlichen Kamine gebaut worden, die Larry in John Langleys Salon gesehen hatte. Nie hatte ich einen Mann sich so freuen sehen wie Larry in den zwei Jahren, in denen das Haus gebaut und eingerichtet wurde.

Wir waren eine kleine Gruppe an jenem Abend, um Cons Verlobung mit Margaret Curran und seinen Eintritt in die Firma Jackson & Maguire zu feiern. Er ging anschließend für ein Jahr nach Sydney in das dortige Zweigbüro. Margaret Currans Eltern hatten in die Veröffentlichung der Verlobung unter der Bedingung eingewilligt, daß die Hochzeit erst nach Ablauf jenes Jahres stattfände; Margaret war ihr einziges Kind, gerade erst achtzehn geworden, und die Eltern hingen sehr an ihr. Con war nur einige Monate älter. Sie sahen jung und schön aus, erfüllt von einer unschuldigen, hoffnungsvollen Erwartung, die eigenartig ergreifend war, als sie so Hand in Hand vor dem Kamin standen.

»Wie schön siehst du aus, Margaret«, sagte ich zu ihr, doch Con und nicht sie errötete vor Freude über dieses Kompliment. Sie waren beide blond, wenn Con auch eine bräunlichere Hautfarbe hatte. Margaret war hier zur Zeit der ersten Hochkonjunkturwelle in Melbourne geboren worden, und ihr Vater, der Anwalt war, hatte genügend Geld durch Grundstücksspekulationen verdient, so daß sie nie die Härten und Mühsale dieses Landes kennengelernt hatte. Ihre Hände waren glatt und weiß wie ihr Gesicht. Sie war nicht durch die Dinge auf die Probe gestellt worden, die in diesem Land die Kraft eines Mannes oder einer Frau prüften, und dennoch hatte ich das Gefühl, als sie dort dicht neben Con stand und zu ihm aufs ah, daß sie viel gewagt hätte, falls er es von ihr verlangt hätte.

Con antwortete für sie. »Ich darf nicht vergessen, wie sie aussieht, Emmy – ein Jahr ist sehr lang!«

Ich sagte ihm nicht, daß es rasch um sein würde, denn ich wußte, wie lang ein Jahr sein kann.

»Ich würde gern mit Con gehen«, erklärte sie scheu. »Für so kurze Zeit wäre es gleich, wo wir wohnten . . . wir würden es schon schaffen.«

Larry war zu uns herangetreten und griff nun in die Unterhaltung ein. »Das verstehst du nicht, Margaret, Sydney ist nicht Melbourne . . . hier hast du deine Familie und all deine Freundinnen. Dort würdest du einsam sein, und Cons Anfangsgehalt reicht nicht aus, dir die Dinge zu verschaffen, an die du gewöhnt bist.«

»Das würde mir nichts ausmachen«, versicherte sie rasch und eifrig. Voll plötzlicher Hoffnung nutzte sie die Gelegenheit. »Ich könnte ganz gut zurechtkommen . . . ich kann nähen, und ich habe Kochstunden genommen.«

Larry schüttelte lächelnd den Kopf, als hätte ihm eine seiner Töchter den Vorschlag gemacht, ihre Siebensachen zusammenzupacken und nach Sydney zu ziehen. »Tatsächlich? — Ohne große Hochzeit und Geschenke und euer eigenes Haus? Du fändest das ganz und gar nicht schön, Margaret!« Und er schüttelte wieder den Kopf. »Es ist zu euerm Besten, daß ihr wartet, mein Liebes, glaub' mir!«

»Wenn sie es aber möchte . . .«, warf Con ein.

Larry unterbrach ihn mit warnend zusammengezogenen Brauen. »Du mußt an Margaret denken, Con.«

Damit war das Gespräch beendet, und die Hoffnung erstarb. Larry hielt seine Hand beschützend über Con und hätte am liebsten jeden Schritt im Leben seines Bruders geplant. Daß Margaret Curran sich in Con verliebte, war nicht eingeplant gewesen; doch war es ein glücklicheres Ereignis als alles, was Larry hätte arrangieren können. Die Currans waren eine vermögende und angesehene Familie in Melbourne; Michael Curran hatte frühzeitig Geld in Sam Jacksons Geschäft investiert und alle juristischen Angelegenheiten für die Firma erledigt. Diese Heirat bildete einen weiteren Stützpfeiler für den Wohlstand der Maguires und bedeutete einen weiteren Schritt vorwärts im Aufbau des Ansehens ihres Namens und ihrer Verbindungen. Deshalb mußten sie auch gegen die rauhen Winde des Lebens geschützt werden. Larry würde dafür sorgen, daß keine Sorge, die er abwenden konnte, jemals an Margaret und Con herantrat.

Ich beugte mich zu ihm hinüber, als er mich durch die Halle führte, um mir Margarets Onkel, Richter Curran, vorzustellen, und flüsterte ihm leise zu: »Wäre es nicht besser, sie etwas für sich selbst tun zu lassen . . .?«

Er verwarf meinen Vorschlag mit einer abweisenden Geste. »Sie sind ja noch Kinder! Laß mich ihre Fehler für sie vermeiden.«

Ich legte ihm die Hand auf den Arm. »Aber am Eureka hatten Jünglinge, die kaum älter als Con waren, bereits ihre eigene Familie . . . und einige von ihnen starben! Sean war nicht viel älter als Con.«

Seine Züge verhärteten sich, und sein Gesichtsausdruck sagte mir, daß Larry nichts weiter darüber zu hören wünschte. Er zog meine Hand unsanft von seinem Arm.

»Sieh dich um, Emmy! Wir haben einen langen Weg seit dem Eureka zurückgelegt.«

Ich dachte über Larrys Worte nach, als wir bei Tisch saßen. Es war eine Familienfeier; außer den Maguires waren nur Currans anwesend, Jacksons und Sam Jacksons Bruder, der im Gesetzgebungsrat war. Die gedeckte Tafel erglänzte im Funkeln des Silbers, Kristalls und des schneeweißen Damasttuches, das eine Frau bestimmt einen ganzen Tag lang zu solcher Vollendung gebügelt hatte. Es war eine Tafel, wie sie John Langley entsprach, wenn auch das Essen viel üppiger war. Es war der Tisch von Menschen, die das

Beste zu zeigen und zu verschenken haben. Mir entging weder Larrys befriedigtes Kopfnicken zu Eunice hinüber noch ihr glückliches Lächeln darüber. Larrys Gesicht war über der weißen Steifheit seiner Krawatte immer noch auffallend attraktiv; doch sah es zu verwittert, zu zigeunerhaft, zu verwegen und vital aus, um für das Gesicht eines Aristokraten gehalten zu werden. Aber er war auf dem richtigen Wege und wußte das genau. Für ihn war Australien ein ganz anderer Ort als für Con gewesen, auch ein ganz anderes Erlebnis. Er konnte jetzt seinem Bruder den Weg ebnen und seine Heirat mit einem zarten Geschöpf unterstützen, das am Eureka nie zu überleben vermocht hätte. Und er konnte mir befehlen, den Eureka ruhen zu lassen und zu vergessen, und er hatte recht. Seine Enkel würden damit prahlen, daß er einmal in Ballarat angefangen hatte, doch für diese Generation und die folgende blieb das Leben am Eureka am besten ein Stück persönliche Erinnerung, das nur während der langen Fahrten, am Lagerfeuer oder in den erschöpften Pausen hervorgeholt wurde, wenn die Kontobücher geschlossen wurden und man zu müde war, gleich aufzustehen. Der Gedanke an den Eureka hatte keinen Platz in Larrys behäbigem, üppigem Eßzimmer voller Mahagoni und roter Portieren.

Eunice hatte ihren Onkel William, Sam Jacksons Bruder, rechts neben mich gesetzt. Ich hatte ihn nie vorher kennengelernt; doch sprach er über Adam, der für ihn Ladungen auf der »Rose Langley« und der alten »Enterprize« verschifft hatte.

»Er ist ein so guter Kapitän, wie wir ihn hier überhaupt kaum haben, und das muß John Langley auch wissen. Ich weiß, was er auch in Sydney für einen guten Ruf hat — er nimmt alles auf sich, um eine bestellte Ladung zusammenzubekommen, und es ist ihm ganz gleich, wie lange es dauert, bis alles richtig und sicher an Bord verstaut ist. Mir ist nie etwas bei Adam Langley kaputtgegangen. Ich erinnere mich noch genau, wie er mir einmal jene besonders bestellten Sachen aus Liverpool brachte. Er ließ damals die ›Rose Langley‹ drei Tage länger im Hafen liegen, nur damit ich genau das erhielt, was ich bei ihm bestellt hatte. Danach sagte ich mir, Adam Langley bekommt alle Geschäfte, die ich zu vergeben habe.« Er betrachtete mich näher. »Aber er sollte sein eigenes Schiff haben! Er sollte selbst Schiffseigner sein, denn die Eigner verdienen das Geld . . .«

Ich nickte und wußte, daß er recht hatte, doch wie sollte ich ihm verständlich machen, wie Adam war, was für ein Mann es war, der John Langleys Schiffe steuerte, die großen Gewinne von jeder Fahrt zurückbrachte und sie nicht begehrte? Wie konnte man ihm einen Mann erklären, der sein Schiff nach dem Grundsatz äußerster Disziplin und Tüchtigkeit leitete, der sich um die Gesundheit der Besatzung mit gleicher Hingabe kümmerte wie um die Festigkeit der Spanten, es jedoch zu seiner eigenen Befriedigung tat. Man sagte, Adam steuere ein glückliches Schiff, glücklich, weil es sauber und die Besatzung gut genährt war und keine Unfälle sich ereigneten, die durch besondere Vorsicht vermieden werden konnten. Adam war jedoch kein weicher Mann, und man arbeitete nicht um der Fröhlichkeit der Fahrt wegen unter ihm. Er segelte um der Freude an der Seefahrt und nicht um des Geldes willen. Aber das durfte ich nicht sagen; denn die Menschen stehen immer einem anderen Menschen, dem Geld gleichgültig ist, mißtrauisch gegenüber.

Deshalb meinte ich nur: »Ja, er wird selbst Eigner . . .«

Er nickte befriedigt. »Ja, ich hörte von Larry von der Chance, daß er und Tom Langley sich zusammentun. Ist das also schon abgemacht?«

»Nein — noch nicht abgemacht. Man braucht viel Geld, um ein Schiff zu bauen, Mr. Jackson.«

»Und der alte Langley hat es nicht gern, wenn etwas seiner Kontrolle entschlüpft, was?« bemerkte er achselzuckend. »Warum sollte er auch? Ich würde Adam Langley auch nicht verlieren wollen. Ich glaube, Tom wird eine Menge Überredungskünste brauchen, um von seinem Vater ein so großes Darlehen zu bekommen. John Langley unterstützt Selbständigkeit nicht . . .«

Hier schossen seine Augenbrauen zusammen, und er lehnte sich ein wenig zurück, um mich zu betrachten. »Aber, aber, meine Verehrteste, ich vergesse ja, wen ich vor mir habe! Es kann nicht vieles geben, was Sie nicht über Old John und seine Art, mit seinem Geld umzugehen, wissen!«

Rasch hob ich mein Weinglas, um meine Miene vor ihm zu verbergen. Ich liebte keine Gespräche, die sich um meine Geschäftsverbindung zu dem Langley-Warenhaus drehten; ich mochte nicht daran erinnert werden, daß ich mich irgendwie von den anderen Frauen unterschied, die an diesem Tisch saßen. Doch William Jackson hatte sich mit mir unterhalten, als wenn ich ein Mann wäre; nie hätte er so mit Eunice gesprochen, nie so mit Margaret, deren sanfte, große Augen unverwandt an Con hingen, nie so mit Kate, die ihr Leben lang mit Kunden und Geld umgegangen war. Es beunruhigte mich, daß, wie sehr ich auch versuchte, mich hinter Ben Sampson und auch John Langley zu verstecken, ganz Melbourne doch genau wußte, wer das Geschäft hinter den diskreten, grauen Seidenvorhängen leitete.

»Ich weiß nicht mehr über John Langleys Angelegenheiten als jeder andere«, erwiderte ich.

Er schüttelte belustigt den Kopf. »Ich hab' ja zu Sam gesagt: ›Weißt du, Sam, niemand würde das vermuten,

403

wenn er diese kleine Frau sieht, daß sie so ein Köpfchen hat.‹ Wenn man bedenkt, daß die meisten Frauen nicht mehr als zwei Rocklängen zusammenzählen können ... Wahrhaftig, es ist ein Wunder!«

Er wollte, daß ich es als ein Kompliment auffaßte, glaubte jedoch selbst nicht, was er sagte. Kein Mann fühlte sich wirklich in Gegenwart einer Frau wohl, mit der er über Geschäftssachen reden konnte. Er beneidete Adam nicht; er beneidete Adam nicht um die Rückkehr zu der Frau in den raschelnden, schwarzen Seidenkleidern, die an Stelle von Kindern Kontobücher hatte und die sich Rose Langleys Kinder ausleihen mußte, um ihnen ihre Liebe zu geben. Er sah nur die Emma Langley, die John Langley und seine Geschäfte besser kannte als jemand anderes an diesem Tisch, und er beneidete Adam nicht. Ich spielte verzweifelt mit dem Stiel meines Glases, beschämt und gedemütigt, weil ich nicht so war wie Eunice, Margaret oder Kate.

Ich war deshalb froh, als er sich Mrs. Curran zuwandte und mich der vertrauten, mich nicht kritisierenden Gesellschaft von Con zu meiner Linken überließ – Con, den ich an jenem ersten Abend am Eureka ausgezogen und zu Bett gebracht hatte und der mehr von mir kannte als die Kontobücher.

Doch auch er mußte beweisen, daß er ein erwachsener Mann war, daß auch er ein galantes Kompliment machen konnte, wenn seine Augen auch auf Margaret geheftet blieben.

»Du siehst so hübsch aus, Emmy, daß, wenn ich es nicht Margaret zuerst versprochen hätte, ich bestimmt mit *dir* durchbrennen würde ...«

Ich war also für ihn die Fremde in aprikosenfarbener Seide, und wenig war von dem Kind übriggeblieben, das seine Schulaufgaben an meinem Küchentisch gemacht hatte.

Das Essen war zu Ende, und Larry hatte sich bereits mit dem Glas in der Hand erhoben, um den Toast auf Margaret und Con auszubringen, als wir die Kutsche hörten und kurz darauf die Stimmen. Es ertönte auch Gelächter — ein tiefes, männliches Lachen überlagert von Roses hellerer Stimme.

»Was zum Teufel...?« entfuhr es Larry, der seinen Stuhl zurückstieß und die Tür des Arbeitszimmers aufriß. Er liebte es nicht, bei irgendeiner begonnenen Sache unterbrochen zu werden, ganz besonders nicht bei einer Rede. Er machte ein finsteres Gesicht, als nun Rose durch die Halle auf ihn zukam.

»Was ist denn los, Larry? Du scheinst nicht erfreut, mich zu sehen! Aber es ist doch schließlich meines kleinen Brüderchens Verlobungsfeier.« Sie lachte ihn an und blies ihm einen spöttischen Kuß zu, als sie an ihm vorbeiging. Sie trug einen dunkelroten Umhang, den sie über die Schultern hatte zurückgleiten lassen, damit man das wasserblaue Seidenkleid sah; ihr linker Arm steckte in einem langen weißen Handschuh, doch ihr rechter Arm war nackt. Wir hatten uns alle zu ihr umgewandt.

»Guten Abend — allerseits!« Sie ging die ganze Länge des Tisches entlang bis zu meinem Stuhl und beugte sich herunter, um Con auf die Wange zu küssen.

»Wir gingen früh von der Crestwell-Gesellschaft fort; denn wir mußten doch herkommen und auf dein Wohl trinken — Tom und ich.«

Con errötete zornig. »Rose, spiel nicht den Hanswurst!«

Sie richtete sich lachend auf. »Oh, bin ich in eine ernste Angelegenheit hereingeplatzt? Nun, das schadet nichts. Wir können nicht alle das Leben so ernst nehmen wie Larry!«

Sie verneigte sich über den Tisch hinweg. »Guten

Abend, Mrs. Curran — Mr. Curran. Guten Abend, Richter — und Mrs. Jackson. Was haben Sie für ein bezauberndes Kleid an, Miss Curran! Guten Abend, Dada — Muma!«

»Setz dich, Rose!« befahl Kate. »Du machst dich lächerlich!«

Sie blieb stehen. »Was für ein Jammer, daß nicht die ganze Familie hier ist. Richter Curran, wußten Sie, daß ich noch einen Bruder habe? — einen Bruder, den Larry nicht in sein Haus einladen will? Er ist ein Viehtreiber. Wußten Sie das? Wenn er das Viehtreiben satt hat, kommt er zurück und wohnt bei Matt Sweeney. Oh — Sie haben bestimmt von Matt Sweeney gehört! Er ist jener schreckliche alte Mann, der sich nicht schnell genug zu Tode trinken will, um meinen Schwiegervater und seine ehrbaren Nachbarn zu erfreuen.«

Larry stand jetzt hinter ihr. Er hatte einen Stuhl herangeholt und drückte sie sanft darauf nieder. Dann goß er schnell ein Glas Champagner ein und gab es ihr. Jeder hörte Kates schrilles Flüstern. »Um Gottes willen, Larry, gib ihr nicht noch mehr! Sie hat gerade schon genug davon in sich!«

»Ich freue mich, daß du und Tom hergekommen seid, um auf Margarets und Cons Wohl zu trinken, Rosie. Es wäre ohne euch nicht dasselbe gewesen«, sagte er besänftigend.

»Wir haben noch jemand mitgebracht«, erklärte Rose und wandte sich zum Eingang um. »Wir haben unseren neuen Nachbarn in Langley Downs mitgebracht. Das ist Robert Dalkeith. Robbie ist Andrew Dalkeiths Neffe. Er möchte auch gern auf Cons Wohl trinken, nicht wahr, Robbie?«

In der Haustür stand neben Tom und ihn halb stützend ein Mann, den ich nie zuvor gesehen hatte, dessen Name ich jedoch kannte. Es war der Erbe, der hergekommen war, um Andrew Dalkeiths Besitz neben Langley Downs zu übernehmen. An allen Ladentischen im Warenhaus hatte ich Gerede über ihn gehört. Er war Junggeselle, knapp über dreißig, und ich verstand nun, warum das Gerede sich ebenso mit dem Mann selbst beschäftigt hatte wie mit dem Geld, das er besitzen sollte. Und trotzdem hatte er jetzt keine junge Frau neben sich. Er stützte vielmehr Tom, der betrunken war, und half ihm zum Tisch zu schwanken, doch Dalkeiths Augen ließen Rose nicht eine Sekunde lang los. Und sie sonnte sich in seinem Blick, ohne Scham und ohne ihr Vergnügen vor uns zu verbergen.

Con beugte sich mit zornig zusammengezogenem Gesicht zu mir. »Mein Gott, Emmy«, fragte er leise, »warum tut sie das? Warum muß sie hier mit ihm protzen, vor Margaret? Das ist wohl der nächste, vermute ich? Das ist der neue Dummkopf, der ihr ins Garn geraten ist . . .«

»Ps-s-st!« bedeutete ich ihm.

Tom trommelte mit den Fingern auf dem Tisch und verschüttete den Champagner. Es war kein Platz mehr am Tisch für Robert Dalkeiths Stuhl, und so wurde er hinter Tom placiert, was ihm einen guten Ausblick hinter dem Rücken der anderen zu Rose hinunter gab. Er schien völlig unberührt von dem betrunkenen Mann, dem er hereingeholfen hatte; ich fand, der Ausdruck seines hübschen Gesichtes war beinahe belustigt, wäre er nicht gleichzeitig so kalt gewesen. Er saß hinter Tom und hatte nur Augen für Rose.

»Alle mal zuhören!« rief Tom. »Ich hab' was zu sagen.«

Larry unterbrach ihn. »Tom, wir wollen gerade unsere Gläser . . .«

»Hab' selbst was, auf das ich mein Glas erheben will«, beharrte Tom. Er brüllte jetzt beinahe, und Larry gab nach. »Es ist gerade festgelegt worden! Mußte herkommen und es Ihnen erzählen, damit wir alle darauf trinken. Sollten meinen guten Freund kennenlernen, Robbie, damit Sie auch auf ihn trinken können.«

»Tom —!«

»Unterbrich mich nicht, verflucht noch mal! Hab' was zu sagen. Ist übers neue Schiff. Robbie hat zugestimmt, und es ist alles besprochen. Er wird Teilhaber. Ein Drittel für Robbie, ein Drittel für Adam und ein Drittel für Tom. Zum Teufel mit meinem Vater!«

Er schlug auf den Tisch, und der Champagner rann über seine um den Stiel des Glases gekrampften Finger. »Was sagen Sie dazu? Lohnt sich 's nicht, darauf zu trinken? Los jetzt, alle zusammen. Füllt die Gläser, Larry!«

Er stemmte sich empor, stützte sich mit der einen Hand schwerfällig auf den Tisch und schwenkte das Glas in der anderen. »Meine Damen und Herren — ich verkünde Ihnen die neue Partnerschaft: Langley, Langley & Dalkeith!«

Langsam und unwillig streckten sich die Hände nach den Gläsern aus, wobei sich die Blicke auf Larry richteten, um zu sehen, was er tat. Tom blickte den Tisch entlang und rief plötzlich laut: »Ich übergebe Ihnen das neue Schiff, meine Damen und Herren! Ich übergebe Ihnen die ›Emma Langley‹!«

Und ich sah, wie überall die Gläser erhoben und die Worte wiederholt wurden ... »Emma Langley«.

Die Katzen reckten und streckten sich auf dem Herd, um mich bei meiner Rückkehr von Larry zu begrüßen. Blackie kam herbei, um an meinen Röcken entlangzustreichen, wie er es immer tat, doch Digger, die jetzt alt und klapprig war, blieb wo sie war. Ich zündete nur eine Lampe an und fachte die glühenden Scheite zu neuer Glut an, um mir heißes Teewasser zu machen. Während ich darauf wartete, setzte ich mich vor das Feuer, und Blackie sprang wie immer herauf auf meinen Schoß. Ich streichelte ihn gedankenverloren, und sein Schnurren erschien mir unnatürlich laut, bis endlich der Kessel zu sieden begann.

Wenn ich so allein und untätig war, spürte ich Adams Gegenwart immer sehr stark in diesem Haus. Von jeder seiner Fahrten nach San Francisco hatte er einige der Windsor-Stühle mitgebracht; die große Standuhr und das zarte Porzellan, aus dem ich meinen Tee trank, stammten aus England. Der Nußbaumtisch in der Ecke, der eigentlich viel zu zierlich für die schweren Stöße von Kontobüchern war, kam ebenfalls aus England. Diese Zimmer waren ein Mischmasch vieler Stile und Zeitepochen, die wenig Beziehung zueinander hatten, sich jedoch anscheinend gut miteinander vertrugen. Vielleicht kam es daher, daß Adam im Laufe der Jahre jeden Raum mit einfachem, liebevoll geglättetem Fichtenholz getäfelt hatte, und dieses kleine Haus große Wärme besaß und die gewisse menschliche Note, die nichts mit Eleganz zu tun hat. Es waren Adams Zimmer, durchdacht und gestaltet von einem Mann, der eine ehrfurchtsvolle Leidenschaft für Holz hatte und das Auge eines Kunsttischlers für die kleinen Feinheiten. Es war ein absurdes Haus für eine Stallgasse, und doch hingen wir beide an ihm; bis jetzt hatte John Langley auch noch nie die Worte ausgesprochen, die den Abriß unseres Häuschens bedeutet hätten. Adam war für mich während seiner Abwesenheit in diesen Zimmern lebendig; sie enthielten sein weiches, warmherziges Gemüt. Manchmal schaute ich mich hier um, um mich daran zu erinnern, daß er das war und nicht der Fremdling, als der er mir erschien. In den langen Monaten seines Fortseins erfuhr ich manchmal mehr über Adams Herz von der schönen, warmen Maserung jenes Fichtenholzes als aus jenen pflichtschuldigen, oft steifen und unsicheren Briefen von ihm.

Und jetzt würde Adam also sein Schiff bekommen. Während ich meinen Tee schlürfte, überlegte ich mir, was ihm das bedeuten würde. Auch wenn ihm nur ein Drittel der »Emma Langley« gehörte, hatte er doch sein Deck unter den Füßen, und ich wußte, daß es nichts in Adams Träumen gegeben hatte, was er sich so sehr gewünscht hatte. Er schien mir bereits weiter und weiter zu entgleiten. Beinahe wünschte ich, Robert Dalkeith wäre nie aufgetaucht, um diesen Wunsch zu verwirklichen; denn Adam war mit seiner Abhängigkeit von John Langley in gewisser Weise von mir abhängig gewesen. Er würde weiterhin Langley-Ladungen verschiffen, war jedoch nicht länger ein Handlanger für das Langley-Geld. In gewisser Hinsicht mißtraute Adam der Macht des Geldes und fürchtete sie, die Macht, Menschen zu seinen Diensten herumzukommandieren. Er wollte nur Geld haben, um davon frei zu sein. Da ich zu jenen gehörte, die — wie John Langley — Geld zu verdienen verstanden, muß auch ich in Adams Vorstellung ein wenig an der damit verbundenen Tyrannei beteiligt gewesen sein. Ich erinnere mich noch genau an den Blick, den er mir von seinem Platz am Kamin zugeworfen hatte, als ich an meinem Tisch arbeitete, und seine Worte.

»Es ist eine seltene Gabe, Emmy, die du besitzt — Geld zu verdienen. Und du bist noch so jung. Ich frage mich, was du in zwanzig Jahren sein wirst.«

Kälte hatte sich meiner bei seinen Worten bemächtigt, und ich hätte laut aufschreien mögen, daß ich es mir nicht gewünscht hatte, den ganzen Tag im Laden zu arbeiten und nachts über den Kontobüchern zu sitzen. Ich wollte ihm sagen, daß die schleppenden Stunden der Tage ausgefüllt werden mußten und ich mich irgendwie müde machen mußte, um nachts schlafen zu können. Doch seit jenem Morgen im Pferdestall von Langley Downs, als ich ihn und Rose belauscht hatte, vermochte ich Adam nie das zu sagen, was mein Herz ihm sagen wollte. Die Worte blieben in mir, fest verschlossen. Ich war zu stolz, sie auszusprechen, zu stolz, meine Liebe anzubieten und voller Angst, sie könnte zurückgewiesen werden. So gab ich ihm keine Erklärung für dies oder irgend etwas anderes, was ihn bei mir erstaunt haben mag. Und das Schweigen wurde mit den Jahren tiefer und kälter zwischen uns.

Aber das Geld und der Kredit, den ich auf Adams anfänglich in den Laden investierten Betrag aufgebaut hatte, würden ihm jetzt ermöglichen, Teilhaber der »Emma Langley« zu werden. Und ich stellte deshalb bei mir fest, als ich mir meine zweite Tasse Tee einschenkte, die Geldverdiener haben auch ihren Nutzen. Und ich erinnerte mich wieder an die Weise, in der William Jackson an jenem Abend mit mir gesprochen hatte, und wünschte mir wieder, eine andere Art Frau zu sein.

Es schien nie einen Grund zu geben, zu Bett zu gehen, wenn Adam nicht da war, um es mit mir zu teilen, und ich döste wohl ein wenig ein, als ich so mit Blackie im Schoß dasaß. Das Klopfen am Fenster ließ mich hochschrecken; ich taumelte hoch, und Blackie wurde zu Boden geschleudert. Er fauchte mich entrüstet an, bevor er sich zu Digger an den Kamin begab.

»Wer . . . wer ist da?« Ich begriff, daß es sehr spät war und daß das Klopfen leise, ja beinahe verstohlen geklungen hatte. Ich ging zur Tür, vor der ich dicht stehen blieb, und es schoß mir durch den Kopf, ob jene recht behalten sollten, die mich gewarnt hatten, allein in dieser einsamen Gasse zu wohnen.

»Ich bin 's, Emmy — Pat!«

Ich riß die Riegel zurück, und er schlüpfte herein, bevor die Tür mehr als halb geöffnet war. »Pat? — Was ist denn? Was ist passiert?«

Er schob selbst die Riegel wieder vor. Seine Bewegungen schienen mir gehetzt und angespannt; doch wandte er sich mit lächelndem Gesicht zu mir um.

»Na, ist das eine Art, mich zu begrüßen? Hast du denn keinen Kuß für mich, Grünauge?«

Ich wollte ihn auf die Wange küssen; doch seine Lippen trafen statt dessen meine. Er hielt mich einen Augenblick zu fest, und als er mich losließ, war seine Bewegung zu abrupt.

»Hast du etwas zu trinken da, Emmy? Hast du ein bißchen Whisky?« Ich holte die Flasche hervor, schenkte ein Glas voll und brachte es ihm. Er trank es in einem Zug halb leer und warf sich dann mir gegenüber in Adams Stuhl. Seine Kleidung war staubverkrustet, und unter der Staubschicht auf seinem Gesicht sah ich von Müdigkeit tief eingegrabene Furchen. Er war gewöhnlich glatt rasiert, doch bedeckte heute ein einwöchiger Bartwuchs sein Gesicht. Er erinnerte mich an Dan, wie er so vor mir saß — er schien beträchtlich älter geworden zu sein, seitdem ich ihn zuletzt gesehen hatte —, aber Dan hatte nie, auch nicht in den schwersten Tagen am Eureka, so gehetzt ausgesehen oder so erschöpft. Er ließ sich in dem Stuhl zurückfallen und hielt mir sein Glas hin. Ich füllte es wieder und setzte mich ihm gegenüber hin.

»Du bist ja ganz groß in Schale, Grünauge! Du siehst wirklich großartig aus — ich vermute, du wirst demnächst Perlen und Diamanten tragen.«

»Perlen und Diamanten sind etwas für Rose und nicht für mich«, entgegnete ich kurz. »Und warum sollte ich nicht so angezogen sein? — Es war doch für Cons Verlobungsfeier.«

Er trank den Whisky jetzt langsamer, und seine Schultern lehnten sich entspannt gegen die Stuhllehne.

»Ja — Cons Verlobungsfeier. Ich bekam eine Anzeige — wußtest du das, Emmy? Meine Schwägerin, die ich nie kennengelernt habe, schickte mir eine prächtige, in Kupfer gestochene Einladung. Matt Sweeney und ich stellten sie auf das Kaminsims. Na, das war ein großartiger Anblick! Es wäre sehr eindrucksvoll gewesen, meinst du nicht auch, wenn einer der Nachbarn zufällig vorbeigekommen wäre.«

»Warum machst du dich lustig darüber, Pat? Wenn Eunice dir die Einladung schickte, erwartete sie auch, daß du sie annehmen würdest. Du wärest willkommen gewesen.«

»Ja, willkommen, um zu sehen, wie gut mein Bruder Larry alles gemacht hat, wie fest er sich in das Geld hier in Melbourne hineingeheiratet hat. Ich wäre willkommen gewesen, solange ich den Mund hielt und mich gut benahm. Weißt du, weshalb die Einladung meiner Ansicht nach kam, Emmy? Ich glaube, Bruder Larry ist aufgegangen, daß Matt Sweeney einen wertvollen Besitz hat, wenn er richtig bewirtschaftet würde, und daß der alte Mann nicht ewig leben wird. Und Larry denkt, er kann sich da hereinkaufen, indem er mir ein bißchen Geld hinwirft. Na, da hat er sich aber geirrt!«

»Davon ist kein Wort wahr, Pat! Du erfindest das, um dir selbst einen Grund zu geben, Larrys Haus nicht zu betreten. Er hat auch seinen Stolz. Er wird nicht zur Sweeney-Farm rausreiten und dich bitten, doch zu kommen. Er hat diese Geste gemacht . . .«

»Ja, die Geste. Und das war es auch nur — eine Geste. Zu seiner eigenen Beruhigung. Damit, wenn ich nicht komme, es deshalb ist, weil ich eben nicht weiß, wie anständige Leute sich benehmen. Ach, zum Teufel damit, Emmy! Ich bin nicht hergekommen, um über Larry zu reden.«

»Warum bist du denn gekommen?«

»Ich brauche Hilfe. Darum bin ich gekommen. Und du bist der einzige Mensch, den ich darum bitten möchte.«

»Hilfe?«

»Ich brauche Geld. Für Matt — nein, nicht für Matt. Er würde es nicht brauchen, wenn ich nicht mein Geld verspielt hätte. Ich spiele, wie du weißt, Emmy. Manchmal verliere ich. Manchmal reite ich nach Sydney und gebe jeden Pfennig aus, den ich habe, und weiß gar nicht, wo es geblieben ist. So war es auch diesmal. Ich mußte mir auf mein Pferd Geld leihen, um weiter das Vieh eintreiben zu können. Und als ich jetzt zurückkam, erzählte Matt mir, was für eine schreckliche Saison es war — er hat 'ne Menge Lämmer verloren, und die Wollpreise sind mau. Tja, der arme, alte Teufel hat sich so vollaufen lassen, daß er nicht mal weiß, welche Jahreszeit es ist. Die Zinsen für die Hypotheken sind wieder mal fällig, und ein Schuldschein ist schon eingezogen worden.«

»Wieviel?«

»Fünfhundert Pfund würden reichen.«

»Ich schicke es dir morgen früh.«

Er schüttelte langsam lächelnd den Kopf. »Keine Fragen? Keine Moralpredigten?«

»Niemand stellte irgendwelche Fragen an mich, als ihr mich auf der Straße nach Ballarat aufsammeltet. Ich erinnere mich auch nicht an irgendwelche Moralpredigten.«

Er schwenkte heftig sein Glas. »Du schuldest uns überhaupt nichts! Das war nicht der Grund, weshalb ich zu dir kam.«

»Ich schulde euch — Dan und Kate, Larry, ja sogar Rose — mehr, als Geld zurückzahlen kann. Laß uns also nicht weiter darüber reden, Pat!«

»Das ist verdammt anständig von dir!«

»Nicht anständig — nur korrekt. Richtig.« Ich stand auf.

»Soll ich dir ein bißchen Tee machen oder möchtest du noch etwas Whisky haben?«

»Du möchtest mir gern den Tee geben; aber ich hätte lieber den Whisky. Ganz wie du findest, Emmy.«

Ich goß ihm den Whisky ein und hing den Kessel für mich wieder an die Kette über das Feuer. Als ich zu ihm zurückblickte, hatte er die Augen halb geschlossen.

»Wo ist dein Pferd?«

»Ich ließ es in Evans Stall. Ich übernachte dort und sehe zu, daß ich morgen früh wieder wegkomme. Diese Stadt bedrückt mich. Sie erinnert mich an Larry. Sehr selbstbewußt. Sydney liegt mir mehr.«

»Gehst du zu Matt zurück?«

»Ja — ich reite zu ihm zurück und bringe erst mal alles in Ordnung, sorge dafür, daß er was zum Futtern hat — Mehl, Zucker, Tee —, einen kleinen Vorrat davon. Der alte Teufel vergißt zu essen, wenn er zuviel getrunken hat, und wenn nichts da ist, bringt er es fertig, eine Woche kein Brot zu backen. Er verhungert noch, falls das Trinken ihn nicht vorher erwischt. Emmy . . .?«

»Ja?«

»Falls mir irgend etwas zustößt, kümmerst du dich ein bißchen um den alten Kerl, ja?«

»Dir zustößt? Was sollte dir zustoßen?«

Er zuckte die Achseln. »Alles mögliche. Hast du je gesehen, wie ein Reiter in dichtem Wald Rinder zusammentreibt — durch Schluchten hinab, vor denen du dich zu Tode ängstigen würdest? Hast du je die hitzigen Auseinandersetzungen gehört, die nachts — in einem Schurzelt entstehen können? Sie sind keine Gentlemen, die meisten Burschen da, und sie kämpfen sehr rauh. Es gibt Dutzende von Arten — hundert Arten, auf die mir etwas zustoßen kann. Und der alte Matt hat keine Menschenseele auf der Welt, die sich darum kümmert, ob er lebt oder stirbt.«

»Warum kümmerst du dich darum, Pat?«

»Er hat nur mich. Und, Gott helfe mir, ich brauche das manchmal. Ich sage mir, daß ich eines Tages dorthin zurückgehe und dort bleibe — für den alten Mann sorge und den Besitz in Ordnung bringe.«

Aber ich wußte, er sprach nur von einem Traum, dem Traum, den er vor sich hertragen mußte, um die Eintönigkeit der langen Tage zu mildern, in denen er Rinder und Schafe zusammentrieb. Ich kannte seine Welt nicht, doch ahnte ich ihre Gewalttätigkeit und unbarmherzige Brutalität und die hungrige Sehnsucht, die er nach einem einzigen, soliden, beständigen Punkt in seinem Leben empfand. Der Traum war jedoch nicht von Dauer; er war kurz und flüchtig und schon vorbei, als eine neue ruhelose Stimmung Pat überkam.

»Versprichst du es mir, Emmy?« drängte er. »Versprichst du mir, dich um den alten Mann zu kümmern?«

Ich nickte. »Ich verspreche es dir.« Ich konnte nichts anderes tun.

»Gott segne dich«, sagte er ganz schlicht und einfach.

Bevor er ging, küßte er mich wieder auf den Mund, kraftvoll und nicht wie ein Bruder.

»Adam ist ein Dummkopf!« sagte er. »Vielleicht wird er es eines Tages wissen.«

Kapitel 2

Im folgenden Jahr bauten und tauften sie die »Emma Langley« und feierten ihren Stapellauf. Für Tom und Adam bildete der Stapellauf der »Emma Langley« ein Ereignis von allergrößter Bedeutung — für Tom, weil es der erste Geschmack der Unabhängigkeit von seinem Vater war und für Adam, weil endlich der Augenblick gekommen war, in dem er auf dem Deck eines Schiffes stand, das ihm gehörte. Über Robert Dalkeith wußte ich nichts Genaues. Mir schien oft, daß er seinen Anteil an der »Emma Langley« als einen Preis für seine Verbindung zu Tom — und damit zu Rose — bezahlte. Der ehrenwerte Robert Dalkeith war ein merkwürdiger Mann hier in unserer kolonialen Gesellschaft. Er war der vierte Sohn eines schottischen Pairs und hätte meiner Ansicht nach besser nach Newmarket und in seine Londoner Clubs gepaßt als auf die einsamen Weiten von Rosscommon, das Andrew Dalkeith ihm hinterlassen hatte. Er interessierte sich kaum für den Farmbetrieb, verstand jedoch etwas von guten Pferden und hielt sich einen Rennstall. Durch die gemeinsame Liebe zu Pferden kam er John Langley näher und erfreute sich eine Zeitlang einer gewissen Beliebtheit bei den Gastgeberinnen der Melbourner Gesellschaft, besonders bei denen, die ledige Töchter hatten. Das dauerte jedoch nur bis zur Ankunft des ersten Besuchers aus London, der ihn als den Robert Dalkeith entlarvte, der seine Frau in London sitzengelassen und ein Jahr lang mit einer Mätresse in Italien gelebt hatte. Diese Frau war inzwischen gestorben, und Robert Dalkeith war erneut auf der Wanderschaft. Es hieß weiter, nicht er, sondern ein älterer Bruder habe Rosscommon geerbt; doch habe man es ihm übertragen, um ihn zu bewegen, hierher auszuwandern. Nach diesen Neuigkeiten schlossen die Gastgeberinnen schleunigst ihre Salons vor ihm. Nichts hätte Rose lieber sein können; denn sie wollte Robert Dalkeith ganz für sich allein haben.

Es entstand Gerede über Rose und ihn — kein sehr ernsthaftes zwar, da Rose inzwischen einige der Regeln der Diskretion gelernt hatte. Ich weiß nicht, ob Tom die Ausläufer des Klatsches zu Ohren kamen und er sich entschloß, sie zu ignorieren, oder ob seine Augen einfach nicht mehr die Wahrheit über Rose sahen, weil er sie längst erkannt und hingenommen hatte. Vielleicht wußte er, daß letzten Endes kein Mann Rose je völlig besitzen und sie sich stets gegen jede Form der Freiheitsbeschränkung auflehnen würde. Er hielt sie nur sehr lose und schien sich damit abgefunden zu haben. Er betonte seine Freundschaft mit Robert Dalkeith öffentlich, vielleicht um Rose zu schützen, und trank sehr viel. Jeden Monat entglitten ihm seine Angelegenheiten im Warenhaus, in Langley Downs und Hope Bay ein wenig mehr, und sein Vater schien jede Hoffnung aufzugeben, daß Tom jemals seinen Platz einnehmen könne. Ich entdeckte in dem alten Mann eine wilde Entschlossenheit zu leben, sein Leben zu verlängern und auszuharren, bis James alt genug war, eine gewisse Verantwortung für den Langley-Besitz zu übernehmen. Es erschien jedoch eine unendlich lange Zeit, und manchmal vertraute er mir seine Müdigkeit und auch seine Hoffnungen an.

»James hat einen hellen Kopf — William und Harry ebenfalls. Sie sind kräftige, feine Jungen, und solange ich da bin, werde ich dafür sorgen, daß Rose und Tom sie nicht verderben. Aber sie sind noch so jung, und ich — ich bin alt, Miss Emma. Was geschieht mit ihnen, mit dem Langley-Unternehmen in den Jahren zwischen mir und ihnen?«

»Sie werden dabeisein, wenn James seinen Platz im Kontor einnimmt«, versicherte ich ihm bei diesem Gespräch in meinem Bürozimmer, während wir den Tee aus den dünnen Porzellantassen tranken, die er mir geschenkt hatte.

Er nickte. »Ja, das habe ich auch vor!«

Doch als diese Sorge ihn immer mehr bedrückte, hielt er sich näher an mich. Er erzählte mir von den Dingen, die eigentlich für Tom hätten bestimmt sein sollen, und obwohl eine dicke Mauer die Damenabteilung vom Rest des Warenhauses trennte, wußte ich beinahe ebensoviel über die Geschäfte, die sich auf der anderen Seite jener Mauer abspielten, als John Langley selbst oder seine rechte Hand. Der alte Mann stützte sich auf mich — nicht um Rat oder Entscheidungen von mir zu erhalten, sondern um einen Zuhörer zu haben. Ich hatte das Gefühl, er wollte mir sein ganzes Wissen vermitteln, weil er niemand anderes hatte, dem er es vermachen konnte.

In jenen Jahren lernte James schließlich lesen — hauptsächlich an meinem Tisch, und seine beiden jüngeren Brüder wurden groß genug, um sich nicht länger von ihm beherrschen zu lassen. Und Anne versprach eine Schönheit zu werden, die Rose gleichkommen würde, jedoch von viel zarterer Art war. Sie war ein feingliederiges Geschöpf, anmutig, leidenschaftlich, aber weniger eigensinnig als Rose. John Langley hatte es sich angewöhnt, uns jetzt häufig nachmittags zu besuchen, wodurch Ben vertrieben wurde. Die Kinder waren — wie Rose — in Gegenwart ihres Großvaters nie verschüchtert, nur ein wenig ruhiger. Er schien sich manchmal den Kopf über sie zu zerbrechen und hätte sie zu sehr angespornt, wenn ich ihm nicht in Wege gestanden hätte.

»Rose hat mir prächtige, gesunde Enkelkinder geschenkt«, sagte er einmal. »Aber ich weiß nicht, ob ich so lange warten kann, bis sie erwachsen sind.«

John Langley tat in seiner steifen, kargen Art alles, was er konnte, um mich zu ehren. Als die »Emma Langley« für ihre Jungfernfahrt fertig und Adam von seiner Fahrt nach San Francisco zurückgekehrt war, verkündete er, daß er eine Gesellschaft zur Feier des auslaufenden Schiffes geben werde. Es war eine unbeholfene Geste des guten Willens, die niemand wollte oder begrüßte. Obwohl das Schiff nach mir benannt war, hatte ich keine Stellung in der Melbourner Gesellschaft, von der jetzt eine formelle Anerkennung der Namensgebung verlangt wurde. Tom war wütend, weil er selbst eine Gesellschaft hatte geben wollen, fern dem Haus seines Vaters. Adam war alles, wie ich dachte, ziemlich gleichgültig, außer der Tatsache, daß er bald Kapitän dieses Schiffes sein würde, und Robert Dalkeith war es völlig egal. Ich vermutete, er war manchmal überrascht, wenn er sich an den Namen seines Schiffes erinnerte, denn obwohl ich ihn mehrmals getroffen hatte, bezweifelte ich, daß er von meiner Existenz wußte.

Doch Adam taufte das Schiff ganz persönlich allein für mich in dem Augenblick, als er mir mein Umschlagtuch reichte und wir gerade zu jener Gesellschaft fahren wollten.

»Nun, Emmy — hier ist sie! Es hat lange gedauert, aber nicht so lange, wie ich dachte, als ich sie dir zuerst versprach.«

Meine Erwiderung schien mir in der Kehle steckenzubleiben, mir stockte beinahe der Atem. »Was versprachst du mir, Adam?«

Er sah erstaunt aus. »Das Schiff! Ich versprach dir, daß das Schiff ›Emma Langley‹ heißen würde. Wenn sie mir allein gehörte, würde sie ›Emma‹ heißen, doch Tom bestand auf ›Emma Langley‹. Ich dachte, du wüßtest noch, daß ich es dir versprach — damals, am ersten Tag, als wir in dieses Haus kamen.«

Ungeschickt nestelte ich an meinem Tuch, emporgehoben in einem Taumel des Glücks, daß er jenen Tag nicht vergessen hatte, der uns, wie ich gedacht hatte, entschwunden war — in Seligkeit und plötzlicher Angst, daß er es nur aus Freundlichkeit sagte —, denn seine Freundlichkeit war bei so einer Gelegenheit das Allergrausamste. Ich wollte nicht verletzt werden und erlaubte mir nicht, so töricht zu sein und es zu glauben.

420

»Ich dachte, du hättest es vergessen«, antwortete ich ihm deshalb. Das Tuch wurde wie von den Händen eines Fremdlings um meine Schultern gelegt. »Wir müssen uns beeilen«, war alles, was er sagte.

»Wir dürfen nicht zu spät kommen.«

Die Gesellschaft war nur teilweise ein Erfolg. Man kam nicht, um die Frau kennenzulernen, welche die Damenabung des Warenhauses leitete, und die Räume waren folglich recht leer. Es gab Champagner und Blumen und Musik, und John Langley wachte besorgt über mich, eine derartige Seltenheit, die mir verriet, daß er beunruhigt war. Tom blickte finster vor sich hin und war bereits betrunken. Als er mich auf die Wange küßte, sagte er:

»Wenn ich es in Hanson's Hotel arrangiert hätte, Emmy, so wie ich's wollte, wär's nicht so geworden.«

Auch Rose kam, um mir einen Kuß zu geben, den kühlen Kuß, den wir stets in der Öffentlichkeit austauschten, das einzige, was uns geblieben war.

»Liebste Emmy — wie süß siehst du aus! Wie steht dir diese Farbe gut! Sieht sie nicht süß aus, Adam?«

Ihr Blick richtete sich in der alten Weise auf Adam, forderte ihn zum Vergleich zwischen uns beiden auf und verspottete ihn für die Wahl, die er getroffen hatte. Es war immer das gleiche mit Rose. Sie wollte ihn nicht in Frieden lassen. Jede Sekunde versuchte sie ihm zu zeigen, wieder und wieder, was er nicht genommen hatte.

»Emmy sieht immer gut aus«, erwiderte er. Adam hatte keine Verbindlichkeit im Umgang mit ihr. Er fühlte sich unbehaglich in ihrer Anwesenheit und vermochte es nicht zu verbergen.

Sie warf ihm ein merkwürdig verkniffenes Lächeln zu. »Natürlich!« Und damit verließ sie uns.

Kate und Dan waren nicht gekommen. Sie hatten noch nie eine Einladung in John Langleys Haus angenommen, und wir erkannten es alle an. Die beiden Welten hatten sich in Rose und Tom getroffen und vereinigt – und in ihren Kindern –, doch blieb die ältere Generation unwiderruflich voneinander getrennt, und es wäre unnatürlich und unecht gewesen, sich jetzt nach so langer Zeit, wo es eigentlich nicht mehr darauf ankam, einander zu nähern. Morgen würde man sich, bevor die »Emma Langley« mit der Nachtflut auslief, woanders versammeln, nämlich bei den Maguires – in kleinerem, dafür jedoch fröhlicheren und lärmenderem Kreise. Das würde die wahre Abschiedsfeier für die »Emma Langley« werden.

Aber noch war dieser Abend zu überstehen – die ernsthafte Unterhaltung mit den weniger bedeutenden Melbourner Kaufleuten, für die ich eine wichtige Persönlichkeit war, und die gemessenen Begrüßungen von denen, die höher auf der gesellschaftlichen Stufenleiter standen, jedoch nicht hoch genug, um es sich leisten zu können, einer Langley-Gesellschaft fernzubleiben. Adam stand den ganzen Abend neben mir, beantwortete Fragen über das neue Schiff, war höflich, wo es darauf ankam und höflich, wo es nicht darauf ankam. Er blickte beinahe nie zu Rose hinüber, was aber nicht hieß, daß wir beide uns nicht genauestens ihrer Anwesenheit bewußt waren. Sie verbrachte die meiste Zeit des Abends auf einem Sofa zwischen Tom und Robert Dalkeith, und die drei lachten, witzelten und amüsierten sich in ihrer Welt, welche die ganze langweilige, solide Ehrbarkeit rings um sie herum ausschloß. Einmal, als ihr Gelächter wieder am lautesten erschallte und die verärgerten Blicke derer, die davon ausgeschlossen waren, sich von allen Seiten auf sie richteten, stand Elizabeth Langley gerade neben Adam und mir. Ihre Finger spielten nervös mit Roses Opalbrosche, die wie immer an dem Spitzenkragen unter ihrer Kehle steckte. Ihr Gesicht war häßlich und gerötet, und mich rührte das Elend, das in ihm stand – die

Mischung aus Liebe und Eifersucht, die das Schicksal eines jeden zu sein schien, der in Roses Nähe kam. Einen Augenblick sah ich mich selbst in diesem Gesicht.

»Schaut sie euch an!« flüsterte sie mit dünner, schriller Stimme. »Schaut ihn bloß an! Er macht ihr vor Toms Augen den Hof! Warum läßt sie ihn? — Wie kann sie das zulassen? Wie wagt sie das — ich versuch' ja, es ihr zu sagen, sie zu warnen vor solchen Männern. Aber sie hört nicht darauf. Rose hört ja nie auf mich!«

Adam wandte sich abrupt neben mir ab und knallte sein Glas so heftig auf ein Tablett, daß es umkippte und ein halbes Dutzend andere Gläser mitriß. Sein Gesicht war eine einzige verbissene, wütende Maske. Es schien, daß, wenn er das Glas nicht abgestellt hätte, er es womöglich Rose ins Gesicht geschleudert hätte. Zum erstenmal an jenem Abend wich er von meiner Seite.

»Ich sehe gerade, daß Jim Anderson, mein Erster Steuermann, gekommen ist. Ich muß was mit ihm besprechen.«

Die einzelnen, herumstehenden Gruppen wichen ein wenig vor ihm zurück, als er mit schnellen, großen Schritten den Raum durchquerte. Und ich sah, daß Rose ihm ebenfalls nachsah — lächelnd.

Ende des Jahres wurde Cons und Margaret Currans Trauung mit einer Hochzeit gefeiert, wie sie Larry und Curran angemessen erschien, und das junge Paar zog unverzüglich in das Haus ein, das Larry während der Zeit gebaut hatte, in der Con in Sydney gearbeitet hatte. Es war ein weder zu bescheidenes noch zu großartiges Haus für sie, und die Firma von Jackson & Maguire hatte der Bank gegenüber die Garantie für die darauf liegende Hypothek übernommen.

»Es reicht für sie in den nächsten Jahren«, sagte Larry

auf dem Empfang zu mir, den er im Anschluß an die Trauung gab. »Dann haben sie eine Familie, und Con ist weit genug im Geschäft, um sich etwas anderes leisten zu können, was mehr dem Stil der Currans entspricht. Da sie ja das einzige Kind ist, hat Michael Curran alles sehr großzügig geregelt . . .«

Larry hatte das Aussehen eines Mannes, der etwas zustande gebracht hat, was ihm höchste Befriedigung verschafft. Und er hatte auch einigen Grund dazu. Die Verbindung mit der Tochter eines der führenden Anwälte Melbournes und gleichzeitig der Nichte eines Richters mit dem jüngeren Maguire von Jackson & Maguire hatte die meisten angesehenen Persönlichkeiten erscheinen lassen. Die Kaufleute und Geistesarbeiter waren vollzählig vertreten; die Großzüchteraristokratie hielt es nicht für nötig zu kommen, außer einigen wenigen, die ausgedehnte Geschäfte mit Sam Jackson gemacht hatten. John Langley kam, und es war merkwürdig zu beobachten, wie er und die Eltern Maguire sich in jenen von Menschen wimmelnden Räumen absichtlich mieden.

Kate und Dan waren glücklich. Es war das erste Mal, daß sie bei der Hochzeit eines ihrer Kinder die ungekürzten Riten der katholischen Kirche miterlebt hatten. Dieses war keine jener gefürchteten Mischtrauungen wie bei Rose und Larry. Sie konnten sich auf weitere Enkel freuen, ohne an den Konflikt wegen der verschiedenen Religionen denken zu müssen.

»Es war doch wunderschön, nicht wahr, Emmy?« gestand Kate mir. »Diesmal war alles, wie es sein muß. Und der Priester sagte doch die allerschönsten Dinge . . .« Ihre Augen füllten sich mit Tränen des Glücks. Und dann seufzte sie. »Nur Pat müßte noch hier sein!«

Larry stand plötzlich neben uns, als habe Pats Name ihn herbeizitiert. »Pat hat eine Einladung bekommen. Ich habe vor zwei Wochen einen Abstecher zum alten Sweeney gemacht und ihn gefragt, ob Pat sie erhalten hat. Er schwor, Pat sei gerade eine Woche zuvor dagewesen und habe die Einladung mitgenommen.« Er brachte das gleichsam im Ton der Verteidigung vor, so wie er immer sprach, wenn über Pat geredet wurde. Achselzuckend fügte er noch hinzu: »Wenn Pat es vorzieht, nicht zu kommen, ist das wahrhaftig seine Sache.«

»Oh, aber er hat ein Geschenk geschickt«, rief Kate aus. »Hast du jemals etwas Ähnliches gesehen, Emmy? Es macht all die anderen Geschenke klein und häßlich!«

Pat hatte aus Sydney eine große, gravierte, silberne Teekanne mit verschnörkelten Beinen und ebensolchem Griff gesandt. Sie war sehr pompös und mußte eine Menge Geld gekostet haben. Dieses Geschenk hatte er des Ansehens willen geschickt, damit Kate mit ihm prahlen konnte. Für Con selbst kam jedoch ein amerikanisches Repetiergewehr vom letzten Modell. Hier in Australien hatte man erst wenige dieser Art gesehen, erzählte mir Con.

»Ein Gewehr . . .?« bemerkte Dan. »Warum schenkt er ihm ein Gewehr? Pat denkt zu viel an Gewehre und ähnliche Dinge!«

»Man kann Pat nicht aufhalten, wenn er entschlossen ist, sich zu ruinieren. Wie ich höre, treibt er sich in schlechter Gesellschaft herum. Nick Palmer erzählte mir, man habe ihn vor ein paar Wochen mit Jim Dawson und seinem Bruder zusammen trinken sehen — die beiden, die gerade verhaftet wurden, weil sie letzte Woche den Bankdirektor von Clunes erschossen haben.«

Diese Nachricht kam von Larry, wie überhaupt die schlechten Nachrichten über Pat stets von ihm zu kommen schienen.

»Pat ist in Ordnung«, entgegnete Kate. »Und ich will nichts mehr von deinem düsteren Gerede hören — nicht an diesem gesegneten Tag. Es ist wahrhaftig schwer, sich vorzustellen, daß es mein Baby Con ist, das jetzt heiratet. Hast du je etwas so Schmuckes wie ihn gesehen, Emmy, in seinem neuen Anzug . . .?«

Und so wurde Con, kaum älter als zwanzig Jahre, verheiratet und sein neuer Hausstand gesichert, und ich fragte mich ein wenig, als ich Larrys Vorbereitungen überdachte, den Vorkehrungen lauschte, die er für Cons Zukunft getroffen hatte, und die Art beobachtete, in der er vorging, um Con auf seinem Weg und in jeder möglichen Situation zu beschützen, ob er sich nicht bemühte, die Erinnerung an sein Versagen auszulöschen, als er Sean zur Zeit der Eureka-Blockade nicht beschützt hatte. Er breitete die Beweise seiner Fürsorge für Con vor Kate und Dan aus und schien ihr Vergessen für das andere Mal zu erbitten.

Es amüsierte mich zu wissen, daß Pats großartige Teekanne, die das Prachtstück der Hochzeitsgeschenke bildete, von meinem Geld bezahlt worden war. Ich wußte mehr von Pat als sie. Zweimal war er im vergangenen Jahr spät nachts zu mir in die Langley Lane gekommen und hatte sich Geld geliehen. Das Geld war mir gleichgültig — es waren winzige Summen im Vergleich zu dem, was ich den Maguires schuldete. Ich erwartete auch nicht, es jemals wiederzusehen; doch wollte Pat es nicht als Geschenk annehmen, und ich verletzte seinen Stolz, als ich es ihm anbot.

»Du bist die einzige, die ich fragen kann, Emmy! Ich würde aber sterben, bevor ich deshalb zu Larry ginge. Und Rose hat nie Bargeld. Ich will auch nicht, daß die Langleys es erfahren; denn es ist ja für den alten Matt. Wenn ich meinen Vater frage, müßte er sich von Larry wahrscheinlich mehr leihen, als . . .«

»Ist es denn so schlimm, mich zu fragen?«

426

»Du bist eine Frau«, entgegnete er, als beantwortete das die Frage.

»Jetzt redest du wie Larry.«

Wir lachten beide, und die Atmosphäre zwischen uns entspannte sich. Mir war es wirklich gleichgültig, ob das Geld für Matt Sweeney ausgegeben wurde, damit jener etwas zu trinken hatte, oder aber für Geschenke für Con und Margaret. Es gehörte mir, dieses Geld, und ich war Adam keine Rechenschaft darüber schuldig.

So bereitete es mir ein wenig Freude, Pat das zu geben, um was er bat — eine der wenigen Freuden jener Jahre. Es amüsierte mich ebenfalls ein wenig, daß ich den Sweeney-Besitz vor John Langleys Händen mit dem Geld rettete, das ich im Langley-Laden verdient hatte. Mich langweilte die geschickte Tüchtigkeit meines Lebens, und ich dachte mit leisem Neid an ein Geschöpf wie Matt Sweeney. »Die Langleys sollten in der Lage sein, sich eine nutzlose Blume leisten zu können. Ist man nicht dafür reich?«

»Was?« fragte Pat.

»Ich meine Matt — er schuftet sich nicht ab und spinnt auch keine Wolle.«

»Aber er ist keine Blume. Er wird bald tot sein, Emmy. Er ist randvoll mit Grog, der arme Teufel, und es wäre grausam zu versuchen, ihm den wegzunehmen. Er tut nichts für die Farm — und ich tue auch nichts dafür. Ich nehme an, ich werde zurückkommen und mich darum kümmern müssen, wenn er tot ist. Entweder das oder zusehen, wie es den Langleys in die Hände fällt.«

»Könntest du das? — könntest du für immer dort bleiben und ein Farmer werden? Ich erinnere mich daran — oh, damals auf dem Planwagen unterwegs nach Ballarat —, wie du sagtest, du würdest ein Schafzüchter. Könntest du es, Pat?«

»Ich könnte es versuchen.«

Und jedesmal, wenn er mich wieder verließ, küßte er mich, wie er es nicht hätte tun sollen; doch ich war froh, daß er mich so küßte.

Das war auch das Jahr, in dem ein Stück meiner Vergangenheit in meinen Besitz kam. Larry war mein Agent darin, und er stellte mir auch dann nicht die Fragen, die er mich damals am Eureka nicht gefragt hatte. Er verhandelte in aller Stille, sehr diskret und ohne meinen Namen überhaupt zu nennen, über den Erwerb des Grundstückes, auf dem jenes Anwesen stand, das als »The Digger's Arms« bekannt war.

Die Schenke war jetzt herrenlos und beinahe wertlos. Das wußte ich wohl, weil ich mich in all diesen Jahren stets auf dem laufenden gehalten hatte, was »The Digger's Arms« betraf. Ich kaufte es sehr billig und faßte keine Pläne, außer, daß die Zeit sich des alten Gasthauses annehmen sollte. Jetzt konnte ich warten, bis die weißen Ameisen sich durch die Stützpfeiler unter der Tränke gefressen hatten, und ich konnte warten, bis das Gebäude selbst, das dort in der stechenden Sonne bleichte, zusammenfiel oder bis der Funke vom Lagerfeuer eines Landstreichers mich von ihm befreite.

Kapitel 3

Es gibt für manche Menschen Dinge, die sie einfach nicht abschlagen können. So erging es mir, als Kate mich bat, nach Langley Downs zu fahren. Langsam kam sie eines Nachmittags mit tiefen Sorgenfalten im Gesicht die Treppe zu meinem Büro heraufgestiegen. Es war ein warmer

Frühsommertag; Kate hatte in letzter Zeit recht zugenommen, und die Schweißtröpfchen standen ihr nun auf Stirn und Oberlippe. Ich beauftragte Susan Higgins, uns Tee zu machen.

»Ich hab' Larry unten gelassen«, begann Kate, als sie sich niederließ. »Er wartet draußen.«

»Draußen? Warum kommt er nicht herauf?«

»Ach, es ist — glaube ich — besser, ich sage es dir alles selbst. Larry hat eine ungeschickte Art, wenn er um etwas bittet — besonders, wenn er eine Frau um etwas bitten muß.«

»Worum will er mich denn bitten?«

»Es ist nicht nur für Larry — es ist für uns alle. Wir möchten, daß du nach Langley Downs fährst, Emmy! Rose hat ihren Kram zusammengepackt und ist heut' morgen hinausgefahren — die Kinder hat sie auch mitgenommen. Wir möchten, daß du hinterherfährst und bei ihr bleibst.«

Ich lehnte mich in meinen Stuhl zurück, fühlte, wie meine gute Stimmung zusammensank, sah das mühsame und schwierige Gespräch auf mich zukommen und versuchte ihr klarzumachen, weshalb ich ihr es abschlagen mußte.

»Du weißt, ich bin über sechs Jahre nicht in Langley Downs gewesen. Ich war überhaupt nur ein einziges Mal dort — seitdem hab' ich nie mehr hingehen wollen.«

»Ja, ja . . .«, nickte Kate schnell und ließ die Feder auf ihrem Hut heftig wippen. »Aber Old John hat dich doch oft genug eingeladen, oder etwa nicht? Ich meine — du bist da doch jederzeit willkommen?«

Das mußte ich zugeben. Jedesmal, wenn die Kinder mit ihrem Großvater nach Langley Downs fuhren, bestürmte man mich, doch mitzukommen. Aber ich wollte nicht mit Rose zusammensein und konnte doch nicht ohne sie dort sein, weil dann der Schatten auf unserer Freundschaft für jeden offenbar geworden wäre. Also machte ich jedesmal

Ausflüchte. Auch jetzt schüttelte ich den Kopf. »Nein, Kate, ich kann es nicht. Ich habe hier zu viel . . .«

Sie unterbrach mich mit einer ungeduldigen Gebärde. »Willst du mir denn nicht zuhören? Rose hat sich mit Tom gezankt — fast die ganze Nacht durch. Am Schluß hat Rose dann ihre Siebensachen und die Kinder zusammengepackt und ist heut' morgen nach Langley Downs abgehauen. Was an und für sich gar nicht so schlecht wäre, wenn nicht dieser Tunichtgut Dalkeith auch gerade in Rosscommon wäre.«

Jetzt wußte ich, was sie meinte und begriff ihre Sorge. »Warum schickt ihr nicht Elizabeth hinterher? Sie eignet sich besser als ich zur Anstandsdame.«

»Aber die reizende Schwägerin hat doch das ganze Theater angezettelt! Kannst du dir das nicht denken? Sie und ihresgleichen, die ihren eigenen Mann verloren haben und keine Frau in Ruhe lassen können, die ihren Mann noch hat! Und meine wundervolle Rose hat ihr vielleicht die Meinung gesagt, als sie erst mal in Fahrt kam, und nun sieht die Schwägerin natürlich keine Veranlassung, hinter ihr herzurennen.«

»Woher weißt du das alles?« Ich wollte Zeit haben, um darüber nachzudenken und um einen Ausweg zu finden. Der Mann, der diese ganze Affäre geschlichtet, ja sie überhaupt verhindert hätte, war nicht da. John Langley war nach Van-Diemens-Land abberufen worden. Ein lebenslanger Freund von ihm, der jetzt gestorben war, hatte ihn zum Testamentsvollstrecker seines großen Besitzes ernannt, und obwohl ihn der Gedanke an die rauhe Seereise, die Unbequemlichkeiten eines fremden Bettes und die Störung seiner täglichen Gewohnheiten keineswegs begeistert hatte, war er dennoch hingefahren. Er hielt es für seine Pflicht, hatte er mir trocken erklärt. Ich glaube, hinter seiner Abneigung gegen diese Reise hatte sich Angst verborgen — die Angst vor dem, was geschehen könnte, wenn Rose und Tom sich ohne seine sie in Schranken haltende Gegenwart selbst überlassen blieben.

»Da ist so ein kleines irisches Mädchen, dem Rose eine Stellung in der Küche besorgte; glaub mir, sie ist die einzige Katholikin in dem ganzen protestantischen Loch. Na, die hörten ja alle den Spektakel, und die Kleine kam heute morgen zu mir und erzählte mir alles. Ich hatte es mit ihr verabredet, du weißt schon . . . damit ich erfahre, welchen Unfug Rose vorhat.«

Geduldig wartete sie, als Susan nun mit dem Tablett hereinkam und mir die Teekanne hinstellte. Erst als sich die Tür wieder geschlossen hatte, fuhr sie fort.

»Ich ging also zu Larry, und er ging zu Tom. Tom war betrunken — *vormittags*, stell dir vor! Und er will nicht hinter Rose herfahren, sagt Larry. Es ist furchtbar — Rose rennt weg und hinter diesem Dalkeith her, und Tom rührt keinen Finger. Das ist von Anfang an das Schlimme gewesen. Was Rose brauchte, war ein Mann, der sie in Schach hielt, und Tom hat das nie getan. Das kommt davon, wenn man außerhalb seiner Religion heiratet . . .«, schloß sie völlig unlogisch.

Ich spürte, wie meine Hände zitterten, als ich den Tee einschenkte. »Bist du ganz sicher, daß Dalkeith in Rosscommon ist?«

»Leider«, antwortete sie unglücklich. »Das war ja mit ein Grund ihres Streites. Es ging natürlich um Dalkeith. Die Schwägerin fing zu Rose über ihn an, und dann fuhren die beiden wie zwei Furien aufeinander los, und Tom wurde mit hineingezogen, ob er wollte oder nicht. Das kleine Küchenmädchen hörte, wie Rose schrie, sie würde nach Rosscommon fahren, um in seiner Nähe zu sein — nur um sie alle zu ärgern. Man hörte es im ganzen Haus, Emmy. Und diese aufgeblasenen Faulpelze von Dienstboten werden heut' einen Riesenskandal in der Stadt verbreiten.«

»Was kann man tun?«

»Nichts, um sie aufzuhalten, davon bin ich überzeugt. Nur etwas, um der ganzen Sache ein bißchen besseres Aussehen zu geben. Wenn du zu ihr führest, sähe es ein wenig besser aus, Emmy. Und da ihr beide Freundinnen seid . . .«

»Rose und ich sind keine Freundinnen«, warf ich schroff ein.

»Als ob ich das nicht wüßte! Oder hältst du mich auf meine alten Tage für blind? Du würdest es ja nicht für Rose tun, es geschähe für uns alle! Für die armen Kinderchen, Emmy — für Anne und James, und ebenso für Larrys vier Kleinen. Für Con und Margaret — möchtest du, daß Con sich vor der Familie seiner Frau schämen muß? Alles, was du tun kannst, um den Skandal zu mildern, geschieht für uns alle, Emmy!«

»Warum gehst du nicht?« beharrte ich, nicht bereit nachzugeben, obwohl ich wußte, daß ich bereits geschlagen war. »Wer wäre besser geeignet, bei ihr zu sein, als ihre Mutter?«

Ihre Lippen verzogen sich zu einem festen Strich, und eine häßliche Röte stieg in ihr Gesicht. »Ich habe gesagt, daß ich niemals einen Fuß über die Türschwelle jenes Mannes setzen würde, außer bei Geburten oder Todesfällen, und ich werde mein Wort halten!«

Ich seufzte und spürte Erbitterung und Ärger über diese Familie in mir aufsteigen. Sie waren alle auf ihre Weise unversöhnlich und halsstarrig; jeder war davon überzeugt, daß sich die anderen im Unrecht befanden. Ich dachte an Rose und fragte mich, warum ausgerechnet ich jetzt zu ihr gehen mußte — und noch dazu nach Langley Downs. Sie hatte mich zu oft verspottet, meine Loyalität zu oft für selbstverständlich gehalten. Ich würde nicht an den Ort zurückkehren, beschloß ich, an dem sie beinahe ihren endgültigen Triumph über mich errungen hatte. Es hatte alles seine Grenzen, auch das, was ich mir von Rose bieten ließ, und Kate mußte das wissen.

Ich begann, die Worte meiner Weigerung auszusprechen. »Kate, ich kann es nicht! Bitte verlang diesmal nicht so viel von mir! Es muß doch jemand anderes geben, der hinfahren kann. Eine andere Frau . . .«

»Es gibt niemand anderes in der Familie.«

Das war alles, was sie sagte, doch es war endgültig. Ich gehörte zur Familie und wußte es auch. Mit wenigen Worten hätte ich jetzt ihre Bürde abschütteln können, doch wäre ich dann für immer eine Außenstehende geworden.

So sagte ich nur: »Wir lassen lieber Larry heraufrufen. Es gibt verschiedenes zu besprechen.«

Ich fuhr in Larrys Kutsche nach Langley Downs — jener Kutsche, die kaum sechs Monate alt und niemals für den Gebrauch auf jenen ausgefahrenen, holperigen Landstraßen gedacht war. Doch Larry hatte darauf bestanden und dafür gesorgt, daß sie mit allen möglichen Stärkungen für die Reise vollgeladen wurde. Es hatte mich gereizt und verblüfft, Larry so beflissen und gefügig zu sehen. Da ich es gegen meinen Willen tat, wollte ich es mir auch nicht als große Tugend anrechnen lassen. Und so ärgerten mich Eunices Tränen, als sie zu mir kam, um auf Wiedersehen zu sagen.

»Versuch sie zur Vernunft zu bringen«, flüsterte sie. »Sie ist sonst erledigt — und wir werden nie über die Schande hinwegkommen! Sag ihr, wenn sie nur zurückkommt, dann wollen wir . . .«, verlegen hielt sie inne.

». . . ihr vergeben? Ich glaube nicht, daß Rose Vergebung sucht!«

Im letzten Augenblick kam auch Tom, um mir eine gute Reise zu wünschen.

»Du solltest hinfahren, und nicht ich!« sagte ich zu ihm.

»Ich fahr' nicht zu ihr! Ich hab' genug auszuhalten gehabt. Sag ihr, Emmy — ach, sag ihr nichts! Gar nichts! Sag ihr, Tom hat ihr nichts zu sagen!«

Er wirbelte herum und stürmte eilig davon, und Eunice stieß einen leisen, jammernden Schrei aus. »Ich verstehe es nicht! Ich verstehe überhaupt nichts davon!«

So kehrte ich also nach sieben Jahren nach Langley Downs zurück. Weder das Haus noch der Garten erschienen verändert. Die rauhen, weiß geschlämmten Backsteinmauern, die breiten Veranden, der schwere Duft der Rosen — nichts hatte sich verändert. Ich betrachtete das Haus mit einem Schock des Wiedererkennens und wußte nun, wie sehr die verträumte Stille seiner Nachmittage in meinem Herzen fortgelebt und wie die heitere Gelassenheit seiner sanftgewellten Weideflächen während all der Jahre mich nicht verlassen hatte. Ich kehrte zu etwas zurück, das ich insgeheim immer entbehrt hatte.

Die Kinder polterten lärmend von der Veranda in die flimmernde Sonne heraus, als sie die Kutsche entdeckten. Sie hatten mich nicht erwartet, doch kannten sie Larrys Wagen; als ich mich dann hinaus beugte und ihnen zuwinkte, stürmten sie die Treppe herunter; James wartete nicht einmal, bis die Kutsche zum Stehen kam, und riß die Wagentür auf. Sie kletterten zu mir herein und hinterließen mit ihren schmutzigen Schuhen dunkle Spuren auf Larrys prächtigen neuen Polstern. Glücklich und ausgelassen umarmten sie mich, und ich erkannte in dieser ungebärdigen, wilden Bande kaum die vier artigen Kinder, die an meiner Bürotür in Melbourne anklopften. Sie fragten nicht nach dem Grund meines plötzlichen Auftauchens.

»Bleiben Sie bei uns, Miss Emma? Wie lange – wie lange?«

»So lange, wie ihr wollt!«

Als ich mit ihnen ins Haus ging und sie sich um meine Reisetasche und das Obst und die Süßigkeiten stritten, erkannte ich, wie töricht es von mir gewesen war, in all den vergangenen Jahren nicht mit ihnen hierherzufahren. Kein Streit mit Rose hätte mich von ihnen in dieser andersartigen, viel freieren Welt fernhalten sollen. Beinahe hätte ich es verpaßt, sie hier zu sehen – wo ich sonst so eifersüchtig alles an ihnen beobachtete. Jetzt, wo ich sie hatte, fürchtete ich mich nicht länger vor Rose. Ich spürte, wie Spannung und Unsicherheit von mir abfielen, als ich in die tiefe, schattige Kühle der Halle trat.

Mary Anderson kam aus ihrer Küche herbeigeeilt. »Guten Tag, Mrs. Langley. Willkommen in Langley Downs!«

Und so merkwürdig es mir erschien, als ich mich an Marys alte Verehrung für Rose erinnerte, die sich nicht auf mich erstreckt hatte, so glaubte ich doch, sie meinte es ehrlich. Sie schien erleichtert, daß ich hier war; vielleicht war sie es auch.

Rose war nicht da.

»Sie ist seit heut' früh fort, Mrs. Langley«, erzählte Mary Anderson. »Sie ist weggeritten – ganz allein.« Ihre Kopfbewegung deutete auf die Wiesen, und es mag Zufall gewesen sein, daß sie in die Richtung von Rosscommon wies.

Ich verbrachte den Nachmittag mit den Kindern und schaute ihnen zu, wie sie ihre akrobatischen Kunststücke in dem stacheligen Gras vorführten. Ich tadelte Anne nicht für ihre wilde Ausgelassenheit; es war für mich eine Offenbarung zu sehen, wie sie aus den wohlgesitteten Grenzen des Melbourner Schulzimmers ausbrach. Ihre Strümpfe waren zerrissen und ihre Handgelenke von dem rauhen Gras völlig zerkratzt. Über ihrem rechten Auge hatte sie sich eine rasch anschwellende Beule geholt, als sie mit dem Kopf an die Steine schlug, die das Blumenbeet einfaßten. Sie war so voller Übermut und wetteiferte glühend mit ihren Brüdern. Im Gegensatz zu ihrer Mutter machten ihr ihre Niederlagen jedoch nichts aus.

Wir beschlossen den Nachmittag, indem wir einen Korb Rosen für meinen Schlafzimmertisch schnitten.

»Erzählen Sie uns von Großmutter«, bat James. »Großpapa erzählt uns jedesmal von ihr, wenn wir hierherkommen.«

So saßen wir an jenem hübschen Grab in der Ecke des Rosengartens, und ich erfand Geschichten über eine Frau, die ich nie gekannt hatte. Sie wurden still während meiner Erzählung, und ihr Überschwang wich verträumter Schläfrigkeit. Und als die Schatten der Bäume länger über die Wiesen fielen, kamen sie bereitwillig mit mir ins Haus.

Das Tageslicht war beinahe schon entschwunden, als Rose zurückkehrte. Ich saß im Wohnzimmer und hörte Roses schnelle Schritte sich auf dem Weg von den Ställen nähern, danach auf den Dielen der Veranda — und schließlich zeichnete sie sich so scharfumrissen wie die Bäume draußen im hellen Türrahmen ab. Ich vermochte ihr Gesicht nicht zu erkennen, sondern sah nur die anmutige, vertraute Linie ihres Halses und Nackens, als sie sich umdrehte.

»Na, Emma! Man hat mir gesagt, du seiest gekommen.« Sie trat einige Schritte weiter ins Zimmer. »Bist du hier, um mein Kerkermeister zu sein? — mein Wächter?«

»Niemand ist dein Wächter, Rose!«

Sie warf ihre Reitgerte auf den Tisch und schleuderte ihren Hut hinterher. Dann fuhr sie wütend zu mir herum. »Oder um mich zu bespitzeln? Haben sie dich deshalb hergeschickt?«

»Tom dachte, du würdest vielleicht . . . jemand brauchen.«

»Ich habe meine Kinder! Es gibt sonst niemand, den ich brauche!«

»Wirklich nicht? Niemand sonst?«

»Keinen von dem ganzen frommen Pack zu Hause! Ich hab' genug von ihren Moralpredigten! Ich tue nichts anderes, als was sie liebend gern tun möchten — wenn sie den Mut dazu hätten! Sie sind neidisch auf mich, weil ich frei bin!«

»Niemand ist frei! Nur ein Dummkopf glaubt das.« Ich stand auf und ging an ihr vorbei zur Tür. Es war jetzt zu dunkel, um mehr als ihre Umrisse zu erkennen, doch wollte ich nicht diejenige sein, welche die Lampe brachte. »Aber ich halte dir keine Predigten. Ich kümmere mich gar nicht um dich — überhaupt nicht mehr! —, bis du mich darum bittest!«

Das Schema war entworfen und dauerte eine Woche lang an. Rose ritt kurz nach dem Frühstück fort und kehrte gegen Sonnenuntergang zurück. Sie weigerte sich, einen Reitburschen mitzunehmen und sprach nie darüber, wohin sie ritt; aber wir alle wußten es. Ich fühlte, ich hatte Kate und Larry enttäuscht, weil ich keinen Versuch unternahm, Rose daran zu hindern. Aber dies war einer der Ausbrüche ihrer Tollheit, der ertragen werden mußte, bis er verpufft war oder ein Schock sie zur Besinnung brachte. Ich sehnte täglich John Langleys Rückkehr herbei.

Vielleicht war ich im innersten Herzen sogar ein wenig froh, daß sie fortritt und uns verließ. Ich band die Kinder fest und voller Eifersucht an mich. Ich gab James und An-

437

ne ihre Stunden und begann, den Kleinen das Alphabet beizubringen. Bei ihrer überstürzten Abreise aus Melbourne hatte Rose sich geweigert, die Gouvernante mitzunehmen, und so gehörten sie mir hier uneingeschränkt. Ich genoß meinen Reichtum in vollen Zügen; denn ich ahnte, daß er mir nicht sehr lange beschieden sein würde. Alles, was wir taten, hatte etwas von einer Ferienstimmung an sich. Die Schulstunden wurden auf der schattigen Seite der Veranda mit dem Blick auf die sich vor uns ausdehnenden Pferdekoppeln abgehalten. Mittags hielten wir meistens ein Picknick an dem kleinen Fluß. Wir zogen dann die Schuhe und Strümpfe aus, wateten im Wasser herum und ermahnten uns gegenseitig, uns vor Schlangen in acht zu nehmen. Manchmal hielten die beiden Kleinen dort auch ein Schläfchen, von der Hitze und dem langen Weg zum Flüßchen, wie auch dem ausgelassenen Gepansche, ermüdet. Es waren schläfrige Mittagsstunden, in denen die Luft vom Summen der Insekten vibrierte und der Hitzedunst am Horizont immer dichter wurde. Ich fühlte mich dem Büro und den schwarzen Seidenkleidern sehr fern und wünschte, diese Zeit möge nie enden.

Abends kam Rose dann zurück mit triumphierend gespanntem Gesicht. Sie hatte wenig innerliche Ruhe. Sogar ihre Bewegungen schienen jene weiche, sinnliche Geschmeidigkeit zu verlieren, die ihre Schönheit gewesen war; sie wurden eckig und hart. Ihr Gesicht und ihr ganzer Körper verschärften sich, als ob ihre Sinne unter einer unerträglichen Spannung standen. Sie schien jeden Augenblick mit erhöhter Intensität zu erleben, und die leeren Abend- und Nachtstunden, jene Stunden ohne Bewegung, müssen eine Tortur für sie gewesen sein.

Wir aßen abends zusammen und machten dabei nur fadenscheinig Konservation um Mary Andersons willen; danach verließ Rose mich unverzüglich. Bis spät in die Nacht hörte ich jedoch, wie sie auf der Veranda vor unseren Schlafzimmern auf und ab ging. Morgens trug sie schon beim Frühstück ihre Reitkleidung und schlang das Essen mit unverhüllter Hast hinunter.

Pat kam in der gleichen Weise wie das erstemal nach Langley Downs. Diesmal saß ich allein im Wohnzimmer — Rose hatte mich, wie üblich, frühzeitig verlassen. Beim Lesen lauschte ich dem Geräusch ihrer Schritte über mir im Schlafzimmer und hörte ihn daher erst, als er mich leise von der offenen Tür aus rief.

»Emmy!«

Ich schnappte vor Schreck, meinen Namen zu hören, nach Luft, und das Buch entglitt meinen Händen und fiel zu Boden. »Mach keinen Lärm!« warnte er mich.

Als ich aufstand und zu ihm ging, hatte er sich bereits umgedreht und die Tür hinter sich geschlossen. Darauf zog er behutsam die Vorhänge zu. Er bedeutete mir, das gleiche an den anderen beiden Flügeltüren zu tun und legte einen Finger an die Lippen, um mich zum Schweigen zu ermahnen.

»Was ist denn, Pat?« flüsterte ich.

»Wer ist noch auf? Die Dienstboten?«

»Sind schon im Bett, nehme ich an. Sie sind hinten im Haus. Rose ist wach. Ich geh' und hol' sie. Warte nur . . .«

»Nein, laß! Sie macht nur Theater. Ich hab' nur 'ne Minute Zeit, Emmy! Mein Pferd hab' ich unten beim Fluß gelassen und glaube nicht, daß jemand es findet. Aber ich muß 'ne Menge Meilen bei Tagesanbruch von hier fort sein!«

Jetzt hatte ich wirklich Angst. »Warum?« Er antwortete mir nicht sofort, sondern ließ sich in den Stuhl fallen, aus dem ich mich erhoben hatte, und ich sah nun, wie erschöpft er war. Seine Beine entspannten sich nicht, sondern blieben steif und gespannt, als erwartete er, jede Sekunde wieder aufspringen zu müssen. Er strich sich flüchtig über die Augen. Der Staub auf seinem Gesicht war von Schweißspuren überzogen.

»Ich war bei Matt — bin den ganzen Nachmittag geritten, um zu ihm zu kommen, und es ist wahrscheinlich einer der Orte, an dem sie mich suchen werden. Und dann kommen sie vielleicht auch hierher — weil Rose hier ist.«

Ich ging zu ihm und beugte mich zu ihm hinunter.

»Wer kommt vielleicht? Wer um Gottes willen!«

»Die Polizei.« Er holte tief Atem und beobachtete mein Gesicht.

Dann sprach er weiter. »Es ist soweit, Emmy! Es ist genauso gekommen, wie alle es prophezeit haben — Larry und all die Schlauberger. Ich sitze in der Patsche und bin auf der Flucht. Ich bin geflohen, weil ich bestenfalls ins Kittchen komme und schlimmstenfalls an den Galgen.«

Ich sank neben seinem Stuhl auf die Knie; jedes einzelne seiner Worte traf mich wie ein Schlag. Ich suchte seine Augen und fand in ihnen neben der Erschöpfung einen flehenden Ausdruck, ein stummes, tastendes Suchen nach einem Trost. Ich nahm seine Hand und umklammerte sie, bis mein Griff ihm wehgetan haben muß.

»Erzähl mir«, verlangte ich.

»Die Bank in Yucamunda. Der Direktor hat einen Schuß abbekommen. Wenn er stirbt, hängen wir.«

»Wir?« wisperte ich. Ich war so kalt, daß ich das Gefühl hatte, das Blut sei in meinen Adern erstarrt. Es kostete mich große Anstrengung, nur dieses eine Wort auszusprechen.

»Die Russels — Joe und Luke. Wir waren einmal Kameraden auf einer Vieheintreibung. Ich wußte, sie machten dann und wann krumme Sachen, kümmerte mich aber nicht darum. Dies war eine große Sache, und sie brauchten Hilfe. Sie fragten mich — und ich stieg ein. Es ging schief; der Bankdirektor schoß Luke an, und da schoß Joe auf ihn. Wir schafften es, Luke auf ein Pferd zu bekommen und brachten ihn mit fort; aber inzwischen hatte man ihn und Joe erkannt. Die Polizei wird nicht lange brauchen, um mich dazuzuzählen. Die Leute wußten, daß wir viel zusammen waren . . .«

»Der angeschossen wurde? — was geschah mit ihm?«

Zum erstenmal vermied er meinen Blick. »Wir banden ihn auf sein Pferd. Aber nachdem wir ungefähr eine Stunde geritten waren, merkten wir, daß er tot war. Verstehst du, Emmy — wir konnten nicht eher anhalten, nicht bevor wir sichergingen, daß wir die Meute hinter uns abgeschüttelt hatten. Wir konnten nicht anhalten, oder aber es wäre für uns alle das Ende gewesen!«

Nun sah er mich wieder an; seine Augen waren voller Scham und todunglücklich. Ich lockerte meinen Griff um seine Hand nicht. Ich konnte es nicht. Für mich war er nicht der Mann dieses Berichtes, der Mann von Gewalttätigkeit und Tod. Ich schrak nicht zurück vor ihm, konnte ihm jedoch keinen anderen Trost als diesen geben.

»Wartet der . . . der andere draußen auf dich?«

Er schüttelte den Kopf. »Wir haben uns getrennt. Wir haben einen Treffpunkt. Es gibt da ein Lager in einem Tal hoch oben in den Bergen. Wenn wir es schaffen, dort hinzukommen, braucht es mehr als die Polizei, uns aufzuspüren. Wenn wir einmal dort sind, sind wir sicher.«

»Bis zum nächstenmal«, sagte ich langsam.

Er stand auf und sah auf mich herunter, wie ich immer noch so neben dem Stuhl kniete. »Ja, bis zum nächstenmal! Es hat keinen Sinn zu sagen, es würde kein nächstes Mal geben. Ich bin jetzt gezeichnet, Emmy, und es bleibt mir nichts anderes übrig, als den Weg weiterzugehen.«

»Du wirst getötet werden.« Ich sprach die grausigen Worte aus und fühlte ihre Wahrheit. »Eines Tages.«

Er nickte ruhig. »Ja.« Er war tapfer genug, mich dabei anzuschauen.

Und ich sah, daß ich mich geirrt hatte. Er fürchtete sich nicht vor dem Tod.

»Gibt es denn keinen anderen Weg?«

»Keinen anderen Weg!«

»Ein Schiff?« sagte ich mit neuer Hoffnung und schalt mich eine Närrin, daß ich nicht eher daran gedacht hatte. »Nach San Francisco oder nach Niederländisch Indien. Wenn ich Adam bitte, nimmt er dich bestimmt mit. Nach einer gewissen Zeit, wenn sie aufgehört haben, dich zu suchen, könntest du dann in aller Stille wieder nach Melbourne kommen. Adam würde dir helfen. Er versteht . . . die Nöte eines Menschen.«

Er schüttelte den Kopf und schaute auf mich nieder, als täte ich ihm leid, daß ich glauben konnte, es gäbe einen so leichten Ausweg für ihn. »Nein«, meinte er dann. »Es macht nichts.«

Und da wußte ich, daß er den Tod suchte, der so sicher auf ihn zu warten schien.

Er streckte die Hand aus und zog mich sanft empor. »Ich bin schon zu lange hier, Emmy«, sagte er hastig. »Ich kam wegen einer Sache, die erledigt werden muß, bevor ich wieder gehe.« Er suchte einen Augenblick in der Innentasche seines Mantels und brachte dann ein Blatt Papier zum Vorschein. »Es ist hier alles aufgeschrieben, Emmy. Ich glaube, es ist legal. Ich weiß nicht, ob sie das Eigentum eines Verbrechers einziehen können; aber mein Name steht auf jeden Fall nicht auf der Urkunde von Matts Besitz.«

»Was hast du gemacht?«

Er drückte mir das Papier in die Hand. »Die Sweeney-

Farm gehört mir. Matt hätte sie vor Jahren verloren, wenn ich sie nicht unterhalten hätte — mit meinem Geld und zum Teil auch deinem, Emmy. Tja, ich werde mich jetzt nie mehr dort niederlassen können, so gehört sie dir. Sie gehört dir, sobald der arme Teufel stirbt. Ich habe alle Anteile und auch die Forderungen, die ich an den Besitz habe, auf dich übertragen ... wie nennt man das noch? — unwiderruflich? Und ich habe Matt schwören lassen, daß er zu einem Rechtsanwalt geht und ein richtiges Testament macht. Du mußt zwar die Zinsen für die Hypothek zahlen, aber die Farm gehört dir. Ich schick' dem alten Matt so viel Geld, wie ich kann und solange ich es kann. Du vergißt dein Versprechen nicht und kümmerst dich um ihn, Emmy? — Du wirst es doch nicht vergessen?«

Benommen schüttelte ich den Kopf, und er faltete meine Finger um das Papier.

»Sieh zu, daß du etwas daraus machst! Sieh zu, all die Dinge zu tun, für die mir keine Zeit mehr in diesem Land bleibt.«

Er wandte sich von mir ab und ging zu der Verandatür. Ich bedeutete ihm stehenzubleiben, als er die Hand an den Vorhang hob.

»Warte!« Und ich glitt wieder an seine Seite. »Du mußt Rose sehen, bevor du gehst! Nur für ein paar Minuten! Es wird ihr helfen ...«

Er schüttelte den Kopf. »Sie würde es nicht aushalten. Es wird leichter für sie sein, wenn sie kommen und Fragen stellen, wenn sie mich nicht gesehen hat. Außerdem ... ich will nicht, daß sie mich so sieht. Sie ist selbst gerade schon weit genug in ihr Verderben gerannt.« Und er lächelte ein elendes, verkrampftes Lächeln, das mir nackte Pein zu sein schien. »Ich will nicht, daß sie weiß, wie der Teufel aussieht.«

Er wollte gehen, aber ich hielt ihn fest. »Warte! Wart nur eine Sekunde!«

Ich zündete eine Kerze an der Öllampe an und öffnete leise die Tür zur Halle, ging an den Schrank, wo John Langley seinen Wein und Cognac aufbewahrte, nahm eine silberne Hüftflasche, füllte sie mit seinem besten Brandy und drückte sie Pat in die Hand. Es war eine nutzlose Geste angesichts seiner so großen Not; aber es war alles, was mir im Augenblick einfiel.

Pat küßte mich sanft, nicht den harten Kuß seiner letzten Besuche. Ich spürte seine Trauer darin, wenn er sie auch nicht aussprach. Dann bewegten sich seine Lippen für eine Sekunde auf meinen.

»Etwas für die Erinnerung«, murmelte er.

Und dann verschwand er in der Dunkelheit jenseits der Veranda.

Ich konnte mich nur an ein einziges anderes Mal erinnern, bei dem ich so dagesessen hatte, wie ich es nun tat, als er gegangen war, betäubt und benommen, mir wohl bewußt, daß die Zeit verstrich; aber ohne ein Gefühl für ihre Länge oder Dauer.

So hatte ich auf der Treppe von »The Digger's Arms« gesessen, als Will Gribbon tot im Zimmer hinter mir lag. Mich lähmte das gleiche Gefühl der Qual und Angst, der völligen Hilflosigkeit. Doch ich war damals allein von der Tat betroffen worden, niemand außer mir hatte darunter gelitten. Ich begann jetzt an die anderen zu denken, an Kate und Dan, Larry, Con, Rose und die Langleys — die alle mit hineinverwickelt werden würden. Aber weil ich während jener Stunden auf der Treppe in »The Digger's Arms« gesessen hatte, wußte ich besser als sie alle, welche Gedanken Pat auf seinem Ritt begleiteten. Ich kannte die Einsamkeit, das Gefühl, sich gleichsam selbst aus dem Bereich alles Erlaubten und Vertrauten ausgestoßen zu haben. Ich hatte aus jener Verzweiflung zurückkehren dürfen, Pat mußte für immer darin leben.

Und ich dachte an Rose, die schlaflos in ihrem Bett lag und ihre eigenen Qualen litt, getrieben von der gleichen Wildheit, die Pats Leben zerstört hatte. Seine Verlassenheit und Verzweiflung vermochte niemand zu lindern, doch ich begann zu glauben, daß es vielleicht möglich war, Rose die Hand hinzustrecken und mit ihr Frieden zu schließen, so wie sie mir einmal die Hand entgegengestreckt hatte.

Ich erhob mich steif und ging zu ihr nach oben.

Als ich ihr von Pat erzählt hatte, stieß Rose einen halb aufbegehrenden, halb klagenden Schrei aus, einen wilden Schrei des Protestes und Unglaubens. Nach diesem Schrei lag sie reglos auf dem Bett, und ich trat langsam näher; schließlich fiel der Kerzenschein auf ihr abgewendetes Gesicht, und ich sah die Tränen, die still und unaufhaltsam flossen. Ich stellte die Kerze hin und legte ihr die Hand auf die Schulter.

»Rose . . . nicht! Weine nicht so! Versuch es zu ertragen!«

»O Emmy! Ich werde ihn nie, nie wiedersehen! Es ist das Ende, nicht?«

»Es ist niemals das Ende! Niemand kann sagen . . .« Und ich merkte, daß ich das wirre Haar streichelte und versuchte, sie genauso zu beruhigen, wie ich es immer früher getan hatte. Sie vergrub ihr Gesicht in den Kissen, und das Schluchzen schüttelte ihren ganzen Körper. Ich saß auf der Bettkante und nahm sie in die Arme. Ihre Erwiderung kam wie die eines Kindes; sie klammerte sich an mich und schien mich zu bitten, die Welt wieder zurechtzurücken. Aber früher hätte Rose an Wunder geglaubt; jetzt jedoch erwartete sie keine mehr. Schließlich schlief sie vor Erschöpfung ein, und ich legte mich zum erstenmal seit jener Nacht am Eureka, in der sie davongelaufen war, neben sie.

Sie weckte mich noch vor Sonnenaufgang. Ich hörte ihre Stimme durch den Schleier meines Schlafes; Rose lag nicht mehr neben mir im Bett, sondern stand an den geöffneten Türen zur Veranda. Sie blickte hinaus in den grauen Morgennebel und sprach laut vor sich hin.

»Der Nebel sieht so traurig aus. Es ist besser, man bleibt im Bett, bis die Sonne hell scheint, dann sieht man den Nebel nicht. Ich möchte wissen, wo er jetzt ist . . . Wie weit er wohl in der Nacht gekommen ist? Ob er überhaupt etwas zu essen hatte . . .?«

Dann muß sie meine Bewegung im Bett gespürt haben; denn sie blickte sich nach mir um. Abgesehen von der Fülle ihrer Brust hätte man sie im Dämmerlicht für ein Kind halten können mit ihrem Haar, das in dunklen Locken auf ihren Schultern lag, und ihren bloßen Füßen, die unter dem Rüschensaum ihres Nachthemdes hervorschauten. Sie sah kaum älter aus als damals an jenem Morgen, als ich sie zuletzt so gesehen hatte und sie Adam gebeten hatte, sie von Langley Downs mit fortzunehmen. Die Erinnerung daran wurde in mir wach, tat mir aber nicht mehr weh.

Jetzt richtete sie ihre Worte an mich, grüblerisch und gedankenverloren. »Es ist alles so anders, als ich erwartet habe. Nichts scheint so zu werden, wie es sollte.« Sie machte eine vage Gebärde der Hilflosigkeit. »Ich habe doch nicht zuviel verlangt, oder? Ich habe fast alle Dinge, die ich haben wollte, bekommen; aber wenn ich sie hatte, schienen sie nie mehr so zu sein, wie ich sie mir gewünscht hatte.« Sie erwähnte Pat nicht, doch ich wußte, dies war immer noch ihre Klage um ihn.

»Ich wollte lachen und fröhlich sein. Das wünschte ich mir am allermeisten. Erinnerst du dich an Charlie Greenley, Emmy?«

»Ja — ich erinnere mich an ihn.«

»Charlie brachte mich zum Lachen, und das tat so gut! Er brauchte nur ins Zimmer zu kommen, und ich fühlte mich schon glücklicher. Aber sie nahmen mir Charlie weg. Sie schickten ihn fort — und er kam nie wieder. Sie verderben mir immer alles Gute.«

Die kindlich fragende Stimme klang beinahe geisterhaft in der morgendlichen Stille. Ich hätte ihr gern einen Trost gegeben, doch gab es keinen für sie, der wahr gewesen wäre. Früher hatte ich ihr Liebe zu geben vermocht; aber das war lange her und konnte nie wieder so werden. Jetzt tat sie mir leid.

Wir blieben noch zwei Wochen in Langley Downs; Rose ritt nicht wieder nach Rosscommon, und Robert Dalkeith wurde auch nicht nach Langley Downs eingeladen. Wir verhielten uns absichtlich ruhig in jenen Tagen, da wir uns gegen den Klatsch und die Gerüchte wappneten, die — wie wir wußten — draußen umgingen.

Die Polizei kam einmal und entschuldigte sich höflich bei Rose für die Belästigung. Sie sagte ihnen, sie habe ihren Bruder nicht gesehen, und sie fragten nicht weiter. In jenen Tagen hatte sie wieder den Ausdruck kindlicher Weichheit und Ratlosigkeit, und ich bemerkte, wie schwer es dem Polizeisergeanten fiel zu glauben, daß dies die Frau war, die der ganze Bezirk täglich nach Rosscommon hatte reiten sehen. Wie sie so mit ihren Kindern auf dem Rasen und unten am Fluß umhertollte, schien sie an ihrer Unschuld und Hilflosigkeit teilzunehmen. Ich glaube, sie hatte sich durch die Sorge um Pat und ihren Kummer in ihre eigene Kindheitserinnerung zurückgeflüchtet, und darin hatte Robert Dalkeith keinen Platz.

Jeden Tag sprach sie davon, nach Melbourne zurückzukehren. »Ich sollte zurückfahren. Aber ich möchte es nicht. Nicht vor einer gewissen Zeit. Es ist so friedlich hier. Ich sollte zurückfahren und versuchen, Dada zu trösten. Die Sache mit Pat wird ihm das Herz brechen, und ich sollte eigentlich bei ihm sein. Und ich sollte nach Hause fahren und versuchen, es mit Tom wieder einzurenken. Der arme Kerl, er meint es nicht böse. Aber da ist all das Gerede, dem ich mich stellen muß, und das große Haus, in dem niemand lacht. Ich habe solche Angst, ich werde wie Elizabeth — die nicht mal lachen *möchte*. Stell dir doch nur vor, wie furchtbar das wäre!

Wir fahren bald zurück, Emmy, aber nicht heute. Nicht gerade jetzt.«

Kapitel 4

Wir kehrten nach Melbourne zurück, und Roses friedliche Zeit war zu Ende. Die Stadt schien von dem Klatsch über die Maguires und Langleys zu vibrieren. Ich hörte es überall um mich herum — wenn ich es nicht hören sollte und auch wenn es für mich bestimmt war. Ich hörte die Angestellten im Warenhaus und die Kunden darüber reden.

Eine Frau schien es für alle übrigen zu formulieren. Ich hörte es, als ich zwischen den Verkaufstischen hindurchging; sie beugte sich zu der Verkäuferin vor, die eine Rolle gestreiften Kattun vor ihr ausbreitete, und ich sah ihr grimmiges, altes Gesicht in einer Art Vergnügen aufleuchten.

»Es stimmt, was man über sie sagt, nicht wahr? — Na — die sind beide aus dem gleichen Holz, sie und ihr Bruder!«

Es gab nichts, was John Langley jetzt hätte tun können, auch wenn er in Melbourne gewesen wäre, was die Flut des Klatsches und der Vermutungen eingedämmt hätte. Pat Maguire wurde wegen Raubes und versuchten Mordes von der Polizei gesucht. Wäre er unbekannt in Melbourne gewesen, so hätte niemand ihm mehr Beachtung geschenkt als einem Dutzend anderer seiner Art. Aber er war Rose Langleys Bruder und der Bruder von Larry Maguire, der vielen bereits zu hoch emporgestiegen war. Es war eine Zeit des Frohlockens für alle, welche die Langleys nicht mochten. Jetzt war die Zeit gekommen, sich an jede Indiskretion von Rose zu erinnern und sie ans Tageslicht zu zerren, sich jede kleinste Kränkung ins Gedächtnis zurückzurufen und sich dafür zu rächen. In einem ganzen Leben hätte Rose unmöglich so viele Geliebte haben können, wie der Klatsch ihr jetzt zuschrieb. Es gab für sie keine Gnade und kein Erbarmen.

Ben sah mich düster in meinem Büro über seinen Whisky hinweg an. »Wenn Dalkeith etwas klugen Menschenverstand besäße, würde er verschwinden. Es wäre das Schonendste für sie zu verschwinden und den Klatsch sich selbst auslöschen zu lassen.«

»Es jagt mir Angst ein«, erwiderte ich. »Es ist, als hätten sie alle nur darauf gewartet – und Material dafür gesammelt. Ich glaube nicht, daß er jemals verlöschen wird. Oder in Vergessenheit gerät.«

Ben schüttelte den Kopf. »Diesmal ist sie zu weit gegangen. Diese Stadt wird ihr niemals verzeihen, daß sie sich auch nicht so viel darum gekümmert hat, was sie von ihr dachte. Sie hatte immer John Langley als Beschützer. Aber jetzt sitzt Pat in der Klemme, und das macht das Maß voll. Es hieße, zuviel von der menschlichen Natur erwarten, wenn man annähme, sie würden diese Gelegenheit nicht ausnutzen und wie eine wilde Meute über sie herfallen. Arme, törichte Frau . . .« Er nahm einen langen, nachdenklichen Schluck. »Ich erinnere mich noch genau an sie . . . es gab kein weibliches Wesen in Ballarat, das auch nur halbwegs den Zauber für Männer besaß wie Rose Maguire. Sie wußte das auch, aber sie verstand nie, ihn für ihr eigenes Glück zu gebrauchen.«

Er hob den Kopf und starrte zur Decke. »O ja, die Stadt kommt auf ihre Kosten, das könnt Ihr mir glauben! Wie die mächtigen Langleys gefallen sind! Sie sind eifrig dabei, sich in ihren Teekränzchen zu erzählen, das komme davon, wenn man eine jener irischen Katholikinnen aufnimmt und versucht, sie als Dame zu maskieren. Rose Maguire hätte es leichter gehabt, wenn sie nicht so hoch emporgestiegen wäre und ihnen nicht allen gezeigt hätte, wie sie den alten Mann um den Finger zu wickeln verstand.«

»Was geschieht, wenn John Langley zurückkommt?« fragte ich und spürte die Falte zwischen meinen Augenbrauen, die in jenen Tagen nie weichen wollte. »Er muß die Nachricht über Pat inzwischen erfahren haben . . . und die andere auch.«

»Er wird es ertragen. Wie wir übrigen es ja auch müssen. Wir sitzen alle im gleichen Boot.« Sein Gesicht war eine langgezogene Maske der Melancholie, als er so in seinen Whisky hinunteräugte.

»Tom hat es sehr schlecht aufgenommen«, sagte ich. »Er scheint überhaupt nie nüchtern zu sein und macht sich kaum mehr die Mühe, ins Geschäft zu kommen.«

»So leid es mir tut, so glaube ich doch nicht, daß das Geschäft unter seiner Abwesenheit Schaden nimmt. Man hat ihn nie dort gebraucht, und er weiß es, und das ist fast so schlimm wie zu wissen, daß die eigene Frau ihn auch nicht braucht.«

Ich hatte gedacht, Rose könnte sich nicht ändern; sie tat es jedoch in diesen Wochen. Ich hatte ihr Unrecht damit getan, daß ich geglaubt hatte, sie liebe nur sich selbst; denn die Sorge um Pat schien sie jetzt zu verfolgen, und sie litt sein Elend mit ihm. Sie redete dauernd mit mir über ihn, dachte offensichtlich ununterbrochen an ihn und schien dadurch sich selbst und ihren eigenen Kummer zu vergessen.

Sie begann nun beinahe jeden Tag mit den Kindern zu mir ins Büro zu kommen. Sie wurde ein Teil des Teezeitrituals; aber sie dominierte nicht. Vielmehr saß sie ruhig da und schaute zu und sagte nur sehr wenig. Und sie bat mich jedesmal, hinterher mit ihr in das Langley-Haus zu kommen.

Sie blieb einmal am Kopf der Treppe stehen, als die Kinder vor ihr hinuntergingen, und zupfte nervös an ihrem Handschuh.

»Ich bin dort so allein, Emmy! Elizabeth spricht nicht mit mir, und Tom tut es sogar kaum vor den Kindern. Sie wollen mich nicht. Ich weiß es.«

Sie sagte jedoch nicht, doch wußte ich es ohne ihre Worte, daß auch sie nicht der Gegenwart ihres Mannes und ihrer Schwägerin entfliehen konnte. Seit der Klatsch über sie und Robert Dalkeith und die Fahndungssuche nach Pat bekannt geworden waren, hatten die Einladungen aufgehört, ins Langley-Haus zu flattern. Es gab für Rose außer meinem Büro und der Maguire-Schenke keinen Ort, wo sie hätte hingehen können. Sie weigerte sich, Larrys Haus zu betreten.

»Wenn es zu gut für Pat war«, sagte sie verbittert zu mir, »ist es mir nicht mehr gut genug! Ich will nicht, daß Eunice ihre Röcke zusammenrafft, wenn ich an ihr vorbeigehe, und hofft, ich möge nicht mit ihren kostbaren Kindern reden, aus Angst, ich könnte sie verderben!«

Ich wußte, wie auch ganz Melbourne, daß Dalkeith in

451

Rosscommon geblieben war. Rose sprach nie von ihm, und ich wußte nicht, ob sie ihn wiederzusehen wünschte. Sie war hier ziemlich allein und hatte nur mich und ihren Vater, der von den Nachrichten über Pat so niederge-schmettert war, daß er sich kaum aufzuraffen vermochte, um Rose zu helfen. Und ihre Mutter schien sie auf wirre Weise für Pats Tragödie für verantwortlich zu halten und las ihr jedesmal, wenn sie sich sahen, die Leviten über Dalkeith. Es gab keinen Frieden mehr für Rose im Hause ihrer Mutter. Sie suchte mein Büro und meine Gesellschaft als den einzigen Zufluchtsort, der ihr geblieben war.

Einmal, als wir nach dem Abendbrot lange schweigend im Salon des Langley-Hauses gesessen hatten, beugte sie sich zu mir herüber und erklärte:

»Es ist jetzt zu spät, um Verzeihung zu bitten, Emmy! Sie glauben es nicht mehr – es ist zu spät!«

Elizabeth nahm, seit Rose wieder da war, ihre Mahlzeiten allein, und so saßen nur Rose, Tom und ich bei Tisch, als John Langley eines Abends überraschend zurückkam.

Es war nicht seine Angewohnheit, in einer Mietdroschke zu fahren, und daß er diese Regel aus Eile gebrochen hatte, genügte, uns zu warnen. Roses Gesichtsausdruck grenzte nahe an Furcht, als wir das Klopfen an der Haustür vernahmen und gleich darauf seine Stimme, welche die Begrüßung des Dieners barsch erwiderte.

»Wo sind mein Sohn und meine Schwiegertochter?«

»Die Herrschaften sind noch bei Tisch, Sir.«

Wir hatten keine Zeit, uns zu sammeln, bevor die Tür mit ungewöhnlicher Kraft geöffnet wurde und John Langley vor uns stand. Tom schob die Karaffe hastig von sich und erhob sich ein wenig schwankend.

»Willkommen zurück, Sir!«

Der alte Mann blieb stumm; er betrachtete uns eingehend, einen nach dem anderen, mit forschendem, strengem Blick. Er trug noch seinen Umhang, und die eine behandschuhte Hand lag auf dem Silberknauf seines Stockes. Er sah erschöpft aus, wie er so dastand – gealtert, aber nicht schwach oder nachgiebig. Ich spürte die Kälte seiner Gegenwart schaudernd auf meinem Herzen.

Rose konnte das Schweigen nicht länger ertragen. Ihr Stuhl scharrte geräuschvoll, als sie ihn zurückstieß und durch die Länge des Raumes beinahe auf ihren Schwiegervater zulief.

Papa Langley, du hättest uns wissen lassen sollen, daß du hier warst! Wir hätten dich in der Kutsche abgeholt. Ich weiß doch, wie du diese dreckigen Droschken haßt...« Sie reckte sich auf die Zehenspitzen, um ihn auf die Wange zu küssen, doch stockte sie jäh und erstarrte. Sein Ausdruck hatte sich auch nicht eine Spur verändert, kein Muskel hatte gezuckt, und es war kein Gesicht, zu dem man sich emporstreckte, um es zu küssen. Sie wich zaudernd vor ihm zurück.

»Setzt euch – alle beide!« befahl er.

Schweigend ging sie an ihren Platz zurück, und Tom setzte sich wieder hin. Der alte Mann schlug den Umhang über seine Schultern zurück und schritt durch den Raum auf seinen Stuhl zu. Im Vorbeigehen zog er die Klingelschnur, und als er sich niedergelassen hatte, nickte er in meine Richtung.

»Guten Abend, Miss Emma!«

Ich öffnete meine trockenen Lippen, doch es kam kein Laut heraus. Ich fühlte mich von der Angst und bangen Erwartung um mich herum angesteckt. Als meine Stimme mir endlich gehorchte, erwiderte ich seine Begrüßung mit einem seltsam klingenden Krächzer. Er wartete darauf schweigend, bis der Diener auf das Klingelzeichen hin erschien.

»Bring den Portwein«, gebot er ihm.

Rose unterbrach ihn nervös. »Hast du gegessen, Papa Langley? Es würde nur eine Minute dauern, dir . . .«

»Ich bin mir wohl darüber bewußt, was ich in meinem eigenen Haus für Anweisungen geben kann, Madame!« Er nickte dem Diener zu. »Bring nur den Portwein.« Und abermals saßen wir in Schweigen gefangen, bis die Karaffe und ein Glas vor ihm standen.

»Das wäre alles. Du kannst jetzt gehen.«

Erst als sich die Tür hinter dem Mann geschlossen hatte, ergriff er die Karaffe und schenkte sich ein. Dann nahm er einen Schluck, hielt inne und nippte von neuem, bevor er zu sprechen begann.

»Ich bin nach Hause gekommen und habe meine Angelegenheiten in Hobart unerledigt zurücklassen müssen, weil ihr in meiner Abwesenheit meinen Namen mit Schimpf und Schande bedeckt habt.« Abwehrend hob er die Hand. »Nein — ich wünsche nicht, unterbrochen zu werden! Ich bin zurückgekommen und mußte entdecken, daß Euer Name, Madame, wegen Eurer unmöglichen Liebelei mit Robert Dalkeith Gegenstand des allgemeinen Klatsches in Melbourne ist. Ich will Euch nicht bei den härteren Namen nennen, die der Klatsch Euch gibt; denn ich beschuldige niemanden, ohne nicht die Beweise dafür mit eigenen Augen gesehen zu haben. Was Ihr in Eurem Herzen seid, wißt Ihr selbst. Und Ihr, Sir . . .«, finster nickte er seinem Sohn zu, »Ihr habt meinen Namen zum Gegenstand des Gelächters gemacht! Was immer diese Frau ist, so ist sie es, weil Ihr es zugelassen habt — es sogar noch mit Eurer Dummheit unterstützt habt! Ihr seid jenseits von Mitleid — jenseits von Verachtung! Ich kann einfach —« Er hielt inne, als ich jetzt aufstand.

»Sie brauchen mich hier nicht, Mr. Langley. Sie brauchen mich nicht, um das mitanzuhören!« Ich verspürte keine Angst mehr, da mein Zorn größer war. Ich konnte den Anblick von Toms Gesicht nicht ertragen.

»Setzen Sie sich wieder, Miss Emma!« Und er klopfte, um seinen Worten größeren Nachdruck zu verleihen, mit dem Stock auf den Fußboden. »Ich bitte Sie, wieder Platz zu nehmen. Die Angelegenheiten dieser Familie sind seit langem auch die Ihrigen. Sie haben Ihren Platz hier bei uns — in guten wie in schlechten Zeiten.« Und er forderte mich mit einem Kopfnicken auf, mich zu setzen, und ich gehorchte.

Er nippte wieder an seinem Portwein, ehe er fortfuhr. »Von all diesem abgesehen, sind wir mit einem Bankräuber und Mörder verwandt. Wie müssen sich meine Feinde freuen! Wie ist unser guter Name in den Schmutz gezogen worden!« Seine schmalen Finger zitterten am Stiel seines Glases, so daß ich dachte, er würde den Portwein verschütten. Aber er hatte sich stets — und auch jetzt — zu sehr in der Gewalt. Sein Gesicht verriet jedoch, wie mühsam er sich beherrschte; es war verkniffen und spitz, als das Kerzenlicht auf ihm spielte.

»Und als ob das nicht gerade genug wäre! Als ich ankam, sagte mir Lawrence Clay, daß die Bank von Corandilla ausgeraubt worden ist und die Augenzeugen Maguire und Russel als Täter erkannt haben.« Weiß vor Wut funkelte er Rose an. »Falls Ihr es nicht wußtet, Madame, darf ich Euch vielleicht mitteilen, daß ich der Hauptaktionär der Corandilla-Bank bin!«

Ein leiser Schrei löste sich von Roses Lippen. »Nein — Pat war das nicht! Pat kann es nicht gewesen sein!«

»Eindeutig identifiziert!« entgegnete John Langley scharf. »Eine absichtliche Beleidigung! Eine absichtliche und teuflische Beleidigung! Er macht sich über die Langleys lustig; aber ich schwöre, er soll nicht der letzte sein, der lacht!«

»Was werdet Ihr tun?« Die Worte kamen kaum hörbar geflüstert von Rose.

»Er wird wie jeder andere Verbrecher gesucht; aber ich verspreche Euch, daß ich Kommissar Braddock keine Ruhe lasse, bis dieser Mann für seine Verbrechen zur Rechenschaft gezogen ist. Ich werde der Kolonie beweisen, daß ich an Gerechtigkeit glaube, ohne Rücksicht darauf, wer der Leidtragende ist. Ich werde ihnen beweisen, daß ich nicht zulasse, daß diese Brut so wuchert wie sie will. Er und seinesgleichen sind ein Fluch für dieses Land und müssen ausgerottet werden!«

Tom schoß plötzlich nach vorn. »Du bist ein Ungeheuer!«

»Und du! Was bist du? Du und deine Frau, ihr habt meinen Namen in den Dreck gezogen und auch den meiner Enkel. Ich komme zu spät, um bereits Geschehenes zu verhindern, und der Schimpf und die Schande trifft auch mich, weil ich dies zu lange mitangesehen habe. Meine Feinde werden sagen, ich sei auf meine alten Tage weich geworden — sei ein schwärmerischer und törichter alter Mann! Aber sie irren sich! Ich habe Fehler gemacht, werde aber keine weiteren mehr machen. Wenn ich auch zugelassen habe, daß ihr beide uns zum allgemeinen Gespött gemacht und dadurch auch meine Enkel geschädigt habt, so werde ich doppelt wachsam sein, sie in Zukunft zu schützen. Ich werde Euch, Sir, und Euch, Madame —«, und er deutete auf Rose, »keine Gelegenheit mehr geben, ihr Erbe zu verschleudern. Solange wie ich lebe, werde ich alles tun, was in meiner Macht steht, um ihr Eigentum zu schützen. Ich werde Euch die Möglichkeit nehmen, sie in den finanziellen Ruin zu treiben.«

Tom griff jetzt trotzig nach dem Wein und trank hastig davon. Als er sein Glas absetzte, fragte er: »Was meinst du damit?«

»Ich meine damit, daß Ihr nicht länger an irgendeinem der Langley-Unternehmen beteiligt seid und daß meine Enkelkinder, und nicht Ihr, meine Erben sein werden.« Er wandte sich zu Rose. »Und ich versichere Euch, Madame, daß Ihr gut daran tut, Euch an meine Gunst zu erinnern; denn es wäre ein leichtes, die Zahlungen an Euch einzustellen. Ich lasse nicht zu, daß noch mehr Schande über dieses Haus gebracht wird!«

Keiner von uns sagte einen Ton, als er seinen Portwein austrank. Ich sah, wie Roses Augen sich unglücklich umwölkten, und es ängstigte mich, weil ich zum erstenmal kein Aufbegehren darin las. Ich wartete auf einen Protest von ihr – oder von Tom, doch es wurde keiner laut. Und ich, ebenso eingeschüchtert wie sie, sagte auch nichts. Dieser alte Mann hielt uns alle durch seinen Zorn und seine Kälte gefangen. Ich wußte, daß die aufgelockerte Atmosphäre dieser Jahre mit Rose vorbei war. Das Haus würde jetzt wieder so werden wie zuvor, und die Kinder würden so wie Tom und Elizabeth aufwachsen und vor dem Klang von John Langleys Stimme zurückschrecken. Er würde in ihnen nach jedem Fehler forschen, den er bei Tom und Rose zu sehen glaubte, und versuchen, ihn auszumerzen. Eine bedrückende Finsternis schien sich nicht nur auf uns, sondern auch auf sie herabzusenken.

An den vorhergehenden Abenden, die ich im Langley-Haus verbrachte, hatte Tom stets nach der Kutsche geschickt, wenn es Zeit für mich war, in die Langley Lane zurückzukehren. Aber da ich nicht minder schwer an John Langleys zorniger Mißbilligung zu tragen schien als Rose und Tom, ging ich an jenem Abend sehr leise fort, sobald John Langley sich nach oben zurückgezogen hatte, und bat Tom nur, mir meinen Umhang und Hut zu bringen, um keinen der Dienstboten zu rufen. Er legte mir die Hand auf den Arm. »Ich bringe dich nach Hause, Emmy . . .«

Ich nickte. Er setzte seinen Hut auf und ging neben mir in der Stille der Collins Street mit auf dem Rücken verschränkten Händen und gebeugtem Kopf. Er schien sich kaum meiner Gegenwart bewußt zu sein, obwohl sich seine Hand jedesmal unter meinen Ellbogen legte, wenn wir an eine Kreuzung kamen. Einmal redete ein Mann ihn an und zog den Hut vor ihm; doch Tom schaute nicht auf und erwiderte den Gruß auch nicht. Er murmelte im Gehen einige unverständliche Worte vor sich hin, redete jedoch auf der ganzen langen Collins Street nicht mit mir. Erst als ich meinen Hausschlüssel herausholte, hob er den Kopf und starrte auf die vertrauten Gebäude ringsum, die Pferdeställe, das Lagerhaus — und die hohe Mauerwand des Warenhauses, die steil über dem kleinen Häuschen emporragte. Obwohl es eine warme Nacht war, zitterte er.

»Darf ich hereinkommen, Emmy?« bat er.

Hilflos stand er im Zimmer, während ich die Lampe anzündete, und als ich mich wieder zu ihm umdrehte, schienen seine Augen — um Trost zu betteln. Ich deutete mit einem ruhigen Kopfnicken auf Adams Stuhl.

»Setz dich doch . . . bleib noch ein bißchen.«

»Hast du etwas Whisky da?«

Ich nickte. Es hätte keinen Zweck gehabt, ihm keinen zugeben; er wäre in die nächste Schenke gegangen, um welchen zu holen. Er schüttete das erste Glas auf einen Zug hinunter und hielt es mir zum Nachfüllen hin. Nun trank er etwas langsamer, und nach einer Weile blickte er zu mir herüber.

»Jetzt hat mein Vater uns, was? Er hat uns, Rose und mich, so fest in der Zange, daß wir uns nicht rühren können. Jetzt, wo er seine Enkelkinder hat, ist es ihm ganz lieb so, ganz gleich, was er über die Schande sagt.«

»Ihr gehört John Langley doch nicht! Ihr könntet fortgehen — und eure Kinder mitnehmen.«

Er schüttelte den Kopf, und sein verzerrtes Lächeln schien meine Worte zu verhöhnen. »O nein, Emmy, dafür ist es viel zu spät! Mein Vater hat uns am Anfang mit Geld gekauft und wird uns auch damit halten. Er hat jedes unserer Kinder gekauft. Hast du gemerkt, daß ihm überhaupt nicht ein Zweifel kam, ob wir bleiben — welche Bedingungen er uns auch zu diktieren geruhte? Er kennt uns genau, mein Vater! Er weiß, wir können nirgends hingehen, wo nicht Geld ist. Begreifst du nicht, Emmy — ohne das Geld hätten wir nur uns selbst, und mein Vater weiß, daß das nicht genug ist. Wir lieben uns nicht, deshalb brauchen wir Geld . . .«

»Du hast Rose aber doch geliebt.«

»Vielleicht liebe ich sie in meinen vertrauensvollen Momenten auch immer noch; aber diese Momente sind sehr selten geworden. Sie genügen nicht.«

»Rose hat sich geändert . . .«

Er schüttelte den Kopf, und ich sah wieder jenes ungläubige Lächeln, das ein Teil seiner Verletzung war. Er ging zum Tisch und füllte sein Glas erneut, dabei bewegte er sich mit jener behutsamen Genauigkeit, die typisch für ihn war, wenn er zuviel getrunken hatte. »Rose hat sich nicht geändert. Sie hat nur Angst. Sie hat Angst vor meinem Vater — nicht vor mir. Ich wäre froh, wenn sie Angst vor mir hätte. Ich möchte gern, daß Rose mich ein einziges Mal ansieht und Angst hat, was ich sagen werde. Aber das wird sie nie tun — sie macht sich nicht mal mehr die Mühe, mir zuzuhören. Sie hört meinem Vater zu. Sie hat Angst, daß der Alte uns rausschmeißt. Und da säßen wir dann, Emmy — nur Rose und ich, und kein Geld, um den Worten zwischen uns die Schärfe zu nehmen. Kein Geld für einen Drink oder ein neues Kleid oder eine Kutsche. Sie ist froh, wenn ich trinke, weil sie sich dann nicht um mich zu kümmern braucht.«

»Du hast doch deinen Anteil an der ›Emma Langley‹.«

Er zuckte die Achseln. »Das ist noch nicht genug. Nicht halbwegs genug! Früher oder später wird mein Vater mir auch das wegnehmen. Er liebt es, die Zügel kurz zu halten.«

»Warum gibst du so ohne weiteres nach? Gibt es nichts, um das es sich lohnen würde zu kämpfen? Sicherlich ist da . . .?«

Ablehnend schwenkte er sein Glas zu mir herüber. »Ach, Emmy — hast du denn kein Mitleid mit denen, die nicht so sind wie du? Du würdest kämpfen — ich kann es nicht! Mach es nicht noch schlimmer.«

Ich war beschämt. So behutsam wie möglich bedeutete ich ihm, sich doch wieder zu setzen. »Es tut mir leid, Tom! Wenn ich etwas tun könnte . . .«

Er ließ sich in den Stuhl sinken. »Mach dir keine Gedanken um mich und Rose. Versuch ihnen zu helfen, bevor der Alte sie verängstigt. Für sie ist es noch nicht zu spät.«

Ich nickte und wußte, er sprach von den Kindern.

Er setzte noch kurz hinzu: »Ja — hilf ihnen!«

Darauf trank er eine Weile still vor sich hin, sah mich nicht mehr an, hatte die Augen auf den Fußboden geheftet und hielt das Glas mit beiden Händen. Sein Gesicht entspannte sich, und ich glaubte, die Spur eines Lächelns auf seinen Lippen zu erkennen, das wenig mit dem bitteren Hohn jenes anderen Lächelns gemein hatte.

»Tom . . .?« fragte ich leise.

Er blickte auf, offensichtlich überrascht, mich vor sich zu sehen.

»Emmy?« Und nun lächelte er tatsächlich. »Sie war doch wunderhübsch damals, nicht wahr, Emmy? Damals . . . weißt du noch, wie sie durch Ballarat ging und ihre Röcke im Schmutz schleiften und ihr Haar ganz zerzaust war . . . Sie war das schönste Geschöpf, das ich je gesehen habe.«

Ich dachte, ich träumte in jener Nacht einen wilden, bedrückenden Traum, in dem Rose mit geballten Fäusten an die geschlossene Tür des Langley-Hauses trommelte. Das Traumbild wechselte, und Rose stand vor John Langley und lachte ihm ins Gesicht. Das Trommeln war jetzt John Langleys Stock mit dem Silberknauf, den er vergebens zornig auf den Boden stieß. Darauf wachte ich — halb auf, doch das hämmernde Geräusch entschwand nicht. Zwischen den nahen, lauten Faustschlägen hörte ich jetzt, wie mein Name gerufen wurde und begriff, daß es kein Traum war.

»Emmy! Emmy! Um Gottes willen — Emmy!«

Es war Toms Stimme. Ich schleuderte meine Bettdecke zur Seite und wollte antworten; aber ich brachte keinen Laut heraus in dem Rauch, der bereits meine Kehle und Lungen füllte. Im Schlafzimmer war es dunkel; doch das Wohnzimmer wurde von dem roten Schein erhellt, der durch die Ritzen der Vorhänge drang. Der Qualm war hier ganz dick. Ich hörte Tom immer noch an die Tür hämmern, daneben jedoch einen neuen, drohenden Laut, einen prasselnden Wind. Tränen strömten mir über das Gesicht; der Qualm und die Atemnot lähmten meinen Verstand. Ich starrte wie versteinert auf diesen roten Schein. Da flog plötzlich die Haustür krachend nach innen auf, und Tom wurde durch den Anlauf, mit dem er das Schloß zersplittert hatte, ins Haus hineingestoßen und landete auf dem Boden zu meinen Füßen. Er blieb einen Augenblick gekrümmt liegen, und als er dann nach Luft schnappte, drang der Qualm auch in seine Lungen ein. Er raffte sich mühsam empor und erblickte mich.

»Mach, daß du hier rauskommst!« keuchte er. »Raus! Das geht hier alles in 'n paar Minuten in die Luft!«

Er packte mich am Arm und stieß mich auf den Hof hinaus.

»Warte — ich muß einige Sachen . . .«

»Keine Zeit mehr! Raus!«

Und ich spürte die überraschende Kraft seines Körpers, als er mich an den Schultern faßte und durch den Eingang stieß. Hier draußen schien mehr Luft zum Atmen zu sein; aber die Hauswände schützten mich nicht mehr vor der tollen Hitze. Die Langley-Ställe standen in Flammen; die Feuerzungen schossen zum Himmel mit jenem Prasseln empor, das ich für einen heftigen Wind gehalten hatte. Ich hörte weit weg am anderen Ende der Stadt das Bimmeln der Feuerwehr; doch das Schaurige waren jetzt nicht die Flammen und die siedende Hitze, sondern das Schreien der Pferde. Ich konnte sogar hören, wie das Holz krachend zerbarst, als ihre großen Hufe wie von Sinnen gegen das Holz droschen. Der gesamte Heuboden über den Ställen brannte, und die ersten Flammenschlangen hatten sich schon an einer Ecke durch das Dach gefressen.

Tom schrie mir durch das Getöse ins Ohr: »So steh doch nicht hier! Renn die Gasse runter! Hol Hilfe! Wo 's dieser Idiot Watkins . . .« Er stürzte von mir fort quer über den Hof zu den Ställen.

»Tom — komm zurück! Geh nicht dahin . . .

Sogar die Pflastersteine im Hof vor den Ställen schienen unter meinen bloßen Füßen zu glühen. Ich gelangte zu Tom, als er gerade sein Taschentuch in einem Wassereimer auswrang; so dicht bei den Ställen war die Hitze fast unerträglich, und ich mußte mein Gesicht mit den

Armen schützen. Wie rasend zerrte ich an seinem Arm, um mir Gehör zu verschaffen.

»Komm hier weg! Das Dach stürzt ein! Du kannst nicht mehr rein!«

»Die Pferde meines Vaters«, schrie er, »seine besten Pferde!« Er band sich das nasse Taschentuch über Gesicht und Nase und riß sich mit einem jähen Ruck los. »So lauf doch, Emmy!« Und damit rannte er auf die große Stalltür zu und verschwand unter dem flammenzuckenden Bogen.

Hilflos stand ich da, hielt schützend die Hände vor das Gesicht und versuchte, seine Gestalt vor der glühenden Helle zu entdecken, versuchte, in dem Schreien der Pferde seine Stimme zu erhaschen. Das prasselnde Dröhnen der Flammen schien jetzt von allen Seiten zu kommen. Ich blickte auf und sah, daß der Fensterrahmen eines der Lagerhausfenster über dem Stall Feuer gefangen hatte. Die Hitze trieb mich rückwärts aus dem Hof in die Gasse. Das letzte, was ich sah, waren die Funken, die auf das Dach meines Hauses fielen. Da drehte ich mich um und rannte die Gasse entlang auf die kleine Menschengruppe zu, die aus den Haustüren der Collins Street gekommen war, als sie von dem scheppernden Geklingel der Feuerwehr aufgewacht waren und jene Flammen, die jetzt höher als das Lagerhaus emporschossen, sie unwiderstehlich angelockt hatten. Es waren die Vagabunden der Stadt.

»Helft mir doch! Da ist ein Mann drin . . .«, schrie ich mitten in ihre verblödeten, betrunkenen Gesichter. Sie schüttelten nur die Köpfe.

»'s 'offnungslos, Miss! 'offnungslos!«

Die Ställe brannten, und das Lagerhaus brannte — lichterloh. Die Flammen zerstörten alles, was sie nur erreichen konnten. Allmählich langten alle Feuerspritzen an, die Melbourne besaß; aber der Wasserdruck an den Straßenpumpen war nie hoch genug, um mehr als zwei Mannschaften gleichzeitig mit Wasser zu versorgen. Auch mein Haus ging in Flammen auf; nur das Warenhaus blieb durch die kahle, fensterlose Wand zum Hof hinaus verschont.

Und während John Langley dabeistand und mitansehen mußte, wie sein gesamtes Lagerhaus ausbrannte, wußten wir, daß — Tom in den Trümmern des Stalles lag. Allerdings sagten sie am nächsten Tag, er sei nicht im Feuer umgekommen, sondern von einem der großen Pferde, welche die Planwagen seines Vaters zogen, niedergetrampelt worden. Immer wieder kam der Nachtwächter Watkins herbei, um John Langley seinen Bericht zu wiederholen.

»Es war nich' meine Schuld, Mr. Langley, Sir! Ich fand ihn abends. Er kam durch die Seitentür in den Stall. Stockbetrunken war er — und suchte ein Eckchen, wo er sich hinlegen und den Rausch ausschlafen konnte. Ich dachte, es wär' das beste, ihm eine Lampe dazulassen — es war doch Mister Tom — und ich konnt' ihn doch nich' allein im Stockdunkeln herumtappen lassen. Aber ich schwöre Ihnen, Mr. Langley — ich schwöre Ihnen, Sir —, daß sie am Haken hing. Er mußte sie herunternehmen, Mr. Langley — er hat sie mit seinen eigenen Händen herunternehmen müssen.« Er vermied es, Rose anzusehen, die mit verstörtem, versteinertem Gesicht in das Flammenmeer starrte.

Die Leute wunderten sich über sie, wie sie so stumm und ohne zu weinen dort stand, aber ich spürte, wie ihre Finger sich in das Fleisch meines Armes gruben und sich jedesmal unbarmherzig zusammenkrallten, wenn ein Balken herunterkrachte. Sie stand die ganze Zeit reglos und ohne ein Wort zu sagen neben uns, die vielen Stunden, welche die Vernichtung brauchte. Mechanisch gehorchte sie, als John Langley sagte:

»Komm — es ist Zeit zu gehen.«

Auch meinen Arm ergriff er. »Kommt, Miss Emma.«

Er schritt zwischen uns, und die Menge teilte sich vor uns. Es war eine große Menge; die Flammen hatten im Umkreis von vielen Kilometern den Himmel über der Stadt erglühen lassen, und die Feuerglocken hatten ihre dringenden Gesuche um Hilfe weit in die Nacht hinausgesandt. Als es sich herumgesprochen hatte, daß es das Langley-Lagerhaus war, hatten einige Männer ihren Zylinder aufgesetzt und nach ihrer Kutsche geschickt und waren zur Unglücksstelle gekommen, als handelte es sich um die Beerdigung eines angesehenen Bürgers dieser Stadt. Sie drückten John Langley formell die Hand und verbeugten sich vor Rose. Und als wir nun durch die Menge gingen, nahmen sie die Hüte ab; doch hatten sie inzwischen von Tom erfahren.

Kate und Dan waren dicht hinter uns. Sie hatten die ganze Zeit neben Rose gestanden, hatten jedoch nicht mit John Langley gesprochen. Die Kunde hatte auch Larry in St. Kilda erreicht, und er war herbeigeeilt und arbeitete noch in der freiwilligen Löschmannschaft. Der Langley-Wagen, den Elizabeth für ihren Vater und Rose hergeschickt hatte, stand wartend am Rande der Menge. John Langley half Rose einsteigen.

Kate berührte meinen Arm. »Du kommst doch mit uns nach Hause, Emmy?«

John Langley drehte sich um und nahm sorgfältig den Hut ab, bevor er zu Kate sagte: »Ich danke Ihnen, Madame. Miss Emma ist jedoch ein Mitglied meiner Familie, und ihr Platz ist in meinem Hause.« Und so kam ich im Nachthemd und mit bloßen Füßen im Langley-Haus an, um von nun an dort zu wohnen.

Kapitel 5

Adam kam am Tage nach dem Brand zurück und konnte also an dem Begräbnis für Tom teilnehmen.

Als ich die Nachricht erhielt, daß die »Emma Langley« in der Hobson's Bay angelegt hatte, begab ich mich nicht dorthin, sondern in die Langley Lane. Mein Instinkt hatte mich nicht getäuscht: Adam war schon vor mir dort und stand nun in dem verwüsteten Hof. Ungläubig schaute er auf die Stelle, wo unser Haus gestanden hatte, und auf die hohe, rußgeschwärzte Wand des Warenhauses.

Ich schlug den schwarzen Schleier zurück: »Es ist alles verbrannt, Adam. Wir konnten nichts retten.«

Als Antwort bückte er sich und hob ein verkohltes Stückchen Holz auf. »Sieh mal«, meinte er. »Sieh mal — ich weiß nicht einmal, was dies war. Vielleicht hab' ich es sogar selbst gemacht. Was ist es, Emmy?« Er hielt es mir hin.

»Ich weiß es nicht.« Und ich empfand den Verlust all dessen, was dort in jenem Aschenhaufen lag. Alles, was ich von Adam besessen hatte, schien dort begraben. Alles, was er mit seinen eigenen Händen voller Stolz und manchmal, glaube ich, auch voller Liebe gemacht hatte, lag dort. Es war unser Anker gewesen und unser Halt, die einzige Realität unseres gemeinsamen Lebens in den vergangenen Jahren. Jetzt lag es in Asche, und ich vermochte keinen Ersatz dafür zu finden.

Er warf das Holzstückchen wieder auf den Trümmerhaufen.

»Ja, das ist nun das Ende hiervon.«

Er ergriff meinen Arm, und wir wandten uns zum Gehen. Ich ließ den Schleier wieder über mein Gesicht fallen. »Wir ziehen in das Langley-Haus«, sagte ich. »John Langley erwartet es.«

»Ins Langley-Haus? — um dort zu wohnen?« Er ließ meinen Arm los.

»Ja — ich bin seit gestern dort.«

Ich sah die alte Spannung sich über sein Gesicht legen, jene mich rasend machende, undurchdringliche Miene, die mir nichts verriet. »Laß uns nicht dorthin ziehen! Wir finden schon ein Hotel.«

»Ein Hotel? Aber sie brauchen uns doch dort! Die Kinder brauchen mich!«

Er gab achselzuckend nach. »Nun, dann müssen wir wohl dort wohnen.«

Ich hatte einen Fehler gemacht und wußte es.

Der Leichenzug war sehr lang — beinahe zwei Kilometer —, wie es sich für das Begräbnis eines Langley gehörte. Der Leichenwagen wurde von sechs federgeschmückten Rappen gezogen, was schon an sich eine große Seltenheit in der Kolonie bedeutete. Ich habe keine Ahnung, wo John Langley diese prachtvollen Pferde aufgetrieben hatte; sie waren jedoch hier, glänzten in der heißen Sonne und waren so pechschwarz wie der Trauerkranz an der Haustür. John Langley, Rose und Elizabeth saßen in dem ersten Wagen. Adam und ich folgten ihnen allein im zweiten. Die Tatsache, daß wir den Langley-Namen trugen, lag jetzt als eine drückende Last auf uns.

Nach der Beerdigung ging es weiter mit den Trauerbesuchen. Wir lernten alle den Ritus der fünf Minuten der Beileidsbezeugung kennen, jener fünf Minuten, in denen wir bei heruntergelassenen Jalousien mit denen im Salon saßen, die mit klagenden, gedämpften Stimmen über Tom sprachen. Beinahe ganz Melbourne kam, wie mir schien, einige mit Güte im Herzen, die meisten jedoch voller Neugierde. John Langley bestand darauf, daß dieser ganze Ritus in jeder Weise beachtet wurde. Für jeden Kranz mußte gedankt, jeder Brief — und sie kamen aus allen Teilen des Landes, aus jeder Kolonie, von Neu-Süd-Wales, Van-Diemens-Land, Süd-Australien, ja sogar von der Swan-River-Siedlung — mußte beantwortet werden. Und jeder Besucher mußte empfangen werden.

Einmal, als wir gemeinsam im Eßzimmer saßen und der Türklopfer erneut anschlug, sah ich, wie Rose vor Überdruß die Hand über die Augen legte. »Ich kann nicht mehr! — Ich will nicht mehr!«

»Du mußt!« erwiderte John Langley. »Es ist deine Pflicht als Witwe meines Sohnes.«

Die Dunkelheit jenes Hauses in den ersten Wochen nach Toms Beerdigung schien sich uns auch auf die Seele zu legen. Jetzt trugen wir alle die mir verhaßten schwarzen Kleider und schienen gemeinsam hinter jenen heruntergelassenen Jalousien eingekerkert zu sein. Wir konnten weder der Atmosphäre noch einander entfliehen — nicht der stummen, rasch servierten und rasch beendeten Mahlzeit, auf die nur der lange, gähnend leere Zwischenraum bis zur nächsten folgte, nicht den langen Abenden, an denen das Rascheln der Zeitung in John Langleys Händen unsere einzige Zerstreuung bildete. Wir gingen frühzeitig zu Bett, um nicht länger zusammensein zu müssen, und wälzten uns dann ruhelos in der warmen Sommernacht auf dem Bett herum. Elizabeth blieb die meiste Zeit in ihrem Zimmer; doch schien sie dauernd mit ihrem steifen, mißbilligenden, schwarz gekleideten Rücken auf der Treppe oder in der Halle vor mir aufzutauchen.

Ich vermute, sie glaubte, meine Anwesenheit in diesem Haus bedrohe ihre eigene Position; sie war kaum mehr als höflich; wenn sie überhaupt mit mir sprach. Sie hatte aufgehört, Roses Opalbrosche zu tragen.

Ich hatte meine Stickerei, um meine Hände zu beschäftigen, wenn nicht sogar meinen Verstand, doch Rose hatte nichts. Da das Haus in Trauer war, konnte sie nicht Klavier spielen oder singen, konnte nicht in der Kutsche ausfahren. Immer häufiger gab Rose vor, indisponiert zu sein und ließ sich nicht blicken.

»Du solltest das nicht tun«, riet ich ihr. »Du schiebst zu viel von dir . . . gibst zu viel aus der Hand damit. Du bist doch die Herrin dieses Hauses!«

Sie tat, als verstünde sie mich nicht. »Dies Haus hat keine Herrin! Nur einen Herrn!«

Wir beneideten Adam glühend darum, daß er kommen und gehen konnte, wie er wollte. Die »Emma« sollte noch in dieser Woche wieder auslaufen und mit einer Ladung Wolle für die Yorkshire-Spinnereien auf eine lange Fahrt nach England gehen. Sie nahm jetzt die Ladung an Bord, und Adam beaufsichtigte die Ladearbeiten. Er ging frühmorgens vor dem Frühstück fort und kam erst kurz vor dem Dinner wieder zurück, und ich wußte, welche Erleichterung er im Herzen verspürte, wenn die Tür jeden Morgen hinter ihm ins Schloß fiel. Er war frei, sich in seine Welt der Schiffe zu begeben, die nichts mit der Welt der Frauen, der schwarzen Trauerkleider und gedämpften Stimmen gemein hatte. Er konnte den Tränen der Trauer und, ja, auch deren Langeweile entfliehen.

Ich merkte, daß Rose jetzt jeden Abend auf seine Rückkehr wartete, wie sie früher auf John Langley gewartet hatte. Sie schien stets den Zeitpunkt seines Kommens zu ahnen und stand entweder gerade auf der Treppe, wenn er den Türklopfer fallen ließ oder riskierte sogar, John Langleys Ärger heraufzubeschwören, indem sie die Vorhänge eines Eßzimmerfensters auseinanderschob, um ihn die Straße entlangkommen zu sehen. Dann öffnete sie ihm die Tür, bevor er Zeit hatte, den Türklopfer zu betätigen. Sie überschüttete ihn mit Fragen und ihrem Geplauder; es war die einzige Tageszeit, an der man überhaupt Stimmen im Haus hörte. Das dauerte so lange, bis der Gong uns zum Dinner beorderte; John Langley tauchte dann aus seinem Studio auf, und das Geplauder verstummte. Sie verbrachten vielleicht zehn Minuten zusammen, saßen stets im Salon bei offenstehenden Türen, und ihre Unterhaltung war so harmlos, daß jeder, der vorbeiging, sie ruhig hätte hören können.

Und doch spürte ich die Spannung dieser Minuten, in die Rose ihr ganzes brennendes Verlangen nach Gesellschaft, Liebe, Bewunderung hineinpreßte. Und ich vernahm in Adams Stimme jenen besonderen Klang, den sie stets annahm, wenn er mit Rose sprach und jene Worte sagte, die immer anders lauten mußten als die Worte, die er ihr im Grunde sagen wollte. Und ich spürte das Fluidum zwischen ihnen so stark, daß ich nicht ein einziges Mal den Mut aufbrachte, in den Salon zu gehen, um meine Rechte auf Adam vor ihr geltend zu machen. Statt dessen kauerte ich auf dem Treppenabsatz über dem Salon, lauschte und betete im stillen, der Gong möge zum Dinner ertönen.

Rose beklagte sich bei mir, daß die schwarzen Kleider ihr nicht ständen; doch ich fand, sie verliehen ihrer Erscheinung eine königliche Würde. Die Blässe ihres Gesichtes über dem tiefen Schwarz war sehr rührend, sehr schön.

Weder John Langley noch ich gingen in der ersten Woche ins Geschäft, obwohl das durch den Brand verursachte Durcheinander für jeden mehr Arbeit bedeutete und man uns brauchte. Clay kam jeden Tag mit seinen Büchern zu John Langley, und die beiden saßen darauf stundenlang in dessen Studio. Widerstrebend ließ man mich an einigen Unterredungen teilnehmen. John Langley gab vor Außenstehenden immer noch nicht offen zu, wie sehr ich ein Teil seines Geschäftes geworden war. Wir spielten weiter jenes Spiel, in dem keiner der Vorschläge und Beschlüsse von mir zu stammen schien. Oft lauschte ich meinen eigenen Worten aus seinem Munde und nickte zustimmend, als hätte ich sie nie zuvor gehört.

Eine Entscheidung wurde allerdings ganz ohne mein Wissen und meinen Rat getroffen. Am fünften Tage nach dem Brand ließ man mich aus dem Schulzimmer holen, wo ich gerade mit den Kindern ihre Aufgaben machte. John Langley und Lawrence Clay erwarteten mich im Studio, wo die Bücher geschlossen auf dem Tisch lagen. Als John Langley mich begrüßte, glaubte ich den Schatten freudiger Erregung in seinen eisgrauen Augen zu gewahren, den Ausdruck, den ein gealtertes Gesicht manchmal aufweist, wenn die Jugend es für einen kurzen Augenblick noch einmal streift.

»Wir haben die ganze Angelegenheit gründlich studiert, Miss Emma, und konnten feststellen, daß die Versicherung ausreichend war. Unsere Verluste durch den Brand sind völlig gedeckt, und wir haben beschlossen, das Lagerhaus auf den übriggebliebenen Mauerresten wieder aufzubauen. Mit der Damenabteilung ist es nun etwas anderes. Sie muß verschwinden. Das Obergeschoß ist durch das Wasser schwer beschädigt worden, und nach Clays Ansicht rentieren sich die Reparaturkosten nicht.«

»Sie schließen also . . .?«

Er bedeutete mir mit erhobener Hand Stillschweigen. »Ich schlage vor, die beiden Häuser gegenüber dem Warenhaus — die Bäckerei und die Schneiderwerkstatt — niederzureißen, wenn die Verpachtung nächstes Jahr abläuft, und an ihrer Stelle ein vierstöckiges Gebäude zu errichten. Es wird Ihnen unterstehen, Miss Emma — Damenbekleidung, Bettwäsche, Stoffe — eine besondere Abteilung für

Kinderkleidung und Spielzeuge —, kurz alles, was eine Frau für ihren Haushalt kauft.«

Ich spürte, wie die Erregung in mir aufstieg, zwang meine Stimme jedoch zur Ruhe, und als ich ihm antwortete, geschah es in seinem Tonfall. »Bücher«, sagte ich. »Wir müßten auch eine Buchabteilung haben.«

Er runzelte die Stirn. »Meiner Erfahrung nach interessieren sich Damen eigentlich nicht besonders für Bücher. Bücher sind besser auf der anderen Seite der Straße aufgehoben . . .« Er hob in einer bei ihm seltenen Gebärde der Begeisterung die Hände. »Er wird so elegant wie nur irgend etwas in Sydney — nein, sogar noch eleganter! Es wird Zeit, daß Melbourne ein Geschäft von Format bekommt.«

Eine Stunde später redeten wir immer noch darüber: über das dafür nötige Geld, über die Geschäftsmethoden und über die Verteilung der einzelnen Abteilungen. Über einige Punkte stritten wir uns. So gewann ich ihm die Kinderbücher ab, und er behielt allgemeine Lebensmittel und Kolonialwaren. Das alte Warenhaus würde weiter Herrenschuhe zusammen mit der Herrenbekleidung verkaufen; doch ich bekam Kinderschuhe auf meine Seite der Straße. Wir diskutierten über alles, und er vergaß eine Zeitlang, daß ich eine Frau war und es sich deshalb eigentlich nicht lohnte, mit mir zu diskutieren. Wir waren immer noch darin vertieft, als ich Rose die Treppe hinunterkommen und Adam froh begrüßen hörte. Ich fühlte, wie mir innerlich vor Furcht ganz elend wurde, während ich ihren Stimmen lauschte und Roses Worte deutlich an mein Ohr drangen. »Emmy?« Ihre Stimme tat mich achselzuckend ab. »Oh, die sitzt da drin und redet über Geschäfte.«

Ich gewann John Langley noch etwas anderes, viel Wichtigeres ab, was nichts mit dem Geschäft zu tun hatte. Es ereignete sich am Morgen des Tages, an dem die »Emma Langley« mit der Abendflut auslaufen sollte. Als ich also an jenem Morgen zum Obergeschoß emporstieg, auf dem sich die Schlafzimmer und der Unterrichtsraum der Kinder befanden, fühlte ich, wie mich plötzlich eine Depression überkam, die schon beinahe an Panik grenzte. Adam ging wieder von mir fort, und es war diesmal kein gewöhnlicher Abschied. Er war mir in diesem Hause nie nahe gewesen — war ein Fremdling gewesen, der meinen Worten zuhörte, ohne sie jedoch zu hören, und dessen Gesicht sich nicht mir zuwandte. Ich hatte mich an ihn heranzukämpfen versucht, hatte ihn jedoch nicht erreicht. Wir brauchten dringend Zeit für uns allein, einen Ort, an dem wir ungestört reden konnten, einen Ort, an dem wir vielleicht sogar zusammen lachen konnten. Wir brauchten die durch uns gemeinsam gehörende Dinge entstehende Vertrautheit, so wie es in der Langley Lane gewesen war. Und an diesem Abend würde Adam nun auf eine lange Fahrt gehen. Ich hätte zu gern gewußt, ob er etwa annahm, ich sei hier glücklich und wüßte nichts von seiner Unruhe. Ich hätte zu gern gewußt, ob er etwa dachte, die Unterredungen mit John Langley genügten mir, ob er glaubte, ich wünschte mir nichts über den Laden und die Kontobücher hinaus. Ich fühlte mich benommen und hilflos und verfluchte mein Unvermögen, die Mauer der Schüchternheit zu durchbrechen. Weshalb konnte ich so vieles andere tun und nicht dieses, das am allerwichtigsten war? Meine Kehle war wie zugeschnürt, und ich war wohl den Tränen nahe, als ich das Schulzimmer betrat.

Die Kinder hatten ihren morgendlichen Unterricht hinter sich. Zwischen der Gouvernante, Miss Wells, und mir herrschte ein stillschweigendes Übereinkommen, uns gegenseitig nicht ins Gehege zu kommen. Nur selten waren wir gleichzeitig mit den Kindern zusammen. Ich glaube, sie war oft froh, sie mir übergeben zu können, besonders wenn James schwierig wurde, so wie an diesem Morgen. Ich sah Tränenspuren auf Annes Gesicht, und William stand schniefend am Fenster. Henry hatte sich in einer Ekke aufgepflanzt, hielt sich störrisch ein Buch vor die Nase und ignorierte James' Bemühungen, ihn abzulenken.

James drehte sich erwartungsvoll zu mir um. »Ich wollte spielen, ich wäre ein Vogel, Miss Emma — aber niemand spielt mit mir.«

»Weil du so ein Nilpferd bist!« gab Anne bissig zurück. »Niemand will mit einem Nilpferd spielen!«

»Und du bist ein Elefant . . .«

»Schluß jetzt damit!« befahl ich. Ich war der Stille und des Trübsinns so überdrüssig und sehnte mich ebensosehr wie sie danach, meine Depression abzuschütteln, meine düstere Vorahnung, daß Adam dieses Haus verließ und niemals wieder zu ihm zurückkehren würde.

Sie blickten mich voller Hoffnung an, und ihre Gesichter hellten sich auf.

»Anne«, sagte ich munter, »hol deinen alten, blauen Umhang. Und du, James, hol die beiden Läufer aus dem Babyzimmer. William — Henry, ihr legt die Teppiche dann hier vor den Tisch . . .«

Es war ein törichtes Spiel, das ich da erfand; man kletterte dabei mit Hilfe eines Stuhles auf den großen Schultisch, ging schnell auf ihm entlang und sprang auf die ausgebreiteten Läufer herunter. Anfangs warteten sie geduldig, bis ich ihnen das Cape umgehängt hatte, an das ich rasch ein paar Bänder genäht hatte, die nun um ihre Handgelenke gebunden wurden. Das Cape gab zumindest Henry und William, wenn es so hinter ihnen flatterte, die Illusion des Fliegens. Die Älteren wurden jedoch bald zu ungeduldig für diese Formalität. Sie kletterten einfach auf den Tisch, rannten auf ihm entlang und sprangen herunter, wobei sie sich manchmal weiterrollen ließen, um den Sprung zu verlängern. Alle vier folgten einander in schneller Reihenfolge und pufften und drängten denjenigen, der gerade an der Reihe war, sich zu beeilen. Sie gebärdeten sich laut und wild, sogar Anne. Ich hörte ihren ungestümen, aufgeregten Ausrufen zu und spürte, wie ein Teil meiner Spannung zugleich mit der ihrigen abfiel. Ich freute mich über den Tumult, den sie in diesem schweigenden Haus machten.

Annes Schreie wurden schriller und immer höher. Sie gab jetzt mit ihren Künsten an und tanzte auf dem Tisch herum. James kletterte, ungeduldig, selbst an die Reihe zu kommen, zu ihr hinauf und schubste sie herunter. Sie landete der Länge nach so hart auf dem Teppich, daß si einen Augenblick keine Luft bekam. Als sie dann wieder zu Atem gekommen war, lachte sie anstatt zu weinen; ihre Wangen waren vor Erregung gerötet. Roses Wildheit brach in diesem Augenblick aus ihr hervor.

Da öffnete sich die Tür, und John Langleys Stimme ertönte schneidend durch das Schreien und Rufen.

»Ruhe! Was geht hier vor? Anne, steh sofort auf! Ihr seid eine Schande, Miss! Und du, James, komm augenblicklich vom Tisch herunter!« Kalt sah er mich an. »Ich weiß nicht, wer hierfür verantwortlich ist; aber es ist ein unglaubliches Benehmen in einem Haus, das trauert! Habt ihr Kinder denn keine Achtung vor euerm Vater?«

Ich verfolgte, wie sie die Köpfe senkten und unsicher mit den Füßen scharrten. Erregung und Freude wichen aus Annes Gesicht, und es wurde still und verschlossen. Sein Anblick berührte mich eigenartig; ich sah zuviel von Elizabeth in ihm, zuviel geduldigen Gehorsam, wo zuvor freie, wilde Unbekümmertheit geleuchtet hatte.

»Ich muß mit Ihnen sprechen«, sagte ich zu John Langley.

Die Kinder sahen uns schweigend nach. Draußen auf dem Flur trat ich ihm dann entgegen. Er schien sehr hoch über mich emporzuragen.

»Sie sind zu jung, um so zum Stillsein gezwungen zu werden! Trauer oder nicht, es sind doch Kinder! Wollen Sie, daß sie Schattenfiguren in diesem Haus werden! — wie Elizabeth? — wie Tom?«

»In meinem eigenen Haus . . .«, begann er.

Ich unterbrach ihn. »Ihr eigenes Haus? Wollen Sie denn ganz allein darin wohnen? Denn ich werde bestimmt nicht mit ansehen, daß die Kinder hier leben, ohne ihre Stimmen erheben zu dürfen.«

»Wir werden später darüber reden«, erwiderte er und wandte sich ab.

Wir redeten jedoch nie mehr darüber. Es war die erste jener kleinen Schlachten, die ich gegen ihn gewann; ich wußte, es würden ihnen noch viele folgen müssen. Ich ging zu den Kindern zurück; sie waren verschüchtert und gleichsam auf der Hut vor etwas. Wir setzten das Spiel nicht fort, und niemand erwähnte den Besuch ihres Großvaters. Sie warteten darauf, daß ich ihnen seine Anordnungen mitteilte und über Bestrafung sprach. Als aber nichts Derartiges kam, wuchs ihr Vertrauen wieder.

Rose schickte am Nachmittag nach der Kutsche. Es war das erste Mal, daß sie nach der Beerdigung ausfuhr, und der gesamte Haushalt schien die Vorbereitungen nervös zu verfolgen. »Ich brauche etwas frische Luft«, erklärte sie, »oder ich kann heute nacht wieder nicht schlafen.« Sie forderte niemanden auf, sie zu begleiten.

Doch die Haustür hatte sich noch nicht eine Minute

hinter ihr geschlossen, als wir sie bereits wieder zurückkommen hörten. Ich ging auf den Treppenabsatz hinaus, als ich ihre wütende Stimme vernahm. Sie rannte beinahe die Treppe herauf und hatte den Schleier an ihrem Hut nach hinten zurückgeschlagen; ihr ganzer Körper schien vor Wut zu beben.

»Die Vorhänge waren völlig zugezogen«, zischte sie. »Er hatte Anweisung umzukehren, falls ich sie öffnete! Umzukehren — ich habe ihn umkehren lassen!« Sie fegte an mir vorbei in ihr Schlafzimmer und ließ die Tür offen, damit ich ihr folgte. Ich ging bis an die Türschwelle, blieb dort stehen und sah zu, wie sie sich den Hut vom Kopf riß und ihn zu einem Stuhl schleuderte, den er jedoch verfehlte.

»Er versucht, mich zu ersticken! Er glaubt, ich ersticke, wenn er mich lange genug in dieses Schwarz preßt!« Sie rannte im Zimmer auf und ab und erschien mir wie ein gefangenes und gefesseltes Tier, das ewig um Freiheit kämpft.

»Ich wollte ein bißchen Luft schnappen«, fuhr sie fort. »Nur eine Stunde ausfahren und die Leute auf den Straßen sehen, die Sonne fühlen ... Aber nein — nach seiner Ansicht erzeigt man damit dem Toten nicht gebührende Ehrerbietung. Das gehört nicht zu meinen Pflichten als Witwe seines Sohnes. Aber wenn er mir all diese Predigten über meine Pflichten hält, meint er damit gar nicht das Trauern um Tom. Er meint damit schwarze Kleider und heruntergelassene Jalousien. Er ist zufrieden, solange ich nur in meinem Zimmer bleibe und meine Stimme dämpfe.« Sie kam wieder auf ihrer Wanderung durch das Zimmer auf mich zu. »Aber ich hätte doch fahren sollen. Ich hätte mit offenen Vorhängen und zurückgeschlagenem Schleier durch Melbourne fahren und jedem zunicken sollen, den ich kannte, ob sie es erwiderten oder nicht! Das hätte ihnen was zum Reden gegeben! Aber davor hatte er wohl Angst.« Sie lächelte hinterhältig. »Er hatte Angst, ich könnte bei Hanson's aussteigen, um Robbie Dalkeith zu besuchen. Er ist in Melbourne, Emmy. Er ist wieder hier. Vielleicht hätte ich das tun sollen — um dem Alten Angst einzujagen.« Sie nahm ihren Rundgang wieder auf, blieb jedoch nun vor dem Spiegel ihrer Frisiertoilette stehen und beugte sich vor, zu ihrem Spiegelbild. »Aber Robbie hätte mich nicht so sehen wollen — wie blaß sehe ich aus! Dies häßliche Schwarz! Ich sehe aus, als stürbe ich schon. Weißt du noch, Emmy, was in Ballarat mit dem Gras geschah, wenn jemand darauf sein Zelt aufschlug? — auch wenn es nur für ein paar Tage war? Weißt du noch, wie es weiß wurde, bevor es starb? Genau das möchte er auch mit mir machen. Er möchte, daß ich weiß und halbtot werde und nicht mehr genug Willen habe, den Kopf zu heben.«

Ich konnte ihr nicht sagen, daß es nicht stimmte. So meinte ich nur: »Versuch, Geduld zu haben, Rose. Die Zeit vergeht schnell. In einem Jahr . . .«

»Einem Jahr! Ich kann nicht ein Jahr lang so leben! Er weiß das. Er weiß, es gibt Wege, mich mürbe zu machen. Er will mich genauso jagen, wie Pat gesagt wird. Bis wir beide tot sind . . .«

»Nein, Rose! Das will er nicht!«

»Und ob er das will. Er hat gesagt er wird Pat jagen lassen, und er meint es. Er wird der Polizei im Nacken sitzen, wird eine immer höhere Belohnung für seine Auslieferung aussetzen, bis er eines Tages die Genugtuung hat, zu mir kommen zu können, um mir zu sagen, daß Pat tot ist oder im Gefängnis sitzt oder gehängt wird . . . Das würde mir alles heimzahlen, nicht wahr, Emmy? Er möchte mich ein wenig vor seinen Augen sterben sehen. Der Tod berührt ihn nicht — ich glaube, er ist auch nicht traurig, daß Tom tot ist. Er ist aus dem Weg geschafft, bevor er mehr Unheil anrichten konnte — das sind die Gedanken des Alten. Er hat nun, was er von Tom wollte — und von mir. Es werden keine weiteren Langley-Enkelkinder mehr kommen; also braucht er mich nicht mehr. Ich bin von weniger Nutzen für ihn als Elizabeth. Sie kann wenigstens den Haushalt führen.«

Während sie redete, hatte sie mit den Parfümflakons auf dem Toilettentisch herumgespielt. Jetzt ergriff sie plötzlich hastig eines von ihnen und schüttete sich das Parfüm verschwenderisch auf Hals und Handgelenke. »Wenn ich meinen Schmuck nicht tragen darf, so kann ich ihn wenigstens durch meinen Geruch ärgern. Ich werde heute beim Dinner wie eine Dirne im Freudenhaus stinken, und das wird ihn ärgern!«

Ich schloß die Tür. »Wir könnten fortgehen, Rose! Wir könnten die Kinder nehmen und nach Hope Bay gehen. Es wäre besser für sie, nicht in diesem Haus zu sein. Besser für uns alle. Die ›Emma‹ segelt heute abend — wir könnten morgen aufbrechen.«

»Hope Bay?« wiederholte sie und schüttelte den Kopf. »Ich bin nie dort gewesen. Ich will nicht dorthin. Tom hat Hope Bay nie gemocht. Er hat mir davon erzählt — einsam, mit der Brandung und den bellenden Seehunden auf den Klippen. Kein anderes Haus weit und breit. Nein . . . mir würde es in Hope Bay nicht gefallen.«

»Aber es ist zumindest ein Ort, an den man gehen könnte«, machte ich sie aufmerksam. »Er könnte nichts dagegen sagen . . . du lieber Himmel, es gibt wohl kein entlegeneres Eckchen für dich. Nach Langley Downs können wir nicht gehen . . .«

Sie lachte bitter auf. »Nein, bestimmt nicht nach Langley Downs! Es ist zu nahe bei Rosscommon, nicht wahr? Und Robbie Dalkeith könnte hinterherkommen, oder etwa nicht? O nein, das ginge doch nicht! Bloß nicht noch einen Skandal so rasch nach Toms Tod! O Emmy — Tom wußte, was er tat! Es ist besser, tot zu sein als lebendig begraben.«

»Tom wußte . . .? Was sagst du da?«

Sie antwortete mir nicht sofort. Ich sah, wie sie ihren Schmuckkasten aufschloß und den Deckel hob. Etwa eine Minute lang schien sie in den Anblick des Inhaltes versunken. Sogar in dem Dämmerlicht vermochte ich das Funkeln der Edelsteine zu erkennen, als sie die einzelnen Schmuckstücke in die Hand nahm, die Diamanten, Saphire und Perlen, die Tribute John Langleys, die sie zur Geburt jedes Kindes erhalten hatte, die Symbole von Rang und Reichtum, die ihr in der Melbourner Gesellschaft eine besondere Stellung verschaffen sollten. Sie spielte gedankenverloren mit ihnen, als riefe sie sich die Vergangenheit ins Gedächtnis zurück. Sie wandte sich, mit dem Diamantenkollier noch in der Hand, vom Spiegel ab und sah mich an.

»Wer weiß, was in Wirklichkeit in jener Nacht geschah? Watkins behauptet, Tom sei so betrunken gewesen. Aber die Lampe hing am Haken, sagt er . . . War Tom, als er aufwachte, immer noch so betrunken, daß er nicht wußte, was er mit der Lampe tat? Nahm er sie vom Haken herunter und ließ sie fallen — oder warf er sie runter, Emmy?«

Sie drehte sich wieder zum Spiegel zurück und hielt das Kollier an den Hals, beobachtete mich jedoch weiter.

»Du weißt mehr als irgend jemand von uns, Emmy. Du bist die letzte, die ihn gesehen hat. Er kam zu dir, um dich aus dem Feuer zu holen; du bist also die einzige, die die Wahrheit darüber wissen kann. Wollte er mit jenem Feuer sich selbst zerstören oder die Langleys?«

Ich preßte meine Hände aneinander, um ihr Zittern zu verbergen. »Es war ein Unfall. Das schwöre ich! Du darfst nie so darüber sprechen, Rose! Niemals! Wie sehr du auch darüber nachdenkst, du darfst nie darüber sprechen!«

Sie ließ das Kollier sinken; ihre Augen blickten hart und forschend. »Man redet aber darüber. In der ganzen Stadt rätseln die Leute daran herum. Sie stellen jene Fragen, Emmy.«

»Dann laß sie! Sie wissen die Antwort nicht! Solange sie nichts Genaues wissen . . .«

Sie unterbrach mich. »Solange sie nichts Genaues wissen, ist der Langley-Name sicher? Sind das deine Gedanken, Emmy? Daß es keinen Skandal geben kann, weil Tom tot ist und niemand Genaues weiß? Warum sagst du es dann nicht? Es würde sich gut aus deinem Mund machen. Ha — du bist mehr Langley als er! Du hast die Seele einer Langley — falls die Langleys überhaupt Seelen haben. Du schuftest dich ab für diese Familie und machst ihrem Namen keine Schande und wartest geduldig ab, bis dir alles in den Schoß fällt.«

Langsam wich ich zurück, bis ich die Tür hart in meinem Rücken spürte; unwillkürlich suchten meine Finger den Türgriff, suchten Entrinnen. Doch ich zwang mich stehenzubleiben. »Was . . . was sagst du?« wisperte ich.

Erneut drehte sie sich vom Spiegel zu mir um. Ihre Stimme klang hart und gebieterisch.

»Du bist vom Stamme ›Nimm‹, Emma! Du mit deiner ruhigen, lammfrommen Art, du nimmst, was du kriegst! Wer hätte je gedacht, daß du so ehrgeizig bist? Du warst so klein, oder etwa nicht, an jenem Tag auf der Straße, als wir dich zuerst sahen, als du hinter uns hergerannt kamst. Du sagtest keinen Piep, und kein Mann hätte sich nach dir umgedreht; also fühlten wir uns alle sicher. Aber weißt du noch, was geschah? — wie es geschah? Zuerst fingst du an, Larry zu helfen, und dann wurde er von dir abhängig. Und

als nächstes kam Con bei jeder Gelegenheit zu dir gerannt.
Mein Vater fraß dir aus der Hand — der zuverlässigen, ver-
nünftigen Emmy, die niemals etwas Verkehrtes tat! Und
zuletzt, als er fliehen mußte, warst du es, zu der Pat kam.
Ich war da — im selben Haus mit euch beiden —, aber Pat
wollte nur dich sehen. Er muß gewußt haben, daß es mir
das Herz brechen würde, aber er kam zu dir . . .« Ihr Kopf
schnellte zurück. »Und Tom nicht zu vergessen! Meinen
Mann! Aber du warst die letzte, mit der er sprach! Ich
wußte, daß er oft dort zu dir kam. Ich weiß, er muß dir
Dinge gesagt haben, die er mir nie zu sagen vermochte.
›Emmy versteht es‹ — ja, Emmy verstand es auch ausgezeichnet, Toms Vater zu umgarnen. Der große John Langley brauchte doch eine vernünftige Frau, jemanden, mit
dem er reden konnte, jemanden, dem er vertrauen konnte.
Na, du sorgtest dafür, daß er sie fand, nicht wahr? Du zeigtest ihm, was für einen Sohn und was für eine Tochter er
hätte haben sollen; denn du wurdest ihm ja beides zugleich. Und du zeigtest ihm, wie eine Mutter sein sollte, als
du dich an meine Kinder heranmachtest. Leugne es nur! —
Du hast dich an sie herangemacht, und sie sind mehr deine
Kinder als meine. Du hast sie alle für dich gewonnen! Alle
— meine Brüder, meinen Mann, meinen Schwiegervater
und meine Kinder! Und darüber hinaus hast du mir den
Mann weggenommen, den ich liebe. Du hast mir Adam
weggenommen!«

Ihre Stimme wurde lauter. »Du hättest sie von mir aus
liebend gern alle haben können! Aber du nahmst mir
Adam weg, und er ist der einzige Mann, den ich je haben
wollte.«

»Warum —?« fragte ich. »Warum hast du bis jetzt gewartet, um mir all dies zu sagen? Wenn du all dies im Herzen mit dir herumgetragen hast, warum hast du es nie vorher gesagt?«

482

»Weil ich dachte, ich brauche dich auch. Aber ich brauche dich nicht! Das weiß ich jetzt.«

Ich sah zu, wie sie ein Schmuckstück nach dem anderen sorgfältig wieder auf sein Samtpolster legte.

»Du kannst sie alle haben. Nimm sie alle, Emma — und mögen sie dir gut bekommen! Nimm das Geld und die Macht und den Namen! Wenn es das ist, was du haben willst, nimm es dir! Sogar meine Kinder werden dir am Ende zufallen, denn ich weiß genau, daß, falls ich versuche, sie mitzunehmen, er mich bis hinauf zum höchsten Gerichtshof in England verfolgen wird. Und er wird gewinnen. Bist du überrascht? Seit wann hat eine Mutter mit beflecktem Ruf je im Kampf mit Geld und Anwälten gewonnen?«

Sie schob das Schloß ihres Schmuckkastens zu und drehte den Schlüssel um.

»Ich weiß nicht, warum es mir nicht eher einfiel«, fuhr sie fort, »aber es wurde mir endgültig klar, als ich jene zugezogenen Vorhänge im Wagen sah. Ich werde nicht hierbleiben, um jeden Tag ein bißchen mehr in diesem Haus zugrunde zu gehen. Ich bin fertig damit! Es gibt nur eine Sache, die wirklich mir gehört, außer diesem Schmuck, an die keiner von euch gedacht hat. Ich weiß, daß ihr bis jetzt noch nicht daran gedacht habt, weil keiner von euch versucht hat, sie mir wegzunehmen. Mir gehört immer noch Toms Anteil an der ›Emma Langley‹, und ich habe vor, das zu nutzen. Ich werde heute abend mit Adam mit der Flut fortsegeln.«

Rose war innerhalb einer Stunde fort, nur mit ihrem Schmuckkasten und einer kleinen Reisetasche. Sie hatte ihr schwarzes Kleid und den Schleier abgelegt und trug ein blaues Reisekostüm. Sie schickte nicht nach der Kutsche, sondern besorgte sich selbst eine Droschke. Beinahe zehn

Minuten lang mußte sie auf eine warten und stand dabei mit dem Rücken zum Langley-Haus, als existiere es überhaupt nicht. Es war ihre letzte verachtungsvolle Geste, ihre letzte höhnische Gebärde den Langleys gegenüber.

Die Tatsache, daß John Langley nicht da war, um es zu sehen, muß es ihr etwas verdorben haben. Nur die fragenden Blicke der Dienstboten folgten ihr und Elizabeths Fragen an mich, denen ich auszuweichen versuchte. Rose stattete dem Schulzimmer einen letzten kurzen Besuch ab; doch erfuhr ich nie, was sie in jenen wenigen Minuten zu den Kindern sagte. Dagegen blieben die Worte, die sie mir zuwarf, als sie herunterkam, meinem Gedächtnis eingeprägt. Es waren ihre letzten Worte an mich.

»Sie werden mich nie brauchen, solange du hier bist.«

Nachdem sie fort war, ging ich in ihr Zimmer. Als erstes zog ich die Gardinen zurück und ließ die Nachmittagssonne hereinfluten. Dann drehte ich mich um und betrachtete die Unordnung des Zimmers und erkannte, daß es Dinge über seine Bewohnerin gab, die ich nie gekannt hatte, und Dinge über mich selbst, die ich zum erstenmal entdeckte.

Ich fand mich in Roses großem Sessel sitzen, auf die Uhr auf dem Kaminsims starren und zusehen, wie ihre Zeiger sich mit großer Behutsamkeit sechs Uhr näherten, dem Zeitpunkt also, an dem die »Emma Langley« auslaufen würde. Ich vermochte mich nicht aufzuraffen, um zu überlegen, wie ich Rose aufhalten oder Adam anflehen könnte, weil ich wußte, daß ich nicht nur Minuten oder Stunden zu spät kam, sondern viele Jahre. Acht Jahre war es her, seit Rose mit Tom durchgebrannt war, um nicht meine Trauung mit Adam mitanzusehen; aber nach acht Jahren hatte sie ihn endgültig gewonnen, und ich hatte verloren. Ich hatte mich bis jetzt geweigert zuzugeben, daß er jemals ganz ihr gehören könnte; doch jetzt wußte ich, daß er mich für immer verlassen hatte und nie mehr zurückkommen würde, wenn Rose nun auf der »Emma Langley« erschien.

Ich hörte, während ich dort saß, wieder ihre Worte: Du bist vom Stamme »Nimm«, Emma! Es war nicht die ganze Wahrheit. Die Wahrheit lag in der Mitte zwischen Geben und Nehmen. Ich hatte ihr keinen Platz im Leben ihrer Familie weggenommen, den sie jemals selbst hatte einnehmen wollen. Adam jedoch war der Mensch, um den wir beide gekämpft hatten, und hier war die Wahrheit schwieriger zu finden. Ich hatte ihm viel gegeben, doch nicht genug genommen. Ich hatte von ihm nicht die Tribute der Liebe gefordert; ich hatte ihn allein gelassen, mit seinen Gedanken und Wünschen — seiner Liebe zu Rose, seiner Liebe zu Schiffen und zur See. Ich hatte sein Leben in keiner Weise gestört, hatte keine Opfer von ihm verlangt, hatte ihm keine Verantwortung aufgebürdet. Ich hatte ihm keine Kinder zu geben vermocht, hatte jedoch selbst die ganze Schuld dafür getragen und nie bei ihm Trost oder Erleichterung gesucht. Ich war zu stoisch gewesen, wenn ich zutiefst verletzt worden war, hatte nicht laut nach den Dingen aufgeschrien, die ich mir wünschte, hatte nie die Tränen und Drohungen und Bitten angewandt, welche die Waffen der Frau sind. Ich hatte so wenig von mir gehalten, daß ich nicht geglaubt hatte, ich sei wert, geliebt zu werden. Ich erwartete wenig und hatte deshalb auch wenig erhalten. Ich hatte beinahe nichts von Adam genommen, und das war der Grund, warum ich ihn verloren hatte.

Sein Leben würde von jetzt an mit Rose eine Qual sein. Es würde ein Leben sein voller Chaos, das er haßte. Von der ruhigen Routine, die Adam liebte, würde nichts übrigbleiben; keinen Tag mehr würde er in entspanntem Frieden leben. Er würde jederzeit auf ihren Ruf und Wink bereit sein müssen — ihren Allüren und Launen Tag und Nacht ausgeliefert sein. Er würde wie ein Sklave schuften, um das Geld zu verdienen, das ihm so wenig bedeutete, damit sie ihre Bequemlichkeiten hatte, die Kleider und Dienstboten, die sie verlangte. Rose würde nie einen Fußboden schrubben oder einen Unterrock flicken, und Adam würde es nie von ihr erwarten. Es würde eine Hölle für den Gewohnheitsmenschen werden, den ich zu kennen glaubte. Doch würde er jeden Augenblick voll und ganz erleben und lebendig sein. Sie würde ihm nie erlauben, sie anzuschauen, ohne sie zu sehen. Er würde jede Stunde jedes Tages, die sie zusammen waren, fühlen und spüren und begreifen, und wenn sie getrennt waren, würde er unter der plötzlich nicht vorhandenen Qual leiden. Sie würde ein Pfahl in seinem Fleisch sein und ihn vorwärts treiben. Sie würde auch ein Leitstern sein. Sie wurde ihn anrühren und bewegen und schütteln, und er würde sich fragen, weshalb er jemals Frieden gesucht hatte.

Ich starrte auf die Uhr und wußte, es war zu spät für Tränen, zu spät zu flehen. Der Stolz und die Scheu, die mich all diese Jahre davon zurückgehalten hatten, meine Liebe laut zu bekennen, standen mir immer noch im Wege. Ich hatte keine Worte, hinzugehen und ihn anzuflehen, keine Worte, Forderungen zu stellen. Meine Zunge war daran nicht gewöhnt; doch hätte ich mich dazu gezwungen, wenn ich mir einen Erfolg davon versprochen hätte. Aber das Ticken der Uhr war gegen mich. »Zu spät — zu spät!« Ich vermochte einfach nicht länger mit anzusehen, wie ihre Zeiger sich der Flutzeit näherten. Ich erhob mich und ging in mein Zimmer und setzte einen Hut auf. Drei Minuten später war ich auf der Collins Street und ging zwischen den Menschen hindurch, die zum Dinner nach Hause strebten.

Ich ging die Collins Street entlang, und es wurde mir plötzlich klar, wie wenig ich von dieser Stadt kannte, wie wenig sie mich kannte. Nach all den Jahren, die ich hier gelebt hatte, gab es nur einige wenige Orte, die mir vertraut waren, und an denen ich ohne Erstaunen über meine Gegenwart empfangen wurde. Die Maguire-Schenke war einer von diesen; dort konnte ich jetzt nicht hingehen. Ich wollte nicht die Überbringerin der Hiobsbotschaft sein. Das Langley-Haus, das ich gerade verlassen hatte, war ein anderer. Mein eigenes Häuschen war verbrannt, blieb also nur das Geschäft übrig. Wie eng war doch mein Leben — wie einseitig. Adam muß es auch eng und beschränkt gefunden haben. Ich schämte mich, und damit entdeckte ich eine weitere neue Seite in mir. Rasch überquerte ich die Straße zum Warenhaus, als müßte ich mich und all das, was ich so schnell und nicht zu meinem Glück gelernt hatte, verbergen. Das Geschäft schloß gerade, und es waren keine Kunden mehr da. Große Schilder mit der Aufschrift »Feuer-Ausverkauf« hingen über dem Eingang und über jedem Fenster. Ben war sehr geschickt gewesen und hatte die beschädigte Ware sehr geschickt und gefällig gleich am Eingang aufgestapelt, und ich sah, daß wir sogar bei den heruntergesetzten Preisen noch einen Gewinn machen würden. Die Decke war voller Wasserflecke, und alle obersten Regale hatten ausgeräumt werden müssen. Automatisch bemerkte ich diese Dinge mit dem Teil in mir, der noch als die Routine-Frau funktionierte. Als Ben zwischen den Ladentischen auf mich zugeeilt kam, um mich zu begrüßen, fragte ich mich, was er wohl sagen würde, wenn er wüßte, daß ich dies alles genau zu dem Zeitpunkt bemerkte, wo Adam mich auf der »Emma Langley« mit Rose an Bord verließ.

»Miss Emma! Wie schön, daß Ihr wieder hier seid!«

»Wie geht es, Ben?« Sogar in meinen Ohren klang meine Stimme seltsam.

»Emmy? — Was ist los?« Er ergriff meinen Arm. »Seid Ihr krank?«

»Krank? Nein – nicht krank. Nichts ist los. Ich bin nur gekommen, um zu sehen, wie Ihr hier vorankommt. Es war ... merkwürdig ... Es hat mir sehr gefehlt, daß ich nicht jeden Tag herkommen konnte, Ben.«

Er lächelte ein wenig. »Ihr habt uns gefehlt, Miss Emma! Aber wie Ihr seht, haben wir den Laden in Gang gehalten. Der alte Herr ist noch nicht hier gewesen. Wißt Ihr, was er nun vorhat – wird er das Haus wieder aufbauen? Oben ist der Schaden ziemlich groß. Clay hat hier herumgeschnüffelt; aber ich konnte kein Wort aus ihm herausbekommen.«

Ich hätte ihm gern die frohe Nachricht von dem geplanten Gebäude auf der anderen Straßenseite erzählt. Es hätte ihm so gut getan. Doch vermochte ich mich nicht dazu aufzuraffen. Ich war mir einzig und allein der Tatsache bewußt, daß es schon nach sechs Uhr war.

»Wir werden es bald erfahren, ich glaube, morgen.«

»Möchtet Ihr Euch den ersten Stock ansehen? Er ist in recht schlechtem Zustand. Da sind ein paar Löcher im Dach, wo die Feuerwehrleute brennende Latten heraus geschlagen haben. Alles ist klitschnaß geworden. Die Möbel sind hin – aber sie waren ja zum Glück nicht viel wert. Wie gut, daß ich Euch nie zu dem schicken Büro habe überreden können.«

»Das nächste wird schick, Ben! Alles Mahagoni! Sehr üppig! Ich werde eine ganz große Dame, Ben. Was habe ich schließlich jetzt noch zu verlieren?«

Er runzelte die Stirn und griff erneut nach meinem Arm: »Fehlt Euch wirklich nichts, Emmy? Ihr scheint so ...« Er brach ab und zupfte an seinem Schnurrbart. »Emmy – warum seid Ihr hier? Ich dachte, die ›Emma Langley‹ liefe heut' abend aus. Ich dachte, Ihr wäret bestimmt unten an der Hobson's Bay.«

Ich lachte kurz auf. »Oh, Adam kennt allmählich den

Weg aus der Bay.« Und ich entzog mich seinem Griff. Ich warf noch einen Blick nach oben. »Nein — kommt nicht mit! Ich möchte allein raufgehen. Schließt bitte ab, ja, Ben? Ich schließe die Vordertür ab, wenn ich gehe.«

»Emmy — einen Augenblick!«

»Morgen, Ben! Morgen!«

Damit wandte ich mich von ihm ab und ging zwischen den Ladentischen zur Hintertreppe und wußte, daß er und die Verkäuferinnen, die eigentlich aufräumen sollten, mir nachstarrten. Ob ich so eigenartig aussah? Ob endlich einmal das, was in mir war, die ruhige, gut funktionierende Fassade, die Emma Langley hieß, durchbrochen hatte? Und ich lächelte verzerrt, als ich die zerbrochenen Stufen hinaufzusteigen begann; denn falls es wirklich geschehen war, war es zu spät gekommen.

Der ramponierte Tisch in meinem Zimmer stand an seinem Platz, und jemand — wahrscheinlich Ben — hatte versucht, Ordnung zu schaffen. Die Feuerwehrleute hatten jedoch alles aus den Regalen gerissen, um an die schwelende Mauer zu gelangen, und so war der Fußboden jetzt mit Papieren und Büchern besät. Es überraschte mich, wie viele es waren. Wer hätte geahnt, daß ich in diesen wenigen Jahren so viel vom Gepäck eines Kaufmannes um mich herum angesammelt hatte? Ich bückte mich und drehte das nächstbeste Kontobuch um und sah, daß es das Datum unseres ersten Geschäftsjahres trug. Ich erinnerte mich daran, daß ich beim Schreiben der meisten Seiten von einem glühenden Haß auf Rose erfüllt gewesen war und unter der Erinnerung an jenen Morgen litt, an dem sie Adam zu bewegen versucht hatte, sie von Langley Downs mit fortzunehmen. Ich hatte jedoch nicht Adam die Schuld gegeben und hatte nie mit ihm darüber gesprochen. Das war mein Fehler gewesen — diese Torheit der Selbstverleugnung, die mich schließlich Adam gekostet hatte. Ich legte das Kontobuch wieder hin, ging einen Schritt weiter und hob eine rußgeschwärzte Puppe auf, die Anne gehörte. Die Hitze hatte das Wachs schmelzen lassen, und sie sah verunstaltet und häßlich aus. Ich ließ sie auf den Haufen zurückfallen. Dann gelangte ich an meinen Tisch, an den Ben wieder meinen Stuhl gestellt hatte, als hätte er mich gleich am ersten Morgen nach dem Unglück zurückerwartet. Sie kannten meine Gewohnheiten, diese Menschen. Ich hatte nie jemanden in Erstaunen versetzt. Ich setzte mich an den Tisch und nahm sorgfältig den Raum in mich auf, betrachtete die Dinge, die mich und das Geschäft und die Langley-Kinder repräsentierten. Hatte ich um dieser Dinge willen Adam verloren? Es war aber nicht genug. Und dann tat ich, was ich in der Vergangenheit zu selten getan hatte. Ich ließ den Kopf in meine Arme auf dem Tisch sinken und weinte.

Alle Geräusche ringsum waren verstummt. Die Collins Street war zur Ruhe gekommen, nachdem die Käufer verschwunden waren und es die Bummler zur Bourke Street und den unterhaltsameren Stadtteilen gezogen hatte. Der Laden unter mir war abgeschlossen und verlassen. Hilflos blickte ich mich um und versuchte zu überlegen, wohin ich gehen und was ich tun sollte. Niemals zuvor hatte ich nicht gewußt, was ich tun sollte. So blieb ich einfach dort, während das sommerliche Dämmerlicht dunkler wurde. Ich hatte aufgehört zu weinen, doch mein Kopf lag noch auf meinen Armen, und mein Gesicht war noch naß von den Tränen; aber ich machte mir nicht die Mühe, sie wegzuwischen. Ich saß noch dort, in mich zusammengekauert, als ich das Geräusch vernahm, die Schritte im Laden und dann auf der Treppe, behutsame Schritte, weil es dunkel war und die Trümmer des Brandes im Wege lagen.

»Adam?« flüsterte ich. »Adam!«

Er stand im Schatten der Türöffnung. »Ich bin ins Langley-Haus gegangen und habe dich gesucht. Sie wußten nicht, wo du warst, also kam ich hierher. Ich dachte mir, du würdest hier sein.«

Ich erhob mich halb und sank dann matt in den Stuhl zurück. »Du solltest doch mit der Flut auslaufen . . .«

»Die ›Emma‹ ist ausgelaufen — mit Verspätung. Fast hätte sie die Flut verpaßt.«

»Ohne dich?«

»Ich hab' Ralph Nevins das Kommando übertragen. Er ist ein tüchtiger Kapitän. Er wird sie gut steuern.«

»Aber du . . .? Rose . . .? Wo ist Rose?«

»An Bord.«

»Allein? Sie ist allein gegangen?«

Er schüttelte den Kopf und trat nun aus dem Schatten der Tür. Er kam dicht an meinen Tisch, stützte sich darauf und starrte auf mich herunter.

»Sie war nicht allein. Rose könnte nie allein sein. Dalkeith ist mit ihr gefahren. Darum mußten wir die ›Emma‹ so lange halten — um auf ihn zu warten.«

»Dalkeith! Aber sie sagte . . .«, ich brach ab. »Warum ließest du die ›Emma‹ ohne dich segeln?«

Er zuckte die Achseln. »Ich bin nicht ihr alleiniger Besitzer. Ihnen gehören zusammen zwei Drittel des Schiffes. Vielleicht kommt die ›Emma‹ nie wieder hierher zurück. Sie verkaufen sie vielleicht in England — oder schicken sie woanders hin. Ich seh' sie vielleicht nie wieder.«

Ich streckte meine Hände aus und berührte seine — nein, mehr als das, packte sie fest und besitzhungrig. »Gab es eine Wahl für dich, Adam? Gab es eine für dich?«

»Ja.«

»Du hättest statt Dalkeith fahren können? Sie bot dir das an?«

Er zögerte nur eine Sekunde und sah mich dann voll an.

»Ja.«

Ich ließ einen lang angehaltenen Atemzug ausströmen, und mein Griff um seine Hände erschlaffte.

»Doch du ließest die ›Emma‹ fahren . . . deine größte Liebe —!«

Er lehnte sich näher zu mir und beugte sich so herunter, daß wir uns sehr nahe waren. »Meine größte Liebe?« wiederholte er. Er sprach sehr langsam. »Ich glaube, kein Mensch weiß jemals, was das ist, bis sie ihn beinahe verläßt . . . bis er sie beinahe verläßt. Dann erst weiß er es.«

»Weißt du es, Adam?«

»Ich weiß es — ja, ich weiß es.«

Vielleicht stimmte es nicht; aber jetzt würde ich es glauben. Rose war aus unserem Leben gewichen. Wir waren frei. Keine Frau würde jemals für Adam neben seiner Liebe zu seinem Schiff und dessen Anziehungskraft zählen; doch hatte er seine größte Liebe geopfert und war hierher zu mir zurückgekehrt. Er bot es mir an — ruhig, scheinbar unbewegt, wie alles immer bei Adam erschien. Der Wille und die Absicht waren da aus freiem Entschluß und warteten darauf, angenommen zu werden. Jetzt war es an mir, die neuen Wege der Liebe zu lernen. Dieser Mann gehörte mir so, wie er je einer Frau gehören würde; jetzt mußte ich mir sein Herz und seine Leidenschaft erkämpfen.

Band 12024

Catherine Gaskin
Die englische
Erbschaft

Dreitausend Seemeilen und ein unermeßlicher Fluchtweg
des Hasses liegen zwischen England und der karibischen
Insel, auf der Ginny Tilsits Vater eine kümmerliche Zucker-
rohrplantage betreibt.
Als er vom Tod seiner verhaßten Schwester erfährt, stirbt
auch er und nimmt das Geheimnis, warum sie und nicht er
die Porzellanmanufaktur in Tilsit geerbt hat, mit ins Grab.
Ginny macht sich auf nach England, um ihr Erbe anzutre-
ten. Doch niemand hat sie vor dem düsteren Geheimnis
gewarnt, das dort auf sie lauert...

Band 12358

Catherine Gaskin
Wie Sand am Meer

Australien um 1800 – ein wildes, weitgehend unbesiedeltes
Land. Immer wieder bringen Sträflingsschiffe Verbannte von
England nach Sydney. Auch Sara Dane befindet sich auf
einem dieser Schiffe. Schön, gebildet und unschuldig, fährt
sie einem ausweglosen Schicksal entgegen. Doch Sara hat
Glück. Der junge Schiffsoffizier Andrew Maclay verliebt sich
in sie und heiratet sie nach der Ankunft in Sydney. Doch
nun muß sie sich ihren schmerzlichen Erinnerungen und
dem harten Leben der Pioniere stellen...

Band 12047

Al Ramrus
Der schwarze Palast

Das Drama einer großen Liebe vor der Kulisse der Pyramiden

Ende 18. Jahrhundert: Aus den schneebedeckten Wäldern Georgiens entführten Sklavenhändler die junge Tamar in eine ferne, unwirkliche Welt. Am Hof des Mameluckenherrschers in Ägypten soll sie zur Haremsdame ausgebildet und mit allen erotischen Künsten des Orients vertraut gemacht werden. Als sie sich in einen jungen Offizier verliebt und mit ihm in die Freiheit fliehen will, gerät sie zwischen die Fronten zweier völlig verschiedener Welten. Die Reitergeschwader der Mamelucken und die Artilleriebataillone des jungen Napoleon Bonaparte prallen aufeinander...

Band 12043

Patricia Shaw
Südland

Eine australische Familiensaga

Eine pralle Geschichte von Pionieren und Abenteurern, von
tödlichen Gefahren und der Gier nach Land und Macht –
vor allem von starken Frauen, die für ihren Traum von einem
neuen Leben in einer noch fremden Welt zu kämpfen bereit
sind.